Kosten- und Leistungsrechnung

Von

Dr. Dieter Moews

Professor für Betriebswirtschaftslehre

Vierte Auflage

R. Oldenbourg Verlag München Wien

CIP-Titelaufnahme der Deutschen Bibliothek

Moews, Dieter:
Kosten- und Leistungsrechnung / von Dieter Moews. – 4. Aufl.
– München ; Wien : Oldenbourg, 1991
    ISBN 3-486-21887-5

Gesamtherstellung: R. Oldenbourg Graphische Betriebe GmbH, München

ISBN 3-486-21887-5

Inhaltsverzeichnis

Vorwort zur dritten Auflage

Das Buch wurde in allen fünf Kapiteln überarbeitet, dabei teilweise neu gefaßt und an mehreren Stellen wesentlich erweitert, ohne daß die Systematik des Aufbaus nennenswert verändert wurde.

Die umfangreichsten Veränderungen wurden im einführenden Kapitel vorgenommen, insbesondere im Abschnitt über die kostentheoretischen Grundlagen. Hier erschienen vor allem die grafischen Darstellungen der Abhängigkeitsbeziehungen vielen Lesern als zu stark komprimiert. Einen weiteren Schwerpunkt der Neubearbeitung bildete die Anpassung an den neuen Industrie-Kontenrahmen, den der Bundesverband der Deutschen Industrie im Anschluß an die Novellierung der handelsrechtlichen Rechnungslegungsvorschriften kurz nach Erscheinen der ersten Auflage dieses Buches veröffentlicht hatte. Schließlich wurde das vierte Kapitel um zwei zusätzliche Beispiele zur Aussagefähigkeit der Teilkostenrechnung erweitert.

Zu Dank bin ich allen Lesern der ersten beiden Auflagen verpflichtet, die mich freundlicherweise auf Druckfehler und andere Verbesserungsmöglichkeiten aufmerksam gemacht haben.

Dieter Moews

Vorwort zur ersten Auflage

Dieses Buch ist aus meiner langjährigen Lehrerfahrung im betrieblichen Rechnungswesen erwachsen. Es stellt quasi die 7. Auflage eines Lehrskripts dar, dessen erste Auflage ich in zwei kleinen Bänden in den Jahren 1969/70 im Eigenverlag herausgegeben hatte. In der Zwischenzeit war das Skript mehrmals neu konzipiert und ständig erweitert worden. Die rege Nachfrage nach dem Skript, die weit über den Kreis meiner Hörer hinausging, hat mich veranlaßt, das Buch nun einem größeren Leserkreis zugänglich zu machen. Es wendet sich in allererster Linie an die Studenten an wissenschaftlichen Hochschulen und Fachhochschulen, kann aber sicherlich auch bereits im Unterricht an Fachoberschulen, Berufsschulen und ähnlichen Einrichtungen eingesetzt werden. Kenntnisse in doppelter Buchhaltung (Finanzbuchhaltung und Jahresabschluß) sollte der Leser jedoch besitzen.

Nach einer einführenden Darstellung von Zwecken und Grundbegriffen der Kosten- und Leistungsrechnung sowie einer kurzen Erörterung kostentheoretischer Grundlagen werden in dieser Schrift die Betriebsabrechnung und die Kalkulation zunächst ausschließlich als Istkostenrechnung auf Vollkostenbasis beschrieben. Die Erfahrung hat gezeigt, daß dieses Vorgehen zumindest für den Anfänger didaktisch zweckmäßig ist. Andere Kostenrechnungssysteme werden – von einem Überblick im ersten Kapitel einmal abgesehen – erst anschließend vorgestellt. So wird beispielswiese erst am Schluß der Betriebsabrechnung zur Gemeinkostenverrechnung mit Normalzuschlagssätzen übergegangen, und erst im Anschluß an die Vollkostenkalkulation werden die Verfahren der Teilkostenrechnung und ihre Aussagefähigkeit beschrieben. Dem letzten Kapitel bleibt dann das System der Plankostenrechnung vorbehalten, die sowohl auf Basis der vollen Kosten als auch auf Teilkostenbasis (Grenzplankostenrechnung) dargestellt wird.

In dem Abschnitt über die Organisation der Betriebsbuchhaltung werden u.a. der Gemeinschafts-Kontenrahmen der Industrie von 1951 (GKR) und der Industrie-Kontenrahmen von 1971 (IKR) vorgestellt. Obwohl der IKR nach seiner Einführung durch den Bundesverband der Deutschen Industrie im Jahre 1971 in der Literatur wie in der Praxis breite Zustimmung gefunden hatte, wendet auch heute noch mehr als die Hälfte aller Industrieunternehmungen den alten Gemeinschafts-Kontenrahmen an. Trotzdem habe ich mich entschlossen, den kontenmäßigen Darstellungen der Betriebsabrechnung in dieser Schrift ausschließlich den „neuen" Industrie-Kontenrahmen zugrunde zu legen. Die gedankliche Übertragung der Buchungstechnik auf den alten Gemeinschafts-Kontenrahmen dürfte dem Leser ohnehin nicht allzu schwer fallen. Eine parallele Darstellung der buchtechnischen Zusammenhänge sowohl nach altem wie nach neuem Kontenrahmen würde jedenfalls nicht nur den Umfang des Buches erheblich erweitern, sondern auch den Leser vermutlich mehr verwirren als ihm nützen.

Jedes Hauptkapitel, in der Betriebsbuchhaltung sogar jedes Unterkapitel, schließt mit einer Sammlung von Testfragen und Übungsaufgaben ab, die dem Leser eine Überprüfung des angeeigneten Wissens ermöglichen sollen. Damit die Aufgaben auch im Unterricht, insbesondere in Tutorien, verwendet werden können, wurde auf die Wiedergabe der Lösungen in dieser Schrift verzichtet.

Über kritische Anmerkungen und Verbesserungsvorschläge aus dem Kreis der Leser würde ich mich sehr freuen.

Dieter Moews

1. Kapitel:
Einführung

1.1 Wesensmerkmale der Kosten- und Leistungsrechnung

1.1.1 Pagatorische und kalkulatorische Rechnungen

Das betriebliche Rechnungswesen gliedert sich in einen pagatorischen und einen kalkulatorischen Teil. Der pagatorische Teil umfaßt alle Finanz- und Liquiditätsrechnungen, der kalkulatorische Teil die gesamte Kosten- und Leistungsrechnung. Die Bezeichnung „pagatorisch"[1] geht auf das neulateinische Verb „pagare" (= zahlen, bezahlen) zurück. „Pagatorisch" heißt soviel wie „auf Zahlungsvorgängen beruhend".

Die Unterscheidung zwischen pagatorischem und kalkulatorischem Rechnungswesen beruht vor allem auf der unterschiedlichen Rechnungsgrundlage. Sie geht letztlich auf die Tatsache zurück, daß in der Wirtschaft nahezu alle **Realgüterbewegungen** von entgegengesetzten **Nominalgüterbewegungen** (Einnahmen und Ausgaben) begleitet werden.

Die **pagatorische Rechnung** knüpft dabei an den Nominalgüterstrom an, d.h. die Rechnungsgrundlage der pagatorischen Rechnung bilden die Einnahmen und Ausgaben. Das pagatorische Rechnungswesen umfaßt daher die Realgüterbewegungen nur insoweit, als sie mit Einnahmen und Ausgaben verbunden sind. Die Begriffe „Einnahmen" und „Ausgaben" sind in der pagatorischen Theorie[2] weit zu fassen: Darunter fallen nicht nur gegenwärtige Zahlungen („Bareinnahmen" und „Barausgaben" im Sinne von Zahlungen mit Noten und Münzen oder mit sog. Buch- oder Giralgeld), sondern auch zukünftige Zahlungen („Voreinnahmen" und „Vorausgaben") und Zahlungen in der Vergangenheit („Nacheinnahmen" und „Nachausgaben"). Die Erfolgskomponenten der pagatorischen Rechnung sind somit erfolgswirksame Einnahmen (= Erträge) und erfolgswirksame Ausgaben (= Aufwendungen).

Die Bezugsgrundlage des **kalkulatorischen Rechnungswesens** bilden demgegenüber unmittelbar die Realgüterbewegungen im Rahmen des betrieblichen Produktionsprozesses, unabhängig davon, ob sie mit Zahlungen im Zusammenhang stehen oder nicht. Nicht erfaßt werden von der kalkulatorischen Rechnung also diejenigen Gütervorgänge, die nicht Gegenstand des betrieblichen Produktionsprozesses sind (z.B. Spekulationsgewinne oder -verluste). Dagegen erfaßt die kalkulatorische Rechnung auch solche Gütervorgänge im Rahmen des betrieblichen Produktionsprozesses, die nicht mit Zahlungen verbunden sind, wie z.B. die Arbeitsleistung des Unternehmers („kalkulatorischer Unternehmerlohn") oder die Nutzung des Eigenkapitals (in den „kalkulatorischen Zinsen" enthalten).

---

[1] Den Begriff „pagatorisch" hat Kosiol in die Betriebswirtschaftslehre eingeführt. Vgl. Kosiol, Erich: Pagatorische Bilanz. Berlin 1976, S. 356-359.

[2] Siehe Kosiol, Erich: Buchhaltung als Erfolgs-, Bestands- und Finanzrechnung. Berlin – New York 1977, S. 32ff.; vgl. ferner die Ausführungen im Kapitel 1.3.2.

Zentralbegriffe der kalkulatorischen Rechnung sind „Leistung" und „Kosten". Die Leistungen bilden die positive Komponente und die Kosten die negative Komponente des kalkulatorischen Erfolgs. Übersteigen die Leistungen die Kosten, liegt ein kalkulatorischer Gewinn vor, sind die Kosten größer als die Leistungen, sprechen wir von einem kalkulatorischen Verlust. Eine Definition der Begriffe Kosten und Leistungen folgt weiter unten im Kapitel 1.3.4.

1.1.2 Teilbereiche des kalkulatorischen Rechnungswesens

Das betriebliche Rechnungswesen wird traditionell in die vier Bereiche **Buchhaltung, Kalkulation, Statistik und Planung** eingeteilt[3]. Dieser Gliederung liegt jedoch nicht ein einheitliches Merkmal zugrunde, vielmehr sind es vier verschiedene Gliederungsmerkmale, durch die sich die Teilbereiche des betrieblichen Rechnungswesens unterscheiden:

a) Nach der **Rechnungsgrundlage** unterscheidet man, wie oben bereits ausgeführt, zwischen pagatorischen und kalkulatorischen Rechnungen.
b) Nach dem **Bezugsinhalt** lassen sich periodenbezogene und objektbezogene Rechnungen unterscheiden. Abrechnungsperioden können ein Jahr, ein Quartal, ein Monat oder sogar ein Tag sein. Abrechnungsobjekt ist die Leistungseinheit, z.B. ein Stück, ein Kilogramm, eine Tonne, ein Meter, ein Quadratmeter, ein Kubikmeter, ein Liter, ein Hektoliter, ein Tonnenkilometer, eine Kilowattstunde, aber auch 1000 kWh oder 100 Stück eines Erzeugnisses oder auch ein Kundenauftrag, ein Fertigungslos o.ä.
c) Nach dem **Rechnungszeitpunkt** unterscheidet man zwischen vergangenheitsbezogenen und zukunftsbezogenen Rechnungen. Vergangenheitsbezogene Rechnungen werden erst erstellt, nachdem die entsprechenden Güterströme stattgefunden haben. Zukunftsbezogene Rechnungen sind Planungsrechnungen.
d) Nach dem **Rechnungsziel** lassen sich Ermittlungs- und Auswertungsrechnungen unterscheiden. Das Wesen von Auswertungsrechnungen ist darin zu sehen, daß sie bereits ermittelte Rechnungsgrößen für weitere Zwecke verwenden, diese zu anderen Größen in Beziehung setzen und damit einer zusätzlichen rechnerischen Behandlung unterwerfen[4].

Die **Buchhaltung** ist stets eine vergangenheitsbezogene Periodenrechnung. Der Buchhaltung können Einnahmen und Ausgaben zugrunde liegen; dann nennt man sie pagatorische Buchhaltung, Finanzbuchhaltung oder Geschäftsbuchhaltung. Die Buchhaltung kann aber auch an den Realgüterstrom im Rahmen des betrieblichen Produktionsprozesses anknüpfen und heißt dann kalkulatorische Buchhaltung oder Betriebsbuchhaltung.

Die **Kalkulation** ist stets eine objektbezogene Rechnung („Stückkostenrechnung"). Sie kann sowohl auf die Vergangenheit (Nachkalkulation) als auch auf die Zukunft (Vorkalkulation) bezogen sein.

---

[3] Siehe u.a. Wöhe, Günter: Einführung in die Allgemeine Betriebswirtschaftslehre. 16. Aufl., München 1986, S. 865f.
[4] Vgl. Kosiol, Erich: Kostenrechnung und Kalkulation. 2. Aufl., Berlin – New York 1972, S. 16.

Planungsrechnungen sind stets zukunftsbezogen. Sie treten sowohl im pagatorischen Bereich (Finanzplanung i.w.S.) als auch im kalkulatorischen Bereich auf. Kalkulatorische Planungsrechnungen können sich auf einen Zeitraum (Plankostenrechnung) oder ein Objekt (Vorkalkulation) beziehen.

Die **Statistik** ist stets eine Auswertungsrechnung, während die zuvor genannten Zweige des betrieblichen Rechnungswesens die Ermittlung irgendwelcher Rechnungsgrößen zum Ziel haben. Auswertungsrechnungen treten sowohl im pagatorischen Bereich (z.B. die Bilanzanalyse oder Finanzstatistiken aller Art) als auch im kalkulatorischen Bereich auf (z.B. Kostenanalysen und -vergleiche oder Optimalmodelle verschiedenster Art, bei denen die Kosten in der Zielfunktion enthalten sind).

Tab. 1: Systematische Gliederung des betrieblichen Rechnungswesens

		Pagatorische Rechnungen	Kalkulatorische Rechnungen	
		Periodenbezogene Rechnungen		Objektbezogene Rechnungen
Ermittlungsrechnungen	Vergangenheitsbezogene Rechnungen	Finanzbuchhaltung	Betriebsbuchhaltung	Nachkalkulation
	Zukunftsbezogene Rechnungen	Finanzplanung	Plankostenrechnung	Vorkalkulation
Auswertungsrechnungen		Bilanzanalysen, Finanzstatistiken usw.	Kostenanalysen, Kostenvergleiche, diverse Optimalmodelle usw.	

Zusammenfassend ergibt sich unter Verwendung der oben genannten vier Merkmale die in Tabelle 1 wiedergegebene systematische Gliederung des betrieblichen Rechnungswesens.

In der vorliegenden Schrift werden die folgenden Teilbereiche des kalkulatorischen Rechnungswesens behandelt:

a) die Betriebsbuchhaltung im Kapitel 2;
b) die Kalkulationsverfahren
   (1) auf Vollkostenbasis im Kapitel 3;
   (2) auf Teilkostenbasis im Kaptiel 4;
c) die Plankostenrechnung im Kapitel 5;
d) diverse Kostenauswertungsrechnungen im Rahmen der Betriebsbuchhaltung, der Kalkulation, der Teilkostenrechnung und der Plankostenrechnung.

1.1.3 Unterschiede zwischen Finanz- und Betriebsbuchhaltung

a) Orientierungsrichtung:

Die Finanzbuchhaltung ist in erster Linie **extern** orientiert, d.h. sie bildet die **offizielle Gesamtabrechnung der Unternehmung,** deren Ergebnisse veröffentlicht oder anderen Institutionen oder Personen außerhalb der Unternehmung (Finanzbehörden, Gerichte, Gläubiger, Aktionäre) zugänglich gemacht werden.

Aus diesem Grunde hat die Finanzbuchhaltung auch bestimmte Rechtsnormen, insbesondere handels- und steuerrechtliche Vorschriften, zu beachten.

Demgegenüber ist die Betriebsbuchhaltung **intern** orientiert, d.h. sie stellt eine inoffizielle, **betriebsinterne Abrechnung** dar, deren Ergebnisse grundsätzlich keinen externen Institutionen oder Personen bekanntgegeben werden. Deshalb gelten die handels- und steuerrechtlichen Vorschriften für das Rechnungswesen auch nicht für die Betriebsbuchhaltung.

In einem Ausnahmefall hat die Kostenrechnung allerdings doch externen Charakter: Wenn bei öffentlichen Aufträgen kostendeckende Preise vereinbart werden, muß die Kostenrechnung dem öffentlichen Auftraggeber gegenüber offengelegt werden. Die hierbei zu beachtenden Rechtsnormen sind die Verordnung über die Preise bei öffentlichen Aufträgen (VPöA) vom 21.11.1953 in der Fassung vom 12.12.1967 und die zugehörigen Leitsätze für die Preisermittlung auf Grund von Selbstkosten (LSP) in der Fassung vom 23.12.1954. Im Bauwesen gelten für öffentliche Aufträge andere, aber in weiten Teilen ähnliche Vorschriften: die Verordnung über die Preise für Bauleistungen bei öffentlichen oder mit öffentlichen Mitteln finanzierten Aufträgen (BPVO) vom 6.3.1972 und die zugehörigen Leitsätze für die Ermittlung von Preisen für Bauleistungen auf Grund von Selbstkosten (LSP-Bau).

b) Rechnungsgrundlage:

Wie im Kapitel 1.1.1 bereits dargelegt wurde, bildet der Nominalgüterstrom in der Unternehmung die Rechnungsgrundlage der Finanzbuchhaltung. Die Finanzbuchhaltung knüpft also an die **Einnahmen und Ausgaben** an und erfaßt Realgüterbewegungen nur insoweit, als sie mit Zahlungsvorgängen verbunden sind.

Die Betriebsbuchhaltung knüpft dagegen **unmittelbar an die Gütervorgänge selbst** an, soweit sie den Produktionsprozeß betreffen. Daraus folgt, daß in der Betriebsbuchhaltung einerseits diejenigen Gütervorgänge, die nicht aus dem betrieblichen Produktionsprozeß resultieren, aus der Rechnung ausgesondert werden, aber andererseits auch solche Gütervorgänge erfaßt werden, die nicht mit Zahlungsvorgängen in Verbindung stehen.

c) Erfolgskomponenten:

Die Erfolgskomponenten der Finanzbuchhaltung heißen **Erträge** und **Aufwendungen,** die Erfolgskomponenten der Betriebsbuchhaltung sind die **Leistungen** und die **Kosten.**

d) Erfolgsausweis:

In der Finanzbuchhaltung kann der Gesamterfolg (der pagatorische Periodenerfolg) stets nur **undifferenziert für die Unternehmung als Ganzes** ausgewiesen werden. Demgegenüber wird das Gesamtergebnis in der Betriebsbuchhaltung zerlegt in den kalkulatorischen Periodenerfolg (Betriebsergebnis) und den nicht betriebsbedingten Periodenerfolg (Neutralergebnis), und darüber hinaus wird der kalkulatorische Periodenerfolg **nach einzelnen Produktarten oder Produktgruppen differenziert** ermittelt.

e) Länge der Abrechnungsperiode:

Die Finanzbuchhaltung wird im Regelfall nur **einmal jährlich** abgeschlossen, während die Betriebsbuchhaltung meist **monatlich,** mindestens aber vierteljährlich, abschließt.

f) Dauer der Erfolgsermittlung:

In der Finanzbuchhaltung nimmt die Ergebnisermittlung im allgemeinen einen Zeitraum von **zwei bis drei Monaten** nach Ablauf des Geschäftsjahres in Anspruch. In der Betriebsbuchhaltung wird der kalkulatorische Periodenerfolg wesentlich schneller, im allgemeinen innerhalb von **10 bis 20 Tagen,** ermittelt. Ein vorläufiges Betriebsergebnis (kalkulatorischer Sollerfolg), das auf der Grundlage normalisierter Gemeinkostenzuschläge ermittelt wird[5], steht sogar bereits **innerhalb der ersten drei Tage** des neuen Monats zur Verfügung.

1.2 Aufgaben der Kosten- und Leistungsrechnung

Das betriebliche Rechnungswesen hat allgemein die folgenden Aufgaben[6]:

a) die **Dokumentationsaufgabe,** die in der zahlenmäßigen Erfassung der Güterströme in der Unternehmung besteht;

b) die **Informationsaufgabe,** die die Rechenschaftslegung und Information von Personen und Institutionen außerhalb der Unternehmung umfaßt;

c) die **Kontrollaufgabe,** die sich auf die Überwachung der Wirtschaftlichkeit erstreckt;

d) die **Dispositionsaufgabe,** die die Bereitstellung zahlenmäßiger Grundlagen für unternehmerische Entscheidungen zum Gegenstand hat.

Der Kostenrechnung fallen all diese Aufgaben ebenfalls zu, wenn auch das Schwergewicht eindeutig auf den beiden zuletzt genannten Aufgaben liegt. Die Dokumentationsaufgabe beschränkt sich auf die zahlenmäßige Erfassung des Leistungsprozesses, betriebsfremde und außerordentliche Einflüsse bleiben ausgeklammert. Die Aufgabe der Information Außenstehender ist auf die wenigen Fälle begrenzt, in denen die Kostenrechnung bei öffentlichen Aufträgen offengelegt werden muß, weil weder ein Marktpreis existiert noch eine Ausschreibung mit Vereinbarung eines Festpreises vorgenommen werden kann[7]. Innerhalb der Kontrollaufgabe besitzt allein die Kostenrechnung die Möglichkeit, eine Aussage über den erreichten Grad der mengenmäßigen Wirtschaftlichkeit zu liefern. Die dispositiven Aufgaben der Kostenrechnung sind sehr vielfältig, besonders hervorzuheben ist jedoch die Bedeutung, die der Kostenrechnung bei der Preisfindung für Einsatzgüter, Einsatzleistungen und Absatzleistungen zukommt.

1.2.1 Kurzfristige Ermittlung des Leistungserfolges

Die Erfolgsermittlung ist keine spezielle Aufgabe der kalkulatorischen Rechnung, vielmehr ist es sogar eine der Hauptaufgaben der Finanzbuchhaltung, den Erfolg vergangener Abrechnungsperioden zu ermitteln. Doch die Finanzbuchhaltung schließt nur einmal jährlich, zum Ende des Geschäftsjahres, ab. Für die

---

[5] Siehe hierzu Kapitel 2.5.6

[6] Vgl. Wöhe, Günter: Einführung in die Allgemeine Betriebswirtschaftslehre, a.a.O., S. 865.

[7] Vgl. die Erläuterungen im Kapitel 1.1.3.

unternehmerische Disposition ist diese Frist zu lang. Der ständige Wechsel der wirtschaftlichen Verhältnisse verlangt eine möglichst laufende und wirklichkeitsnahe Erfassung der Wertbewegungen. Wenn man Störungen im Betriebsablauf und Fehlentwicklungen zur Marktseite hin frühzeitig erkennen will, muß man mehr als einmal jährlich Rechnung legen. Ob die Erfolgsrechnung vierteljährlich oder monatlich durchgeführt werden soll, muß individuell anhand der konkreten Gegebenheiten in der jeweiligen Unternehmung entschieden werden. In der Wirtschaftspraxis überwiegt – soweit überhaupt eine Betriebsabrechnung vorhanden ist – ganz klar der monatliche Abschluß.

Darüber hinaus erfolgt in der kalkulatorischen Rechnung eine Zerlegung des gesamten Periodenerfolgs der Unternehmung in einen leistungsbedingten Erfolg (Leistungserfolg, Betriebserfolg, Betriebsergebnis) und einen sog. Neutralerfolg, der nicht mit der Leistungserstellung der Abrechnungsperiode im Zusammenhang steht. Das Betriebsergebnis wird nicht nur summarisch, sondern nach einzelnen Produktarten oder Produktgruppen differenziert ermittelt. Auch eine stückbezogene Erfolgsrechnung kann allein im kalkulatorischen Bereich des Rechnungswesens (Kostenträgerstückrechnung, Kalkulation), nicht aber mit Hilfe pagatorischer Rechnungen durchgeführt werden.

1.2.2 Ermittlung von Wertansätzen für die Bilanz

Die Bestände an unfertigen und fertigen Erzeugnissen sowie die anderen aktivierten Eigenleistungen sind sowohl in der Handelsbilanz als auch in der Steuerbilanz grundsätzlich mit ihren Herstellungskosten anzusetzen. Diese „Herstellungskosten" sind jedoch keine Kosten im Sinne der Kostenrechnung. Aus dem der handels- und steuerrechtlichen Bilanzierung zugrunde liegenden pagatorischen Prinzip folgt, daß in die Herstellungskosten nur derjenige Güterverbrauch eingehen darf, der mit Ausgaben verbunden ist. Bestandteile der Herstellungskosten können also immer nur Aufwendungen sein. Es ist bedauerlich, daß der Gesetzgeber auch nach der Novellierung des Handelsgesetzbuchs im Jahre 1985 weiterhin den Begriff „Herstellungskosten" verwendet anstelle der aus betriebswirtschaftlicher Sicht treffenderen Bezeichnung „Herstellungsaufwand".

Die Erfassung der Aufwendungen erfolgt in der Finanzbuchhaltung getrennt nach Aufwandsarten. Für die Bestandsbewertung ist aber keine artenbezogene, sondern eine produktbezogene Aufwandsrechnung erforderlich. Da der Finanzbuchhaltung jedoch eine solche objektbezogene Aufwandsrechnung fremd ist, müssen die handels- und steuerrechtlichen Herstellungskosten der Erzeugnisbestände und der anderen aktivierten Eigenleistungen aus den Ergebnissen der Kostenrechnung abgeleitet werden.

Die spezielle Aufgabe der Kosten- und Leistungsrechnung besteht nun darin, die im Zuge der Betriebsergebnisrechnung ermittelten Herstellungskosten der Kostenträger in den Herstellungsaufwand für den Bilanzansatz zu transformieren. Hierzu sind zunächst die aufwandslosen Kosten (die Zusatzkosten) aus den Herstellungskosten zu eliminieren, und die verrechneten Anderskosten (z.B. die kalkulatorischen Abschreibungen, die kalkulatorische Miete oder der zu Wiederbeschaffungspreisen bewertete Materialverbrauch) sind durch die entsprechenden Aufwendungen (die normalen Bilanzabschreibungen, die effektiven Grundstücksaufwendungen bzw. den zu Einstandspreisen bewerteten Materialverbrauch) zu ersetzen. Darüber hinaus sind diejenigen Kosten, die nach den handels- und steuerrechtlichen Vorschriften nicht aktivierbar sind, auszuson- dern. Hierzu zählen beispielsweise die Zinsen und die Vermögensteuer. Ferner kann es notwendig werden, weitere Kostenbestandteile zu eliminieren, bei denen der Gesetzgeber ein Wahlrecht für ihre Einbeziehung in den Herstellungsauf- wand gewährt (z.B. die Kosten für freiwillige soziale Leistungen). Da es in der Praxis noch weitere Umrechnungsprobleme geben kann (z.B. durch die Verwen- dung von Plankosten oder Normalkosten), wird es in vielen Fällen zweckmäßiger sein, allein für die Ermittlung der handels- und steuerrechtlichen Herstellungsko- sten einen gesonderten Betriebsabrechnungsbogen zu erstellen. Dies wäre frei- lich nur einmal pro Geschäftsjahr erforderlich.

1.2.3 Kontrolle der Wirtschaftlichkeit

Wirtschaftlichkeit bedeutet in der Betriebswirtschaftslehre die Relation zwischen Input und Output, zwischen dem Einsatz von Produktionsfaktoren und der Aus- bringung von Wirtschaftsgütern. Wirtschaftlichkeit wird als das Grundprinzip je- den Wirtschaftens angesehen. Das Wirtschaftlichkeitsprinzip, auch ökonomi- sches oder Rationalprinzip genannt, verlangt, den Quotienten aus Input und Output zu minimieren, d.h. entweder ein bestimmtes Ergebnis mit dem gering- sten Mitteleinsatz zu erreichen oder mit gegebenem Mitteleinsatz das größtmög- liche Ergebnis zu erzielen.

Die Wirtschaftlichkeit weist zwei Schichten auf, die sich darin unterscheiden, ob zwischen Input und Output eine mengenmäßige oder eine wertmäßige Rela- tion hergestellt wird. Die **mengenmäßige Wirtschaftlichkeit** bezeichnet *Kosiol* als Technizität[8], andere Autoren sprechen von Produktivität oder von Wirtschaft- lichkeit schlechthin. Setzen sich Input oder Output aus mehreren Wirtschaftsgü- tern zusammen, müssen Einsatzgütermengen und Ausbringungsmengen jeweils mit konstanten Preisen bewertet werden, um eine Aussage über die erreichte mengenmäßige Wirtschaftlichkeit zu erhalten.

Werden Input und Output mit tatsächlichen Preisen bewertet, so liegt eine **wertmäßige Wirtschaftlichkeit** vor. Auf Unternehmungen bezogen, bezeichnet man die wertmäßige Wirtschaftlichkeit üblicherweise als Rentabilität. Innerhalb der Rentabilität ist die pagatorische Rentabilität, die sich auf die Gesamtunter- nehmung bezieht und eine Relation zwischen Aufwand und Ertrag herstellt, von der kalkulatorischen Rentabilität zu unterscheiden, die allein den Prozeß der Lei- stungserstellung betrifft und Kosten und Leistungen miteinander in Beziehung setzt.

Die Überwachung der Wirtschaftlichkeit gehört zu den Hauptaufgaben der kalkulatorischen Rechnung. Die Wirtschaftlichkeitskontrolle kann mit Hilfe ei- ner Istkostenrechnung durchgeführt werden, indem die Istkosten mehrerer Ab- rechnungsperioden (**Zeitvergleich**) oder die Istkosten verschiedener Betriebe (**Betriebsvergleich**) miteinander verglichen werden. Zeitvergleich wie auch Be- triebsvergleich besitzen jedoch nur eine relativ geringe Aussagefähigkeit, weil ih- nen ein geeigneter Maßstab für den erreichten Wirtschaftlichkeitsgrad fehlt. Er-

---

[8] Kosiol, Erich: Einführung in die Betriebswirtschaftslehre. Wiesbaden 1968, S. 21.

heblich effizienter ist dagegen die Kontrolle der Wirtschaftlichkeit mit Hilfe eines **Soll/Ist-Vergleichs** im Rahmen einer Plankostenrechnung. Hier werden die tatsächlich entstandenen Kosten der abgelaufenen Periode (Istkosten) nicht den Istkosten anderer Abrechnungszeiträume oder den Istkosten anderer Betriebe gegenübergestellt, sondern bestimmten, für diese Periode geplanten Kosten. Die aufgrund der Kostenplanung ermittelten Sollkosten werden den Kostenstellenleitern als Richtschnur für die Wirtschaftlichkeit ihrer Entscheidungen vorgegeben. Dabei liefert die Analyse der Abweichungen zwischen den Istkosten und den Plankosten wertvolle Ansatzpunkte für Maßnahmen zur Steigerung der Wirtschaftlichkeit in der Zukunft, so daß die Plankostenrechnung zu einem zukunftsorientierten Lenkungs- und Steuerungsinstrument der Unternehmung wird.

Innerhalb der Plankostenrechnung gibt es die beiden Zweige der **Standardkostenrechnung**, deren Zielsetzung in der mengenmäßigen Wirtschaftlichkeitskontrolle liegt, und der **Budgetkostenrechnung**, deren Aufgabe die Überwachung der kalkulatorischen Rentabilität ist. Aussagen über die pagatorische Rentabilität (z.B. Umsatzrentabilität, Eigenkapitalrentabilität, Gesamtkapitalrentabilität usw.) werden dagegen von Auswertungsrechnungen der Finanzbuchhaltung geliefert.

1.2.4 Entscheidungshilfe für die Preisfindung

Die Bedeutung, die der Kostenrechnung bei der Preisfindung zukommt, kann recht unterschiedlich sein. Dabei lassen sich die beiden Grundfälle unterscheiden, daß die Kostenrechnung entweder preisbestimmenden Charakter oder aber nur preisbegrenzenden Charakter hat.

a) Preisbestimmender Charakter der Kostenrechnung

In einer freien Marktwirtschaft bilden sich die Preise zwar grundsätzlich durch das Verhältnis von Angebot und Nachfrage am Markt, dennoch gibt es auch hier Fälle, in denen die Ergebnisse der Kostenrechnung (z.B. die Selbstkosten zuzüglich eines prozentualen Aufschlags für den kalkulatorischen Gewinn) den Absatzpreis eines Produktes bestimmen.

Voraussetzung ist in der Regel, daß der Anbieter seinen kostendeterminierten Preis dem Abnehmer aufzwingen kann. Dies ist beispielsweise bei **öffentlichen Aufträgen** der Fall, für die ein kostendeckender Preis vereinbart worden ist, weil es sich um ein Produkt handelt, für das weder ein Marktpreis besteht noch eine Ausschreibung mit Festpreisangeboten vorgenommen werden kann.

Eine gewisse Rolle spielt die Kostenrechnung ferner für die Preissetzung bei neuen Erzeugnissen, bei denen die Unternehmung die Preiselastizität der Nachfrage noch nicht kennt. Hier wird zwar der Einführungspreis häufig an den Marktpreisen vergleichbarer Produkte ausgerichtet; gibt es jedoch keine vergleichbaren Erzeugnisse, bilden die Kosten in aller Regel die Grundlage für die Preisbestimmung.

Auch bei **Einzelfertigung** hat die Kostenrechnung stark preisbestimmenden Charakter, weil hier ein Markt im strengen Sinne gar nicht existiert. Aufgrund der Kundenwünsche werden die Konstruktionsunterlagen erstellt und die Vorkalkulation durchgeführt. Die Selbstkosten, zuzüglich eines Aufschlags für den kalkulatorischen Gewinn, bilden dann regelmäßig das Preisangebot, das dem Kunden unterbreitet wird.

Schließlich müßte die Unternehmung selbst bei einem annähernd vollkommenen Markt ihre Kosten kennen, wenn sie ihre Erzeugnisse zum **erfolgsoptimalen Preis** anbieten will, da der optimale Angebotspreis durch die Gleichheit von Grenzerlös und Grenzkosten bestimmt wird.

Noch stärker als bei den Angebotspreisen für die Absatzleistungen hat die Kostenrechnung bei der Preisbildung für **innerbetriebliche Leistungen** preisbestimmenden Charakter. Die Preise für die Verrechnung der Einsatzleistungen zwischen den Kostenstellen oder den Betrieben einer Unternehmung werden fast ausschließlich an den Kosten (meist Herstellkosten) orientiert. Inhaltlich kann es sich dabei um die durchschnittlichen Kosten handeln, oder aber die innerbetrieblichen Leistungen werden zwecks optimaler Verwendung der Teilkapazitäten mit Grenzkosten (oder mit anderen Grenzpreisen) abgerechnet.

b) Preisbegrenzender Charakter der Kostenrechnung

Auch wenn es der Unternehmung nicht möglich ist, für ihre Produkte einen Preis zu erzielen, der die vollen Kosten deckt, spielen die Kosten dennoch eine entscheidende Rolle bei der Preisbildung. Grundsätzlich kann man in einer freien Marktwirtschaft davon ausgehen, daß weder der Abnehmer gezwungen ist, jeden geforderten Preis zu zahlen, noch die anbietende Unternehmung gezwungen ist, jeden gebotenen Preis zu akzeptieren. Für den Anbieter gibt es eine **Preisuntergrenze,** von der ab der Verzicht auf den Umsatz erfolgsmäßig günstiger ist als die Annahme des Auftrags. Ebenso gibt es für den Abnehmer eine **Preisobergrenze,** von der ab der Verzicht auf die Anschaffung für ihn vorteilhafter ist als der Kauf des betreffenden Einsatzgutes. Hier fällt also der Kostenrechnung die wichtige Aufgabe zu, Preisuntergrenzen im Absatzbereich und Preisobergrenzen im Beschaffungsbereich zu ermitteln.

1.2.5 Bereitstellung von Unterlagen für Entscheidungsrechnungen

Neben den zuvor erwähnten Preisentscheidungen treten in der Unternehmung zahlreiche weitere Entscheidungen auf, die an den Kosten ausgerichtet werden. Soweit sie quantifizierbar sind und damit einer rechnerischen Behandlung unterworfen werden können, geht es häufig um die Ermittlung irgendwelcher optimaler Größen. Gemeinsam ist diesen Optimalmodellen, daß die Entscheidungsvariablen stets Nicht-Kostengrößen sind, während die Kosten entweder nur als Parameter in der Zielfunktion enthalten sind oder aber selbst die Zielgröße bilden.

Als Beispiele für derartige Entscheidungsrechnungen seien genannt[9]:

a) die Bestimmung der **optimalen Bestellmenge** im Beschaffungsbereich. Je größer die Bestellmenge ist, desto kleiner sind die fixen Bestellkosten pro Stück und desto größer sind die Lagerkosten pro Stück. Die Stückkosten insgesamt sind zu minimieren.

---

[9] Vgl. auch Jacob, Herbert: Infinitesimalmodelle. In: Handwörterbuch des Rechnungswesens, hrsg. von Erich Kosiol, Stuttgart 1970, Sp. 671-685.

b) die Bestimmung der **optimalen Losgröße** in der Fertigung. Zu minimieren sind die gesamten Herstellkosten pro Stück. Bei zunehmender Losgröße zeigen sie einerseits aufgrund der losgrößenfixen Kosten (Rüstkosten) eine sinkende Tendenz und andererseits aufgrund der zeitabhängigen Lagerkosten eine steigende Tendenz.

c) die Ermittlung des **optimalen Produktprogramms**. Gesucht werden die Herstell- und Absatzmengen für mehrere Produktarten, die alternativ auf gemeinsamen Anlagen mit unzureichenden Kapazitäten gefertigt werden oder um andere knappe Einsatzgüter konkurrieren. Das Ziel ist die Maximierung des Periodengewinns bzw. die Minimierung des Periodenverlustes.

d) die Bestimmung der **optimalen Angebotsmenge** und des optimalen Angebotspreises im Falle eines Angebotsmonopols (Ziel = Erfolgsoptimierung):
   (1) ohne Berücksichtigung von Nebenbedingungen (die Ermittlung des „Cournotschen Punktes");
   (2) unter Berücksichtigung kapazitiver Beschränkungen.

e) die Bestimmung des **optimalen Werbemitteleinsatzes**. Es wird gefragt, mit welcher Intensität die einzelnen Werbemittel eingesetzt und wieviel DM insgesamt für Werbung pro Periode aufgewendet werden sollen, um den Periodenerfolg zu optimieren.

f) die Bestimmung der **Minimalkostenkombination** für eine gegebene Ausbringungsmenge bei Vorhandensein gegenseitig substituierbarer Einsatzgüter.

g) die Bestimmung des **optimalen Ersatzzeitpunktes** für abnutzbare Anlagegüter.

h) die Bestimmung des **optimalen Standorts**:
   (1) des betrieblichen Standorts;
   (2) des innerbetrieblichen Standorts.

1.3 Grundbegriffe der Kosten- und Leistungsrechnung

1.3.1 Einzahlungen und Auszahlungen

Unter Einzahlungen wollen wir den **Zugang an liquiden Mitteln,** unter Auszahlungen den **Abgang an liquiden Mitteln** verstehen. Zu den liquiden Mitteln in diesem Sinne zählen neben dem Kassenbestand (Banknoten und Scheidemünzen) auch die Schecks und die täglich fälligen Guthaben bei Banken und den Postgiroämtern. Sie können als Bargeld im weiteren Sinne bezeichnet werden.

1.3.2 Einnahmen und Ausgaben

Das Begriffspaar Einnahmen und Ausgaben wird in der betriebswirtschaftlichen Literatur in unterschiedlicher Bedeutung gebraucht. In jedem Falle bilden die Einzahlungen einen Teil der Einnahmen und die Auszahlungen einen Teil der Ausgaben. Nach *Wöhe*[10] umfassen die Einnahmen neben den Einzahlungen auch die Forderungszugänge und die Schuldenabgänge. Dementsprechend rechnet

---

[10] Vgl. Wöhe, Günter: Einführung in die Allgemeine Betriebswirtschaftslehre, a.a.O., S. 874ff.

Wöhe zu den Ausgaben die Auszahlungen, die Schuldenzugänge und die Forderungsabgänge.

In der pagatorischen Theorie *Kosiols*[11] werden die Begriffe Einnahmen und Ausgaben noch weiter gefaßt. Einnahmen lassen sich hier als Zahlungseingänge und Ausgaben als Zahlungsausgänge charakterisieren. Zu den Zahlungen in diesem Sinne rechnen

1. **die Veränderungen der Bestände an liquiden Mitteln:**
   a) Zunahme der liquiden Mittel = Bareinnahmen
   b) Abnahme der liquiden Mittel = Barausgaben

2. **die Veränderungen der Geldforderungen und -verbindlichkeiten:**
   a) Zunahme von Forderungen = Voreinnahmen
   b) Abnahme von Forderungen = Tilgungsausgaben
   c) Zunahme von Verbindlichkeiten = Vorausgaben
   d) Abnahme von Verbindlichkeiten = Tilgungseinnahmen

3. **die Veränderungen der Realgüterbestände und -schulden:**
   a) Zunahme der Realgüterbestände = Rückeinnahmen
   b) Abnahme der Realgüterbestände = Nachausgaben
   c) Zunahme der Realgüterschulden = Rückausgaben
   d) Abnahme der Realgüterschulden = Nacheinnahmen

Die Bareinnahmen können hierbei den Einzahlungen, die Barausgaben den Auszahlungen gleichgesetzt werden. Alle Einnahmen und Ausgaben, die keine Barzahlungen darstellen, bezeichnet Kosiol als Verrechnungszahlungen. Die Zusammenhänge zwischen Einnahmen und Einzahlungen bzw. zwischen Ausgaben und Auszahlungen sind in den Abbildungen 1 und 2 zusammengefaßt.

In der Finanzbuchhaltung werden die Einnahmen auf den Bestandskonten im Soll und die Ausgaben im Haben gebucht. Alle Bewegungen auf den Bestandskonten sind Zahlungen im Sinne der pagatorischen Theorie.

Einnahmen				
	Verrechnungseinnahmen			
Bareinnahmen (Einzahlungen)	Zunahme der Geldforderungen	Abnahme der Geldverbindlichkeiten	Zunahme der Realgüterbestände	Abnahme der Realgüterschulden

Abb. 1: Zum Begriff der Einnahmen

Ausgaben				
	Verrechnungsausgaben			
Barausgaben (Auszahlungen)	Abnahme der Geldforderungen	Zunahme der Geldverbindlichkeiten	Abnahme der Realgüterbestände	Zunahme der Realgüterschulden

Abb. 2: Zum Begriff der Ausgaben

---

[11] Vgl. Kosiol, Erich: Pagatorische Bilanz. Berlin 1976, S. 130-193.

1.3.3 Erträge und Aufwendungen

Folgt man der Definition *Kosiols* für die Einnahmen und Ausgaben, dann bildet der Ertrag einen Teil der Einnahmen und der Aufwand einen Teil der Ausgaben[12]. Die Zahlungen (Bar- und Verrechnungszahlungen) lassen sich hiernach in erfolgswirksame und nicht erfolgswirksame Zahlungen gliedern. **Erträge sind die erfolgswirksamen Einnahmen** (Ertragseinnahmen), **Aufwendungen die erfolgswirksamen Ausgaben** (Aufwandsausgaben).

Erfolgsunwirksame Einnahmen sind stets mit Ausgaben in gleicher Höhe verbunden. Sie lassen sich deshalb auch als zweiseitige oder wechselbezügliche Zahlungen charakterisieren. Beispiele für **erfolgsunwirksame Zahlungen** sind die Abhebung vom Bankkonto (Bareinnahme und Barausgabe), die Gewährung eines Finanzkredites (Barausgabe und Voreinnahme), die Aufnahme eines Darlehens (Bareinnahme und Vorausgabe), die Tilgung einer Forderung (Bareinnahme und Tilgungsausgabe), die Tilgung einer Verbindlichkeit (Barausgabe und Tilgungseinnahme), der Kauf von Vorräten (Bar- oder Vorausgabe und Rückeinnahme) sowie der Eingang einer Kundenanzahlung (Bareinnahme und Rückausgabe).

Erfolgswirksamen Einnahmen stehen keine Ausgaben in entsprechender Höhe gegenüber. Sie können deshalb als einseitige Einnahmen bezeichnet werden. Als Beispiele für derartige **Ertragseinnahmen** können der Verkauf von Erzeugnissen gegen Barzahlung (einseitige Bareinnahme) oder auf Ziel (einseitige Voreinnahme) sowie die Lieferung bereits bezahlter Erzeugnisse (einseitige Nacheinnahme) genannt werden. Analog dazu sind **Aufwandsausgaben** beispielsweise die Zahlung von Löhnen und Gehältern (einseitige Barausgabe), die Bildung einer Pensionsrückstellung (einseitige Vorausgabe) oder die Abschreibung von Anlagegütern (einseitige Nachausgabe).

Die Zusammenhänge zwischen Einnahmen und Erträgen sowie zwischen Ausgaben und Aufwendungen sind in dem folgenden Schema dargestellt:

Einnahmen		
erfolgswirksame Einnahmen (= Erträge)	erfolgsunwirksame (zweiseitige) Einnahmen	
	erfolgsunwirksame (zweiseitige) Ausgaben	erfolgswirksame Ausgaben (= Aufwendungen)
	Ausgaben	

Abb. 3: Zusammenhang zwischen Einnahmen und Erträgen und zwischen Ausgaben und Aufwendungen

Da Ertrag und Aufwand Erfolgsbegriffe sind, liegt dem Ertrag stets die Erzeugung eines Wirtschaftsgutes und dem Aufwand der Verbrauch eines Wirtschaftsgutes zugrunde. Wir wollen daher wie folgt definieren:

---

[12] Vgl. hierzu Kosiol, Erich: Pagatorische Bilanz, a.a.O., S. 113-121.

Ertrag ist jede bewertete Güterentstehung (Wertentstehung), soweit damit Einnahmen verbunden sind.

Aufwand ist jeder bewertete Güterverbrauch (Wertverzehr), soweit damit Ausgaben verbunden sind.

Da zu den Ausgaben in diesem Sinne sowohl Barausgaben als auch Vorausgaben und Nachausgaben zu rechnen sind, kann man auch den Aufwand als bewerteten Güterverbrauch definieren, soweit damit Barausgaben in der Gegenwart, in der Zukunft oder in der Vergangenheit verbunden sind. Dementsprechend ist der Ertrag eine bewertete Güterentstehung, soweit damit Einnahmen in der Gegenwart, in der Zukunft oder in der Vergangenheit verbunden sind.

1.3.4 Leistungen und Kosten

1.3.4.1 Wesensmerkmale des Leistungsbegriffs

Unter Leistung versteht man im betrieblichen Rechnungswesen das in einem Geldbetrag ausgedrückte **Ergebnis des Einsatzes von Wirtschaftsgütern im Produktionsprozeß** der Unternehmung. Der Begriff der Produktion ist dabei weit zu fassen; ihm sind alle Transformationsprozesse von Einsatzgütern in der Unternehmung zu subsumieren, also nicht nur die Fertigungstätigkeiten im engeren Sinne, sondern auch alle Vorgänge der Beschaffung, der Lagerung und des Absatzes von Wirtschaftsgütern. Da das Ergebnis des Produktionsprozesses neue Wirtschaftsgüter sind, kann man kurz definieren: **Leistung ist die bewertete, aus dem betrieblichen Produktionsprozeß resultierende (sachzielbezogene) Güterentstehung.** Der Leistungsbegriff wird demnach durch die folgenden drei Merkmale bestimmt:

(1) Es entstehen neue Wirtschaftsgüter in der Unternehmung.
(2) Diese Güterentstehung ist das Ergebnis des betrieblichen Produktionsprozesses.
(3) Das mengenmäßige Ergebnis wird mit Preisen bewertet.

a) Güterentstehung:

Leistung liegt stets nur dann vor, wenn in der Unternehmung neue Wirtschaftsgüter entstanden sind. Nicht zur Leistung rechnen damit solche Güterzugänge, die mit dem Abgang eines anderen Wirtschaftsgutes verbunden sind (Gütertausch) und deshalb einen erfolgsunwirksamen Vorgang darstellen. Die Güterentstehung dagegen ist immer ein erfolgswirksamer Güterzugang.

Unter dem Begriff des Wirtschaftsgutes werden alle werthabenden Mittel der Bedarfsdeckung zusammengefaßt, so daß zum Gegenstand des Produktionsprozesses nicht nur die Herstellung und der Absatz von Sachgütern in Industrieunternehmungen zählen, sondern auch die Erbringung von Dienstleistungen aller Art, wie dies z.B. im Handel, bei Banken, Versicherungen, Speditionen und ähnlichen Unternehmungen der Fall ist.

b) Zweckbestimmung:

Nicht jede Güterentstehung in der Unternehmung bildet eine Leistung. Zur Leistung rechnen nur solche Güterentstehungen, die aus dem betrieblichen Produktionsprozeß hervorgegangen sind und die das angestrebte Ergebnis der planmäßigen Arbeitstätigkeit (das Sachziel) in der Unternehmung bilden[13]. Nicht zur Leistung gehören also alle Güterentstehungen, die nicht aus dem eigentlichen Betriebszweck resultieren, wie z.b. erhaltene Geschenke, Spekulationsgewinne oder Erträge einer Industrieunternehmung aus der Verpachtung eines Grundstücks.

Im übrigen ist der Leistungsbegriff weit auszulegen. Dazu rechnen nicht nur die bereits verkauften Produkte, sondern auch die noch nicht abgesetzten Fertigfabrikate, ferner alle Arten von Halbfabrikaten (die in den Kostenstellen ausgebrachten Vor- und Zwischenprodukte) und die sonstigen innerbetrieblichen Leistungen, die später im Produktionsprozeß erneut eingesetzt werden.

c) Bewertung:

Der Leistungsbegriff wird in der Betriebswirtschaftslehre teils mengenmäßig und teils wertmäßig gebraucht. Unter Leistung versteht man sowohl das mengenmäßige Produkt als auch das bewertete Produktionsergebnis. Für die Zwecke des betrieblichen Rechnungswesens ist die mengenmäßige Begriffsfassung ungeeignet. Eine Addition von Teilleistungen oder eine Gegenüberstellung von Leistungen und Kosten ist nur möglich, wenn die Rechnung sich auf Geldgrößen bezieht.

Für die Bewertung der Leistungen gibt es keine spezielle Wertkategorie. Die Wahl des Preises hängt allein von den Zwecken der jeweiligen Rechnung ab. So werden beispielsweise in der Betriebsbuchhaltung im Rahmen des Umsatzkostenverfahrens die abgesetzten Leistungen zur Ermittlung des kalkulatorischen Periodenerfolgs zum einen mit Erlöspreisen und zum anderen mit Selbstkostenpreisen bewertet; im Rahmen des Gesamtkostenverfahrens werden die auf Lager produzierten Erzeugnisse wie auch die anderen aktivierten Eigenleistungen mit Herstellkostenpreisen bewertet; und innerbetriebliche Leistungen können z.B. mit Herstellkostenpreisen, mit festen Verrechnungspreisen oder irgendwelchen Lenkungspreisen (z.B. Grenzpreisen) angesetzt werden.

d) Vergleich mit dem Ertragsbegriff:

Leistungs- und Ertragsbegriff haben zwei übereinstimmende Wesensmerkmale: In beiden Fällen liegt eine bewertete Güterentstehung vor. Dabei kann die Höhe des Wertansatzes allerdings unterschiedlich sein, weil Erträge stets mit ihren Einnahmen anzusetzen sind, während der Preisansatz für die Leistungen zweckabhängig und damit völlig offen ist. Im dritten Merkmal dagegen unterscheiden sich beide Begriffe: während zur Leistung nur diejenige Güterentstehung rechnet, die aus dem betrieblichen Produktionsprozeß hervorgegangen ist, bildet jede Güterentstehung einen Ertrag, wenn dadurch der Unternehmung Einnahmen zufließen. Dagegen ist es für den Leistungsbegriff unerheblich, ob mit der Güterentstehung Einnahmen verbunden sind oder nicht.

Wie die Abbildung 4 zeigt[14], decken sich die Leistungen und die Erträge einer Abrechnungsperiode nur teilweise. Der Teil der Erträge, der keine Leistung darstellt, heißt neutraler Ertrag; den Teil, der in gleicher Höhe Leistung darstellt, nennt man Zweckertrag. Die Leistungen setzen sich zusammen aus der Grundlei-

---

[13] Siehe auch Kosiol, Erich: Kostenrechnung und Kalkulation, a.a.O., S. 29.
[14] In Anlehnung an Schmalenbach, Eugen: Kostenrechnung und Preispolitik. 8. Aufl. (bearb. von Richard Bauer), Köln und Opladen 1963, S. 12.

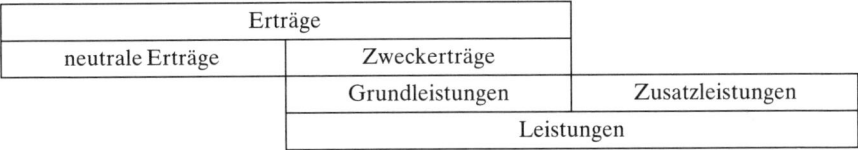

Erträge		
neutrale Erträge	Zweckerträge	
	Grundleistungen	Zusatzleistungen
	Leistungen	

Abb. 4: Zusammenhang zwischen Erträgen und Leistungen

stung, die mit den Zweckerträgen identisch ist, und der Zusatzleistung, der wegen fehlender Einnahmen keine entsprechenden Erträge gegenüberstehen.

1.3.4.2 Wesensmerkmale des Kostenbegriffes

Kosten werden im betrieblichen Rechnungswesen als der in einem Geldbetrag ausgedrückte Verbrauch von Wirtschaftsgütern zum Zwecke der Leistungserstellung oder kurz als **bewerteter leistungsbezogener Güterverbrauch** definiert. Analog zum Leistungsbegriff sind es auch hier drei Merkmale, die das Wesen der Kosten bestimmen:

(1) In der Unternehmung werden Wirtschaftsgüter verbraucht.
(2) Der Güterverbrauch dient der Leistungserstellung.
(3) Die Verbrauchsmengen werden mit Preisen bewertet.

a) Güterverbrauch:

Kosten liegen nur dann vor, wenn in der Unternehmung Wirtschaftsgüter verbraucht werden. Nicht zu den Kosten rechnen damit solche Güterabgänge, die mit dem Zugang eines anderen Wirtschaftsgutes verbunden sind (Gütertausch). Im Gegensatz zum Gütertausch ist der Güterverbrauch stets ein erfolgswirksamer Vorgang.

Der Verbrauchsvorgang ist durch den Wertverlust der betreffenden Wirtschaftsgüter gekennzeichnet. Als Verbrauch ist deshalb nicht nur die Substanzminderung bei Sachgütern (Materialverbrauch) anzusehen, sondern auch der durch den Gebrauch von Sachgütern eintretende allmähliche Wertverzehr, der im Rechnungswesen als Abschreibungen erfaßt wird. Bei einer Maschine beispielsweise beruht dieser langfristige Wertverzehr nur in geringem Maße auf Substanzverlusten, sondern bringt vielmehr die abnehmende Einsatzmöglichkeit der Maschine im Produktionsprozeß (die schwindende Kapazität) zum Ausdruck.

Des weiteren ist es für den Kostenbegriff unerheblich, ob der Güterverbrauch beabsichtigt ist oder ob er zwangsläufig eintritt. Eine zwangsweise Entwertung kann sich z.B. durch Brand oder Diebstahl, durch neue Erfindungen oder Änderungen der Konsumgewohnheiten, durch Debitorenausfälle oder durch sinkende Marktpreise ergeben. Auch die Pflicht, Abgaben an den Staat zu leisten, gehört zum zwangsweisen Güterverbrauch, da mit der Zahlung von Steuern den Unternehmungen nicht unmittelbar ein anderes Wirtschaftsgut zufließt, also kein Gütertausch vorliegt. Neben den beabsichtigten und den erzwungenen Güterverbrauch stellt *Kosiol*[15] eine dritte Kategorie: den zeitlichen Vorrätigkeitsverbrauch, der sich auf den Verbrauch der reinen Nutzungsmöglichkeit der Wirt-

---

[15] Zu den Verbrauchsarten vgl. Kosiol, Erich: Kosten- und Leistungsrechnung. Berlin – New York 1979, S. 17-20.

schaftsgüter im Produktionsprozeß (Kapitalverzehr) bezieht und den Kostencharakter der Zinsen begründet.

Grundsätzlich kann der Verbrauch eines jeden Wirtschaftsgutes Kosten darstellen. Eine Beschränkung des Kostenbegriffes auf den Verbrauch bestimmter Arten von Wirtschaftsgütern ist durch nichts gerechtfertigt. Einbezogen sind also nicht nur Sachgüter wie z.B. Gebäude, Maschinen, Transportmittel oder Einsatzstoffe, sondern auch immaterielle Realgüter wie z.B. Arbeitsleistungen, Dienstleistungen und auch das Kapital, das bereits *Schmalenbach* als eigenständiges Wirtschaftsgut betrachtet hat[16]. In die Kosten geht nicht nur der Verbrauch von Realgütern ein, sondern auch der Verbrauch von Nominalgütern (Geld), wie er bei der Zahlung von Steuern auftritt; und schließlich erstreckt sich der Güterverbrauch nicht nur auf ursprüngliche Real- und Nominalgüter, sondern auch auf abgeleitete Güter wie Realgüterrechte (z.B. die Nutzung von Patenten) und Geldforderungen (z.B. Debitorenausfälle)[17].

b) Leistungsbezogenheit:

Wenn auch der Kostenbegriff hinsichtlich der Güterarten und der Verbrauchsarten keine Einschränkungen erfährt, so stellt dennoch nicht jeder Güterverbrauch Kosten dar. Zu den Kosten rechnet nur derjenige Güterverbrauch, der in einem unmittelbaren oder auch nur mittelbaren Zusammenhang mit der Leistungserstellung steht (= **Kostenverursachungsprinzip**). Ein unmittelbarer Zusammenhang ist beim beabsichtigten Güterverbrauch und auch bei der Kapitalnutzung leicht zu erkennen. Allerdings dürfen hier kalkulatorische Abschreibungen nur auf das betriebsnotwendige Anlagevermögen und kalkulatorische Zinsen nur auf das betriebsnotwendige Kapital angesetzt werden. Beim erzwungenen Güterverbrauch besteht dagegen nur ein mittelbarer Zusammenhang mit der Leistungserstellung, der aber dennoch vom Kostenverursachungsprinzip eingeschlossen wird. Da eine zu enge Auslegung des Kostenverursachungsprinzips den Kostencharakter von Wagnissen und Steuern negieren würde, bezeichnet *Kosiol* den Zusammenhang zwischen Kosten und Leistung als **Kosteneinwirkungsprinzip**. Danach rechnet jeder Güterverbrauch zu den Kosten, der „im Produktionsprozeß auf die Leistung einwirkt, so daß diese ohne ihn nicht zustande kommt"[18].

c) Bewertung:

Durch die Eingrenzung auf den leistungsbezogenen Güterverbrauch ist die Mengenkomponente der Kosten festgelegt. Da Kosten jedoch eine Wertgröße darstellen, d.h. in Geldeinheiten ausgedrückt sind, müssen die Verbrauchsmengen mit Preisen bewertet werden, soweit nicht Mengeneinheit und Preiseinheit identisch sind (bei Nominalgütern, die auf Inlandswährung lauten).

Durch die Bewertung werden die Verbrauchsmengen addierbar gemacht und ökonomisch gewichtet. Allerdings gibt es für die Kosten keine spezielle Wertka-

---

[16] Vgl. Schmalenbach, Eugen: Kapital, Kredit und Zins in betriebswirtschaftlicher Beleuchtung. 3. Aufl., Köln und Opladen 1951, S. 18.

[17] Zur Gliederung der Wirtschaftsgüter vgl. Kosiol, Erich: Einführung in die Betriebswirtschaftslehre, a.a.O., S. 136-141.

[18] Kosiol, Erich: Kosten- und Leistungsrechnung, a.a.O., S. 21.

tegorie[19], vielmehr hängt die Wahl des Preises allein vom Zweck der kalkulatorischen Rechnung ab. In Frage kommen z.b. Beschaffungspreise am Tage der Anschaffung (Anschaffungspreise), des Verbrauchs (Tagesbeschaffungspreise) oder der realen Ersatzbeschaffung (Wiederbeschaffungspreise); ferner Festpreise (zur mengenmäßigen Wirtschaftlichkeitskontrolle), Durchschnittspreise (zur Vereinfachung der Abrechnung) und Lenkungspreise in Form von Grenzkosten-, Grenznutzen- oder Grenzerfolgspreisen (zur erfolgsoptimalen Steuerung des Gütereinsatzes). Schließlich ist es möglich, anstelle der direkten Bewertung den Güterverbrauch mit Opportunitätskosten zu bewerten. So kann man beispielsweise Zusatzkosten mit dem Preis, der bei Fremdbezug für das Wirtschaftsgut zu zahlen wäre (= ersparter Aufwand = direkte Bewertung), oder mit dem Preis, den das Wirtschaftsgut in der nächstgünstigsten Verwendung erzielen würde (= entgangener Ertrag = Opportunitätskosten), ansetzen.

d) Vergleich mit dem Aufwandsbegriff:

Aufwand und Kosten sind Erfolgsbegriffe und damit an einen Güterverbrauch gebunden. In beiden Fällen wird auch der Güterverbrauch bewertet; während jedoch für die Kosten der Preisansatz völlig offen ist, kommen für die Bewertung des Aufwands nur pagatorische (an den Ausgaben orientierte) Preise in Frage. Im dritten Wesensmerkmal unterscheiden sich Aufwands- und Kostenbegriff: Während zu den Kosten nur derjenige Güterverbrauch rechnet, der der betrieblichen Leistungserstellung dient, bildet jeder Güterverbrauch einen Aufwand, wenn er mit Ausgaben verbunden ist. Aufwendungen sind also erfolgswirksame Ausgaben. Für den Kostenbegriff ist es dagegen unerheblich, ob der Güterverbrauch Ausgaben hervorruft oder nicht.

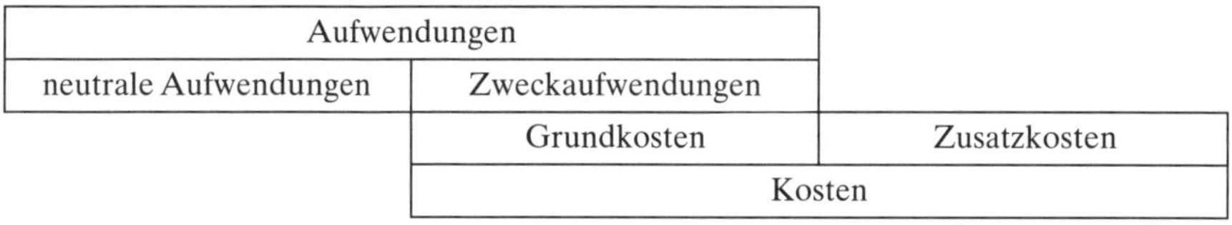

Aufwendungen		
neutrale Aufwendungen	Zweckaufwendungen	
	Grundkosten	Zusatzkosten
	Kosten	

Abb. 5: Zusammenhang zwischen Aufwendungen und Kosten

Aus der Abbildung 5 geht hervor[20], daß sich Aufwendungen und Kosten nach zwei Seiten hin überschneiden: Der Teil der Aufwendungen, der wegen fehlenden Bezugs zur Leistungserstellung nicht in die Kosten eingeht, heißt neutraler Aufwand; den Teil, der in gleicher Höhe Kosten darstellt, nennt man Zweckaufwand. Die Kosten setzen sich zusammen aus den Grundkosten, die mit den Zweckaufwendungen identisch sind, und den Zusatzkosten, die wegen fehlender Ausgaben nicht aus entsprechenden Aufwendungen abgeleitet werden können.

---

[19] Zur Gliederung der Wertarten vgl. Moews, Dieter: Wertkategorien. In: Handwörterbuch des Rechnungswesens. Hrsg. von Erich Kosiol, Stuttgart 1970, Sp. 1895-1904.

[20] In Anlehnung an Schmalenbach, Eugen: Kostenrechnung und Preispolitik, a.a.O., S. 10.

Kosiol verwendet die folgende mengentheoretische Darstellung, um die Zusammenhänge zwischen Aufwand und Kosten zu veranschaulichen[21]:

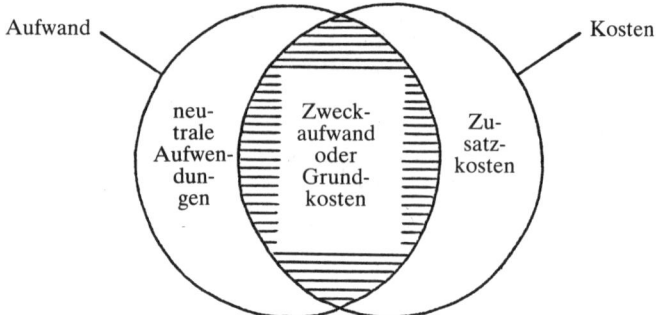

Abb. 6: Mengentheoretische Darstellung des Zusammenhangs zwischen Aufwand und Kosten

Bedeutet der linke Kreis die Gesamtmenge der Aufwendungen und der rechte Kreis die Gesamtmenge der Kosten einer Abrechnungsperiode, so stellt der linke (abnehmende) Halbmond die Teilmenge der neutralen Aufwendungen und der rechte (zunehmende) Halbmond die Teilmenge der Zusatzkosten dar. Das schraffierte Mittelstück gibt die Schnittmenge, d.h. die Zweckaufwendungen oder Grundkosten, wieder.

1.4 Kostentheoretische Grundlagen

1.4.1 Periodenkosten und Stückkosten

Als **Periodenkosten** bezeichnen wir denjenigen Güterverbrauch, der mit den in einer Abrechnungsperiode erbrachten Leistungen in einem kausalen Zusammenhang steht. Ihre Dimension lautet beispielsweise DM/Monat oder DM/Jahr. Inhaltlich kann es sich um die **Gesamtkosten** einer Unternehmung handeln (d.s. die Kosten aller in einer Periode erbrachten Leistungen) oder um die Kosten eines Teilbereichs der Unternehmung (z.B. die Kosten der in einer Kostenstelle erbrachten Leistungen einer Abrechnungsperiode) oder um eine einzelne Kostenart (z.B. die Stoffkosten einer Abrechnungsperiode). In der Literatur werden die Periodenkosten mitunter ungenau auch als Gesamtkosten bezeichnet.

Stückkosten erhält man durch Division von Periodenkosten durch eine Periodenleistungsmenge. Sie sind die Kosten einer Leistungseinheit. Ihre Dimension kann beispielsweise DM/Stück, DM/t, DM/m^2, DM/kWh, DM/1000 Stück, DM/Serie oder DM/Auftrag lauten. Inhaltlich kann es sich bei den Stückkosten um die durchschnittlichen Stückkosten oder um die Grenzkosten handeln.

---

[21] Vgl. Kosiol, Erich: Kosten- und Leistungsrechnung, a.a.O., S. 123-124.

1.4.2 Durchschnittskosten und Grenzkosten

Die Division der gesamten Periodenkosten durch die Gesamtleistung einer Abrechnungsperiode ergibt die durchschnittlichen Stückkosten oder **Durchschnittskosten**.

Grenzkosten erhält man durch Division der hinzukommenden Periodenkosten durch die hinzukommende Periodenleistung. Sie lassen sich folglich nur ermitteln, wenn man zwei Periodenleistungsmengen und ihre Kosten miteinander vergleicht. Die Grenzkosten sind nicht die durchschnittlichen Kosten der gesamten Leistungsmenge, sondern die durchschnittlichen Kosten einer Produktionsschicht. Bezeichnet man mit x_1 und x_2 die untere und die obere Grenze einer Produktionsschicht und mit K_1 und K_2 die zugehörigen Periodenkosten, so erhält man die Grenzkosten durch folgende Rechnung:

$$k_g = \frac{K_2 - K_1}{x_2 - x_1} = \frac{\Delta K}{\Delta x}$$

Im streng mathematischen Sinne handelt es sich bei diesem Quotienten nicht um Grenzkosten, sondern um Differenzkosten, da der Divisor eine endliche Größe darstellt. Grenzkosten im Sinne der Mathematik werden durch den Differentialquotienten gebildet:

$$k_g = K' = \frac{dK}{dx} \quad \left(= \frac{\Delta K}{\Delta x} \quad \text{für } \Delta x \to 0 \right)$$

Die Grenzkosten geben also an, um welchen Betrag die Periodenkosten steigen (fallen), wenn die Periodenleistungsmenge um eine Einheit zunimmt (abnimmt). In grafischer Betrachtung lassen sich die Grenzkosten durch das Steigungsmaß der Sekante (bei endlicher Betrachtung) bzw. durch das Steigungsmaß der Tangente (bei Infinitesimalbetrachtung) an die Periodenkosten-Kurve darstellen.

Zahlenbeispiel:
Bei einer Ausbringung von 2500 t/Monat wurden Kosten in Höhe von 465000 DM/Monat festgestellt; bei einer Ausbringungsmenge von 280 t/Monat beliefen sich die Kosten auf 504000 DM/Monat. Daraus errechnen sich

a) bei einer Ausbringung von 2500 t/Monat durchschnittliche Kosten von 465000 : 2500 = 186 DM/t,

b) bei einer Ausbringung von 2800 t/Monat durchschnittliche Kosten von 504000 : 2800 = 180 DM/t,

c) Grenzkosten von $\dfrac{504000 - 465000}{2800 - 2500} = 130\,\text{DM/t}.$

Durchschnittskosten und Grenzkosten lassen sich für die Unternehmung als Ganzes ermitteln, wenn nur ein einziges Produkt in der Unternehmung hergestellt wird. Viel häufiger werden die beiden Begriffe jedoch auf eine Kostenstelle bezogen. In beiden Fällen – Gesamtunternehmung oder Kostenstelle als Bezugsbasis – ist es möglich, die gesamten Kosten in die Rechnung einzubeziehen oder aber die Rechnung auf eine Kostenart zu beschränken. So kann man beispielsweise die durchschnittlichen Energiekosten pro Fertigungsstunde in einer Kostenstelle ermitteln, indem man die entsprechenden Periodenkosten durch die Gesamtleistung dieser Kostenstelle (gemessen in Fertigungsstunden) dividiert. Demgegenüber zeigen die Grenzkosten, wie sich die Periodenkosten in Abhängigkeit von der Kostenstellenleistung **verändern**. Sie geben an, um wieviel DM die gesamten Energiekosten zunehmen, wenn die Leistung dieser Kostenstelle um eine Fertigungsstunde erhöht wird.

1.4.3 Beziehungen zwischen Kosten und Beschäftigung

In der Kostentheorie werden die Gesetzmäßigkeiten untersucht, nach denen sich die Perioden- und Stückkosten einer Unternehmung verändern. Da die Kosten das Produkt aus einer Menge und einem Preis sind, bilden die Mengen der zum Zwecke der Leistungserstellung verbrauchten Wirtschaftsgüter und die Preise dieser Güter die primären Kostenbestimmungsfaktoren. Die Güterpreise werden weitgehend außerbetrieblich bestimmt und können deshalb aus der weiteren Betrachtung ausgeschlossen werden.

Die Güterverbrauchsmengen bilden dagegen einen innerbetrieblichen Kostenbestimmungsfaktor, da ihre Höhe von Entscheidungen innerhalb der Unternehmung abhängig ist. Die wichtigsten Einflußgrößen auf die Höhe des mengenmäßigen Güterverbrauchs sind das Produktionsverfahren, die Kapazität und die Beschäftigung.

Während Veränderungen im Produktionsverfahren und im Umfang der Kapazität Gegenstand längerfristiger Entscheidungen sind, läßt sich die Beschäftigung auch kurzfristig variieren. Da die meisten unternehmerischen Entscheidungen kurzfristiger Natur sind, kommt der Untersuchung der Beziehungen zwischen den Kosten und der Beschäftigung eine besondere Bedeutung zu.

Unter **Beschäftigung** verstehen wir die Auslastung einer gegebenen, als konstant betrachteten Periodenkapazität. **Kapazität** ist die maximale Leistungsmenge. Sie kann auf die Gesamtunternehmung, auf eine Kostenstelle oder auch auf eine einzelne Maschine bezogen werden. Bei einer Maschine ist die Periodenkapazität von der Totalkapazität zu unterscheiden, die sich auf die gesamte Lebensdauer der Maschine bezieht. Die Kapazität der Gesamtunternehmung oder einer Kostenstelle wird dagegen stets auf eine Abrechnungsperiode bezogen.

Die **Messung der Beschäftigung** und der Periodenkapazität erfolgt durch die hergestellte bzw. maximal herstellbare Leistungsmenge. Bei homogenen Leistungen bildet die Anzahl der hergestellten Produkte den Maßstab. Bei heterogenen Leistungen müßte eine Gewichtung der Produktmengen vorgenommen werden, z.B. mit der Fertigungszeit pro Stück oder dem Gewicht pro Stück. In diesem Fall ist es jedoch einfacher, als Maßstab für die Beschäftigung und die Periodenkapazität von vornherein die Fertigungszeit, die Maschinenlaufzeit, das Durchsatzgewicht oder eine ähnliche Bezugsgröße zu verwenden.

Als **Beschäftigungsgrad** bezeichnen wir das prozentuale Verhältnis der Auslastung zur Kapazität. Sind beispielsweise im abgelaufenen Monat bei einer Kapazität von 4000 Stück nur 2400 Stück gefertigt worden, so beträgt der Beschäftigungsgrad für diesen Monat

$$\frac{2400\,\text{Stück/Monat}}{4000\,\text{Stück/Monat}} = 0{,}6 = 60\%.$$

Untersuchungen zur Abhängigkeit der Kosten von der Beschäftigung werden als **Reagibilitätsanalyse**[22] bezeichnet. Der Reagibilitätsgrad r gibt das Verhältnis der relativen Änderung der Periodenkosten K zur relativen Änderung der Beschäftigung x an:

$$r = \frac{K_2 - K_1}{K_1} : \frac{x_2 - x_1}{x_1}$$

Hierzu ein Zahlenbeispiel: Bei einer Ausbringung von 100 t/Monat betragen die Periodenkosten 50 000 DM, bei einer Ausbringung von 110 t/Monat belaufen sich die Periodenkosten auf 53 500 DM. Daraus errechnet sich ein Reagibilitätsgrad von

$$r = \frac{53\,500 - 50\,000}{50\,000} : \frac{110 - 100}{100} = \frac{0,07}{0,1} = 0,7$$

Der Reagibilitätsgrad von 0,7 besagt, daß bei einer beispielsweise zehnprozentigen Zunahme der Beschäftigung die Periodenkosten um 7 % steigen. Eine andere Aussage des Reagibilitätsgrades erhält man duch die folgende Umformung:

$$r = \frac{K_2 - K_1}{K_1} : \frac{x_2 - x_1}{x_1} = \frac{K_2 - K_1}{x_2 - x_1} : \frac{K_1}{x_1} = \frac{\text{Grenzkosten}}{\text{Durchschnittskosten}}$$

Der Reagibilitätsgrad liefert also auch eine Aussage über das Verhältnis der Grenzkosten zu den Durchschnittskosten. Im obigen Zahlenbeispiel ergeben sich Grenzkosten von 350 DM/t und Durchschnittskosten von 500 DM/t (bei einer Ausbringung von 100 t/Monat). Der Quotient aus Grenzkosten und Durchschnittskosten führt wiederum zu dem Reagibilitätsgrad von 0,7.

Je nach der Höhe des Reagibilitätsgrades können die Grenzkosten positiv, negativ oder Null sein; sind die Grenzkosten positiv, so können sie größer oder kleiner als die Durchschnittskosten oder genau gleich den Durchschnittskosten sein. Allgemein ergeben sich je nach der Höhe des Doppelquotienten r die folgenden Kostenkategorien:

a) Fixe Kosten

Die Periodenkosten bleiben bei einer Änderung der Beschäftigung konstant (r=0); die Grenzkosten sind gleich Null; die Durchschnittskosten zeigen eine sinkende Tendenz. Beispiele: Gehälter, Raummieten, Zeitabschreibungen, Kraftfahrzeugsteuer, Feuerversicherungsprämien.

Der Teil der fixen Kosten, der auf die genutzte Kapazität entfällt, wird als **Nutzkosten** bezeichnet; den Teil, der auf die ungenutzte Kapazität entfällt, nennt man **Leerkosten**. Betragen beispielsweise die Fixkosten einer Kostenstelle 90 000 DM und ist die Kapazität zu 80 % ausgelastet, so machen die Nutzkosten 72 000 DM und die Leerkosten 18 000 DM aus.

---

[22] Zum Begriff des Reagibilitätsgrades vgl. Mellerowicz, Konrad: Kosten und Kostenrechnung. Band I: Theorie der Kosten. 5. Aufl., Berlin – New York 1973, S. 286.

Die fixen Kosten sind als beschäftigungsunabhängige Kosten definiert worden. Daraus muß andererseits gefolgert werden, daß bei einer Änderung der Kapazität sich auch die fixen Kosten verändern. Da sich die fixen Kosten bei einer Kapazitätserweiterung vor allem wegen mangelnder Teilbarkeit der Einsatzgüter sprungartig erhöhen, spricht man in diesem Fall von **intervallfixen oder sprungfixen Kosten**. Sinkt die Beschäftigung später wieder, so verharren die Fixkosten zunächst auf dem höheren Niveau, da ein kurzfristiger Abbau der Kapazität kaum möglich ist. Diese Erscheinung wird als **Kostenremanenz** bezeichnet.

b) Variable Kosten

Üblicherweise versteht man unter variablen Kosten solche Periodenkosten, die mit zunehmender Beschäftigung steigen ($r>0$; positive Grenzkosten). Strenggenommen beinhaltet die Bezeichnung „variabel" jedoch jede Veränderung der Periodenkosten, also auch sinkende Periodenkosten bei steigender Beschäftigung ($r<0$; negative Grenzkosten). Diesen in der Praxis äußerst selten anzutreffenden Fall bezeichnet man als **regressive Kosten**.

Innerhalb der variablen Kosten ($r>0$) unterscheidet man je nach dem Ausmaß der Kostenänderung folgende Kostenkategorien:

(1) **Proportionale Kosten**
   Die Periodenkosten steigen in demselben Verhältnis wie die Beschäftigung ($r=1$); die Grenzkosten sind gleich den Durchschnittskosten; die Durchschnittskosten sind konstant. Beispiele: Fertigungsmaterialverbrauch, reine Akkordlöhne, Verbrauchsteuern, Gebühren für Stücklizenzen.

(2) **Unterproportionale oder degressive Kosten**
   Die Periodenkosten steigen schwächer als die Beschäftigung ($0<r<1$); die Grenzkosten liegen unter den Durchschnittskosten; die Durchschnittskosten zeigen eine sinkende Tendenz. Beispiele: Vertreterprovisionen (wenn sie sich aus einem festen und einem mengen- oder umsatzabhängigen Teil zusammensetzen), Stromkosten bei entsprechender Tarifgestaltung, Instandhaltungskosten, innerbetriebliche Transportlöhne.

(3) **Überproportionale oder progressive Kosten**
   Die Periodenkosten steigen stärker als die Beschäftigung ($r>1$); die Grenzkosten liegen über den Durchschnittskosten; die Durchschnittskosten zeigen eine steigende Tendenz. Beispiele: Lohnkosten infolge von Überstundenzuschlägen, Ausschußkosten, Energieverbrauch bei Überbeschäftigung.

1.4.4 Grafische Darstellung von Kosten- und Erlösfunktionen

Für zahlreiche unternehmerische Entscheidungen ist die Kenntnis bestimmter Beschäftigungsgrade von ausschlaggebender Bedeutung. Hierzu zählen insbesondere die Beschäftigungsgrade, bei denen die Unternehmung die Gewinnzone erreicht oder die Durchschnittskosten ihr Minimum erreichen oder der Periodenerfolg sein Optimum (Gewinnmaximum oder Verlustminimum) erreicht. Zur Bestimmung dieser Beschäftigungsgrade muß vorab geklärt werden, welchen Verlauf die Periodenkosten und die Periodenerlöse in Abhängigkeit von der Beschäftigung haben können.

1.4.4.1 S-förmige Periodenkostenkurve

Der S-förmige Verlauf der Periodenkostenkurve ist aus dem Ertragsgesetz abgeleitet und wurde früher als typisch für die Kostenverläufe in der Praxis angesehen. Da sich ein S-förmiger Kurvenverlauf durch ein Polynom dritten Grades darstellen läßt, soll für die Ausführungen in diesem Abschnitt von folgender Abhängigkeitsbeziehung zwischen den Periodenkosten K und der Beschäftigung x ausgegangen werden:

$$K = 0{,}000002\,x^3 - 0{,}024\,x^2 + 100\,x + 196000$$

Die Beschäftigung wird durch die Menge der hergestellten Produkte (in t) gemessen. Hergestellte und abgesetzte Produktmenge mögen identisch sein, Bestandsveränderungen bei den Erzeugnissen also unberücksichtigt bleiben. In der Praxis ist der S-förmige Verlauf der Periodenkostenkurve – wenn überhaupt – nur schwach ausgeprägt. In der obigen Abhängigkeitsbeziehung ist die S-Form dagegen sehr stark ausgeprägt, um die typischen Kostenverläufe grafisch besser darstellen zu können.

Die Tabelle 2 zeigt für die Produktmengen von 0 bis 11000 t pro Monat die Entwicklung der variablen Periodenkosten (K_v), der fixen Periodenkosten (K_f), der gesamten Periodenkosten (K), der durchschnittlichen variablen Kosten (k_v), der durchschnittlichen Fixkosten (k_f), der gesamten Durchschnittskosten (k) und der Grenzkosten ($\frac{dK}{dx}$).

Tab. 2: Beziehungen zwischen Kosten und Beschäftigung bei S-förmiger Periodenkostenkurve

x	K_v	K_f	K	k_v	k_f	k	$\frac{dK}{dx}$
0	0	196000	196000	100,00	–	–	100,00
1000	78000	196000	274000	78,00	196,00	274,00	58,00
2000	120000	196000	316000	60,00	98,00	158,00	28,00
3000	138000	196000	334000	46,00	65,33	111,33	10,00
4000	144000	196000	340000	36,00	49,00	85,00	4,00
5000	150000	196000	346000	30,00	39,20	69,20	10,00
6000	168000	196000	364000	28,00	32,67	60,67	28,00
7000	210000	196000	406000	30,00	28,00	58,00	58,00
8000	288000	196000	484000	36,00	24,50	60,50	100,00
9000	414000	196000	610000	46,00	21,78	67,78	154,00
10000	600000	196000	796000	60,00	19,60	79,60	220,00
11000	858000	196000	1054000	78,00	17,82	95,82	298,00

In der Abbildung 7 sind die Abhängigkeiten der Periodenkosten K und der Stückkosten k von der Beschäftigung x grafisch dargestellt. Die Periodenkosten K setzen sich aus den fixen Kosten K_f und den variablen Kosten K_v zusammen. Die Kurve der fixen Periodenkosten

$$K_f = 196000$$

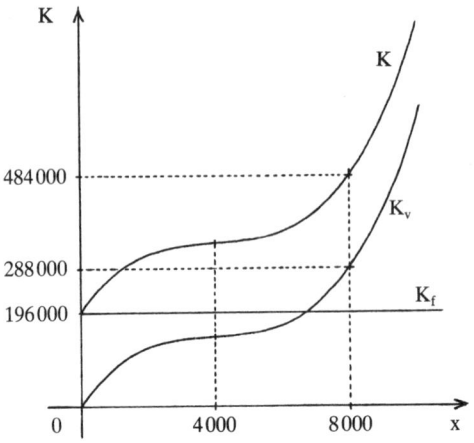

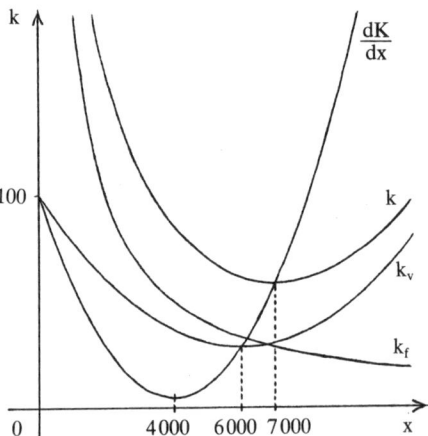

Abb. 7: Beziehungen zwischen Kosten und Beschäftigung bei S-förmiger Periodenkostenkurve

bildet eine Parallele zur Abszisse, da diese Kosten bei jedem Beschäftigungsgrad
gleich hoch sind. Die Kurve der durchschnittlichen Fixkosten

$$k_f = \frac{196\,000}{x}$$

zeigt dagegen einen Hyperbelast mit dem Koordinatenkreuz als Asymptoten, da
diese Kosten mit abnehmender Beschäftigung immer größer und mit zunehmender Beschäftigung immer kleiner werden. Die durchschnittlichen variablen Kosten k_v erhält man durch Division der variablen Periodenkosten K_v durch die Beschäftigung x:

$$k_v = 0,000002\,x^2 - 0,024\,x + 100$$

Sie beginnen für x = 0 mit einem endlichen positiven Wert (100,00 DM/t), nehmen dann mit steigender Beschäftigung ab, erreichen bei einer Beschäftigung von 6000 t pro Monat ihr Minimum und nehmen danach wieder zu. Die gesamten Durchschnittskosten

$$k = \frac{K}{x} = 0,000002\,x^2 - 0,024\,x + 100 + \frac{196\,000}{x}$$

nähern sich mit abnehmender Beschäftigung wegen des Vorhandenseins fixer Kosten asymptotisch sowohl der Kurve der durchschnittlichen Fixkosten k_f als auch der Ordinate. Mit steigender Beschäftigung nehmen die Durchschnittskosten zunächst ab, erreichen bei einer Beschäftigung von 7000 t pro Monat ihr Minimum (= sog. Betriebsoptimum) und nehmen anschließend wieder zu. Die Grenzkosten erhält man durch Differenzierung der Periodenkostenfunktion nach der Beschäftigung:

$$\frac{dK}{dx} = 0,000006\,x^2 - 0,048\,x + 100$$

Für x = 0 beginnen die Grenzkosten mit einem endlichen positiven Wert ($\frac{dK}{dx} = \frac{K_v}{x} = 100$ DM/t), sinken dann mit zunehmender Beschäftigung, erreichen im Wendepunkt der Periodenkostenkurve bei einer Beschäftigung von 4000 t pro Monat ihr Minimum und steigen danach wieder mit zunehmender Beschäftigung. Bei einer Beschäftigung von 6000 t pro Monat schneidet die Grenzkostenkurve die Kurve der durchschnittlichen variablen Kosten und bei einer Beschäftigung von 7000 t pro Monat die Kurve der gesamten Durchschnittskosten. Die Schnittpunkte sind gleichzeitig die Minima der durchschnittlichen variablen Kosten bzw. der gesamten Durchschnittskosten.

1.4.4.2 Lineare Periodenkostenkurve

Empirische Kostenuntersuchungen haben gezeigt, daß eine lineare Periodenkostenkurve der Realität besser entspricht als die aus dem Ertragsgesetz abgeleitete S-förmige Periodenkostenkurve[23]. Vor allem die rein zeitliche Anpassung an eine veränderte Beschäftigung führt zu einem linearen Verlauf der Periodenkostenkurve. Die Periodenkosten setzen sich dann aus fixen und proportionalen Kosten zusammen. Dem Zahlenbeispiel in der Tabelle 3 liegt das folgende Polynom ersten Grades zugrunde:

$$K = 40\,x + 200\,000$$

In der Abbildung 8 sind wiederum die Abhängigkeitsbeziehungen zwischen den Periodenkosten K bzw. den Stückkosten k und der Beschäftigung x grafisch dargestellt. Die Kurve der durchschnittlichen variablen Kosten

$$k_v = 40$$

---

[23] Vgl. Gutenberg, Erich: Grundlagen der Betriebswirtschaftslehre. Band 1: Die Produktion. 24. Aufl., Berlin – Heidelberg – New York 1983, S. 390ff.

Tab. 3: Beziehungen zwischen Kosten und Beschäftigung bei linearer Periodenkostenkurve

x	K_v	K_f	K	k_v	k_f	k	$\dfrac{dK}{dx}$
0	0	200 000	200 000	40,00	—	—	40,00
1 000	40 000	200 000	240 000	40,00	200,00	240,00	40,00
2 000	80 000	200 000	280 000	40,00	100,00	140,00	40,00
3 000	120 000	200 000	320 000	40,00	66,67	106,67	40,00
4 000	160 000	200 000	360 000	40,00	50,00	90,00	40,00
5 000	200 000	200 000	400 000	40,00	40,00	80,00	40,00
6 000	240 000	200 000	440 000	40,00	33,33	73,33	40,00
7 000	280 000	200 000	480 000	40,00	28,57	68,57	40,00
8 000	320 000	200 000	520 000	40,00	25,00	65,00	40,00
9 000	360 000	200 000	560 000	40,00	22,22	62,22	40,00
10 000	400 000	200 000	600 000	40,00	20,00	60,00	40,00
11 000	440 000	200 000	640 000	40,00	18,18	58,18	40,00

bildet eine Parallele zur Abszisse, da diese Kosten bei jedem Beschäftigungsgrad gleich hoch sind. Die Grenzkosten

$$\frac{dK}{dx} = 40$$

sind ebenfalls konstant und stimmen mit den variablen Stückkosten überein. Die Kurve der gesamten Durchschnittskosten

$$k = 40 + \frac{200\,000}{x}$$

steigt mit abnehmender Beschäftigung ins Unendliche. Mit zunehmender Beschäftigung fällt sie permanent und nähert sich asymptotisch der Kurve der durchschnittlichen variablen Kosten.

1.4.4.3 Lineare Periodenerlöskurve

Die Beziehungen zwischen dem Verkaufspreis eines Erzeugnisses und dessen Absatzmenge werden als Preis-Absatz-Funktion bezeichnet. Ist der Verkaufspreis konstant, steigen die Periodenerlöse linear mit der Absatzmenge. Diese Situation ist bei einem atomistischen Anbieter auf einem vollkommenen Markt gegeben. Für ihn ist der Marktpreis ein Datum, und seine Angebotsmenge ist zu gering, um einen Einfluß auf den Marktpreis ausüben zu können. Innerhalb ihrer (kleinen) Kapazität kann die anbietende Unternehmung jede beliebige Menge zu dem gegebenen Marktpreis absetzen.

Die Tabelle 4 zeigt im linken Teil für Absatzmengen von 0 bis 16 000 t pro Monat die Entwicklung der Periodenerlöse (E), der Durchschnittserlöse (e) und des Grenzerlöses ($\frac{dE}{dx}$) bei einem angenommenen konstanten Verkaufspreis von

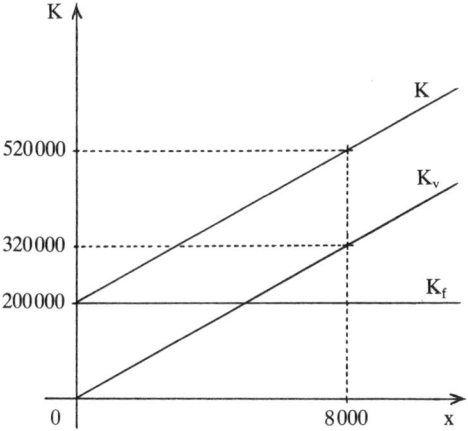

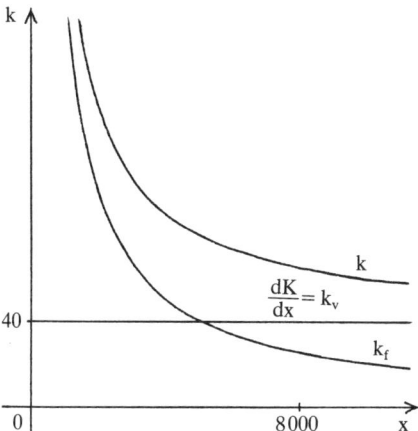

Abb. 8: Beziehungen zwischen Kosten und Beschäftigung bei linearer Periodenkosten-kurve

90,00 DM/t. In der Abbildung 9 sind die Abhängigkeitsbeziehungen zwischen den Periodenerlösen E bzw. den Stückerlösen e und der Absatzmenge x grafisch dargestellt. Die Periodenerlöskurve

$$E = 90\,x$$

bildet eine Gerade, die aus dem Koordinatenursprung kommt. Mit zunehmender Absatzmenge steigt der Periodenerlös gleichmäßig an. Die Kurve der Durchschnittserlöse

$$e = \frac{E}{x} = 90$$

Tab. 4:   Beziehungen zwischen Erlös und Absatzmenge

	Lineare Periodenerlöskurve			Quadratische Periodenerlöskurve		
x	E	e	$\dfrac{dE}{dx}$	E	e	$\dfrac{dE}{dx}$
0	0	90,00	90,00	0	160,00	160,00
1 000	90 000	90,00	90,00	150 000	150,00	140,00
2 000	180 000	90,00	90,00	280 000	140,00	120,00
3 000	270 000	90,00	90,00	390 000	130,00	100,00
4 000	360 000	90,00	90,00	480 000	120,00	80,00
5 000	450 000	90,00	90,00	550 000	110,00	60,00
6 000	540 000	90,00	90,00	600 000	100,00	40,00
7 000	630 000	90,00	90,00	630 000	90,00	20,00
8 000	720 000	90,00	90,00	640 000	80,00	0,00
9 000	810 000	90,00	90,00	630 000	70,00	−20,00
10 000	900 000	90,00	90,00	600 000	60,00	−40,00
11 000	990 000	90,00	90,00	550 000	50,00	−60,00
12 000	1 080 000	90,00	90,00	480 000	40,00	−80,00
13 000	1 170 000	90,00	90,00	390 000	30,00	−100,00
14 000	1 260 000	90,00	90,00	280 000	20,00	−120,00
15 000	1 350 000	90,00	90,00	150 000	10,00	−140,00
16 000	1 440 000	90,00	90,00	0	0,00	−160,00

bildet eine Parallele zur Abszisse, da der Verkaufspreis für die Unternehmung gegeben und nicht beeinflußbar ist. Der Grenzerlös

$$\frac{dE}{dx} = 90$$

ist ebenfalls bei jeder Absatzmenge gleich hoch. Die Grenzerlöskurve und die Kurve der Durchschnittserlöse sind identisch.

1.4.4.4 Nichtlineare Periodenerlöskurve

In der Praxis werden sich die Periodenerlöse in den seltensten Fällen proportional mit der Absatzmenge verändern, da es vollkommene Märkte in der Realität nicht gibt. In den weitaus meisten Fällen kann davon ausgegangen werden, daß die Unternehmung durch Preissenkung ihren Absatz steigern kann bzw. bei Preiserhöhungen Absatzeinbußen hinnehmen muß. Dies trifft nicht nur auf das Angebotsmonopol zu, da auf unvollkommenen Märkten auch die Angebotskurve eines Polypolisten einen monopolistischen Abschnitt aufweist, ebenso wie die oligopolistische Angebotskurve im reaktionsfreien Bereich die typisch monopolistische Form zeigt. Diese Situation kann man als quasi-monopolistische Angebotsstruktur charakterisieren, da die individuelle Preis-Absatz-Funktion der Unternehmung zwar in einem bestimmten Bereich den typisch monopolistischen Verlauf aufweist, die Bedingungen eines echten Angebotsmonopols aber nicht gegeben sind.

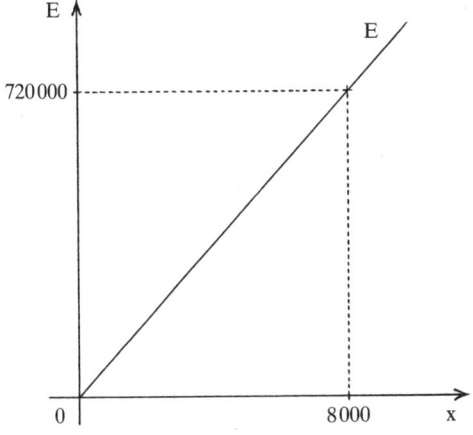

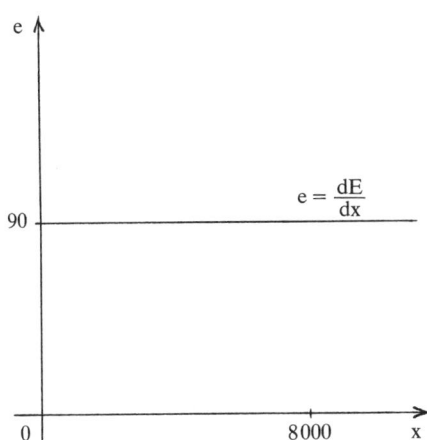

Abb. 9: Beziehungen zwischen Erlösen und Absatzmenge bei linearer Periodenerlöskurve

In der Abbildung 10 sind die Abhängigkeiten der Periodenerlöse E und der Stückerlöse e von der Absatzmenge x grafisch dargestellt. Dabei wird der Einfachheit halber von einer linear fallenden Preis-Absatz-Funktion ausgegangen, so daß die Periodenerlöse eine quadratische Funktion der Absatzmenge bilden. Für das Zahlenbeispiel im rechten Teil der Tabelle 4 möge sie folgenden Wert haben:

$$E = -0{,}01\,x^2 + 160\,x$$

In der grafischen Darstellung hat die Periodenerlöskurve, wie die Abbildung 10 zeigt, die Form einer Parabel. Sie beginnt im Koordinatenursprung, erreicht

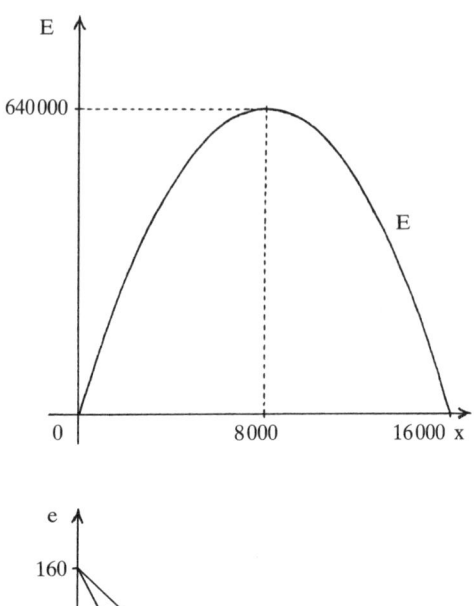

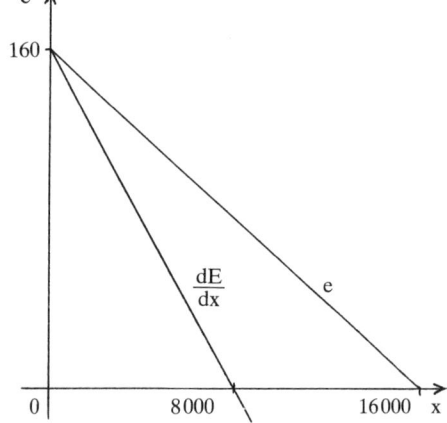

Abb. 10: Beziehungen zwischen Erlösen und Absatzmenge bei quadratischer Periodenerlöskurve

bei einer Absatzmenge von 8000 t pro Monat ihr Maximum und fällt dann wieder
ab. Bei einer Absatzmenge von 16000 t pro Monat ist der Periodenerlös wieder
auf Null gesunken. Die Kurve der Durchschnittserlöse

$$e = \frac{E}{x} = -0{,}01\,x + 160$$

entspricht der Preis-Absatz-Funktion. Sie beginnt bei einem Preis von
160,00 DM/t, fällt mit steigender Absatzmenge linear ab und erreicht bei 16000 t
Monatsabsatz den Wert Null. Der Grenzerlös

$$\frac{dE}{dx} = -0{,}02\,x + 160$$

ist im Bereich zwischen 0 und 8000 t Monatsabsatz positiv, d.h. der Periodenerlös nimmt mit steigender Absatzmenge zu. Allerdings wird der Zuwachs pro t (der Grenzerlös) immer geringer, bei genau 8000 t Monatsabsatz ist er auf Null gesunken, und danach wird er sogar negativ.

1.4.5 Bestimmung relevanter Beschäftigungsgrade

In diesem Kapitel werden die Bedingungen für die Bestimmung des Grenzkostenminimums, des Betriebsminimums, des Betriebsoptimums, des Erlösmaximums, der Gewinnschwelle und des Erfolgsoptimums genannt. Dabei wird abwechselnd von einer linearen und einer S-förmigen Periodenkostenkurve sowie einer linearen und einer quadratischen Periodenerlöskurve ausgegangen. Es werden die Zahlen der Beispiele aus dem Kapitel 1.4.4 zugrunde gelegt.

1.4.5.1 Grenzkostenminimum

Das Grenzkostenminimum ist die Beschäftigung, bei der der Kostenzuwachs am geringsten ist, wenn die Beschäftigung um eine (infinitesimal kleine) Einheit zunimmt. Betrachtet man die Periodenkostenkurve, so lassen sich die Grenzkosten durch das Steigungsmaß der Tangente an die Periodenkostenkurve bei einer bestimmten Beschäftigung darstellen. Bei einer linearen Periodenkostenkurve fallen die Grenzkosten mit den variablen Stückkosten zusammen und sind bei jedem Beschäftigungsgrad gleich hoch. Ein Grenzkostenminimum gibt es folglich hier nicht. Für die S-förmige Periodenkostenkurve ist die Bestimmung des Grenzkostenminimums unter Zugrundelegung des Zahlenbeispiels aus Kapitel 1.4.4.1 in der Abbildung 11 grafisch dargestellt. Bei einer Beschäftigung von 4000 t pro Monat ist das Steigungsmaß der Tangente an die Periodenkostenkurve ($= \text{tg } \alpha$) mit 4,00 DM/t am geringsten. Rechnerisch erhält man das Grenzkostenminimum durch folgenden Gleichungsansatz:

$$\frac{d^2K}{dx^2} = 0,000012\,x - 0,048 = 0; \qquad \frac{d^3K}{dx^3} = 0,000012 > 0$$

$$x = 4000\,t/Monat$$

1.4.5.2 Betriebsminimum

Die durchschnittlichen variablen Kosten erhält man durch Division der variablen Periodenkosten durch die Beschäftigung. Grafisch lassen sie sich durch das Steigungsmaß der Geraden darstellen, die den Fixkostenpunkt mit jedem beliebigen anderen Punkt der Periodenkostenkurve verbindet. In der Literatur wird das Minimum der variablen Durchschnittskosten häufig als Betriebsminimum bezeichnet.

Bei linearem Verlauf der Periodenkosten sind die durchschnittlichen variablen Kosten konstant, so daß sich ein Betriebsminimum nicht bestimmen läßt. Für die S-förmige Periodenkostenkurve ist die Bestimmung des Minimums der variablen Durchschnittskosten in der Abbildung 12 grafisch dargestellt. Bei einer Beschäftigung von 6000 t pro Monat ist das Steigungsmaß (tg α) der Geraden, die die Periodenkosten (K = 364000) mit dem Fixkostenpunkt (K = 196000) verbindet, am

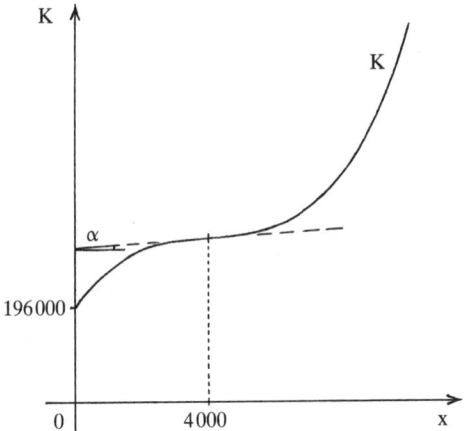

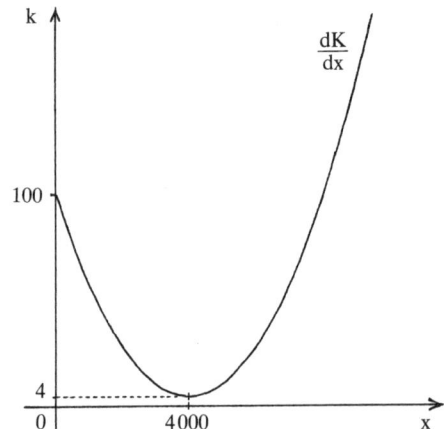

Abb. 11: Bestimmung des Grenzkostenminimums

niedrigsten. Die Grenzkosten und die durchschnittlichen variablen Kosten sind bei dieser Beschäftigung mit 28,00 DM/t gleich hoch. Rechnerisch erhält man das Betriebsminimum durch folgenden Gleichungsansatz:

$$\frac{dk_v}{dx} = 0{,}000004\,x - 0{,}024 = 0; \qquad \frac{d^2k_v}{dx^2} = 0{,}000004 > 0$$

$$x = 6\,000 \text{ t/Monat}$$

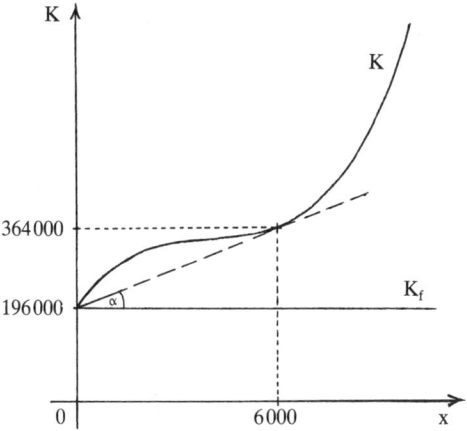

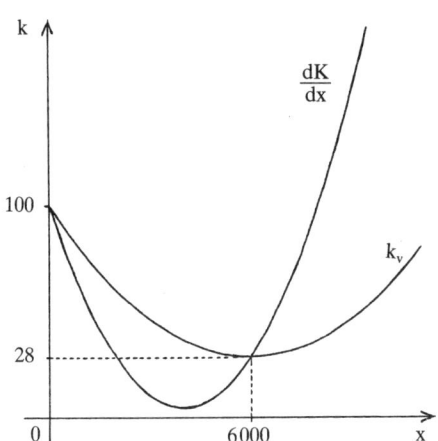

Abb. 12:   Bestimmung des Betriebsminimums

1.4.5.3 Betriebsoptimum

Unter dem Betriebsoptimum versteht man diejenige Beschäftigung, bei der die Durchschnittskosten ihr Minimum erreichen. Durchschnittskosten erhält man durch Division der Periodenkosten durch die Beschäftigung. Betrachtet man die Periodenkostenkurve, so lassen sich die Durchschnittskosten durch das Steigungsmaß der Geraden darstellen, die den Koordinatenursprung mit jedem beliebigen Punkt der Periodenkostenkurve verbinden. Im Betriebsoptimum bildet diese Gerade eine Tangente an die Periodenkostenkurve, oder, anders ausgedrückt, im Betriebsoptimum sind Grenzkosten und Durchschnittskosten gleich hoch.

Bei einer linearen Periodenkostenkurve fallen die Durchschnittskosten permanent und nähern sich asymptotisch den (konstanten) Grenzkosten (siehe Abbildung 13). Grenzkostenkurve und Durchschnittskostenkurve schneiden sich im
endlichen Bereich nicht, so daß das Betriebsoptimum quasi an der Kapazitätsgrenze liegt.

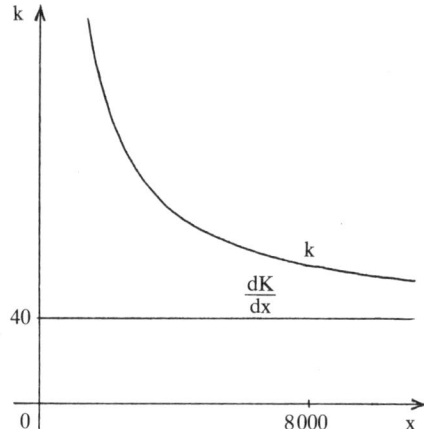

Abb. 13: Betriebsoptimum bei linearer Periodenkostenkurve

Für die S-förmige Periodenkostenkurve ist die Bestimmung des Betriebsoptimums in der Abbildung 14 grafisch dargestellt. Bei einer Beschäftigung von 7000
t pro Monat geht die Tangente an die Periodenkostenkurve durch den Koordinatenursprung, so daß Grenzkosten und Durchschnittskosten bei dieser Beschäftigung mit 58,00 DM/t gleich hoch sind. Rechnerisch erhält man das Betriebsoptimum durch folgenden Gleichungsansatz:

$$\frac{dK}{dx} = \frac{K}{x}$$

$$0,000006\,x^2 - 0,048\,x + 100 = 0,000002\,x^2 - 0,024\,x + 100 + \frac{196\,000}{x}$$

$$x = 7\,000\,\text{t/Monat}$$

1.4.5.4 Erlösmaximum

Das Erlösmaximum ist erreicht, wenn sich der Periodenerlös durch zusätzlichen
Absatz nicht mehr steigern läßt, d.h. wenn der Grenzerlös gleich Null ist. Bei ei-
ner linearen Periodenerlöskurve ist der Grenzerlös mit dem Durchschnittserlös
(Verkaufspreis) identisch, so daß es kein Erlösmaximum gibt.

Für die quadratische Periodenerlöskurve ist die Bestimmung des Erlösmaximums in der Abbildung 15 grafisch dargestellt. Bei einer Absatzmenge von 8000
t pro Monat schneidet die Grenzerlöskurve die Abszisse, und der Periodenerlös

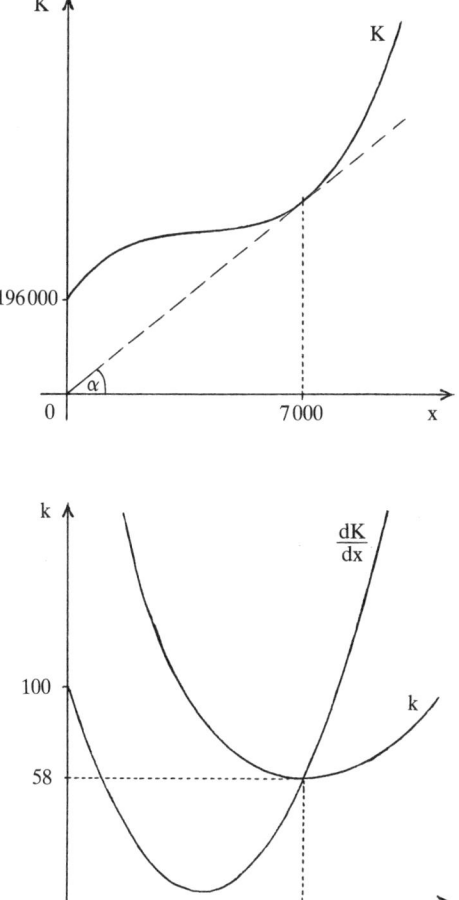

Abb. 14: Bestimmung des Betriebsoptimums bei S-förmiger Periodenkostenkurve

erreicht sein Maximum. Rechnersich erhält man das Erlösmaximum durch folgenden Gleichungsansatz:

$$\frac{dE}{dx} = -0,02\,x + 160 = 0; \qquad \frac{d^2E}{dx^2} = -0,02 < 0$$

$$x = 8\,000 \text{ t/Monat}; \qquad E = 640\,000\,\text{DM}$$

1.4.5.5 Gewinnschwelle

Als Gewinnschwelle bezeichnet man die Beschäftigung, bei der der Gewinn genau gleich Null ist. Sie wird auch als Nutzschwelle, toter Punkt oder break even point bezeichnet. In vielen Fällen gibt es nicht nur einen Beschäftigungsgrad, bei

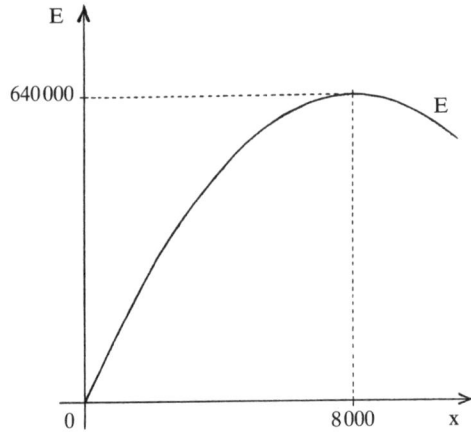

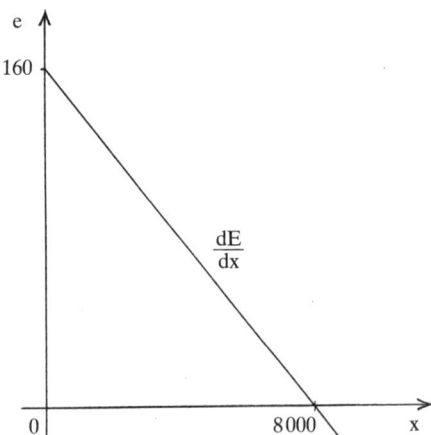

Abb. 15:   Bestimmung des Erlösmaximums

dem der Gewinn gleich Null ist, sondern eine untere und eine obere Gewinnschwelle. Bei Überschreiten der unteren Gewinnschwelle gelangt die Unternehmung aus der Verlustzone in die Gewinnzone. Wird die obere Gewinnschwelle
überschritten, gelangt die Unternehmung aus der Gewinnzone wieder in die Verlustzone. Rechnerisch wird die Gewinnschwelle durch Gleichsetzung der Periodenkostenfunktion mit der Periodenerlösfunktion bestimmt:

$$E = K$$

In den Abbildungen 16 bis 19 ist die Bestimmung der Gewinnschwelle grafisch
dargestellt. Abbildung 16 zeigt den Fall einer linearen Periodenkostenkurve mit
einer linearen Periodenerlöskurve. Die schraffierte Fläche kennzeichnet die Ge-

winnzone. Nach Überschreitung der Gewinnschwelle steigt der Gewinn linear mit der Absatzmenge an. Eine obere Gewinnschwelle gibt es deshalb hier nicht. Rechnerisch ergibt sich die (untere) Gewinnschwelle durch folgenden Gleichungsansatz:

$$40\,x + 200\,000 = 90\,x$$

$$x = 4\,000 \, \text{t/Monat}$$

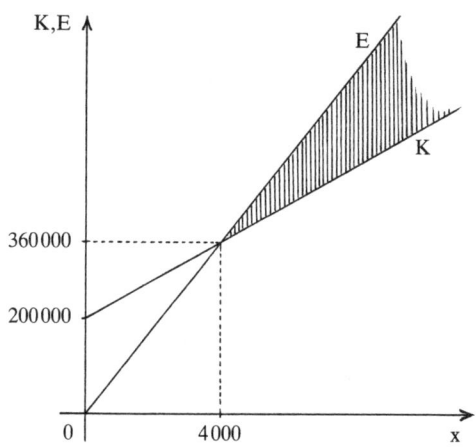

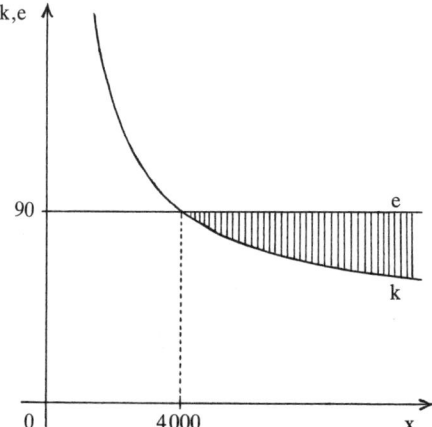

Abb. 16: Bestimmung der Gewinnschwelle bei linearer Periodenkostenkurve und linearer Periodenerlöskurve

Die Abbildung 17 zeigt die Kombination der S-förmigen Periodenkostenkurve mit der linearen Periodenerlöskurve. Die Gewinnschwelle erhält man rechnerisch durch folgenden Gleichungsansatz:

$$0{,}000002\,x^3 - 0{,}024\,x^2 + 100\,x + 196\,000 = 90\,x$$

Die Lösung ergibt drei Nullstellen, von denen eine jedoch außerhalb des ersten Quadranten liegt und damit praktisch irrelevant ist. Die beiden anderen Lösungen lauten:

$$x_1 \approx \ \ 3\,767\ \text{t/Monat} \qquad \text{(untere Gewinnschwelle)}$$
$$x_2 \approx 10\,617\ \text{t/Monat} \qquad \text{(obere Gewinnschwelle)}$$

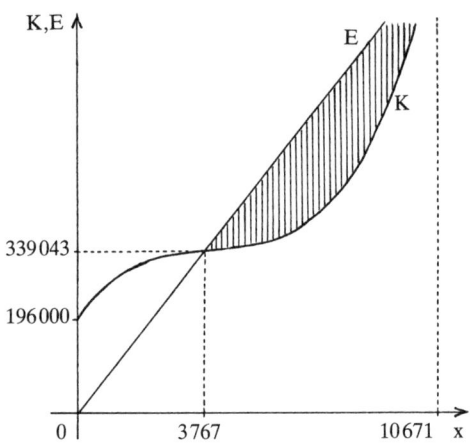

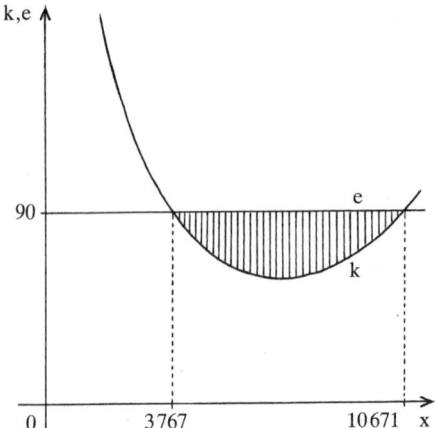

Abb. 17: Bestimmung der Gewinnschwelle bei S-förmiger Periodenkostenkurve und linearer Periodenerlöskurve

In der Abbildung 18 ist die lineare Periodenkostenkurve mit der quadratischen Periodenerlöskurve kombiniert. Rechnerisch erhält man die Lösungen für die Gewinnschwellen aus folgendem Gleichungsansatz:

$$40\,x + 200\,000 = -\,0{,}01\,x^2 + 160\,x$$

$$\begin{aligned} x_1 &= 2\,000\ \text{t/Monat} &&\text{(untere Gewinnschwelle)} \\ x_2 &= 10\,000\ \text{t/Monat} &&\text{(obere Gewinnschwelle)} \end{aligned}$$

Schließlich ist in der Abbildung 19 die Kombination der S-förmigen Periodenkostenkurve mit der quadratischen Periodenerlöskurve wiedergegeben. Rechne-

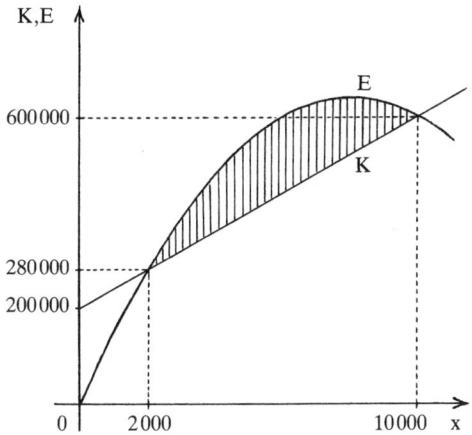

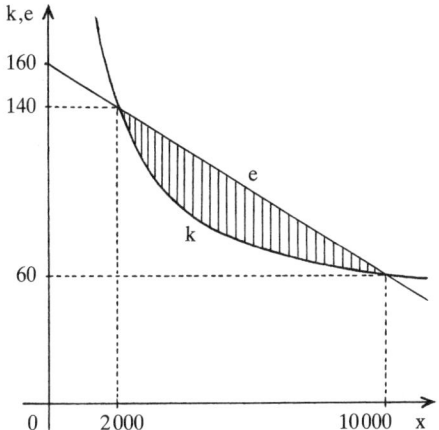

Abb. 18: Bestimmung der Gewinnschwelle bei linearer Periodenkostenkurve und quadratischer Periodenerlöskurve

risch erhält man die untere und die obere Gewinnschwelle durch folgenden Gleichungsansatz:

$$0,000002\,x^3 - 0,024\,x^2 + 100\,x + 196\,000 = -\,0,01\,x^2 + 160\,x$$

$x_1 \approx 2\,389\,\text{t/Monat}$ (untere Gewinnschwelle)
$x_2 \approx 9\,112\,\text{t/Monat}$ (obere Gewinnschwelle)

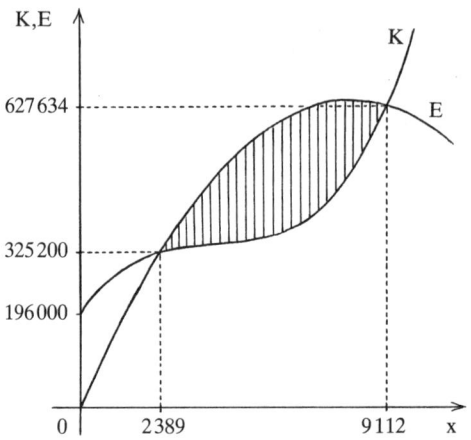

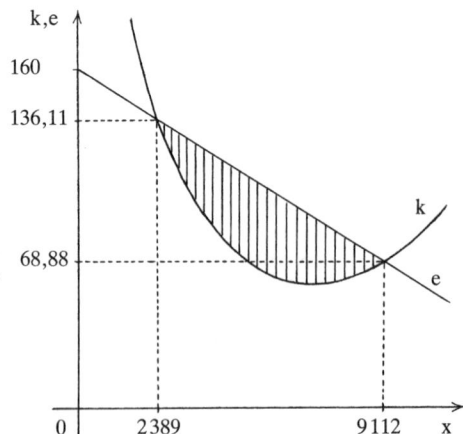

Abb. 19:   Bestimmung der Gewinnschwelle bei S-förmiger Periodenkostenkurve und quadratischer Periodenerlöskurve

1.4.5.6 Erfolgsoptimum

Das Erfolgsoptimum (Gewinnmaximum oder Verlustminimum) ist weder mit dem Erlösmaximum noch mit dem Stückkostenminimum (Betriebsoptimum) identisch. Das Gewinnmaximum ist erreicht, wenn bei einer (infinitesimal kleinen) Steigerung der Produktmenge die Zunahme der Periodenerlöse voll kompensiert wird durch die Zunahme der Periodenkosten. Durch Mehrproduktion über diesen Punkt hinaus ließen sich zwar die Erlöse weiter erhöhen, der Gewinn würde jedoch abnehmen, weil die Kosten stärker steigen als die Erlöse. Das Erfolgsoptimum ist folglich durch die Gleichheit von Grenzkosten und Grenzerlös charakterisiert:

$$\frac{dK}{dx} = \frac{dE}{dx}$$

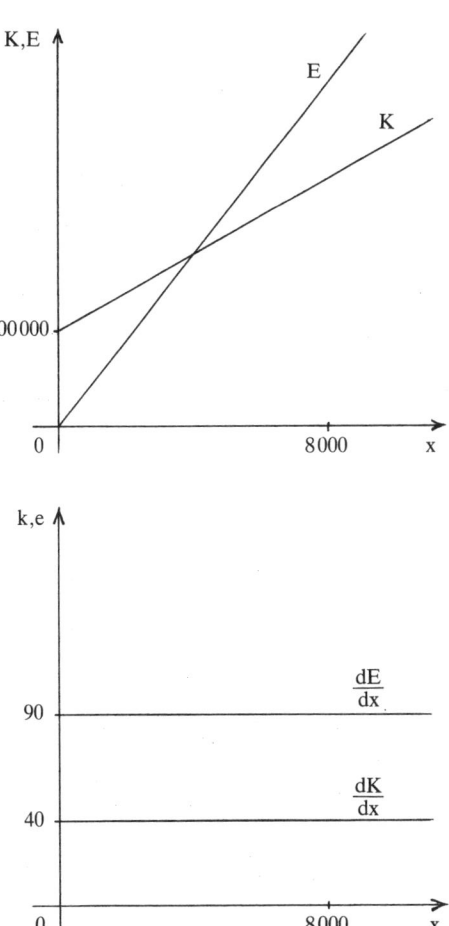

Abb. 20: Bestimmung des Gewinnmaximums bei linearer Periodenkostenkurve und linearer Periodenerlöskurve

Sind sowohl die Periodenkostenkurve als auch die Periodenerlöskurve linear, so gibt es, wie die Abbildung 20 zeigt, theoretisch kein Gewinnmaximum. Grenzkostenkurve und Grenzerlöskurve sind Parallelen zur Abszisse und schneiden sich im endlichen Bereich nicht. Nach Überschreiten der Gewinnschwelle steigt der Gewinn stetig an. Praktisch wird der größtmögliche Gewinn bei Erreichen der Kapazitätsgrenze erzielt.

Die Abbildung 21 zeigt die Verbindung einer S-förmigen Periodenkostenkurve mit einer linearen Periodenerlöskurve. Das Gewinnmaximum ist erreicht, wenn

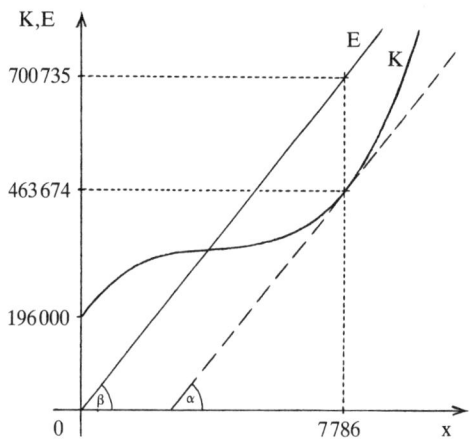

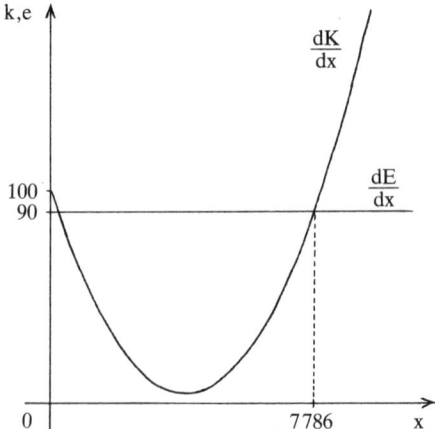

Abb. 21:   Bestimmung des Gewinnmaximums bei S-förmiger Periodenkostenkurve und linearer Periodenerlöskurve

die Tangente an die Periodenkostenkurve dasselbe Steigungsmaß besitzt wie die Periodenerlöskurve (tg α = tg β). Rechnerisch erhält man das Gewinnmaximum durch folgenden Gleichungsansatz:

$$E = 90\,x$$
$$K = 0{,}000002\,x^3 - 0{,}024\,x^2 + 100\,x + 196\,000$$
$$G = E - K = -0{,}000002\,x^3 + 0{,}024\,x^2 - 10\,x - 196\,000$$

$$\frac{dG}{dx} = -0{,}000006\,x^2 + 0{,}048\,x - 10 = 0; \qquad \frac{d^2G}{dx^2} < 0$$

$$x \approx 7\,786\ \text{t/Monat}$$

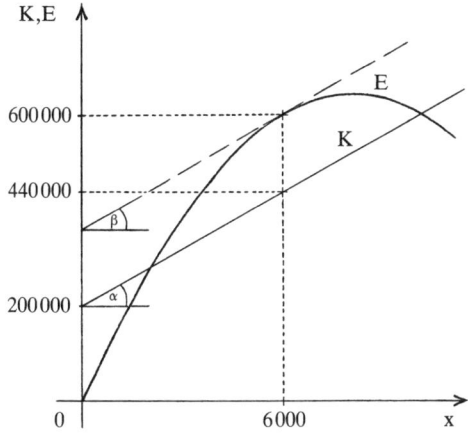

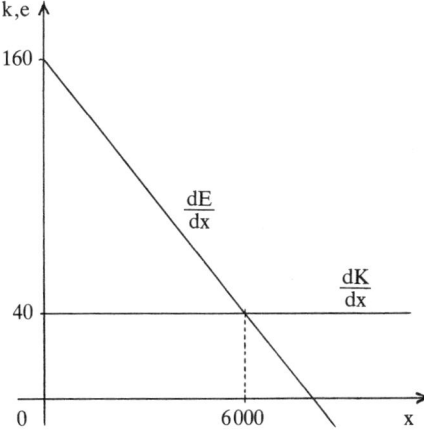

Abb. 22: Bestimmung des Gewinnmaximums bei linearer Periodenkostenkurve und quadratischer Periodenerlöskurve

In der Abbildung 22 ist die lineare Periodenkostenkurve mit der quadratischen Periodenerlöskurve kombiniert. Das Gewinnmaximum ergibt sich aus der folgenden Rechnung:

$$E = -0,01\,x^2 + 160\,x$$
$$K = 40\,x + 200\,000$$
$$G = E - K = -0,01\,x^2 + 120\,x - 200\,000$$

$$\frac{dG}{dx} = -0,02\,x + 120 = 0; \qquad \frac{d^2G}{dx^2} = 0,02 < 0$$

$$x = 6\,000\ \text{t/Monat}$$

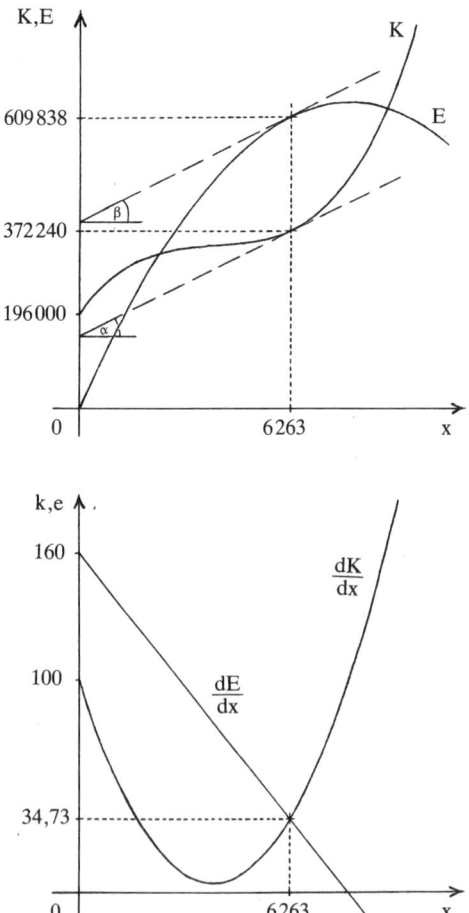

Abb. 23: Bestimmung des Gewinnmaximums bei S-förmiger Periodenkostenkurve und quadratischer Periodenerlöskurve

Schließlich ist in der Abbildung 23 die Kombination der S-förmigen Periodenkostenkurve mit der quadratischen Periodenerlöskurve wiedergegeben. Rechnerisch erhält man das Gewinnmaximum durch den folgenden Ansatz:

$$E = -0{,}01\,x^2 + 160\,x$$
$$K = 0{,}000002\,x^3 - 0{,}024\,x^2 + 100\,x + 196\,000$$
$$G = E - K = -0{,}000002\,x^3 + 0{,}014\,x^2 + 60\,x - 196\,000$$

$$\frac{dG}{dx} = 0{,}000006\,x^2 + 0{,}028\,x + 60 = 0; \qquad \frac{d^2G}{dx^2} = < 0$$

$$x \approx 6\,263\ \text{t/Monat}$$

1.5 Überblick über die Systeme der Kostenrechnung

1.5.1 Ist-, Normal- und Plankostenrechnung

Von **Istkosten** wollen wir sprechen, wenn den Kosten die effektiv verbrauchten Einsatzgütermengen zugrunde liegen. Mit welchem Preis dieser Güterverbrauch bewertet ist, spielt dabei keine Rolle. Istkosten liegen also auch dann vor, wenn der effektive Güterverbrauch beispielsweise mit festen Verrechnungspreisen oder mit Tagesbeschaffungspreisen bewertet wird.

Gehen dagegen andere als die realisierten Verbrauchsmengen in die Rechnung ein, wollen wir die Kosten als **Sollkosten** bezeichnen. Diese können vergangenheitsbezogen sein (Normalkosten) oder für die Zukunft angesetzt werden (Plankosten).

Die **Normalkosten** sind abrechnungstechnische Sollkosten. Sie sollen die Istkosten im Zuge der Kostenermittlung ersetzen, um die Betriebsabrechnung oder die Kalkulation zu vereinfachen oder zu beschleunigen. Sie treten als erfassungstechnische oder verteilungstechnische Sollkosten auf. Im Zuge der Kostenerfassung entstehen Sollkosten durch eine retrograde Erfassungsmethode. Dabei schließt man von der erbrachten Leistung anhand von Erfahrungssätzen auf die Höhe des Güterverbrauchs. Das Ergebnis ist nicht der effektive Güterverbrauch, sondern ein normalisierter, insbesondere der durchschnittliche Güterverbrauch.

Im Zuge der Kostenverteilung entstehen Sollkosten durch eine Verrechnung der Gemeinkosten mit Hilfe von Normalzuschlagssätzen auf die Kostenträger. Während in einer Istkostenrechnung die tatsächlich entstandenen Kosten in die Gemeinkostenverrechnungssätze eingehen, so daß diese von Monat zu Monat mehr oder weniger stark schwanken, werden die Normalzuschlagssätze meist als Mittelwerte eines längeren Abrechnungszeitraums festgesetzt und bleiben über viele Monate hinweg konstant.

Allen Normalkosten ist gemeinsam, daß sie erst nach Ablauf der Abrechnungsperiode oder nach Erstellung der Leistung ermittelt werden. Sowohl bei den erfassungstechnischen wie auch bei den verteilungstechnischen Sollkosten werden die Normalkosten durch Multiplikation der Istleistung mit dem Normalkostensatz ermittelt.

Die **Plankosten** sind vorgegebene Sollkosten. Sie sollen nicht die Istkosten ersetzen, sondern werden den Istkosten zum Vergleich gegenübergestellt, um daraus eine Aussage über den erreichten Wirtschaftlichkeitsgrad abzuleiten. Das Ziel besteht letztlich darin, die Istkosten durch die Vorgabe der Plankosten zu beeinflussen. Innerhalb der Plankosten unterscheidet man nach dem Lenkungsziel zwischen Standardkosten (Kontrolle der Technizität) und Budgetkosten (Kontrolle der Rentabilität)[24].

Die Bezeichnung eines Kostenrechnungssystems als **Istkostenrechnung** wird regelmäßig nicht auf Rechnungen beschränkt, in denen ausschließlich die effektiv verbrauchten Gütermengen ermittelt werden. Auch wenn ein Teil des Güterverbrauchs retrograd erfaßt wird, spricht man üblicherweise noch von einer Istkostenrechnung, solange nur die in den Kostenstellen ermittelten Gemeinkosten auch vollständig auf die Kostenträger weiterverrechnet werden. Erst wenn die verrechneten Gemeinkosten nicht mehr mit den entstandenen Gemeinkosten übereinstimmen und dadurch in den Kostenstellen Gemeinkostenüber- oder -unterdeckungen auftreten, bezeichnen wir diese Rechnung als **Normalkostenrechnung.**

Während die Normalkostenrechnung eine Alternative zur Istkostenrechnung bildet, stehen **Plankostenrechnung** und Istkostenrechnung stets gleichrangig nebeneinander. Eine Plankostenrechnung verliert ohne eine entsprechend aufgebaute Istkostenrechnung ihren Sinn. Wenn die Plankosten den Kostenstellenleitern als Richtschnur vorgegeben werden, so muß stets auch die Einhaltung dieser Vorgaben mittels der Istkostenrechnung kontrolliert werden. Dies geschieht durch die Ermittlung und anschließende Auswertung der Soll/Ist-Abweichungen.

In dieser Schrift wird die Betriebsbuchhaltung im Kapitel 2 grundsätzlich als Istkostenrechnung dargestellt. An entsprechender Stelle wird allerdings auf die Möglichkeit hingewiesen, anstelle der Istkosten Normalkosten zu ermitteln. So wird im Kapitel 2.3.3.1 bei den Methoden der Kostenerfassung auch die retrograde Methode behandelt, und im Rahmen der Kostenträgerrechnung ist das Kapitel 2.5.6 der Gemeinkostenverrechnung mit Normalzuschlagssätzen vorbehalten. Im Kapitel 5 schließlich wird die Technik der Plankostenrechnung dargestellt.

1.5.2 Voll- und Teilkostenrechnung

Die Unterscheidung zwischen Voll- und Teilkosten beruht auf dem Umfang der in die Rechnung einbezogenen Kosten. Geht der gesamte leistungsbezogene Güterverbrauch in die Kosten ein, nennt man sie Vollkosten; wird nur ein Teil des leistungsbezogenen Güterverbrauchs in die Rechnung einbezogen, spricht man von Teilkosten.

Der Teilkostenbegriff kann grundsätzlich sowohl auf die Erfassung als auch auf die Verteilung der Kosten bezogen werden. Im ersten Falle läge eine Teilkostenrechnung vor, wenn auf die Erfassung bestimmter Kosten, wie z.B. der Abschrei-

---

[24] Eine systematische Übersicht über die Begriffe Istkosten, Sollkosten, Normalkosten, Plankosten u.a. liefert die Abbildung 33 auf Seite 248.

bungen, der Zinsen oder aller Zusatzkosten, von vornherein verzichtet würde. Weitaus üblicher ist jedoch die zweite Begriffsfassung: Danach wird in der Teilkostenrechnung zwar der gesamte leistungsbezogene Güterverbrauch erfaßt, aber es werden nicht sämtliche Kosten auch auf die Kostenträger verteilt. Welche Kosten in der Teilkostenrechnung auf die Kostenträger verteilt werden und welche nicht, hängt von dem jeweils angewandten Verfahren ab. Im Direct Costing mit summarischer Fixkostendeckung beispielsweise werden die variablen Einzel- und Gemeinkosten auf die Kostenträger verteilt, während die gesamten fixen Periodenkosten unter Umgehung der Kostenträgerrechnung in einer Summe in die Betriebsergebnisrechnung geleitet werden. Der Überschuß der Umsatzerlöse über die Teilkosten eines Kostenträgers wird als **Deckungsbeitrag** bezeichnet.

Da in der Vollkostenrechnung sämtliche Kosten auf die Kostenträger verteilt werden, kann durch Gegenüberstellung der Umsatzerlöse und der vollen Selbstkosten auch für jeden Kostenträger der Erfolg ermittelt werden. Das Betriebsergebnis eines Monats ergibt sich dann durch Addition der Erfolge aller in dem betreffenden Monat abgesetzten Erzeugnisse. In der Teilkostenrechnung läßt sich dagegen pro Kostenträger kein Gewinn oder Verlust, sondern lediglich der Deckungsbeitrag ermitteln. Mit seinem Deckungsbeitrag trägt ein Erzeugnis zur Deckung der nicht verteilten Kosten und gegebenenfalls zur Gewinnerzielung bei. Im Direct Costing wird das Betriebsergebnis folglich durch die Summe der Deckungsbeiträge aller in der Abrechnungsperiode abgesetzen Erzeugnisse, vermindert um den Block der fixen Periodenkosten, gebildet.

Grundsätzlich können sowohl eine Istkostenrechnung als auch eine Normalkostenrechnung und eine Plankostenrechnung auf Voll- oder Teilkostenbasis erstellt werden. In einer Ist-Teilkostenrechnung wird nach Ablauf der Abrechnungsperiode festgestellt, mit welchem Deckungsbeitrag welche Kostenträger zur Deckung der unverteilten Kosten und zur Gewinnerzielung beigetragen haben. Für die meisten unternehmerischen Entscheidungen ist es dagegen erforderlich, für die Kostenträger Plandeckungsbeiträge zu ermitteln. Eine Plankostenrechnung auf Teilkostenbasis wird vielfach als **Grenzplankostenrechnung** bezeichnet. Auch eine Normalkostenrechnung ist auf Teilkostenbasis denkbar. In diesem Falle würden die Normalzuschlagssätze nur die variablen Gemeinkosten umfassen. In der Praxis sind derartige Rechnungen wohl kaum anzutreffen; hier enthalten die Normalzuschlagssätze in aller Regel die vollen Gemeinkosten.

In dieser Schrift werden die Betriebsbuchhaltung und die Kalkulationsverfahren zunächst auf Vollkostenbasis behandelt. Der Teilkostenrechnung ist dann das Kapitel 4 gewidmet. Die im Kapitel 5 folgenden Ausführungen zur Plankostenrechnung berücksichtigen sowohl die Plankostenrechnung auf Vollkostenbasis als auch die Besonderheiten der Grenzplankostenrechnung.

1.6 Testfragen und Übungsaufgaben

1. Nennen Sie die wichtigsten Zweige des betrieblichen Rechnungswesens und charakterisieren Sie sie
   a) hinsichtlich der Rechnungsgrundlage!
   b) hinsichtlich des Bezugsinhaltes!
   c) hinsichtlich des Rechnungszeitpunktes!
   d) hinsichtlich des Rechnungsziels!

2. Nennen Sie die wichtigsten Unterschiede zwischen der Finanzbuchhaltung und der Betriebsbuchhaltung!

3. Welche Rechtsnormen für die Kostenrechnung kennen Sie und was regeln diese Vorschriften?

4. Nennen Sie die wichtigsten Zwecke der Kosten- und Leistungsrechnung!

5. Beschreiben Sie die Aufgabe, die der Kostenrechnung Ihrer Meinung nach bei der Preisbildung für die Erzeugnisse einer Unternehmung zukommt!

6. a) Was versteht man unter Wirtschaftlichkeit?
   b) Welche Arten der Wirtschaftlichkeit kennen Sie?
   c) Mit Hilfe welcher Zweige des Rechnungswesens wird die Wirtschaftlichkeit überwacht?

7. Definieren Sie die folgenden Begriffe:
   a) Einzahlungen und Auszahlungen
   b) Einnahmen und Ausgaben
   c) Erträge und Aufwendungen
   d) Leistungen und Kosten

8. Nennen Sie je ein Beispiel
   a) für eine erfolgsunwirksame Einnahme!
   b) für einen Sachverhalt, der gleichzeitig Kosten, Aufwand, Ausgabe und Auszahlung darstellt!

9. Welche Wesensmerkmale sind dem Aufwands- und dem Kostenbegriff gemeinsam und in welchen Merkmalen unterscheiden sich die beiden Begriffe?

10. a) Sind Steuern Kosten?
    b) Welches Wirtschaftsgut wird hierbei verbraucht?

11. Welcher Güterverbrauch liegt den Zinskosten zugrunde?

12. Mit welchem Preis bewertet man
    a) die Aufwendungen?
    b) die Kosten?

13. Was sind Grenzkosten?

14. Die Periodenkosten einer Unternehmung betragen 107 200 DM bei einer Ausbringung von 1 600 t und 118 800 DM bei einer Ausbringung von 1 800 t.
    a) Wie hoch sind die Durchschnittskosten bei 1 600 t Ausstoß?
    b) Wie hoch sind die Durchschnittskosten bei 1 800 t Ausstoß?
    c) Wie hoch sind die Grenzkosten?

15. a) Welches Kriterium liegt der Unterscheidung von variablen und fixen Kosten zugrunde?

b) Welche Kostenkategorien unterscheidet man innerhalb der variablen Kosten?
c) Nennen Sie Beispiele hierfür!
d) Was sind sprungfixe Kosten?
e) Was sind regressive Kosten?
f) Was sind Leerkosten?

16. Welche Aussage liefert der Reagibilitätsgrad und wie wird er ermittelt?

17. Welchen Verlauf nehmen die Durchschnittskosten, wenn
a) die Periodenkosten fix sind?
b) die Periodenkosten sich proportional mit der Beschäftigung verändern?
c) die Periodenkosten degressiv sind?
d) die Periodenkosten progressiv sind?

18. Gegeben sind die Funktion der Periodenkosten K in Abhängigkeit von der Beschäftigung x sowie die Preis-Absatz-Funktion e(x):
$$K = 0,1\,x^3 - 9\,x^2 + 510\,x + 2\,500; \quad e = -6,75\,x + 810$$

a) Bei welcher Produktmenge x
(1) erreichen die Grenzkosten ihr Minimum?
(2) erreichen die durchschnittlichen variablen Kosten ihr Minimum?
(3) erreichen die durchschnittlichen fixen Kosten ihr Minimum?
(4) erreichen die gesamten Durchschnittskosten ihr Minimum?
(5) erreichen die Periodenerlöse ihr Maximum?
(6) erreicht der Periodenerfolg sein Optimum?

b) Prüfen Sie Ihre Berechnungen durch Aufstellung einer Tabelle der Periodenkosten, der Periodenerlöse, des Periodenerfolges, der durchschnittlichen variablen Kosten, der durchschnittlichen fixen Kosten, der gesamten Durchschnittskosten, der Grenzkosten und des Grenzerlöses für die Produktmengen x = 0, 5, 10, 15, ..., 70!

c) Stellen Sie für das Zahlenbeispiel die Beziehungen zwischen den Periodenkosten und dem Periodenerlös einerseits und der Produktmenge x anderseits grafisch dar!

d) Zeichnen Sie in eine zweite Grafik die Kurven der durchschnittlichen variablen Kosten, der durchschnittlichen fixen Kosten, der gesamten Durchschnittskosten, der Durchschnittserlöse, der Grenzkosten und der Grenzerlöse ein!

2. Kapitel:
Betriebsbuchhaltung

2.1 Organisation der Betriebsabrechnung

2.1.1 Zwecke und Teilbereiche der Betriebsabrechnung

Das Ziel der Betriebsabrechnung liegt in der Ermittlung des kalkulatorischen Erfolgs der abgelaufenen Abrechnungsperiode für einzelne Produktarten oder Produktgruppen. Der Erfolg ergibt sich aus der Differenz zwischen den Umsatzerlösen und den Kosten (Selbstkosten) der abgesetzten Erzeugnisse. Die Komponenten des kalkulatorischen Erfolgs sind also Leistungen und Kosten, während der in der Finanzbuchhaltung ausgewiesene Erfolg als Differenz zwischen Erträgen und Aufwendungen ermittelt wird. Der erste Schritt besteht deshalb in der Durchführung der **sachlichen Abgrenzung** zwischen Erträgen und Leistungen sowie zwischen Aufwendungen und Kosten. Für die Grundkosten ist außerdem eine **zeitliche Abgrenzung** durchzuführen, deren Notwendigkeit sich aus den gegenüber der Finanzbuchhaltung kürzeren Abrechnungsperioden ergibt.

Die auf diese Weise sachlich und zeitlich abgegrenzten Kosten werden in der **Kostenartenrechnung** nach dem Verbrauchscharakter und den verbrauchten Güterarten gegliedert. Beispiele für Kostenarten sind Materialverbrauch, Löhne, Gehälter, Sozialkosten, Abschreibungen, Zinsen, Mieten, Porti und Frachten, Steuern, Gebühren und Beiträge. Die Kostenartenrechnung gibt eine Antwort auf die Frage, w e l c h e Kosten entstanden sind.

Zur Ermittlung des kalkulatorischen Erfolgs müssen die Kosten nach Verursachungsgesichtspunkten den Kostenträgern zugerechnet werden. Als **Kostenträger** bezeichnet man die Leistungen (Produkte, Erzeugnisse), weil sie die Kosten verursacht und damit letzten Endes auch zu tragen haben. Jede Leistung ist ein Kostenträger; dazu rechnen also nicht nur die Absatzleistungen, sondern auch die innerbetrieblichen Leistungen.

Ein Teil der in den Kostenarten erfaßten Kosten ist von jeweils einer einzigen Kostenträgerart allein verursacht worden und kann ihr daher auch direkt zugerechnet werden (= **Einzelkosten**). Die übrigen Kosten, die von mehreren oder gar allen Kostenträgerarten gemeinsam verursacht worden sind (= **Gemeinkosten**), können den einzelnen Kostenträgern nur indirekt, d.h. im Wege der Schlüsselung, zugerechnet werden. Eine unmittelbare Schlüsselung des Gemeinkostenanteils der Kostenarten auf die Kostenträger ist jedoch nach Verursachungsgesichtspunkten nur in ganz wenigen Fällen möglich. Die (Kostenträger-) Gemeinkosten werden deshalb in aller Regel zunächst auf die Kostenstellen verteilt, in denen sie entstanden sind, und von dort auf die Kostenträger weiterverrechnet. Die Kostenstellen sind also die Orte der Kostenentstehung (Tätigkeits- oder Verantwortungsbereiche); die **Kostenstellenrechnung** beantwortet somit die Frage, w o die Kosten entstanden sind. Als Beispiele für Kostenstellen im Fertigungsbereich können Gießerei, Härterei, Schmiede, Dreherei, Fräserei, Stanzerei, Schleiferei, Verchromung, Vormontage und Endmontage genannt werden.

Die Verteilung der Kostenträgergemeinkosten auf die Kostenstellen wird soweit wie möglich direkt vorgenommen (= Kostenstelleneinzelkosten), nur die verbleibenden Kosten (= Kostenstellengemeinkosten) werden bereits auf die Kostenstellen geschlüsselt, d.h. mit Hilfe irgendwelcher Maßstäbe, die der Kostenverursachung möglichst proportional sind, verteilt. Von den Kostenstellen werden die Kostenträgergemeinkosten ebenfalls im Wege der Schlüsselung auf die Kostenträger verrechnet (nach Maßgabe der Beanspruchung der Kostenstellen durch die Kostenträger) und dort den bereits zugerechneten Kostenträgereinzelkosten zugeschlagen.

In der **Kostenträgerrechnung** erfolgt die Zurechnung der Kosten getrennt nach den abgesetzten Leistungen, den Beständen an Fertigfabrikaten, den Beständen an Halbfabrikaten und den sonstigen innerbetrieblichen Leistungen, die nicht in derselben Abrechnungsperiode, in der sie erstellt worden sind, auch wieder verbraucht wurden (= aktivierte innerbetriebliche Leistungen). Die Kostenträgerrechnung gibt somit Antwort auf die Frage, w o f ü r (für welche Leistungen) die Kosten entstanden sind. Den Kosten der abgesetzten Leistungen (Selbstkosten) werden, wie oben bereits erwähnt, die entsprechenden Umsatzerlöse gegenübergestellt, so daß sich als Saldo der kalkulatorische Periodenerfolg ergibt.

2.1.2 Tabellarische und kontenmäßige Betriebsabrechnung

Eine in Klein- und Mittelbetrieben verbreitete Organisationsform der Betriebsbuchhaltung ist die tabellarische Methode. Belastungen und Gutschriften werden hier nicht auf Konten vorgenommen, sondern durch Eintragungen im sog. **Betriebsabrechnungsbogen (BAB)** erfaßt. Der Betriebsabrechnungsbogen setzt sich aus zwei Teilbögen zusammen: dem **Kostenstellenbogen** zur Durchführung der Kostenstellenrechnung (auch kleiner BAB oder BAB I genannt) und dem **Kostenträgerzeitblatt** zur Durchführung der periodenbezogenen Kostenträgerrechnung (auch BAB II genannt).

Der **Kostenstellenbogen** ist in vertikaler Richtung nach Kostenarten und in horizontaler Richtung nach Kostenstellen gegliedert. Die Aufgabe des Kostenstellenbogens besteht in der Verteilung des Gemeinkostenanteils der Kostenarten auf die Kostenstellen, in denen der Güterverbrauch stattgefunden hat. Da die Einzelkosten den Kostenträgern direkt zurechenbar sind, werden sie nicht auf die Kostenstellen verteilt und deshalb im Kostenstellenbogen in einer besonderen Spalte ausgegliedert. In Tabelle 5 ist in vereinfachter Form ein Muster für einen Kostenstellenbogen wiedergegeben.

Tab. 5:   Schema für einen Kostenstellenbogen

	Kosten-arten-summen	Kosten-stelle 1	Kosten-stelle 2	...	Kosten-stelle n	Einzel-kosten
Kostenart 1	234 567	3 444	4 555	...	2 333	188 777
Kostenart 2	123 456	11 233	8 778	...	5 665	–
Kostenart 3	890 123	9 876	8 765	...	7 654	765 432
...	...	...	...	...	...	...

Das **Kostenträgerzeitblatt** ist in horizontaler Richtung nach den Produktarten und Produktgruppen gegliedert, für die der kalkulatorische Periodenerfolg gesondert ermittelt werden soll. In vertikaler Richtung entspricht der Aufbau dem allgemeinen Kalkulationsschema. In vereinfachter Form hat das Kostenträgerzeitblatt den in Tabelle 6 wiedergegebenen Inhalt.

Tab. 6: Schema für ein Kostenträgerzeitblatt

	Kosten-summen	Kostenträger 1	Kostenträger 2	...
Materialkosten	504 000	22 400	33 600	...
Fertigungskosten	916 000	45 600	56 400	...
Herstellkosten der Periode	1 420 000	68 000	90 000	...
Bestandsveränderungen bei den Halb- und Fertigfabrikaten	−120 000	+ 2 000	− 6 000	...
Herstellkosten des Umsatzes	1 300 000	70 000	84 000	...
Verwaltungskosten	260 000	14 000	16 800	...
Vertriebskosten	240 000	11 000	13 200	...
Selbstkosten	1 800 000	95 000	114 000	...
Umsatzerlöse	2 000 000	100 000	110 000	...
Kalkulatorischer Erfolg	+ 200 000	+ 5 000	− 4 000	...

Da die im Kostenstellenbogen eingetragenen Beträge für die Kostenarten zuvor sachlich und zeitlich abgegrenzt werden müssen, ist der Kostenstellenbogen nach links um besondere Spalten für die **Abgrenzung** zu erweitern. Die tabellarisch durchgeführte Abgrenzung könnte beispielsweise die in der Tabelle 7 aufgezeigte Form haben.

Tab. 7: Sachliche und zeitliche Abgrenzung in tabellarischer Form

Aufwands- bzw. Kostenart	Aufwand S	Sachliche Abgrenzung S	Sachliche Abgrenzung H	Zeitliche Abgrenzung S	Zeitliche Abgrenzung H	Kosten S	...
Gehälter	66 600	−	−	−	−	66 600	...
Fertigungslöhne	87 650	−	−	32 100	34 560	85 190	...
Unternehmerlohn	−	5 000	−	−	−	5 000	...
Spenden	1 000	−	1 000	−	−	−	...
Zinsen	560	670	−	−	−	1 230	...
Miete	−	−	−	850	−	850	...
Gewerbesteuer	3 600	−	−	−	2 400	1 200	...
...	...	...	...	...	...	...	...

Der tabellarisch durchgeführten Betriebsabrechnung sind insofern Grenzen gesetzt, als die Anzahl der Kostenarten, der Kostenstellen und der Kostenträger im Betriebsabrechnungsbogen nicht zu groß werden darf. Bei einer großen Anzahl von Kostenarten, Kostenstellen oder Kostenträgern muß der Betriebsabrechnungsbogen in viele Teilbögen zerlegt werden, so daß die als Vorteil der tabellarischen Methode gepriesene Übersichtlichkeit sehr bald wieder verloren geht.

In größeren Betrieben wird die Betriebsbuchhaltung in aller Regel kontenmäßig durchgeführt. Zu diesem Zweck ist für jede Kostenart, jede Kostenstelle und jeden Kostenträger mindestens ein Konto einzurichten. Die sachliche und zeitliche Abgrenzung der Kosten und Leistungen wie auch die Verteilung der Kosten erfolgen dann **durch doppelte Buchungen**. So werden beispielsweise im Zuge der Kostenstellenrechnung die Gemeinkosten den Kostenstellenkonten belastet bei gleichzeitiger Gutschrift dieser Beträge auf den Kostenartenkonten. Im Zuge der Kostenträgerzeitrechnung werden die Kostenträgerkonten mit den Einzel- und Gemeinkosten belastet; die Gegenbuchung erfolgt für die Einzelkosten auf den Kostenartenkonten und für die Gemeinkosten auf den Kostenstellenkonten. Schließlich werden die Leistungen im Haben der Kostenträgerkonten gebucht, so daß der Saldo dieser Konten den kalkulatorischen Periodenerfolg für die betreffende Produktart oder Produktgruppe ausweist.

Bei einer manuell geführten Betriebsbuchhaltung verursacht die kontenmäßige Methode mehr Arbeitsaufwand als eine tabellarische Betriebsabrechnung. Da die Buchhaltung jedoch in größeren Unternehmungen fast ausschließlich mit Hilfe der automatisierten Datenverarbeitung durchgeführt wird, ist dies kaum als Nachteil anzusehen. Dort erweist sich die kontenmäßige Betriebsbuchhaltung sogar als wesentlich flexibler als die tabellarische Buchung, die für eine maschinelle Datenverarbeitung weniger geeignet ist.

2.1.3 Das Kontensystem des Industrie-Kontenrahmens

2.1.3.1 Unterschiede zwischen Kontenplan und Kontenrahmen

In der Praxis werden insbesondere auf den Buchungsbelegen die Konten der Buchhaltung nicht verbal bezeichnet (z.B. „Kasse", „Postgirokonto Berlin", „Forderungen aus Lieferungen und Leistungen" usw.), sondern es werden Ziffern verwendet. Dabei erfolgt die Numerierung der Konten nicht wahllos, sondern nach einem bestimmten, für die einzelne Unternehmung entwickelten Plan, dem Kontenplan. Der **Kontenplan** liefert somit eine systematische Übersicht über alle in einer Unternehmung verwendeten Konten.

Bei der Systematisierung der Konten werden zunächst die wesensmäßig verwandten Konten(arten) zu Kontengruppen zusammengefaßt und diese wiederum zu wenigen Kontenklassen. Man bedient sich dabei des dekadischen Gliederungssystems. Auf diese Weise entstehen 10 Kontenklassen (0 bis 9), 100 Kontengruppen (00 bis 99), 1000 Kontenarten (000 bis 999) und beliebig viele Unterkonten durch weitere Untergliederung der Kontenarten.

Noch zu Beginn dieses Jahrhunderts verwendeten alle Unternehmungen weithin eigene Systeme der Kontengliederung. Erst später setzten Bemühungen um eine Vereinheitlichung der Kontensystematik und der Kontenbezeichnung ein. Bahnbrechende Arbeiten auf diesem Gebiet leisteten u.a. *Johann Friedrich Schär, Eugen Schmalenbach,* der Verein Deutscher Maschinenbau-Anstalten (VDMA) und das Reichskuratorium für Wirtschaftlichkeit (RKW).

Der **Kontenrahmen** bildet eine recht weit gefaßte Ordnung der Konten, die auf möglichst viele Branchen oder Wirtschaftszweige anwendbar sein soll und dennoch den einzelnen Unternehmungen genügend Spielraum für die spezielle Ausgestaltung ihrer Kontenpläne lassen muß. Die wichtigsten Unterschiede zwischen einem Kontenplan und einem Kontenrahmen lassen sich in den beiden folgenden Punkten zusammenfassen:

a) Der Kontenplan bezieht sich auf eine einzelne Unternehmung, während der Kontenrahmen auf eine Branche (z.b. die Automobilindustrie oder die Apotheken) oder einen Wirtschaftszweig (z.b. die Industrie oder den Einzelhandel) bezogen ist.

b) Der Kontenplan enthält sämtliche in einer bestimmten Unternehmung geführten Konten; der Kontenrahmen hat dagegen lediglich eine grobe Gliederung der wichtigsten Konten zum Inhalt.

Kontenrahmen werden von den Spitzenverbänden der Wirtschaft aufgestellt und ihren Mitgliedern zur Anwendung empfohlen. Ein Zwang zur Verwendung eines Kontenrahmens besteht heutzutage nicht; lediglich in den Jahren von 1938 bis zum Kriegsende hatte der Staat den Unternehmungen die Anwendung des Reichskontenrahmens (auch Pflicht- oder Erlaßkontenrahmen genannt) zur Pflicht gemacht.

2.1.3.2 Zwecke von Kontenplänen und Kontenrahmen

Hauptzweck des **Kontenplans** ist die Schaffung einer geordneten Übersicht über alle in der Unternehmung geführten Konten. Ferner führt die Numerierung der Konten auf den Buchungsbelegen und in den Büchern selbst (z.b. bei der Angabe des Gegenkontos) zu einer Arbeitsersparnis. Schließlich bildet der Kontenplan eine Voraussetzung für die automatisierte Datenverarbeitung im Rechnungswesen.

Kontenrahmen dienen vor allem der Vereinheitlichung des Aufbaus und der Durchführung der Buchhaltung, um dadurch die Möglichkeit zu zwischenbetrieblichen Wirtschaftlichkeitsvergleichen (Betriebsvergleichen) zu schaffen. Sie sind ferner notwendig bei extern geführter Buchhaltung (z.b. DATEV) und erleichtern schließlich die Arbeit der Wirtschaftsprüfer wie auch der Betriebsprüfer der Finanzbehörden.

2.1.3.3 Gliederungsprinzipien für Kontenrahmen

Die Ordnung der Kontenklassen und Kontengruppen im Kontenrahmen kann nach dem Bilanzgliederungsprinzip oder nach dem Prozeßgliederungsprinzip vorgenommen werden. Beim **Bilanzgliederungsprinzip** (auch Abschlußgliederungsprinzip genannt) erfolgt die Ordnung der Konten entsprechend der Reihenfolge der einzelnen Posten der Bilanz und der Gewinn- und Verlustrechnung:

Bilanz		GuV-Rechnung	
Aktiva	Passiva	Aufwand	Ertrag
(1)	(2)	(3)	(4)

Nach dem Bilanzprinzip sind beispielsweise die österreichischen Kontenrahmen aufgebaut. Der **Einheitskontenrahmen für die österreichische Wirtschaft** enthält die folgende Gliederung der Kontenklassen:

Klasse 0 = Anlagen
Klasse 1 = Vorräte

Klasse 2   = Geld, Forderungen, Aktivposten der Rechnungsabgrenzung
Klasse 3   = Verbindlichkeiten, Passivposten der Rechnungsabgrenzung
Klasse 4   = Materialaufwand
Klasse 5   = Personalaufwand
Klasse 6/7 = Sonstiger Aufwand
Klasse 8   = Erträge
Klasse 9   = Eigenkapital und Abschlußkonten

Beim **Prozeßgliederungsprinzip,** das auf Schmalenbach und Schär zurückgeht, erfolgt die Ordnung der Konten entsprechend der Abrechnungsfolge in der Buchhaltung. Der Kontenrahmen enthält hierbei in den ersten Klassen die Bestände an Einsatzgütern, denen die Klassen der innerbetrieblichen Weiterverrechnung (Abgrenzung, Kostenarten, Kostenstellen, Kostenträger) folgen. Die letzten Klassen enthalten schließlich die Ertrags- und Leistungskonten und die für den Abschluß benötigten Konten. Als typisches Beispiel für das Prozeßgliederungsprinzip kann der **Gemeinschafts-Kontenrahmen der Industrie (GKR)** von 1951 genannt werden. Dort sind die Kontenklassen wie folgt gegliedert:

Klasse 0   = Anlagevermögen und langfristiges Kapital
Klasse 1   = Finanz-Umlaufvermögen und kurzfristige Verbindlichkeiten
Klasse 2   = Neutrale Aufwendungen und Erträge
Klasse 3   = Stoffe-Bestände
Klasse 4   = Kostenarten
Klasse 5/6 = Kostenstellen
Klasse 7   = Kostenträger-Bestände
Klasse 8   = Kostenträger-Erträge
Klasse 9   = Abschluß

2.1.3.4 Vergleich zwischen IKR und GKR

Im Jahre 1971 wurde vom Betriebswirtschaftlichen Ausschuß des Bundesverbandes der Deutschen Industrie (BDI) ein neuer Kontenrahmen veröffentlicht, der die Bezeichnung „**Industrie-Kontenrahmen (IKR)**" trägt. Eine Neufassung des IKR in Anpassung an das Bilanzrichtlinien-Gesetz vom 19.12.1985 wurde im Jahre 1986 herausgegeben[1]. Die Gliederung des neuen Industrie-Kontenrahmens in Kontenklassen und Kontengruppen ist in Tabelle 8 wiedergegeben.

Der IKR unterscheidet sich von dem alten „Gemeinschafts-Kontenrahmen der Industrie (GKR)" von 1951 vor allem in den folgenden vier Punkten:

a) Im IKR erfolgt eine strikte Trennung der Finanzbuchhaltung (Kontenklassen 0 bis 8) von der Betriebsbuchhaltung (Klasse 9), während der GKR von einer einheitlichen Buchhaltung ausging. Insbesondere die Kontenklassen 2 bis 4 und 7 bis 9 des GKR ließen sich weder der Finanzbuchhaltung noch der Betriebsbuchhaltung eindeutig zuordnen.

b) Der GKR war nach dem Prozeßprinzip gegliedert, während die Kontenklassen 0 bis 8 im IKR nach dem Bilanzgliederungsprinzip geordnet sind. Die für

---

[1] Industrie-Kontenrahmen (IKR). Neufassung 1986 in Anpassung an das Bilanzrichtlinien-Gesetz (BiRiLiG). Tiefgliederung. Hrsg. vom Bundesverband der Deutschen Industrie. Bergisch Gladbach 1986.

die Kosten- und Leistungsrechnung vorgesehene Kontenklasse 9 des IKR ist in sich allerdings wieder nach dem Prozeßgliederungsprinzip aufgebaut.

c) Im GKR war die Kosten- und Leistungsrechnung fest reglementiert, während im IKR die Kontenklasse 9 lediglich für die Kosten- und Leistungsrechnung freigehalten ist und auf eine weitergehende Reglementierung verzichtet wird. Der IKR erlaubt daher diverse organisatorische Möglichkeiten für die Gestaltung der Kosten- und Leistungsrechnung und deren Verbindung zur Finanzbuchhaltung. So kann beispielsweise die Kontenklasse 9 auch unbesetzt bleiben, wenn die Kosten- und Leistungsrechnung ausschließlich in tabellarischer Form durchgeführt wird oder in der betreffenden Unternehmung überhaupt keine Kosten- und Leistungsrechnung vorhanden ist.

d) Ein weiteres Spezifikum des IKR ist in der starken Anlehnung an die handelsrechtlichen Gliederungsvorschriften für die Bilanz und die Gewinn- und Verlustrechnung zu sehen. Dies schlägt sich nicht nur in der Gliederung, sondern auch in der Bezeichnung der Kontenklassen und Kontengruppen nieder und erleichtert sowohl die Aufstellung des Jahresabschlusses als auch alle Revisions- und Prüfungsarbeiten. Im GKR wurden die handelsrechtlichen Gliederungsvorschriften nicht berücksichtigt.

2.1.3.5 Gliederung der Kontenklasse 9 des IKR

In einer Einführungsschrift zum Industrie-Kontenrahmen[2] hatte der BDI recht ausführlich den Inhalt der Kontenklassen 0 bis 8 für die Finanzbuchhaltung erläutert sowie zur Organisation der Geschäftsbuchführung und zur Aufstellung des Jahresabschlusses Stellung genommen. Dagegen waren die Ausführungen zur Betriebsbuchhaltung in dieser Schrift sehr dürftig und beschränkten sich auf ein Beispiel zur Darstellung der Funktion der Kontenklasse 9 als Verbindungselement zwischen Geschäftsbuchführung und Kosten- und Leistungsrechnung. Die BDI-Ausführungen zur Betriebsbuchhaltung konnten daher nur als ein grober Vorschlag zur Ausfüllung der Kontenklasse 9 angesehen werden, der viele nicht unbedeutende Fragen offen ließ. Außerdem blieben die buchungstechnischen Zusammenhänge innerhalb der Kontenklasse 9 vielfach unklar, weil die Darstellung sich hauptsächlich auf ein Diagramm stützte und Buchungssätze nur unvollständig wiedergegeben wurden.

Aus diesen Gründen hatte ich seinerzeit einen eigenen Gliederungsvorschlag für die Kontenklasse 9 des IKR entwickelt[3], der sich weitgehend, jedoch nicht in allen Einzelheiten, an die Ausführungen des BDI anlehnte. Da sich dieser Kontenrahmen in didaktischer Hinsicht bewährt hat[4], soll auch die kontenmäßige Darstellung der Betriebsbuchhaltung in der vorliegenden Schrift anhand dieses

---

[2] Industrie-Kontenrahmen (IKR). Hrsg. vom Bundesverband der Deutschen Industrie, Betriebswirtschaftlicher Ausschuß. Bergisch Gladbach 1971.

[3] Siehe Moews, Dieter: Die Betriebsbuchhaltung im Industrie-Kontenrahmen (IKR). Berlin 1973.

[4] In meinen Lehrveranstaltungen zur Kosten- und Leistungsrechnung lege ich bereits seit 1975 ausschließlich den Industrie-Kontenrahmen (IKR) zugrunde. Der alte Gemeinschafts-Kontenrahmen (GKR) wird dort nur noch im Rahmen der historischen Entwicklung von Kontenrahmen behandelt.

Tab. 8: Industrie-Kontenrahmen (IKR) von 1986

Klasse 0	Klasse 1	Klasse 2	Klasse 3	Klasse 4
Immaterielle Vermögensgegenstände und Sachanlagen	Finanzanlagen	Umlaufvermögen und aktive Rechnungsabgrenzung	Eigenkapital und Rückstellungen	Verbindlichkeiten und passive Rechnungsabgrenzung
00 Ausstehende Einlagen	10 Frei	20 Roh-, Hilfs- und Betriebsstoffe	30 Gezeichnetes Kapital (bei Einzelfirmen und Personengesellschaften: Kapitalkonten)	40 Frei
01 Aufwendungen für die Ingangsetzung und Erweiterung des Geschäftsbetriebes	11 Anteile an verbundenen Unternehmen	21 Unfertige Erzeugnisse, unfertige Leistungen	31 Kapitalrücklage	41 Anleihen
02 Konzessionen, gewerbliche Schutzrechte und ähnliche Rechte sowie Lizenzen an solchen Rechten und Werten	12 Ausleihungen an verbundene Unternehmen	22 Fertige Erzeugnisse, und Waren	32 Gewinnrücklagen	42 Verbindlichkeiten gegenüber Kreditinstituten
03 Geschäfts- oder Firmenwert	13 Beteiligungen	23 Geleistete Anzahlungen auf Vorräte	33 Ergebnisverwendung	43 Erhaltene Anzahlungen auf Bestellungen
04 Geleistete Anzahlungen auf immaterielle Vermögensgegenstände	14 Ausleihungen an Unternehmen, mit denen ein Beteiligungsverhältnis besteht	24 Forderungen aus Lieferungen und Leistungen	34 Jahresüberschuß bzw. Jahresfehlbetrag	44 Verbindlichkeiten aus Lieferungen und Leistungen
05 Grundstücke, grundstücksgleiche Rechte und Bauten einschließlich der Bauten auf fremden Grundstücken	15 Wertpapiere des Anlagevermögens	25 Forderungen gegen verbundene Unternehmen und gegen Unternehmen, mit denen ein Beteiligungsverhältnis besteht	35 Sonderposten mit Rücklageanteil	45 Wechselverbindlichkeiten
06 Frei	16 Sonstige Ausleihungen (Sonstige Finanzanlagen)	26 Sonstige Vermögensgegenstände	36 Wertberichtigungen	46 Verbindlichkeiten gegenüber verbundenen Unternehmen
07 Technische Anlagen und Maschinen	17 -19 Frei	27 Wertpapiere	37 Rückstellungen für Pensionen und ähnliche Verpflichtungen	47 Verbindlichkeiten gegenüber Unternehmen, mit denen ein Beteiligungsverhältnis besteht
08 Andere Anlagen, Betriebs- und Geschäftsausstattung		28 Flüssige Mittel	38 Steuerrückstellungen	48 Sonstige Verbindlichkeiten
09 Geleistete Anzahlungen und Anlagen im Bau		29 Aktive Rechnungsabgrenzung	39 Sonstige Rückstellungen	49 Passive Rechnungsabgrenzung

Klasse 5	Klasse 6	Klasse 7	Klasse 8	Klasse 9
Erträge	Betriebliche Aufwendungen	Weitere Aufwendungen	Ergebnisrechnungen	Kosten- und Leistungsrechnung (KLR)
50 -51 Umsatzerlöse	60 Aufwendungen für Roh-, Hilfs- und Betriebsstoffe	70 Betriebliche Steuern	80 Eröffnung und Abschluß	90 Unternehmensbezogene Abgrenzungen
52 Erhöhung oder Verminderung des Bestandes an unfertigen und fertigen Erzeugnissen	61 Aufwendungen für bezogene Leistungen	71 -73 Frei	81 Herstellungskosten	91 Kostenrechnerische Korrekturen
53 Andere aktivierte Eigenleistungen	62 Löhne	74 Abschreibungen auf Finanzanlagen und Wertpapiere des Umlaufvermögens und Verluste aus entsprechenden Abgängen	82 Vertriebskosten	92 Kostenarten und Leistungsarten
54 Sonstige betriebliche Erträge	63 Gehälter		83 Allgemeine Verwaltungskosten	93 Kostenstellen
55 Erträge aus Beteiligungen	64 Soziale Abgaben und Aufwendungen für Altersversorgung und Unterstützung	75 Zinsen und ähnliche Aufwendungen	84 Sonstige betriebliche Aufwendungen	94 Kostenträger
56 Erträge aus anderen Wertpapieren und Ausleihungen des Finanzanlagevermögens	65 Abschreibungen	76 Außerordentliche Aufwendungen	85 Korrekturkonten zu den Erträgen der Kontenklasse 5	95 Fertige Erzeugnisse
57 Sonstige Zinsen und ähnliche Erträge	66 Sonstige Personalaufwendungen	77 Steuern vom Einkommen und vom Ertrag	86 Korrekturkonten zu den Aufwendungen der Kontenklasse 6	96 Interne Lieferungen und Leistungen sowie deren Kosten
58 Außerordentliche Erträge	67 Aufwendungen für die Inanspruchnahme von Rechten und Diensten	78 Sonstige Steuern	87 Korrekturkonten zu den Aufwendungen der Kontenklasse 7	97 Umsatzkosten
59 Erträge aus Verlustübernahme	68 Aufwendungen für Kommunikation (Dokumentation, Informatik, Reisen, Werbung)	79 Aufwendungen aus Gewinnabführungsvertrag	88 Kurzfristige Erfolgsrechnung (KER)	98 Umsatzleistungen
	69 Aufwendungen für Beiträge und Sonstiges sowie Wertkorrekturen und periodenfremde Aufwendungen		89 Innerjährige Rechnungsabgrenzung	99 Ergebnisausweise

Tab. 9: Gliederungsvorschlag für die Kontenklasse 9 des IKR

90 Abgrenzungen zur Finanzbuchhaltung
  900 Betriebsfremde Aufwendungen
  901 Außerordentliche Aufwendungen
  902 Das Gesamtergebnis betreffende Aufwendungen
  905 Betriebsfremde Erträge
  906 Außerordentliche Erträge
  907 Das Gesamtergebnis betreffende Erträge

91 Kostenrechnerische Korrekturen
  910 Verrechnete Zusatzkosten
    9100 Verrechneter kalkulatorischer Unternehmerlohn
    9109 Andere verrechnete Zusatzkosten
  911 Verrechnete Anderskosten
    (soweit nicht zu 912 oder 913 gehörig)
    9110 Verrechnete kalkulatorische Abschreibungen
    9111 Verrechnete kalkulatorische Zinsen
    9112 Verrechnete kalkulatorische Wagnisse
    9119 Andere verrechnete Anderskosten
  912 Zeitliche Verteilung von Aufwendungen
    9120 Verrechnete Instandhaltungskosten
    9121 Verrechnete Urlaubs- und Feiertagslöhne u.a.
    9122 Verrechnete Sozialkosten
    9123 Verrechnete Werbungskosten
    9124 Verrechnete Raumkosten
    9129 Andere verrechnete Kosten
  913 Umbewertung von Kostenarten
    9130 Umbewertung des Materialverbrauchs
    9131 Umbewertung von Löhnen
    9139 Umbewertung anderer Kostenarten
  915 Verrechnete Zusatzleistungen
  916 Verrechnete Andersleistungen
    9160 Umbewertung von Absatzleistungen
    9165 Umbewertung der Bestandsveränderungen bei den
         Halb- und Fertigfabrikaten
    9167 Umbewertung anderer aktivierter Eigenleistungen
    9169 Andere verrechnete Andersleistungen
  918 Kurzfristige Periodenabgrenzung

92 Kostenarten
  920-921 Stoffkosten
  922 Lohnkosten
  923 Sozialkosten
  924 Dienstleistungskosten
  925 Miet-, Pacht-, Lizenzkosten u.a.
  926 Kalkulatorische Abschreibungen
  927 Kalkulatorische Wagnisse
  928 Steuern und Beiträge
  929 Kalkulatorische Zinsen

93 Kostenstellen
  930-931 Allgemeine Hilfskostenstellen
  932 Fertigungshilfsstellen
  933-935 Fertigungsstellen
  936 Materialstellen
  937 Verwaltungsstellen
  938 Vertriebsstellen

94 Halbfabrikate (ggf. auch Herstellkonten)

95 Fertigfabrikate
  (Untergliederung nach Kostenträgerarten oder -gruppen)

96 Aktivierte Eigenleistungen

97 Verkaufskonten
  (Untergliederung nach Kostenträgerarten oder -gruppen)

98 Umsatzerlöse

99 Abschlußkonten
  990 Betriebsergebnis-Soll
  991 Verrechnungsergebnis (Soll/Ist-Abweichungen)
  992 Betriebsergebnis-Ist
  995 Neutrales Ergebnis
  998 Gesamtergebnis
  999 Betriebliches Abschlußkonto

Gliederungsvorschlags, der in der Tabelle 9 wiedergegeben ist, vorgenommen werden.

Der BDI hat erst im Jahre 1980 eigene Empfehlungen zur Kosten- und Leistungsrechnung herausgegeben[5], die die aus dem Jahre 1951 stammenden „Grundsätze und Gemeinschafts-Richtlinien für das Rechnungswesen"[6] ersetzen sollen. Die wichtigsten Unterschiede zwischen den BDI-Empfehlungen und dem dieser Schrift zugrunde liegenden Vorschlag lassen sich in den folgenden Punkten zusammenfassen:

a) In den BDI-Empfehlungen bildet die Kontenklasse 9 keinen geschlossenen Buchungskreis, da die Aufwendungen und Erträge aus den Kontenklassen 5 bis 7 durch einseitige Buchungen in die Kontenklasse 9 übernommen werden. In dem von mir entwickelten Vorschlag schließt das Betriebliche Abschlußkonto (999) diese Lücke.

b) Die außerordentlichen Aufwendungen und Erträge sind in den BDI-Empfehlungen der Kontengruppe 91, in meinem Vorschlag der Kontengruppe 90 zugeordnet.

c) Der BDI empfiehlt, bei der Kostenartengliederung an die handelsrechtliche Gliederung der Aufwendungen anzuknüpfen. Demgegenüber halte ich eine auf die Ziele der Kosten- und Leistungsrechnung ausgerichtete Gliederung für zweckmäßiger.

d) Die Kontengruppe 92 enthält nach den BDI-Empfehlungen neben den Kostenarten auch die Leistungsarten. Meinem Vorschlag zufolge werden Leistungen erst in den Kontengruppen 94 bis 97 erfaßt. Dies entspricht nach meinem Dafürhalten besser dem Prozeßprinzip bei der Gliederung der Kontenklasse 9.

e) Nach demselben Grundsatz werden Gegenbuchungen zu den Bestandsveränderungen bei den Halb- und Fertigfabrikaten sowie zu den aktivierten Eigenleistungen gemäß den BDI-Empfehlungen in der Kontengruppe 92 vorgenommen. Demgegenüber schlage ich vor, diese Beträge direkt in der Kontenklasse 91 gegenzubuchen, da sie vor ihrer Übernahme in die Finanzbuchhaltung in aller Regel umbewertet werden müssen.

f) Die Kontengruppe 94 enthält die unfertigen Erzeugnisse. Unverständlich erscheint mir, warum der BDI nur diese Halbfabrikate als Kostenträger bezeichnet, obwohl die Betriebswirtschaftslehre auch die fertigen Erzeugnisse und die innerbetrieblichen Leistungen unter dem Begriff der Kostenträger subsumiert.

g) Den BDI-Empfehlungen zufolge werden die Konten der Gruppe 97 (Umsatzkosten) und 98 (Umsatzleistungen) nach Produktarten oder Produktgruppen gegliedert. Zur Ermittlung des Umsatzergebnisses müssen die entsprechenden Konten aus beiden Kontengruppen gegeneinander aufgerechnet werden. Diese Saldierung erübrigt sich, wenn man, wie ich es vorgeschlagen habe, die nach Produktarten oder Produktgruppen gegliederten Verkaufskonten in der Gruppe 97 gleichzeitig mit den Selbstkosten belastet und mit den Umsatzerlö-

---

[5] Empfehlungen zur Kosten- und Leistungsrechnung. Hrsg. vom Bundesverband der Deutschen Industrie. Band 1: Kosten- und Leistungsrechnung als Istrechnung. Bergisch Gladbach 1980.

[6] Grundsätze und Gemeinschafts-Richtlinien für das Rechnungswesen. Ausgabe Industrie. Hrsg. vom Bundesverband der Deutschen Industrie. Frankfurt/Main 1951.

sen erkennt. Die Kontengruppe 98 würde dann entweder nur noch der pauschalen Übernahme der Umsatzerlöse aus der Finanzbuchhaltung dienen oder aber für andere Zwecke frei sein.

2.1.4 Einkreis- und Zweikreissystem

Wird die Betriebsbuchhaltung kontenmäßig durchgeführt, tritt die Frage der organisatorischen Verbindung von Finanz- und Betriebsbuchhaltung auf. Dabei lassen sich zwei organisatorische Gestaltungsmöglichkeiten unterscheiden, die als monistische und dualistische Organisation charakterisiert werden können.

Eine monistische Organisation der Buchhaltung liegt vor, wenn Finanz- und Betriebsbuchhaltung ein einheitliches Kontensystem besitzen und einen gemeinsamen Buchungskreis bilden, in dem sowohl Buchungen von einem Konto der Finanzbuchhaltung auf ein Konto der Betriebsbuchhaltung als auch umgekehrt von einem Konto der Betriebsbuchhaltung auf ein Konto der Finanzbuchhaltung vorgenommen werden. Man spricht daher auch von einem **Einkreissystem**.

Im Kontensystem des Industrie-Kontenrahmens (IKR) sind bei monistischer Organisation am Monatsende die gesamten Aufwendungen und Erträge durch doppelte Buchungen von der Finanz- in die Betriebsbuchhaltung zu übernehmen, z.B.:

> Konto 922 an Konto 630 für die Gehälter
> Konto 902 an Konto 771 für die Körperschaftsteuer
> Konto 9111 an Konto 751 für die Zinsaufwendungen
> Konto 510 an Konto 98 für die Umsatzerlöse
> Konto 571 an Konto 905 für die Zinserträge

Am Jahresende wird schließlich das in der Kontenklasse 9 ermittelte Gesamtergebnis in die Finanzbuchhaltung zurückübertragen durch die Buchung:

> Konto 998 an Konto 802 (GuV-Konto)

Die die Gewinnverteilung betreffenden Buchungen werden dann wiederum ausschließlich in der Finanzbuchhaltung (Klasse 3) vorgenommen.

Eine Buchhaltung ist dualistisch oder nach dem **Zweikreissystem** organisiert, wenn Finanz- und Betriebsbuchhaltung je einen eigenen Buchungskreis besitzen, unabhängig voneinander abschließen und Buchungen von einem Konto des einen auf ein Konto des anderen Bereichs nicht vorgenommen werden. Es lassen sich zwei dualistische Organisationsformen unterscheiden: das Übergangssystem und das Spiegelbildsystem.

Das **Übergangssystem** ist dadurch gekennzeichnet, daß mindestens ein Paar Übergangskonten geführt wird: in der Finanzbuchhaltung ein „Übergangskonto Betrieb" und in der Betriebsbuchhaltung ein „Übergangskonto Geschäft". Damit hat jeder Teil der Buchhaltung ein eigenes Abschlußkonto, Buchungen von einem Teil in den anderen Teil der Buchhaltung treten nicht mehr auf. Dennoch ist durch die paarweise Verwendung von Übergangskonten eine jederzeitige Abstimmung zwischen Finanz- und Betriebsbuchhaltung möglich.

Beim **Spiegelbildsystem** bestehen überhaupt keine formalen Zusammenhänge zwischen Finanz- und Betriebsbuchhaltung. Die Konten der Finanzbuchhaltung werden zum GuV-Konto bzw. zum Schlußbilanzkonto abgeschlossen, und die

Betriebsbuchhaltung schließt ebenfalls getrennt für sich ab. Zu diesem Zweck benötigt die Betriebsbuchhaltung ein eigenes Abschlußkonto („Betrieblicher Abschluß"), das alle Gegenbuchungen aufnimmt, die bei monistischer Organisation auf den Konten der Finanzbuchhaltung vorzunehmen wären. Dadurch werden die Erfolgskonten der Finanzbuchhaltung von dem monatlichen Abschluß der Betriebsbuchhaltung überhaupt nicht berührt und geben ihre Salden am Jahresende unmittelbar an das Konto 802 (GuV-Konto) ab.

Um auch im Spiegelbildsystem eine jederzeitige Abstimmung zwischen Finanz- und Betriebsbuchhaltung zu ermöglichen, empfiehlt es sich, in der Betriebsbuchhaltung auch die neutralen Aufwendungen und Erträge zu erfassen und nicht die Rechnung auf die Buchung von Kosten und Leistungen zu beschränken. Das Betriebliche Abschlußkonto weist dann als Saldo den gleichen Periodenerfolg aus, wie er in der Finanzbuchhaltung ermittelt wird. Da sich jedoch ein Gewinn als Sollsaldo auf dem Betrieblichen Abschlußkonto ergibt, während er im GuV-Konto ein Habensaldo ist, wird das System als Spiegelbildsystem bezeichnet. Im Industrie-Kontenrahmen würde das Betriebliche Abschlußkonto folgende Positionen enthalten:

S	(999) Betrieblicher Abschluß	H
(905) Betriebsfremde Erträge	(900) Betriebsfremde Aufwendungen	
(906) Außerordentliche Erträge	(901) Außerordentliche Aufwendungen	
(907) Das Gesamtergebnis betreffende Erträge	(902) Das Gesamtergebnis betreffende Aufwendungen	
(916) Anderserträge (zum Herstellungsaufwand bewertete Bestandszunahme bei den unfertigen und fertigen Erzeugnissen sowie andere aktivierte Eigenleistungen)	(911-913) Andersaufwendungen	
	(92) Zweckaufwendungen (Grundkosten)	
(98) Umsatzerlöse	(998) Gesamtergebnis (Gewinn)	

Die Erfahrung zeigt, daß die Wirtschaftspraxis meist der dualistischen Organisation den Vorzug gegenüber der monistischen Organisation der Buchhaltung gibt. Die Einführung des Industrie-Kontenrahmens im Jahre 1971 hat diese Tendenz noch verstärkt, weil die strikte Trennung der Kontenklassen für die Finanzbuchhaltung von der für die Betriebsbuchhaltung vorgesehenen Kontenklasse 9 eine dualistische Organisation begünstigt. Die organisatorische Trennung wird vor allem deshalb bevorzugt, weil für die Finanzbuchhaltung strenge handels- und steuerrechtliche Formvorschriften zu beachten sind, während die Betriebsbuchhaltung nicht derartigen Rechtsnormen unterliegt. Bei einer monistischen Organisation müßte aber die gesamte Buchhaltung den gesetzlichen Vorschriften für die Finanzbuchhaltung genügen. Innerhalb der dualistischen Organisationsformen kommt dem Spiegelbildsystem die größere praktische Bedeutung zu.

2.1.5 Testfragen und Übungsaufgaben

19. Beschreiben Sie Inhalt und Aufbau des Betriebsabrechnungsbogens!

20. a) Worin unterscheiden sich Kontenplan und Kontenrahmen?
    b) Nennen Sie die Zwecke von Kontenplänen und Kontenrahmen!

21. a) Welche Gliederungsprinzipien für Kontenrahmen kennen Sie?
    b) Nennen Sie hierfür je ein Beispiel!
    c) Nach welchem dieser Gliederungsprinzipien ist der Industriekontenrahmen (IKR) von 1971 aufgebaut?

22. Worin unterscheidet sich der Industrie-Kontenrahmen (IKR) von 1971 von dem Gemeinschafts-Kontenrahmen der Industrie (GKR) von 1951?

23. Beschreiben Sie die dualistischen Organisationsformen der Betriebsbuchhaltung!

2.2 Buchhalterische Abgrenzungen zur Finanzbuchhaltung

Die buchtechnischen Auswirkungen der sachlichen und zeitlichen Abgrenzung der Kosten und Leistungen im Rahmen einer kalkulatorischen Periodenerfolgsrechnung (Betriebsbuchhaltung) sind unter Zugrundelegung des Spiegelbildsystems auf den nachstehenden Konten dargestellt. Erläuterungen zu dieser kontenmäßigen Darstellung folgen in den anschließenden Kapiteln.

S	(90-91) Abgrenzungskonten			H
(1) Neutrale Aufwendungen	70 000	(2) Neutrale Erträge		80 400
(3) Verrechnete Zusatz- leistungen	1 200	(4) Verrechnete Zusatz- kosten		7 500
(5) Andersaufwendungen	175 000	(6) Verrechnete Anders- kosten		166 600
(7) Verrechnete Anders- leistungen	34 000	(8) Anderserträge		30 600
(9) Periodenabgrenzung der Grundkosten:		(10) Periodenabgrenzung der Grundkosten:		
a) Bildung eines transitori- schen Aktivpostens	8 800	a) Bildung eines antizipati- ven Passivpostens		22 200
b) Auflösung eines anti- zipativen Passivpostens	18 000	b) Auflösung eines transi- torischen Aktivpostens		11 700
(14) Neutralergebnis (Gewinn)	12 000			
	319 000			319 000

S		(92-98) Kosten- und Leistungskonten			H
(11) Grundkosten	654 000		(12) Grundleistungen		888 000
(4) Zusatzkosten	7 500		(3) Zusatzleistungen		1 200
(6) Anderskosten	166 600		(7) Andersleistungen		34 000
(10) Periodenabgrenzung der Grundkosten:			(9) Periodenabgrenzung der Grundkosten:		
a) Bildung eines antizipativen Passivpostens	22 200		a) Bildung eines transitorischen Aktivpostens		8 800
b) Auflösung eines transitorischen Aktivpostens	11 700		b) Auflösung eines antizipativen Passivpostens		18 000
(13) Betriebsergebnis (Gewinn)	88 000				
	950 000				950 000

S	(990-998) Ergebniskonten		H
(15) Gesamtergebnis (Gewinn)	100 000	(13) Betriebsergebnis (Gewinn)	88 000
		(14) Neutralergebnis (Gewinn)	12 000
	100 000		100 000

S	(999) Betriebliches Abschlußkonto		H
(2) Neutrale Erträge	80 400	(1) Neutrale Aufwendungen	70 000
(12) Grundleistungen	888 000	(11) Grundkosten	654 000
(8) Anderserträge	30 600	(5) Andersaufwendungen	175 000
		(15) Gesamtergebnis (Gewinn)	100 000
	999 000		999 000

2.2.1 Abgrenzung zwischen Kosten und Aufwand

2.2.1.1 Aussonderung der neutralen Aufwendungen

Da der Güterverbrauch, der den neutralen Aufwendungen zugrunde liegt, nicht leistungsbezogen ist, dürfen diese Aufwendungen nicht in die Kosten eingehen. Sie werden besonderen Abgrenzungskonten in der Kontengruppe 90 des IKR belastet bei gleichzeitiger Gutschrift auf dem Betrieblichen Abschlußkonto (vgl. in der kontenmäßigen Darstellung die Buchung Nr. 1 über 70 000 DM). Die Abgrenzungskonten bilden quasi die Nahtstelle zwischen Finanz- und Betriebsbuchhaltung und können nach den folgenden Arten neutraler Aufwendungen gegliedert werden:

a) Betriebsfremde Aufwendungen

Sie stehen in überhaupt keinem sachlichen Zusammenhang mit der betrieblichen Leistungserstellung und werden deshalb auch als leistungsmäßig neutrale Aufwendungen bezeichnet. Beispiele für betriebsfremde Aufwendungen sind Stiftungen, Spenden und Schenkungen; Aufwendungen für Wohnhäuser; Aufwendungen für Sportplätze und Turnhallen; Aufwendungen für Wertpapiere und Beteiligungen, die nicht der Leistungserstellung dienen; Spekulationsverluste aller Art (auch in Rohstoffen!); Aufwendungen für stillgelegte Betriebsteile, die keine betriebsnotwendigen Reserveanlagen darstellen. Im IKR können die betriebsfremden Aufwendungen dem Konto 900 belastet werden.

b) Außerordentliche Aufwendungen

Diese Aufwendungen sind der Sache nach an sich leistungsbezogen, lassen sich aber entweder überhaupt keinem bestimmten Abrechnungszeitraum zurechnen (z.b. Aufwendungen für die Unternehmungsgründung, eine Kapitalerhöhung oder den derivativen Firmenwert) oder betreffen eine bereits abgeschlossene Abrechnungsperiode (z.b. Aufwendungen aus Anlagenverkäufen oder Steuernachzahlungen, soweit keine oder keine ausreichenden Rückstellungen gebildet wurden). Die außerordentlichen Aufwendungen werden auch als zeitraumneutrale Aufwendungen bezeichnet und können im IKR dem Konto 901 belastet werden.

Es muß ausdrücklich darauf hingewiesen werden, daß der Begriff der außerordentlichen Aufwendungen seit der Novellierung des Handelsgesetzbuchs durch das Bilanzrichtlinien-Gesetz vom 19.12.1985 im Handelsrecht eine andere Bedeutung hat als in der Kostenrechnung. Nach § 277 Abs. 4 HGB sind in der Gewinn- und Verlustrechnung unter dem Posten „außerordentliche Aufwendungen" nur solche Aufwendungen auszuweisen, die außerhalb der gewöhnlichen Geschäftstätigkeit einer Kapitalgesellschaft anfallen. Diese Aufwendungen dürfen also weder betriebstypisch sein noch regelmäßig anfallen. Es ist bedauerlich, daß der Gesetzgeber dem Begriff der außerordentlichen Aufwendungen damit einen anderen Inhalt zugemessen hat, als dies in der Betriebswirtschaftslehre üblich ist. In der Zukunft wird dies sicherlich häufiger zu Mißverständnissen führen.

c) Das Gesamtergebnis betreffende Aufwendungen

Hierzu zählen insbesondere die Körperschaftsteuer sowie Strafen und Bußgelder, wenn man, wie dies viele Fachvertreter tun, den Kostencharakter dieses Güterverbrauchs verneint. Man bezeichnet diese Aufwendungen auch als „aus dem Erfolg zu deckende Aufwendungen" oder – da sie bei der Kalkulation öffentlicher Aufträge nach den Leitsätzen für die Preisermittlung auf Grund von Selbstkosten (LSP) nicht kalkuliert werden dürfen – als rechtlich neutrale Aufwendungen. Sie können im IKR dem Konto 902 belastet werden. Vom betriebswirtschaftlichen Standpunkt spricht m.E. auch nichts dagegen, diese Aufwendungen ganz oder teilweise als Kosten zu behandeln. So könnte beispielsweise die Körperschaftsteuer, soweit sie den Betriebsgewinn betrifft, den Kosten zugerechnet werden, während der auf den Neutralgewinn entfallende Teil in die neutralen Aufwendungen eingeht.

Die Konten für die neutralen Aufwendungen werden am Jahresende zum Neutralergebnis (Konto 995) abgeschlossen, dessen Saldo, zusammen mit dem Betriebsergebnis, in das Gesamtergebnis eingeht. Dadurch wirken sich die neutralen Aufwendungen zwar nicht auf das Betriebsergebnis aus, beeinflussen aber sowohl das neutrale Ergebnis als auch das Gesamtergebnis negativ.

2.2.1.2 Übernahme der Zweckaufwendungen (Grundkosten)

Als Zweckaufwand bezeichnet man den Teil der Aufwendungen, der in gleicher Höhe in die Kosten eingeht. Er ist umfangmäßig mit den Grundkosten identisch. Bei diesem Güterverbrauch sind alle Wesensmerkmale sowohl des Aufwands- als auch des Kostenbegriffs erfüllt: Die Zweckaufwendungen (Grundkosten) bilden bewerteten Güterverbrauch, der mit Ausgaben verbunden ist und in einem kausalen Zusammenhang mit den in der Abrechnungsperiode erstellten Leistungen steht. Sie werden unverändert aus der Finanzbuchhaltung in die Betriebsbuchhaltung übernommen und hier den Kostenartenkonten in der Kontengruppe 92 belastet mit Gegenbuchung im Haben des Betrieblichen Abschlußkontos (vgl. oben Buchung Nr. 11 über 654 000 DM). Sie wirken sich im Betriebsergebnis und im Gesamtergebnis negativ aus; der Neutralerfolg bleibt unberührt. Als typische Beispiele für Zweckaufwendungen können Gehälter, Fremdmieten, Stromkosten und Versicherungsprämien genannt werden.

2.2.1.3 Einfügung von Zusatzkosten

Derjenige Güterverbrauch, der zwar leistungsbezogen ist, aber keine Ausgaben hervorruft, kann naturgemäß nicht aus Aufwendungen abgeleitet, sondern muß zusätzlich in die kalkulatorische Rechnung eingefügt werden. Zu diesen Zusatzkosten zählen insbesondere der kalkulatorische Unternehmerlohn, die kalkulatorischen Entgelte für die Mitarbeit unbezahlter Familienmitglieder, der Mietwert für betrieblich genutzte Räume im Privathaus des Unternehmers und der Erlaß von Steuern. Buchungstechnisch werden die Zusatzkosten, ebenso wie alle anderen Kosten, den Kostenartenkonten in der Kontengruppe 92 belastet (Buchung Nr. 4 über 7500 DM); die Habenbuchung muß wegen fehlender Ausgaben auf besonderen Verrechnungskonten in der Gruppe der Abgrenzungskonten vorgenommen werden (Konto 910 für die verrechneten Zusatzkosten). Dadurch belasten die Zusatzkosten zwar den kalkulatorischen Periodenerfolg, beeinflussen aber nicht den pagatorischen Erfolg. Auf den Neutralerfolg müssen sie sich zwangsläufig positiv auswirken. Für die Bewertung der Zusatzkosten gibt es grundsätzlich zwei Möglichkeiten: Entweder wird der ersparte Aufwand (= direkte Bewertung) oder der entgangene Ertrag (= Opportunitätskosten) angesetzt[7].

2.2.1.4 Verrechnung von Anderskosten

Während Zusatzkosten überhaupt nicht mit Ausgaben in Verbindung stehen, werden die Anderskosten zwar der Sache nach aus Aufwendungen bzw. Ausgaben abgeleitet, stimmen aber in ihrer Höhe nicht mit den entsprechenden Aufwendungen überein. Der durch die Finanzbuchhaltung ermittelte Güterverbrauch ist in dieser Form für die Kostenrechnung ungeeignet und muß daher durch Kosten in anderer Höhe ersetzt werden. Als Beispiele für Anderskosten können die kalkulatorischen Abschreibungen, die kalkulatorischen Zinsen, die kalkulatorischen Wagnisse, die kalkulatorische Miete für eigene Räume der Unternehmung, die kalkulatorischen Instandhaltungskosten, die kalkulatorischen Lohnkosten für Urlaubs-, Feiertags- und Krankheitslöhne, die kalkulatorischen Sozialkosten und die kalkulatorischen Werbungskosten genannt werden.

---

[7] Zur Bewertung der Zusatzkosten vgl. Kapitel 1.3.4.2.c und Kapitel 2.3.6.2.

Die Differenz zwischen der Höhe der Kosten und der Höhe der Aufwendungen kann auf einem abweichenden Mengenansatz oder auf einem abweichenden Preisansatz für den Güterverbrauch beruhen. Ein **abweichender Mengenansatz** für die Anderskosten liegt beispielsweise vor, wenn

a) bei der Zeitabschreibung eine unterschiedlich lange Nutzungsdauer zugrunde gelegt wird;
b) bei der Berechnung der Zinsen vom sog. betriebsnotwendigen Kapital anstelle des Fremdkapitals ausgegangen wird;
c) nach versicherungsmathematischen Grundsätzen errechnete Wagniszuschläge (= Wagniskosten) anstelle der effektiv eingetretenen sog. Wagnisverluste (= Wagnisaufwendungen) angesetzt werden;
d) durchschnittliche Reparaturaufwendungen anstelle der vom Zufall abhängigen, tatsächlich in der Periode gezahlten Aufwendungen angesetzt werden;
e) die durchschnittlich zu erwartenden Urlaubs-, Feiertags- und Krankheitslöhne anstelle der tatsächlich gezahlen Löhne verrechnet werden.

Ein **abweichender Preisansatz** für die Anderskosten ist beispielsweise gegeben, wenn

a) für die Bewertung des Materialverbrauchs Verrechnungspreise anstelle der Anschaffungspreise verwendet werden;
b) die Gegenstände des Anlagevermögens vom Wiederbeschaffungspreis anstelle des Anschaffungspreises abgeschrieben werden;
c) der Berechnung der Zinsen ein kalkulatorischer Zinsfuß zugrunde gelegt wird, der von dem für das Fremdkapital (durchschnittlich) gezahlten Zinssatz abweicht.

Die Beispiele (Zinsen, Abschreibungen) zeigen, daß auch bei ein und derselben Kostenart zugleich Abweichungen sowohl im Mengenansatz als auch im Preisansatz auftreten können.

Buchungstechnisch erfolgt der Ausgleich zwischen Aufwand und Kosten ebenfalls in der Kontengruppe 91 des IKR (auf den Konten 911, 912 und 913). In formaler Hinsicht bestehen die beiden Möglichkeiten der Nettobuchung und der Bruttobuchung.

Bei der **Nettomethode** wird der Teil der Kosten, der sich der Höhe nach mit den Aufwendungen deckt, wie Grundkosten gebucht: Kontengruppe 92 an Betriebliches Abschlußkonto 999. Sind die Aufwendungen größer als die verrechneten Kosten, wird die verbleibende Differenz wie ein neutraler Aufwand behandelt (Kontengruppe 91 an Betriebliches Abschlußkonto 999); wenn umgekehrt die Kosten die Aufwendungen übersteigen, bucht man die Differenz wie Zusatzkosten (Kontengruppe 92 an Kontengruppe 91).

Bei der **Bruttomethode** dagegen werden die Aufwendungen in voller Höhe neutralisiert (Kontengruppe 91 an Betriebliches Abschlußkonto 999), und an ihrer Stelle werden Zusatzkosten in anderer Höhe angesetzt (Kontengruppe 92 an Kontengruppe 91).

Die erfolgsmäßigen Auswirkungen sind bei beiden Methoden gleich, da im Neutralergebnis stets nur die Differenz zwischen den Aufwendungen und den verrechneten Kosten wirksam wird (positive Wirkung bei höheren Kosten und negative Wirkung bei höheren Aufwendungen). Der Übersichtlichkeit wegen ist es jedoch empfehlenswert, im Industrie-Kontenrahmen die Bruttomethode anzuwenden und in der Kontengruppe 91 nach Kostenarten gegliederte Verrechnungskonten zu führen, auf denen sich die neutralisierten Aufwendungen (Andersaufwand) im Soll (Buchung Nr. 5 über 175 000 DM) und die an ihrer Stelle verrechneten Anderskosten im Haben (Buchung Nr. 6 über 166 600 DM) gegenüberstehen.

2.2.1.5 Kurzfristige Periodenabgrenzung der Grundkosten

Mit den ersten vier Schritten, die in den Kapiteln 2.2.1.1 bis 2.2.1.4 beschrieben wurden, ist der leistungsbezogene Güterverbrauch bereits artmäßig und umfangmäßig festgelegt. Im fünften und letzten Schritt erfolgt nur noch die Zuordnung der Kosten zu einzelnen Abrechnungsperioden. Die kurzfristige kalkulatorische Erfolgsrechnung erfordert eine besonders genaue Periodenabgrenzung. Bei den Zusatzkosten entsteht kein zeitliches Abgrenzungsproblem, weil sie nicht mit Zahlungen in Verbindung stehen. Sie werden monatlich durch besondere Buchungen erfaßt. Auch bei den Anderskosten erfolgt die kalkulatorische Erfassung unabhängig von den geleisteten Zahlungen, so daß hier ebenfalls keine besonderen Buchungen für die Periodenabgrenzung erforderlich werden. Das Abgrenzungsproblem tritt also lediglich bei den Grundkosten auf. Ohne eine besondere zeitliche Abgrenzung würden sie zum Zeitpunkt der Zahlung erfolgswirksam werden – ohne Rücksicht darauf, wann der Güterverbrauch stattgefunden hat.

Für die kurzfristige Periodenabgrenzung der Grundkosten wird in der Betriebsbuchhaltung nur ein einziges Konto benötigt (Konto 918). Eine Untergliederung der Abgrenzungsfälle in aktive und passive Posten ist überflüssig, weil das kurzfristige Abgrenzungskonto kein Bilanzkonto darstellt. Eine Untergliederung in antizipative und transitorische Posten ist nicht nur überflüssig, sondern würde die Abgrenzung sogar noch komplizieren, weil eine einzige Zahlung mitunter zugleich die Auflösung einer antizipativen und die Bildung einer transitorischen Abgrenzung erfordert (z.B. die im Februar geleistete Zahlung der Grundsteuer für das erste Quartal des Jahres).

Die Bildung eines transitorischen Aktivpostens (z.B. vorausgezahlte Miete) und die Auflösung eines antizipativen Passivpostens werden auf dem Abgrenzungskonto im Soll erfaßt (Buchung Nr. 9 über insgesamt 26 800 DM). Die Bildung eines antizipativen Passivpostens (z.B. noch nicht ausgezahlte Löhne) und die Auflösung eines transitorischen Aktivpostens bucht man auf dem Abgrenzungskonto im Haben (Buchung Nr. 10 über insgesamt 33 900 DM). Die Gegenbuchungen dazu befinden sich auf dem jeweiligen Kostenartenkonto in der Gruppe 92. Wenn beispielsweise im Februar die Grundsteuer in Höhe von 600 DM für das erste Quartal gezahlt wird, ergeben sich folgende Buchungen:

Im Januar:

S	(9280) Steuern		H	S	(918) Periodenabgrenzung		H
Abgrenzung	200	Betriebsergebnis	200	Endbestand	200	Steuern	200

Im Februar:

S	(9280) Steuern		H	S	(918) Periodenabgrenzung		H
Zahlung	600	Abgrenzung	400	Steuern	400	Anfangs-bestand	200
		Betriebs-ergebnis	200			Endbestand	200

Im März:

S	(9280) Steuern		H	S	(918) Periodenabgrenzung		H
Abgrenzung	200	Betriebs-ergebnis	200	Anfangs-bestand	200	Steuern	200

In größeren Unternehmungen mit einer Vielzahl von Abgrenzungsbuchungen pro Monat ist es der Übersichtlichkeit wegen ratsam, entweder das Abgrenzungskonto 918 nach den abzugrenzenden Kostenarten zu untergliedern oder außerhalb der Buchhaltung sog. **Kostenartenverteilungskarten** zu führen. Eine solche Kostenartenverteilungskarte könnte z.b. für die Kraftfahrzeugsteuer den in Tabelle 10 wiedergegebenen Inhalt haben.

Tab. 10: Muster für eine Kostenartenverteilungskarte

Monat	Aufwands-ausgaben	Verrechnete Kosten	Saldo		Bestand	
Januar	–	130,–	H	130,–	H	130,–
Februar	360,–	130,–	S	230,–	S	100,–
März	–	130,–	H	130,–	H	30,–
April	–	130,–	H	130,–	H	160,–
Mai	600,–	130,–	S	470,–	S	310,–
Juni	280,–	130,–	S	150,–	S	460,–
Juli	–	130,–	H	130,–	S	330,–
August	–	130,–	H	130,–	S	200,–
September	–	130,–	H	130,–	S	70,–
Oktober	–	130,–	H	130,–	H	60,–
November	320,–	130,–	S	190,–	S	130,–
Dezember	–	130,–	H	130,–	–	
Summe	1 560,–	1 560,–				

2.2.2 Abgrenzung zwischen Leistung und Ertrag

Für die Abgrenzung zwischen Leistung und Ertrag gelten viele der zur Abgrenzung zwischen Kosten und Aufwand gemachten Ausführungen sinngemäß, so daß sich die Darstellung hier auf ein Minimum beschränken kann. Die Abgrenzung vollzieht sich hier allerdings nicht in fünf, sondern in nur vier Schritten, da das Problem der kurzfristigen Periodenabgrenzung bei den Leistungen nicht auftritt. Sowohl die antizipativen Abgrenzungsfälle (die Einnahme liegt zeitlich nach dem Absatz) als auch die transitorischen Abgrenzungen (die Einnahme liegt zeitlich vor dem Absatz) werden in jedem Falle bereits von der Finanzbuchhaltung durch die Buchung von „Forderungen aus Lieferungen und Leistungen" bzw. „Erhaltenen Anzahlungen" erfaßt.

2.2.2.1 Aussonderung der neutralen Erträge

Erträge, die nicht aus dem Produktionsprozeß hervorgegangen sind, bilden keine Leistung und sind deshalb in der Kontengruppe 90 zu neutralisieren (Buchung Nr. 2 über 80 400 DM). Es lassen sich die folgenden Arten neutraler Erträge unterscheiden:

a) Betriebsfremde Erträge

Sie stehen in überhaupt keinem sachlichen Zusammenhang mit dem Produktionsziel der Unternehmung und werden deshalb auch als leistungsmäßig neutrale Erträge bezeichnet. Beispiele sind erhaltene Schenkungen und Subventionen; Erträge aus Wohnhäusern; Erträge aus Wertpapieren, Beteiligungen und anderen Finanzanlagen; Spekulationsgewinne jeder Art. Im Industrie-Kontenrahmen können sie dem Konto 905 gutgeschrieben werden.

b) Außerordentliche Erträge

Diese Erträge stehen zwar der Sache nach im Zusammenhang mit dem Produktionsprozeß, lassen sich aber nur einer bereits abgeschlossenen Abrechnungsperiode zurechnen. Beispiele hierfür sind die Erträge aus Anlagenverkäufen, Steuererstattungen für zurückliegende Jahre sowie Erträge aus der Auflösung nicht mehr benötigter Rückstellungen. Die außerordentlichen Erträge werden auch als zeitraumneutrale Erträge bezeichnet und können im IKR dem Konto 906 gutgeschrieben werden. Sie sind nicht identisch mit den Erträgen, die in der Gewinn- und Verlustrechnung einer Kapitalgesellschaft nach § 277 Abs. 4 HGB unter dem Posten „außerordentliche Erträge" auszuweisen sind.

c) Das Gesamtergebnis betreffende Erträge

Wird die Zahlung von Körperschaftsteuer als ein aus dem Erfolg zu deckender Aufwand betrachtet, so muß konsequenterweise die Erstattung von Körperschaftsteuer für bereits abgeschlossene Abrechnungsperioden als ein das Gesamtergebnis betreffender Ertrag aufgefaßt werden. Im Industrie-Kontenrahmen könnte die Gutschrift auf dem Konto 907 erfolgen.

Neutrale Erträge beeinflussen nicht das Betriebsergebnis, wirken sich aber sowohl im Neutralergebnis als auch im Gesamtergebnis positiv aus.

2.2.2.2 Übernahme der Zweckerträge (Grundleistungen)

Zweckerträge sind Leistungen in gleicher Höhe und daher umfangmäßig mit den Grundleistungen identisch. Alle Wesensmerkmale sowohl des Ertrags- als auch des Leistungsbegriffes sind erfüllt. Hierunter fallen alle Erträge aus dem Verkauf der Erzeugnisse, wenn man sie mit Erlöspreisen bewertet. Die Erträge werden unverändert aus der Finanzbuchhaltung in die Betriebsbuchhaltung übernommen und hier zunächst den Erlöskonten in der Gruppe 98 gutgeschrieben mit Gegenbuchung im Soll des Betrieblichen Abschlußkontos (Buchung Nr. 12 über 888 000 DM). Sie beeinflussen das Betriebsergebnis und das Gesamtergebnis positiv, während das Neutralergebnis unberührt bleibt.

2.2.2.3 Einfügung von Zusatzleistungen

Zusatzleistungen sind Leistungen, die nicht mit entsprechenden Einnahmen verbunden sind. Sie treten beispielsweise auf, wenn die Unternehmung ihre Erzeugnisse unentgeltlich, etwa als Spende an eine soziale Einrichtung, abgibt. In diesem Falle werden die Leistungen üblicherweise mit den entstandenen Selbstkosten bewertet und den Kostenträgererfolgskonten in der Kontengruppe 97 gutgeschrieben (Buchung Nr. 3 über 1200 DM). Die Sollbuchung muß wegen fehlender Einnahmen auf besonderen Verrechnungskonten in der Gruppe der Abgrenzungskonten (z.b. 915 für verrechnete Zusatzleistungen) vorgenommen werden. Zusatzleistungen wirken sich im Betriebsergebnis positiv und im Neutralergebnis in gleicher Höhe negativ aus, so daß der pagatorische Erfolg nicht beeinflußt wird.

Zusatzleistungen treten auch im Zusammenhang mit innerbetrieblichen Leistungen auf. Sie müssen in der Betriebsbuchhaltung immer dann gesondert erfaßt werden, wenn sie nicht in derselben Periode, in der sie erbracht worden sind, auch wieder verbraucht werden und eine Aktivierung in der Finanzbuchhaltung (Rückeinnahmen im Sinne der pagatorischen Theorie) nicht vorgenommen wird. Derartige Zusatzleistungen werden mit Herstellkosten bewertet.

2.2.2.4 Verrechnung von Andersleistungen

Andersleistungen sind Leistungen, die zwar der Sache nach, nicht aber in ihrer Höhe mit den entsprechenden Erträgen übereinstimmen. Die Differenz kann auf abweichenden Mengenansätzen (bei innerbetrieblichen Leistungen) oder unterschiedlichen Wertansätzen beruhen. Wertmäßige Differenzen entstehen, wenn man die abgesetzten Erzeugnisse zum Zwecke einer mengenmäßigen Wirtschaftlichkeitskontrolle mit Festpreisen anstelle der Erlöspreise bewertet.

Ferner treten wertmäßige Andersleistungen praktisch immer im Zusammenhang mit **aktivierten Eigenleistungen** auf. Die Bestandserhöhungen bei den Halb- und Fertigfabrikaten und die übrigen aktivierten innerbetrieblichen Leistungen werden zwar in der pagatorischen Rechnung wie auch meist in der kalkulatorischen Rechnung mit Herstellkosten bewertet, doch ist der Umfang dieser Herstellkosten unterschiedlich groß, weil sie im Jahresabschluß der Finanzbuchhaltung auf pagatorischer Grundlage ermittelt werden müssen. Strenggenommen erfolgt die Aktivierung im Jahresabschluß nicht mit **Herstellkosten**, sondern mit dem **Herstellungsaufwand**. Der Unterschied liegt beispielsweise darin, daß im Herstellungsaufwand keine Zusatzkosten enthalten sein dürfen, daß anstelle der kalkulatorischen die (normalen) Bilanzabschreibungen verrechnet sein müssen und daß der Materialverbrauch mit Einstandspreisen und nicht mit irgendwelchen anderen Preisen (Festpreisen, Wiederbeschaffungspreisen) anzusetzen ist. In der Buchhaltung werden für die Umbewertung der Leistungen in der Kontengruppe 91 besondere Verrechnungskonten eingerichtet, auf denen sich die neutralisierten Erträge (Andersertrag) im Haben (Buchung Nr. 8 über 30600 DM) und die an ihrer Stelle verrechneten Andersleistungen im Soll (Buchung Nr. 7 über 34000 DM) gegenüberstehen.

Buchungsbeispiel für die Umbewertung aktivierter Eigenleistungen:

(07) Maschinen			(9167) Umbewertung		
(53)	18000	... (96)	24000	(999)	21600
(53)	3600			(995)	2400
	...				

(53) Aktivierte Eigenleistungen				(96) Aktivierte Eigenleistungen			
(802)	21 600	(07)	18 000	(95)	20 000	(9167)	24 000
		(07)	3 600	(95)	4 000		

Zur Erläuterung:

Es wurden zwei Maschinen für den eigenen Bedarf selbst hergestellt. Die Herstellkosten betrugen laut Kalkulation 20000 DM und 4000 DM. In der Finanzbuchhaltung erfolgte jedoch die Aktivierung mit einem Herstellungsaufwand von 18000 DM bzw. 3600 DM. Die Bewertungsdifferenz von 2400 DM geht zu Lasten des Neutralergebnisses.

Buchungsbeispiel für die Umbewertung einer Bestandsveränderung bei den unfertigen und fertigen Erzeugnissen:

(21) Unfertige Erzeugnisse				(9165) Umbewertung			
(800)	33 300	(801)	36 100	(94)	40 100	(94)	37 000
(52)	2 800			(95)	56 200	(95)	49 300
						(999)	9 000
						(995)	1 000

(22) Fertige Erzeugnisse				(94) Halbfabrikate			
(800)	44 400	(801)	50 600	(9165)	37 000	(9165)	40 100
(52)	6 200			...		...	

(52) Bestandsveränderungen				(95) Fertigfabrikate			
(802)	9 000	(21)	2 800	(9165)	49 300	(9165)	56 200
		(22)	6 200	...		...	

(802) Gewinn und Verlust				(995) Neutralergebnis			
...		(52)	9 000	(9165)	1 000		
		(53)	21 600	(9167)	2 400		
			...	...			

Zur Erläuterung:

Die Bestände an unfertigen Erzeugnissen haben zugenommen. Die Anfangs- und Schlußbestände wurden in der Betriebsbuchhaltung mit Herstellkosten und in der Finanzbuchhaltung mit dem Herstellungsaufwand bewertet. In der Finanzbuchhaltung betrug die Bestandszunahme bei den unfertigen Erzeugnissen 2800 DM und bei den fertigen Erzeugnissen 6200 DM, insgesamt also 9000 DM. In der Betriebsbuchhaltung wurden die Anfangsbestände an Halb- und Fertigfabrikaten mit 37000 + 49300 = 86300 DM und die Schlußbestände mit 40100 + 56200 = 96300 DM bewertet, so daß sich hier insgesamt eine Zunahme der Erzeugnisbestände um 10000 DM ergibt. Da der in der Finanzbuchhaltung auf dem Konto 802 (Gewinn und Verlust) erfaßte Ertrag von 9000 DM die in der Betriebsbuchhaltung gebuchte Leistung von 10000 DM unterschreitet, wirkt sich die Bewertungsdifferenz von 1000 DM im Neutralergebnis (Konto 995) negativ, d.h. gewinnmindernd oder verlusterhöhend, aus. Ergänzend sei darauf hingewiesen, daß man auf den Fabrikatekonten der Betriebsbuchhaltung anstelle der Anfangs-

und Schlußbestände auch nur die Bestandsveränderungen erfassen kann. Im obigen Zahlenbeispiel hätten die Konten dann folgenden Inhalt:

(9165) Umbewertung					(94) Halbfabrikate		
(94)	3 100	(999)	9 000		...	(9165)	3 100
(95)	6 900	(995)	1 000				...

	(95) Fertigfabrikate	
...	(9165)	6 900
		...

Andersleistungen beeinflussen damit sowohl das Betriebsergebnis als auch das Gesamtergebnis positiv. Im Neutralergebnis wirken sie sich negativ aus, wenn die Leistungen höher sind als der Ertrag, und positiv, wenn die Erträge größer sind als die Leistungen.

In unserem eingangs gewählten Zahlenbeispiel sind jetzt nur noch die Konten abzuschließen. Die Kosten- und Leistungskonten geben ihre Salden an das Konto 990 (Betriebsergebnis) ab. Hier ist es ein Gewinn von 88 000 DM (Buchung Nr. 13). Einzelheiten zu diesen Abschlußbuchungen werden erst weiter unten in den Kapiteln 2.5.3.1 und 2.5.3.2 (Gesamtkosten- und Umsatzkostenverfahren) erläutert. Die Abgrenzungskonten der Gruppe 90/91 schließen mit einem Gewinn von 12 000 DM (Buchung Nr. 14) zum Konto 995 (Neutralergebnis) ab. Das Gesamtergebnis, das sich durch Zusammenfassung von Betriebs- und Neutralergebnis auf dem Konto 998 ergibt, wird letztlich auf das Betriebliche Abschlußkonto 999 übertragen (Buchung Nr. 15 über 100 000 DM). Danach muß auch das Betriebliche Abschlußkonto ausgeglichen sein.

2.2.3 Testfragen und Übungsaufgaben

24. Wie nennt man Kosten, die nicht aus Aufwendungen abgeleitet werden?

25. Wie heißt der Teil des Aufwands, der in gleicher Höhe Kosten darstellt?

26. Wie heißen die Aufwendungen, die nicht in die Kosten eingehen?

27. a) Was sind Anderskosten?
    b) Nennen Sie typische Beispiele für Anderskosten!
    c) Wie werden Anderskosten gebucht?

28. Wie nennt man den Teil der Kosten, der in gleicher Höhe Aufwand darstellt?

29. a) Welche Arten neutraler Aufwendungen kennen Sie?
    b) Nennen Sie Beispiele hierfür!

30. a) Was sind Zusatzkosten?
    b) Nennen Sie Beispiele für Zusatzkosten!
    c) Wie wirken sich Zusatzkosten auf die Höhe des Betriebsergebnisses, des Neutralergebnisses und des Gesamtergebnisses aus?
    d) Welche grundsätzlichen Möglichkeiten gibt es für die Bewertung von Zusatzkosten?

31. Nennen Sie Beispiele für
    a) betriebsfremde Erträge!
    b) außerordentliche Erträge!

32. Erläutern Sie, warum bei aktivierten Eigenleistungen wertmäßige Andersleistungen auftreten und worauf die Differenz zwischen Ertrag und Leistung zurückzuführen ist!

33. Die Aufwands- und Ertragskonten einer Industrieunternehmung weisen am Ende der Abrechnungsperiode folgende Salden auf:

	Soll	Haben
Materialverbrauch	245 000 DM	
Löhne und Gehälter	188 000 DM	
Soziale Aufwendungen	22 000 DM	
Abschreibungen auf Fabrikgebäude	50 000 DM	
Abschreibungen auf Wohnhäuser	32 000 DM	
Abschreibungen auf Maschinen	60 000 DM	
Abschreibungen auf Wertpapiere	8 000 DM	
Abschreibungen auf Debitoren	15 000 DM	
Zinsen	65 000 DM	
Gewerbesteuer	45 000 DM	
Körperschaftsteuer	70 000 DM	
Mieten	28 000 DM	
Spenden	10 000 DM	
Versicherungsprämien	20 000 DM	
Verkaufserlöse		777 000 DM
Mieterträge		40 000 DM
Aktivierte Eigenleistungen		48 000 DM
Dividenden		18 000 DM
	858 000 DM	883 000 DM

In der Betriebsbuchhaltung werden u.a. folgende Kosten angesetzt:

Kalkulatorische Abschreibungen	80 000 DM
Kalkulatorische Zinsen	90 000 DM
Kalkulatorischer Unternehmerlohn	5 000 DM
Kalkulatorische Wagnisse für Debitorenausfälle	12 000 DM

Die aktivierten Eigenleistungen wurden in der Betriebsbuchhaltung mit Herstellkosten von 55 000 DM bewertet.

Die in Höhe von 45 000 DM gezahlte Gewerbesteuer betrifft drei Abrechnungsperioden.

Die Miete für ein Lagerhaus war für die abzurechnende Periode bereits im voraus in Höhe von 2 000 DM überwiesen worden.

Aufgabe:

Führen Sie anhand dieser Angaben mittels doppelter Buchungen die sachliche und zeitliche Abgrenzung der Kosten und Leistungen durch und errechnen Sie das Betriebsergebnis, das Neutralergebnis und das Gesamtergebnis! Folgende Sammelkonten sind einzurichten:

90   Abgrenzungen zur Finanzbuchhaltung
91   Kostenrechnerische Korrekturen
92   Kosten
94-98 Leistungen
990   Betriebsergebnis
995   Neutralergebnis
998   Gesamtergebnis
999   Betrieblicher Abschluß

2.3 Kostenartenrechnung

2.3.1 Aufgaben der Kostenartenrechnung

Kosten hatten wir als bewerteten Güterverbrauch, der mit der Leistungserstellung in einem kausalen Zusammenhang steht, definiert. Kostenarten entstehen nun durch die Gliederung dieses bewerteten leistungsbezogenen Güterverbrauchs nach dem Verbrauchscharakter und den verbrauchten Güterarten. Eine Kostenart ist daher der bewertete leistungsbezogene Verbrauch einer bestimmten Güterart.

Die Aufgabe der Kostenartenrechnung liegt in der lückenlosen Erfassung der Kosten einschließlich ihrer sachlichen und zeitlichen Abgrenzung sowie in der Gliederung dieser Kosten nach der Art der verbrauchten Wirtschaftsgüter. Die Kostenartenrechnung beantwortet somit die Frage, welche Wirtschaftsgüter in welcher Menge zu welchem Preis in welchem Abrechnungszeitraum für die Zwecke der Leistungserstellung verbraucht worden sind.

Die Vorbereitung der Weiterverrechnung dieser Kosten zählt zwar nicht zu den primären Aufgaben, wird aber üblicherweise bereits in der Kostenartenrechnung durchgeführt. Sie wird durch eine zweckentsprechende Untergliederung der Kostenarten nach zusätzlichen Merkmalen erreicht.

2.3.2 Gliederung der Kostenarten

2.3.2.1 Gliederung nach dem Verbrauchscharakter

Grundsätzlich sind die Kosten in der Kostenartenrechnung auf der obersten Gliederungsstufe nach dem Verbrauchscharakter zu gliedern. Knüpft man an die Arten des Güterverbrauchs an, wie sie bei *Kosiol*[8] aufgezählt werden, ergibt sich die in Tabelle 11 dargestellte Gliederung der Kostenarten[9].

Diese Kostenartengliederung ist auf der obersten Gliederungsstufe völlig freizuhalten von Verrechnungsgesichtspunkten auf Kostenstellen und Kostenträger. Es wäre deshalb falsch, eine Kostenart „Kfz-Kosten" oder „Fuhrparkkosten" zu bilden. Die für den Fuhrpark anfallenden Kosten sind beispielsweise unter den

[8] Kosiol, Erich: Kosten- und Leistungsrechnung, Berlin – New York 1979, S. 17-20. Vgl. hierzu auch Kapitel 1.3.4.2.
[9] Vgl. die Gliederung der Kontengruppe 92 im Kapitel 2.1.3.5.

Tab. 11:   Gliederung der Kostenarten nach dem Verbrauchscharakter

Arten des Güterverbrauchs:	Kostenarten:
I. Beabsichtigter Güterverbrauch:	
1. Kurzfristiger Verbrauch (Sofortverbrauch):	
a) Verbrauch von Sachgütern	→ Stoffkosten
b) Verbrauch immaterieller Güter:	
aa) Verbrauch betrieblicher Arbeitsleistungen	→ Lohnkosten, Sozialkosten
bb) Verbrauch fremder Dienstleistungen	→ Dienstleistungskosten
cc) Verbrauch überlassener fremder Rechte	→ Miet-, Pacht-, Lizenz- kosten usw.
2. Langfristiger Verbrauch (Gebrauch):	→ Kalkulatorische Abschreibungen
II. Erzwungener Güterverbrauch:	
1. Technisch-ökonomischer Zwangsverbrauch (Vernichtung)	→ Kalkulatorische Wagnisse
2. Staatlich-politischer Zwangsverbrauch (Abgaben)	→ Steuern und Beiträge
III. Zeitlicher Vorrätigkeitsverbrauch (reine Kapitalnutzung)	→ Kalkulatorische Zinsen

Kostenarten Stoffkosten (für den Kraftstoffverbrauch), Lohnkosten (für die Fahrerlöhne), Sozialkosten (für den Arbeitgeberanteil an den Sozialabgaben), Instandhaltungskosten (für Fremdreparaturen an den Fahrzeugen), Versicherungsprämien (für die Haftpflichtversicherung), kalkulatorische Miete (für die Garagen), kalkulatorische Abschreibungen (auf den Wagenpark), kalkulatorische Wagnisse (für nicht durch Versicherungen gedeckte Schadensfälle), Steuern und Beiträge (für die Kfz-Steuer und TÜV-Gebühren) und kalkulatorische Zinsen (auf das im Fuhrpark gebundene Kapital) zu erfassen. Ebenso wäre es falsch, Kostenarten wie z.B. Verwaltungskosten, Vertriebskosten, Lagerkosten, Werkstattkosten, Kosten der Werksküche usw. oder gar Kosten der Werkzeugherstellung, Kosten der Motorenproduktion, Kosten der Karosseriefertigung o.ä. zu bilden. Derartige Verrechnungsgesichtspunkte können, ebenso wie andere Gliederungsmerkmale, erst durch eine Untergliederung der einzelnen, nach dem Güterverbrauch gebildeten Kostenarten berücksichtigt werden.

2.3.2.2 Gliederung nach der Güterherkunft

Ein wichtiger Grundsatz besagt, daß in die Kostenarten nur **primäre Kosten** eingehen dürfen, während die **sekundären Kosten** unter ihren primären Kosten zu erfassen sind. Primäre (reine, ursprüngliche) Kostenarten werden durch den Verbrauch von außen bezogener Kostengüter hervorgerufen, während sekundäre (gemischte, abgeleitete) Kostenarten durch den Verbrauch selbst erstellter Leistungen entstehen. Als Beispiele hierfür seien genannt:

Primäre Kostenarten:	**Sekundäre Kostenarten:**
Fremdreparaturen	selbst durchgeführte Reparaturen
Fremdbezug von Strom	selbst erzeugter Strom
Fremdwerbung	selbst hergestelltes Werbematerial

Der selbst erzeugte und verbrauchte Strom darf in der Kostenartenrechnung nicht unter den Stromkosten erscheinen, sondern ist unter den Kostenarten Stoffkosten (für den Kohle- und Wasserverbrauch), Lohnkosten, Sozialkosten, Mietkosten, kalkulatorische Abschreibungen, kalkulatorische Zinsen usw. auszuweisen.

Durchbrochen wird dieser Grundsatz allerdings beim langfristigen Verbrauch selbst erstellter Leistungen. Die Nutzung aktivierter Eigenleistungen wird ebenso wie die Nutzung fremdbezogener Anlagegüter in der Kostenartenrechnung durch die kalkulatorischen Abschreibungen erfaßt und nicht mit den anteiligen primären Kosten, die bei der Herstellung der Eigenleistungen in einer früheren Abrechnungsperiode angefallen sind.

2.3.2.3 Gliederung nach der Zurechenbarkeit

Die Gliederung der Kostenarten nach dem zusätzlichen Merkmal ihrer Zurechenbarkeit auf betriebliche Bezugsbasen führt zur Unterscheidung von Einzel- und Gemeinkosten. **Einzelkosten** sind den Kostenträgern oder anderen Bezugsbasen direkt zurechenbar, während sich **Gemeinkosten** nur indirekt, d.h. im Wege der Schlüsselung, zurechnen lassen.

Das Begriffspaar Einzel- und Gemeinkosten ist durch seine Relativität gekennzeichnet. Strenggenommen müßte stets die Bezugsbasis angegeben werden, auf die sich die Begriffe jeweils beziehen sollen. Als **Bezugsbasen** im Rahmen der Betriebsabrechnung kommen insbesondere Kostenträger, Kostenträgergruppen, Kostenstellen, Kostenstellengruppen, Betriebe und Werke in Frage. Am häufigsten werden die Begriffe Einzel- und Gemeinkosten auf Kostenträger bezogen. In diesem Falle wird meist auf die Nennung der Bezugsbasis verzichtet.

Kostenträgereinzelkosten sind Kosten, die nur von einer einzigen Kostenträgerart verursacht worden sind und daher auch dieser Produktart direkt zugerechnet werden können. Typische Beispiele für Kostenträgereinzelkosten sind die Fertigungslöhne und das verbrauchte Fertigungsmaterial. Alle anderen Kosten in der Unternehmung, die also keiner Produktart direkt zugerechnet werden können, bilden Kostenträgergemeinkosten. In ihnen sind aber in der Regel Kosten enthalten, die von einer bestimmten Produktgruppe allein verursacht worden sind und sich daher dieser Produktgruppe auch direkt zurechnen lassen. Als Beispiele für derartige **Kostenträgergruppeneinzelkosten** können die Kosten für Spezialwerkzeuge genannt werden, die nur für eine Produktgruppe benötigt werden, oder Lizenzgebühren, wenn sich die Lizenz auf die Herstellung einer Gruppe von Erzeugnissen bezieht.

Aus dem Block der verbleibenden Kosten (Kostenträgergruppengemeinkosten) lassen sich nun wiederum die Kosten aussondern, die einer bestimmten Kostenstelle direkt zurechenbar sind. Zu diesen **Kostenstelleneinzelkosten** zählen z.B. die Hilfslöhne und die Gehälter für die in dieser Kostenstelle tätigen Arbeitnehmer, ferner die Abschreibungen auf die in dieser Kostenstelle installierten Maschinen und die Kosten der in dieser Kostenstelle verbrauchten Betriebsstoffe. Aus den verbleibenden Kostenstellengemeinkosten lassen sich dann die **Kostenstellengruppeneinzelkosten** (z.B. die Mietkosten und die Kosten der Beheizung der Räume), die **Betriebseinzelkosten** (z.B. das Gehalt des Pförtners für diesen Betrieb) und die **Werkseinzelkosten** (z.B. die Kosten der Werksleitung) ausgliedern. Die danach noch immer nicht direkt verteilten Kosten (z.B. die Gewerbesteuer oder die Aufsichtsratstantiemen) lassen sich nur noch der Unternehmung als Ganzes direkt zurechnen und können in konsequenter Weiterführung der Terminologie als **Unternehmungseinzelkosten** bezeichnet werden. Auf diese Weise lassen sich sämtliche Kosten in der Unternehmung an irgendeiner Stelle der Bezugsgrößenhierarchie als Einzelkosten erfassen. Ein solches Vorgehen ist insbesondere für die Zwecke der Deckungsbeitragsrechnung (stufenweise Deckung der Kosten) von Bedeutung.

Die Begriffe Einzel- und Gemeinkosten werden in der Fachliteratur wie auch in der Wirtschaftspraxis nicht immer in der hier dargestellten Weise[10] verwendet, so daß Mißverständnisse nicht auszuschließen sind. Als Beispiel für eine abweichende Terminologie sei *Mellerowicz*[11] zitiert, der das Begriffspaar Einzel- und Gemeinkosten ausschließlich auf Kostenträger bezieht, so daß sich die Nennung einer Bezugsbasis generell erübrigt. Den Teil der (Kostenträger-) Gemeinkosten, der sich einer Kostenstelle direkt zurechnen läßt, nennt *Mellerowicz* Stellengemeinkosten, während solche Kosten in dieser Schrift gerade als Kostenstelleneinzelkosten bezeichnet werden. Kostenstellengemeinkosten in unserem Sinne, also die Kosten, die sich einer Kostenstelle nur indirekt zurechnen lassen, werden von *Mellerowicz* Schlüsselgemeinkosten genannt.

Einer langen Übung der Praxis zufolge werden die „allgemeinen" Einzelkosten (Fertigungsmaterial, Fertigungslöhne) von den sog. **Sondereinzelkosten** unterschieden. Sie stellen allerdings gar nichts Besonderes dar, sondern werden, ebenso wie das Fertigungsmaterial und die Fertigungslöhne, den Kostenträgern direkt zugerechnet. Da sie sowohl im Fertigungs- als auch im Vertriebsbereich auftreten, unterscheidet man zwischen

a) **Sondereinzelkosten der Fertigung** wie z.B. Spezialwerkzeuge und andere Sonderbetriebsmittel, Lizenzgebühren, Konstruktionskosten, Anlaufkosten; und

b) **Sondereinzelkosten des Vertriebs** wie z.B. die Kosten für Spezialverpackungen, spezielle Versandkosten, produktbezogene Werbung, mengen- oder umsatzabhängige Vertreterprovisionen, Verbrauchsteuern, Ausfuhrzölle.

2.3.2.4 Gliederung nach der Beschäftigungsabhängigkeit

Die Beziehungen zwischen den Kosten und der Beschäftigung wurden bereits im Zuge der kostentheoretischen Grundlagen im Kapitel 1.4.3 eingehend erörtert. Je nach dem Verhältnis der relativen Änderung der Periodenkosten zur relativen Änderung der Beschäftigung hatten wir zwischen fixen, variablen, proportionalen, degressiven, progressiven und regressiven Kosten unterschieden. Für die meisten Zwecke der Kostenrechnung, insbesondere für Entscheidungsrechnungen im Rahmen der Teilkostenrechnung, genügt jedoch eine Zerlegung der gesamten Periodenkosten in nur zwei Kategorien: in einen fixen und einen proportionalen Anteil. In derartigen Rechnungen wird also ein durchgehend **linearer**

---

[10] Nach Kosiol, Erich: Kosten- und Leistungsrechnung, a.a.O., S. 204-215.

[11] Vgl. Mellerowicz, Konrad: Kosten und Kostenrechnung. Band II: Verfahren. 1. Teil: Allgemeine Fragen der Kostenrechnung und Betriebsabrechnung. 5. Aufl., Berlin – New York 1974, S. 286.

Verlauf der Periodenkostenkurve $K(x)$ unterstellt. Die Zerlegung der gesamten Periodenkosten in variable (= proportionale) und fixe Kosten heißt **Kostenauflösung** und kann nach einem mathematischen Verfahren oder nach der sog. buchtechnischen Methode vorgenommen werden.

a) Mathematische Kostenauflösung

Bei der mathematischen Kostenauflösung werden die in der Vergangenheit effektiv entstandenen Periodenkosten alternativer Beschäftigungsgrade zueinander in Beziehung gesetzt und daraus eine lineare Funktion der Periodenkosten $K(x) = k_v \cdot x + K_f$ abgeleitet. Hierin bedeuten k_v die variablen Kosten je Einheit der Beschäftigungsmaßgröße (z.B. Stück, kg, t, Stunden) und K_f die fixen Periodenkosten.

Das einfachste Verfahren der mathematischen Kostenauflösung ist die **Zweipunktmethode**. Hierbei werden aus der Fülle der gemessenen Werte zwei Beschäftigungsgrade (x_1 und x_2) ausgewählt, die möglichst weit auseinander liegen (z.B. der niedrigste und der höchste Beschäftigungsgrad), aber keine atypischen Kosten aufweisen. Bezeichnet man die zugehörigen Periodenkosten mit K_1 und K_2, so erhält man die gesuchten variablen und fixen Kosten durch folgende Rechnung:

$$k_v = \frac{K_2 - K_1}{x_2 - x_1} = \frac{\Delta K}{\Delta x}; \qquad K_f = K_1 - k_v \cdot x_1 = K_2 - k_v \cdot x_2$$

Die Nachteile der Zweipunktmethode sind darin zu sehen, daß in der Rechnung nur zwei Wertepaare berücksichtigt werden, während die übrigen Wertepaare keinen Einfluß auf das Ergebnis ausüben, und daß die Auswahl der beiden Wertepaare subjektiv ist. Sollen alle gemessenen Wertepaare in die Rechnung eingehen, kann die Kostenauflösung nach der grafischen Methode oder durch eine Trendberechnung ersten Grades nach der Methode der kleinsten Quadrate vorgenommen werden.

Bei der **grafischen Methode** werden alle gemessenen Wertepaare in ein Koordinatenschema eingetragen (**Streupunktdiagramm**), und es wird eine Gerade durch diese Punkteschar gelegt, die die Streuung nach dem Augenmaß am besten ausgleicht. Der Schnittpunkt dieser Geraden mit der Ordinate liefert die fixen Periodenkosten, das Steigungsmaß der Geraden die variablen Kosten je Beschäftigungseinheit. Diese Methode ist naturgemäß sehr subjektiv. Ein eindeutiges Ergebnis, das zudem alle gemessenen Wertepaare berücksichtigt, liefert die **Trendberechnung ersten Grades nach der Methode der kleinsten Quadrate**. Werden n Wertepaare berücksichtigt, dann lassen sich die gesuchten Größen K_f und k_v mit Hilfe der beiden folgenden linearen Gleichungen bestimmen:

$$n \cdot K_f + k_v \cdot \Sigma x_i = \Sigma K_i \qquad \text{und} \qquad K_f \cdot \Sigma x_i + k_v \cdot \Sigma x_i^2 = \Sigma x_i \cdot K_i$$
$$(i = 1, 2, \dots, n)$$

Beispiel:

In einer Kostenstelle wurden im Laufe eines Jahres folgende Istkosten in Abhängigkeit von der Kostenstellenbeschäftigung ermittelt:

Monat	Beschäftigung	Istkosten
Januar	150 Stunden	3 900 DM
Februar	130 Stunden	3 500 DM
März	170 Stunden	4 200 DM
April	200 Stunden	5 100 DM
Mai	140 Stunden	4 100 DM
Juni	160 Stunden	4 200 DM
Juli	130 Stunden	3 700 DM
August	100 Stunden	3 000 DM
September	190 Stunden	4 700 DM
Oktober	170 Stunden	4 600 DM
November	150 Stunden	4 200 DM
Dezember	110 Stunden	3 400 DM

Nach der **Zweipunktmethode** werden die gesamten Periodenkosten unter Zugrundelegung der niedrigsten Beschäftigung (August) und der höchsten Beschäftigung (April) wie folgt aufgelöst:

$$k_v = \frac{5100 - 3000}{200 - 100} = \frac{2100}{100} = 21 \text{ DM/Stunde}$$

$$K_f = 3000 - 21 \cdot 100 = 900 \text{ DM/Monat} \quad \text{oder:}$$

$$K_f = 5100 - 21 \cdot 200 = 900 \text{ DM/Monat}$$

$$K = 21 x + 900$$

Die **grafische Methode** liefert das in Abbildung 24 wiedergegebene Streupunktdiagramm.

Für die **Methode der kleinsten Quadrate** können die Koeffizienten der Bestimmungsgleichungen aus dem folgenden Lösungsschema abgelesen werden:

i	x_i	K_i	x_i^2	$x_i \cdot K_i$
1	150	3 900	22 500	585 000
2	130	3 500	16 900	455 000
3	170	4 200	28 900	714 000
4	200	5 100	40 000	1 020 000
5	140	4 100	19 600	574 000
6	160	4 200	25 600	672 000
7	130	3 700	16 900	481 000
8	100	3 000	10 000	300 000
9	190	4 700	36 100	893 000
10	170	4 600	28 900	782 000
11	150	4 200	22 500	630 000
12	110	3 400	12 100	374 000
Summe	1 800	48 600	280 000	7 480 000

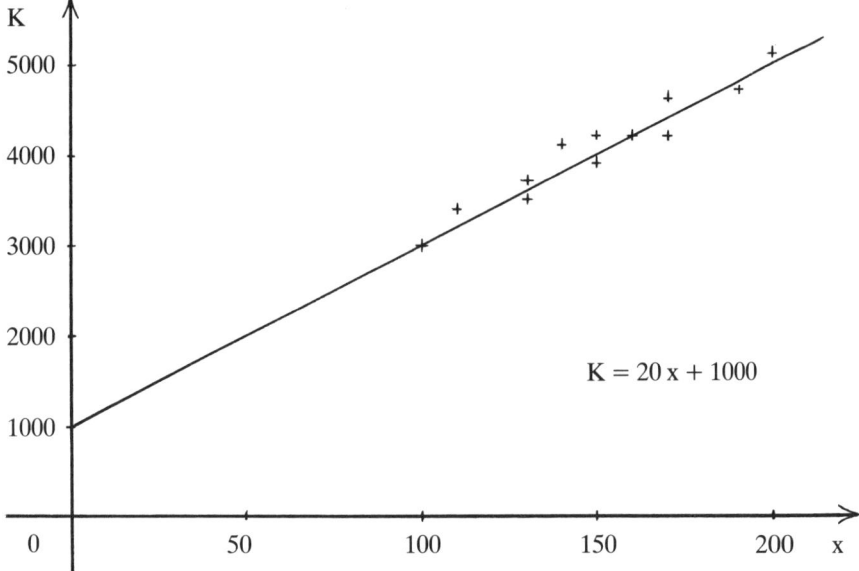

Abb. 24: Kostenauflösung mittels Streupunktdiagramm

Die beiden Bestimmungsgleichungen für die variablen und fixen Kosten lauten dann:

$$12\,K_f + 1\,800\,k_v = 48\,600$$
$$1\,800\,K_f + 280\,000\,k_v = 7\,480\,000$$

Die Lösung (nach der Determinantenmethode) ergibt:

$$K_f = \frac{48\,600 \cdot 280\,000 - 1\,800 \cdot 7\,480\,000}{12 \cdot 280\,000 - 1\,800 \cdot 1\,800} = 1\,200\,\text{DM/Monat}$$

$$k_v = \frac{12 \cdot 7\,480\,000 - 1\,800 \cdot 48\,600}{12 \cdot 280\,000 - 1\,800 \cdot 1\,800} = 19\,\text{DM/Stunde}$$

$$K = 19\,x + 1\,200$$

b) Buchtechnische Kostenauflösung

Bei der buchtechnischen Methode der Kostenauflösung wird für jede Kostenart aufgrund einer realen Beurteilung aufgeschriebener Zahlenbewegungen **durch Entscheidung** festgelegt, ob die betreffende Kostenart als fix oder als proportional behandelt werden soll.

Dabei werden zunächst die eindeutig fixen und die eindeutig proportionalen Kostenarten zugeordnet. Die degressiven Kosten werden, soweit sie reduzibel sind (bei linear-degressivem Kostenverlauf), in ihre proportionalen und fixen Bestandteile zerlegt. Irreduzible degressive Kosten (bei nichtlinear-degressivem Kostenverlauf) werden je nach dem Ausmaß der Degression den fixen oder den proportionalen Kosten zugeschlagen. Progressive Kostenarten werden stets den proportionalen Kosten zugeordnet.

Eine **Kombination beider Verfahren** der Kostenauflösung tritt dann auf, wenn man die Kosten zunächst nach der buchtechnischen Methode auflöst, jedoch die irreduziblen degressiven Kosten und die progressiven Kosten nach einem mathematischen Verfahren zerlegt.

2.3.3 Methoden der Kostenerfassung

Da Kosten stets das Produkt aus der verbrauchten Gütermenge und dem Preis des betreffenden Wirtschaftsgutes sind, gliedert sich die Kostenerfassung grundsätzlich in die Mengenerfassung und die Preiserfassung. Diese Trennung wird besonders deutlich, wenn man als Beispiel die Erfassung des Fertigungsmaterialverbrauchs betrachtet. In der Praxis wird jedoch bei vielen Kostenarten keine Trennung in Mengen- und Preiserfassung vorgenommen, sondern der Kostenbetrag ausschließlich wertmäßig erfaßt, insbesondere dann, wenn die Ausgaben einen brauchbaren Maßstab für die Höhe der Kosten abgeben.

2.3.3.1 Erfassung der Verbrauchsmengen

a) Direkte Verbrauchsermittlung durch laufende Aufschreibungen

Für die Erfassung des mengenmäßigen Güterverbrauchs hat die Methode der laufenden Aufschreibung die zweifellos größte Bedeutung. Sie wird vor allem bei der Erfassung des Materialverbrauchs und der Löhne angewandt. Im Zuge der Kostenerfassung entsteht ein Beleg (Materialentnahmeschein, Lohnzettel), der neben der Verbrauchsmenge in aller Regel auch den Preis und Angaben zur Weiterverrechnung der Kosten enthält. Für das Fertigungsmaterial wird im Materialentnahmeschein beispielsweise festgehalten, wann wieviel von welcher Materialart zu welchem Preis in welcher Kostenstelle für welchen Kostenträger verbraucht wurde. Entsprechend enthält der Lohnzettel für Fertigungslöhne die Angabe, wann welcher Arbeitnehmer wie lange zu welchem Lohnsatz in welcher Kostenstelle für welchen Kostenträger gearbeitet hat.

Die Methode der laufenden Aufschreibung ist zwar sehr aufwendig, da sie viel laufende Schreibarbeit mit sich bringt, schafft aber die Möglichkeit der direkten Zurechnung der Kosten auf Kostenträger und Kostenstellen. Bei lagerfähigen Materialien erlaubt diese Methode darüber hinaus eine laufende Fortschreibung der Buchbestände (**Skontration**), die für ein automatisiertes Bestellwesen von ausschlaggebender Bedeutung ist.

b) Indirekte Verbrauchsermittlung durch Befundrechnung

Eine weitere Methode der Mengenerfassung, die allerdings nur bei lagerfähigen Materialien anwendbar ist, bildet die Befundrechnung. Hier wird der mengenmäßige Verbrauch einer Materialart rechnerisch aus den Materialzugängen und den Bestandsveränderungen ermittelt:

$$
\begin{array}{rl}
 & \text{Anfangsbestand} \\
+ & \text{Materialzugänge} \\
- & \text{Schlußbestand} \\
\hline
= & \text{Materialverbrauch}
\end{array}
$$

Bei dieser Methode entfallen zwar die laufenden Aufschreibungsarbeiten, dem steht jedoch die Notwendigkeit häufiger Inventuren (bei monatlicher Betriebsabrechnung an jedem Monatsende!) als bedeutender Nachteil gegenüber. Die Befundrechnung wird deshalb nur dort als Erfassungsmethode angewandt, wo die Inventur aufgrund geringer Lagerbestände oder einer geeigneten Lagerorganisation innerhalb relativ kurzer Zeit durchgeführt werden kann. Eine Skontration ist bei diesem Verfahren naturgemäß nicht möglich. Ein weiterer Nachteil ist darin zu sehen, daß eine direkte Zurechnung des Materialverbrauchs auf Kostenträger dann nicht mehr möglich ist, wenn die betreffende Materialart in mehrere Erzeugnisse eingeht.

c) Selbständige Festsetzung des mengenmäßigen Verbrauchs

Bei einigen kalkulatorischen Kostenarten werden fiktive Verbrauchsmengen angesetzt, weil eine Erfassung des Verbrauchs nach den bisher beschriebenen Methoden nicht möglich ist. Welche Hypothesen diesen Fiktionen zugrunde gelegt werden, ist von Kostenart zu Kostenart unterschiedlich. Hier können deshalb nur Beispiele angeführt werden.

Bei den kalkulatorischen Zinsen wird als Mengenkomponente das sogenannte betriebsnotwendige Kapital, multipliziert mit der Zeitdauer der Kapitalbindung, gewählt.

Das Mengengerüst der kalkulatorischen Abschreibungen kann auf verschiedene Weise bestimmt werden. Bei der leistungsabhängigen Abschreibung (Mengenabschreibung) ergibt es sich aus der Division der Periodenleistung durch die ex ante meist unbekannte und daher zu schätzende Gesamtleistung. Bei der kalenderzeitabhängigen Abschreibung (Zeitabschreibung) wird der mengenmäßige Verbrauch durch die zu schätzende Gesamtnutzungsdauer und den Verteilungsmodus (gleichmäßig, arithmetisch oder geometrisch fallend oder steigend) determiniert.

Wird bei eigenen Grundstücken und Gebäuden kalkulatorische Miete für die Nutzung der Räume (meist einschließlich Beheizung, Beleuchtung und Reinigung) angesetzt, bildet in aller Regel die Raumfläche, multipliziert mit der Dauer der Nutzung, die Mengenkomponente der Kosten.

d) Retrograde Erfassung der Verbrauchsmengen

Die in den drei vorangegangenen Abschnitten beschriebenen Verfahren lassen sich als Methoden der Isterfassung charakterisieren, da mit ihrer Hilfe der effektive Verbrauch ermittelt wird. Bei der retrograden Kostenerfassung, die auch als **Rückrechnung** bezeichnet wird, handelt es sich dagegen um eine Methode der Sollerfassung, bei der der Verbrauch durch indirekte Messung mit Hilfe eines möglichst proportionalen Maßstabes ermittelt wird und je nach Güte des verwendeten Maßstabes mehr oder weniger stark vom tatsächlichen Verbrauch abweicht. Die durch Rückrechnung ermittelten Kosten sind Normalkosten; sie treten an die Stelle der Istkosten, um die Kostenerfassung zu vereinfachen.

Als Maßstab wird regelmäßig die Menge der hergestellten oder abgesetzten Erzeugnisse oder eine andere die Kostenstellenbeschäftigung repräsentierende Größe verwendet. Man schließt also vom Output auf den Input, vom Ergebnis des Produktionsprozesses auf den Einsatz, von der Menge der hergestellten Erzeugnisse auf die Menge der verbrauchten Einsatzgüter.

Die retrograde Kostenerfassung kann naturgemäß nur bei Kostenarten angewandt werden, deren Verbrauch in einer funktionalen Beziehung zur verwendeten Maßstabgröße steht, insbesondere dieser Größe proportional ist. Praktische Anwendung findet dieses Verfahren deshalb nur bei der Erfassung des Materialverbrauchs und der Stücklöhne. Hier bringt die Rückrechnung auch durchaus Vorteile, da weder laufende Aufschreibungsarbeiten anfallen, noch monatliche Inventuren notwendig sind. Die für die Rückrechnung erforderlichen Multiplikatoren lassen sich dagegen leicht den technischen Arbeitsunterlagen (Stücklisten, Rezepturen, Fertigungsplanungen) entnehmen.

2.3.3.2 Erfassung der Kostengüterpreise

Für die Bewertung des mengenmäßigen Güterverbrauchs gibt es, wie bereits an anderer Stelle dargelegt wurde[12], keine spezielle Wertkategorie, vielmehr kommen je nach Zweck der kalkulatorischen Rechnung diverse Preisarten in Frage, deren Erfassung zum Teil recht aufwendig ist.

Am einfachsten stellt sich die Erfassung von Anschaffungspreisen, da diese Preise aus den Rechnungen oder Zahlungsbelegen leicht ersichtlich sind. Bei gleichartigen Gütern mit schwankenden Anschaffungspreisen läßt sich meist nicht mehr feststellen, welcher Preis für die Anschaffung des jetzt verbrauchten Wirtschaftsgutes tatsächlich gezahlt wurde. Hier wird dann entweder ein durchschnittlicher Anschaffungspreis zugrunde gelegt, oder der Anschaffungspreis wird durch eine fiktive Verbrauchsfolge rechnerisch ermittelt (LIFO-, FIFO- und HIFO-Methode). Die Erfassung von Tagesbeschaffungspreisen gestaltet sich schon etwas schwieriger, insbesondere dann, wenn ein Börsenpreis nicht notiert wird und ein Marktpreis nicht feststellbar ist. Meist bieten jedoch die neuesten Preislisten der Lieferanten für die Ermittlung der Tagespreise wertvolle Anhaltspunkte. Wiederbeschaffungspreise lassen sich nur im Wege der Schätzung ermitteln, vor allem, wenn der Tag der realen Ersatzbeschaffung in ferner Zukunft liegt.

Mit der Erfassung von Grenzpreisen, die in Form von Grenzkosten-, Grenznutzen- und Grenzerfolgspreisen in Erscheinung treten, sind meist umfangreichere Rechenoperationen verbunden. Am deutlichsten wird dies bei den Grenzerfolgspreisen, die als sog. Dualwerte bei der Bestimmung des erfolgsoptimalen Herstellungsprogramms durch lineare Planungsrechnungen ermittelt werden.

2.3.3.3 Undifferenzierte Werterfassung

a) Zeitliche Verteilung der Aufwandsausgaben

In nicht wenigen Fällen bilden die Aufwandsausgaben unmittelbar einen geeigneten Maßstab für die entstandenen Kosten. Eine Trennung in die Verbrauchsmenge und den Kostengüterpreis erfolgt hier nicht. Als typische Beispiele hierfür können die Kosten für Fremddienste und für Rechte sowie die Steuern und Beiträge genannt werden. Bei einigen Kostenarten, wie z.B. den Reisekosten, den Kosten für die Bewirtung von Geschäftsfreunden, den Telefongebühren, den Kosten für Strom, Gas und Wasser wird mitunter nicht einmal eine zeitliche Ab-

---

[12] Vgl. Kapitel 1.3.4.2.c.

grenzung vorgenommen; die Kosten werden der Einfachheit halber derjenigen Abrechnungsperiode zugerechnet, in der die Ausgaben angefallen sind. Es besteht dann eine vollständige Identität zwischen Ausgaben, Aufwendungen und Kosten. Auch Kleinmaterialien im Verwaltungsbereich (Büromaterial), die nur in geringen Mengen eingekauft werden, gelten häufig mit der Bezahlung als verbraucht.

Bei Ausgaben, die sich auf einen größeren Zeitraum beziehen, wie z.b. die quartalsweise Zahlung der Grundsteuer oder die jährliche Zahlung der Kraftfahrzeugsteuer, der Versicherungsprämien oder der Verbandsbeiträge, ist selbstverständlich eine zeitliche Verteilung erforderlich. Doch auch in diesen Fällen begnügt man sich häufig mit einer Zwölftelung der Jahresausgaben zur Erfassung der monatlichen Kosten.

b) Selbständige Festsetzung des wertmäßigen Verbrauchs

Bei der Erfassung kalkulatorischer Kosten ist es nicht möglich, unmittelbar an die Aufwandsausgaben anzuknüpfen, weil entweder der Güterverbrauch überhaupt keine Ausgaben hervorruft (bei den Zusatzkosten) oder weil die Ausgaben keinen geeigneten Maßstab für den Güterverbrauch abgeben (bei den Anderskosten). Wenn auch viele kalkulatorische Kostenarten, wie z.B. die Abschreibungen, die Zinsen und die kalkulatorische Miete, getrennt nach Menge und Preis erfaßt werden, so gibt es doch einige kalkulatorische Kostenarten, deren Betrag allein wertmäßig erfaßt wird.

So werden beispielsweise beim kalkulatorischen Unternehmerlohn wohl in den seltensten Fällen zunächst die Arbeitsstunden erfaßt und anschließend mit einem Lohnsatz bewertet, sondern der Unternehmerlohn wird unmittelbar wertmäßig anhand des einem Geschäftsführer zu zahlenden Gehaltes oder anhand des Gehaltes, das der Unternehmer bei anderweitiger Tätigkeit im günstigsten Falle erhalten würde, erfaßt.

Desgleichen werden Wagniskosten zum Teil unmittelbar wertmäßig erfaßt, aber losgelöst von den entsprechenden Aufwandsausgaben, den sogenannten Wagnisverlusten. Man versucht zwar, auf lange Sicht einen Ausgleich zwischen Ausgaben und Kosten herbeizuführen, kurzfristig besteht jedenfalls keine Beziehung zwischen den Wagnisverlusten und den kalkulatorischen Wagnissen.

2.3.4 Erfassung der Stoffkosten

Zu den Stoffkosten rechnet der Verbrauch von Roh-, Hilfs- und Betriebsstoffen, der Verbrauch fertig bezogener Einzelteile sowie die Kosten der Materialbearbeitung in fremden Betrieben (sogenannte Lohnarbeiten).

Die **Rohstoffe** bilden zusammen mit den bezogenen Fertigteilen die Hauptbestandteile (**Grundstoffe**) des fertigen Erzeugnisses und bestimmen dessen Wesen und Ausstattung (z.B. Holz für Möbel, Papier für Bücher und Zeitschriften, Wolle und Seide für Textilien).

Hilfsstoffe werden ebenfalls unmittelbar für ein Erzeugnis verwendet, doch ist ihr Anteil am Erzeugnis mengen- und wertmäßig von untergeordneter Bedeutung. Sie ergänzen lediglich die Grundstoffe wie beispielsweise Klebstoffe, Farben, Lacke, Poliermittel, Nägel, Schrauben und spezielles Verpackungsmaterial.

Betriebsstoffe werden dagegen nicht für ein bestimmtes Erzeugnis verwendet, sondern dienen nur allgemein der Durchführung und Aufrechterhaltung des Produktionsprozesses, z.b. der Unterhaltung der Fertigungsanlagen, der Krafterzeugung, der Verwaltung oder dem Vertrieb. Hierzu zählen demzufolge alle Brenn- und Treibstoffe, Schmierstoffe, Kühlmittel, Isoliermaterial, Treibriemen, Ketten, Glühlampen, Reinigungsmittel, Büromaterial, Werbematerial, allgemeines Verpackungsmaterial und ähnliche Stoffe.

Die Grundstoffe lassen sich den Erzeugnissen in aller Regel direkt zurechnen, sind also Kostenträgereinzelkosten. Hilfsstoffe sind zwar grundsätzlich ebenfalls dem Produkt direkt zurechenbar, da sie in das Erzeugnis eingehen; aus Wirtschaftlichkeitsgründen verzichtet man in der Praxis jedoch bei vielen Hilfsmaterialarten auf eine gesonderte Erfassung pro Kostenträger, so daß diese Stoffkosten im Wege der Schlüsselung auf die Kostenträger verteilt werden müssen und somit Gemeinkosten darstellen. Betriebsstoffe bilden, da sie nie für ein bestimmtes Produkt verbraucht werden, stets Kostenträgergemeinkosten. Vornehmlich in der Praxis werden die den Kostenträgern direkt zurechenbaren Stoffkosten als Stoffeinzelkosten oder Fertigungsmaterial und die nur indirekt zurechenbaren Stoffkosten als Gemeinkostenmaterial bezeichnet.

Die **Erfassung der Materialverbrauchsmengen** kann erfolgen:

a) durch fortlaufende Aufschreibungen in Form von Materialentnahmescheinen;
b) durch Errechnung aus dem Anfangsbestand, den Materialzugängen und dem durch Inventur am Ende der Abrechnungsperiode ermittelten Schlußbestand (Befundrechnung);
c) retrograd aus der hergestellten bzw. abgesetzten Erzeugnismenge oder einer anderen Maßgröße für die Kostenstellenbeschäftigung (Rückrechnung).

Bei diesen drei Erfassungsmethoden werden die festgestellten Verbrauchsmengen erst anschließend mit einem zweckdienlichen Preis bewertet. Eine undifferenzierte Werterfassung der Stoffkosten ist weniger häufig anzutreffen. Sie kommt bei nicht lagerfähigen Stoffen (z.B. elektrischem Strom) und teilweise bei Kleinmaterialien vor, die in geringer Menge benötigt werden und von niedrigem Wert sind (z.B. Büromaterialien); hier werden die Ausgaben, meist sogar ohne zeitliche Verteilung, unmittelbar als Stoffkosten verwendet.

In Abhängigkeit von dem mit der Kostenrechnung verfolgten Zweck kann die **Bewertung des Materialverbrauchs** erfolgen:

a) mit Einstandspreisen:
    aa) mit tatsächlichen Einstandspreisen;
    bb) mit durchschnittlichen Einstandspreisen;
    cc) mit fiktiven Einstandspreisen, die aufgrund einer unterstellten Verbrauchsfolge (LIFO, FIFO, HIFO) ermittelt werden.

Die Bewertung mit Einstandspreisen führt – kostendeckende Verkaufspreise vorausgesetzt – nur zur nominalen Erhaltung des eingesetzten Kapitals.

b) mit Tagesbeschaffungspreisen:
    aa) mit den Preisen am Tage der Herstellung bzw. des Absatzes des Erzeugnisses;
    bb) mit den Preisen am Tage der realen Ersatzbeschaffung (Wiederbeschaffungspreisen).

Mit dem Ansatz von Tagesbeschaffungspreisen wird das Ziel der realen Kapitalerhaltung verfolgt.

c) mit festen Verrechnungspreisen.
Die Bewertung mit Festpreisen, die über einen längeren Zeitraum (meist ein Jahr) konstant gehalten werden, dient in erster Linie der Vereinfachung der Materialabrechnung. Dient die Kostenrechnung dem Ziel der mengenmäßigen Wirtschaftlichkeitskontrolle, ist es ohnehin notwendig, Plan- und Istverbrauchsmengen mit denselben Preisen, also mit Festpreisen, zu bewerten.

d) mit Grenzpreisen.
Die Bewertung mit Grenzpreisen dient der erfolgsoptimalen Steuerung der Unternehmung. So ist es beispielsweise notwendig, zur Klärung der Frage, ob ein Zusatzauftrag unter erfolgsrechnerischem Gesichtspunkt anzunehmen oder abzulehnen ist, den Materialeinsatz mit Grenzkostenpreisen zu bewerten. Dies ist der Preis, der für die Beschaffung zusätzlicher Materialmengen gezahlt werden muß; er kann über oder unter dem Durchschnittspreis liegen oder auch mit ihm übereinstimmen. Grenznutzenpreise kommen für die Bewertung der Stoffkosten kaum in Frage. Grenzerfolgspreise wären anzusetzen, wenn der Unternehmung nur eine begrenzte Materialmenge zur Verfügung steht, um die die verschiedenen Erzeugnisse konkurrieren. Auf diese Weise wird das knappe Material dort eingesetzt, wo es am stärksten zur Gewinnerzielung beiträgt.

Organisatorisch erfolgt die Erfassung der Stoffkosten in der Praxis häufig in einer besonderen Nebenbuchhaltung, der sog. **Magazinbuchhaltung**. Hier werden Skontren für die einzelnen Materialarten geführt, die neben den mengenmäßigen Zugängen, Abgängen und Beständen meist auch eine wertmäßige Rechnung beinhalten, insbesondere wenn die Bewertung mit durchschnittlichen Einstandspreisen (Buchbestandspreisen) oder mit festen Verrechnungspreisen erfolgt. Die mengenmäßige Bestandsfortschreibung (Skontration) bildet eine Voraussetzung für die Anwendung des handels- und steuerrechtlich zulässigen Verfahrens der sogenannten permanenten Inventur.

2.3.5 Erfassung der Lohnkosten

Fertigungslöhne werden in aller Regel durch laufende Aufschreibungen in Form der sog. Lohnzettel oder Lohnscheine erfaßt. Soweit es sich um reinen Stücklohn handelt, kommt auch eine retrograde Erfassung der Lohnkosten in Frage, indem man die hergestellte Erzeugnismenge mit den Vorgabezeiten pro Leistungseinheit multipliziert. Urlaubslöhne, Feiertagslöhne und Krankheitslöhne aufgrund des Lohnfortzahlungsgesetzes werden im Wege der zeitlichen Verteilung der Ausgaben erfaßt. In der Regel werden diese Löhne aufgrund von Erfahrungssätzen als prozentualer Zuschlag auf die Fertigungslöhne ermittelt; mitunter wird auch der Einfachheit halber monatlich ein Zwölftel der zu erwartenden Jahresausgaben angesetzt. Bei der Erfassung der Gehälter können in aller Regel sogar unmittelbar die Ausgaben angesetzt werden. Der Unternehmerlohn schließlich muß unabhängig von dem Zahlenwerk der Finanzbuchhaltung erfaßt werden, weil er keine Ausgaben hervorruft.

Üblicherweise werden die Löhne mit den effektiv gezahlten Lohnsätzen bewertet. In der Standardkostenrechnung muß zwecks mengenmäßiger Wirtschaftlichkeitskontrolle die Bewertung mit festen Lohnsätzen erfolgen, die dort häufig sogar die Lohnnebenkosten (gesetzliche und freiwillige Sozialkosten) einschließen. Auf die Bewertung des kalkulatorischen Unternehmerlohns wird weiter unten noch einzugehen sein[13].

Organisatorisch erfolgt die Erfassung der Lohnkosten in größeren Unternehmungen stets in einer besonderen Nebenbuchhaltung, der **Lohn- und Gehaltsbuchhaltung**. Aufgabe der Lohn- und Gehaltsbuchhaltung ist es, sämtliche Arbeitsentgelte laufend zu erfassen, ihre Weiterverrechnung vorzubereiten und ihre Auszahlung zu veranlassen. Als Hilfsmittel hierfür dienen:

a) die gesetzlich vorgeschriebenen „Lohnkonten" für jeden Beschäftigten zur Ermittlung des Nettoentgeltes;

b) die Lohnlisten, die alle in einer Abrechnungsperiode angefallenen Löhne und Gehälter zusammenfassen und Angaben über ihre Zurechenbarkeit auf Kostenträger und Kostenstellen enthalten. Da die Lohnlisten üblicherweise auch die Abzüge und den Nettolohn ausweisen, dienen sie gleichzeitig als Grundlage für die Buchung der Löhne und Gehälter in der Finanzbuchhaltung.

2.3.6 Kalkulatorische Kosten

2.3.6.1 Begriff und Zweck der kalkulatorischen Kosten

Unter dem Begriff der kalkulatorischen Kosten werden üblicherweise sowohl die **Zusatzkosten** als auch die **Anderskosten** subsumiert, so daß die kalkulatorischen Kosten als **Gegensatz zu den Grundkosten** aufzufassen sind. Grundkosten sind die Kosten, die unmittelbar aus Aufwendungen abgeleitet werden und auch in ihrer Höhe mit den entsprechenden Aufwendungen übereinstimmen. Bei den kalkulatorischen Kosten ist diese Übereinstimmung zwischen Aufwand und Kosten nicht gegeben, weil dort der Güterverbrauch entweder überhaupt nicht mit Ausgaben verbunden ist (= Zusatzkosten) oder weil der Güterverbrauch, wie er in der Finanzbuchhaltung erfaßt wird, in dieser Form für die Kostenrechnung ungeeignet ist und daher durch Kosten in anderer Höhe ersetzt wird (= Anderskosten).

Allgemein besteht der **Zweck** des Ansatzes kalkulatorischer Kosten darin, den gesamten Güterverbrauch, der im Produktionsprozeß auf die Leistung einwirkt, vollständig und unabhängig davon zu erfassen, ob er mit Ausgaben in gleicher Höhe verbunden ist oder nicht.

2.3.6.2 Kalkulatorischer Unternehmerlohn

Der kalkulatorische Unternehmerlohn wird für die vom Unternehmer selbst erbrachte Arbeitsleistung angesetzt und stellt **Zusatzkosten** dar. Diese Kostenart kann **nur bei Einzelfirmen oder Personengesellschaften** in Erscheinung treten, da Geschäftsführer und Vorstandsmitglieder von Kapitalgesellschaften Gehaltsempfänger sind. Mit dem Unternehmerlohn wird allerdings nur die reine Arbeitsleistung kalkuliert, nicht dagegen die Übernahme des Risikos durch den Unter-

---

[13] Siehe Kapitel 2.3.6.2.

nehmer (allgemeines Unternehmerwagnis), die im kalkulatorischen Gewinn ihren Niederschlag findet. Auch die Überlassung von Kapital durch den Unternehmer fließt nicht in den kalkulatorischen Unternehmerlohn ein, sondern ist ein Bestandteil der kalkulatorischen Zinsen.

Die **Bewertung** des kalkulatorischen Unternehmerlohns kann erfolgen:

a) anhand des Gehaltes, das einem Geschäftsführer, der die gleiche Arbeitsleistung wie der Unternehmer erbringt, gezahlt werden müßte. Man nennt dies die direkte Bewertung, die Bewertung mit dem ersparten Aufwand.

b) anhand des Gehaltes, das der Unternehmer bei Aufnahme eines anderweitigen Arbeitsverhältnisses im günstigsten Falle erhalten würde. Dies ist eine Bewertung mit dem entgangenen Ertrag, den man auch als **Opportunitätskosten** bezeichnet.

c) in Abhängigkeit von betrieblichen Größen, die als Maßstab für den Wert der unternehmerischen Arbeitsleistung geeignet erscheinen. So ist beispielsweise in den Leitsätzen für die Preisermittlung aufgrund von Selbstkosten (LSP) in Nr. 24 Abs. 3 eine Tabelle aufgeführt, die den Unternehmerlohn in Abhängigkeit vom Umsatz und der Beschäftigtenzahl ausweist; und in einer viel zitierten Preisverordnung von 1940 für die Seifenindustrie war der Unternehmerlohn mit einem Jahresbetrag von $18 \cdot \sqrt{\text{Umsatz}}$ festgesetzt (= sog. Seifenformel).

Dem kalkulatorischen Unternehmerlohn eng verwandt sind die kalkulatorischen Entgelte für die Mitarbeit unbezahlter Familienmitglieder des Unternehmers. Auch diese Beträge stellen reine (mengenmäßige) Zusatzkosten dar.

2.3.6.3 Kalkulatorische Miete

Kalkulatorische Mietkosten können Zusatzkosten oder Anderskosten sein. Der Ansatz kalkulatorischer Miete in der Kostenrechnung kann aus drei Gründen erfolgen:

a) in Form reiner (mengenmäßiger) Zusatzkosten für den Fall, daß einzelne Räume im Privathaus des Unternehmers für betriebliche Zwecke genutzt werden. In der Unternehmung fallen dann keinerlei Aufwendungen an, so daß die Raumkosten als Zusatzkosten in die Kostenrechnung eingefügt werden müssen. Die Bewertung erfolgt in der Regel mit einem Quadratmeterpreis, der der ortsüblichen Miete entspricht.

b) in Form von (wertmäßigen) Anderskosten für den Fall, daß es sich um eigene Gebäude der Unternehmung handelt. Hier wäre es kostenrechnerisch sinnvoll, anstelle der tatsächlichen Aufwendungen für Grundsteuer, Gebäudeversicherung, Gebäudeabschreibungen, Hypothekenzinsen, Instandhaltung usw. kalkulatorische Miete in Höhe der ortsüblichen Miete zu verrechnen.

c) in Form kalkulatorischer Raumkosten, die neben den Mietkosten im engeren Sinne verrechnete Periodenanteile der Aufwendungen für die Beheizung, Beleuchtung und Reinigung der Räume enthalten. Der Zweck der Einbeziehung liegt in der gleichmäßigen zeitlichen Verteilung dieser Aufwandsausgaben, die saisonbedingt in unterschiedlicher Höhe pro Monat anfallen. Auch wird die Betriebsabrechnung durch die Zusammenfassung all dieser Kostenarten zu einem einzigen Quadratmetersatz vereinfacht.

2.3.6.4 Kalkulatorische Abschreibungen

a) Mögliche Unterschiede zu den Bilanzabschreibungen

Kalkulatorisch abschreibungsberechtigt ist nur das **betriebsnotwendige Anlagevermögen**. Abschreibungen auf betriebsfremde Anlageteile, wie beispielsweise die Abschreibungen auf ein Wohnhaus, das ein industrieller Fertigungsbetrieb besitzt, gehen daher nicht in die Kosten ein, sondern in die neutralen Aufwendungen. Ferner können sich die kalkulatorischen Abschreibungen (Abschreibungskosten) von den pagatorischen Abschreibungen (Abschreibungsaufwand, Bilanzabschreibungen) in der Abschreibungssumme, in der Abschreibungsbasis und im Abschreibungsverfahren unterscheiden.

Die **Abschreibungssumme** ist der zu verteilende Gesamtbetrag. Für die pagatorischen Abschreibungen ergibt sich die Abschreibungssumme stets aus dem Anschaffungswert, gegebenenfalls vermindert um einen erwarteten Schrott- oder Wiederverkaufswert. Demgegenüber können die kalkulatorischen Abschreibungen auch vom Tagesbeschaffungswert zum Zeitpunkt der Abschreibung oder zum Zeitpunkt der geplanten Ersatzbeschaffung vorgenommen werden.

Abschreibungsbasis nennt man die Grundlage, auf die die Abschreibungssumme zu verteilen ist. Dies ist entweder die erwartete Gesamtnutzungsdauer oder die erwartete Gesamtleistungsmenge. Im ersten Fall liegt eine Zeitabschreibung vor, im zweiten Fall spricht man von einer leistungsabhängigen oder Mengenabschreibung. Kalkulatorische und pagatorische Abschreibungen können sich also darin unterscheiden, daß beispielsweise in der Kostenrechnung wegen starker Beschäftigungsschwankungen die Mengenabschreibung zugrunde gelegt wird, während in der Finanzbuchhaltung aus steuerlichen Erwägungen die Abschreibung auf Zeitbasis vorgezogen wird. Selbst für den Fall, daß beide Abschreibungen auf Zeitbasis vorgenommen werden, können sich Unterschiede ergeben. Da bei den bilanziellen Abschreibungen die Nutzungsdauer aus Gründen der allgemeinen kaufmännischen Vorsicht im Zweifelsfalle eher zu niedrig als zu hoch angesetzt wird, ist die den kalkulatorischen Abschreibungen zugrunde gelegte Nutzungsdauer meist höher.

Mit dem **Abschreibungsverfahren** wird der Modus für die Verteilung der Abschreibungssumme auf die Abschreibungsbasis festgelegt. Die Verteilung kann gleichmäßig (proportional), abnehmend (degressiv) oder ansteigend (progressiv) erfolgen. Unterschiede zwischen kalkulatorischer und pagatorischer Abschreibung ergeben sich entweder dadurch, daß das in der Kostenrechnung zugrunde gelegte Verfahren steuerlich nicht zulässig ist oder daß umgekehrt zur Ausschöpfung bestimmter steuerlicher Vorteile oder aus anderen bilanzpolitischen Motiven in der Finanzbuchhaltung ein Abschreibungsverfahren angewandt wird, das nicht dem tatsächlichen Wertverzehr der Anlagegüter entspricht.

In diesem Zusammenhang muß darauf hingewiesen werden, daß zwar in der Finanzbuchhaltung eine Abschreibung über den Anschaffungswert hinaus nicht möglich ist, in der Kostenrechnung dagegen für ein Anlagegut auch dann noch Abschreibungen angesetzt werden, wenn die ursprünglich zugrunde gelegte Gesamtleistungsmenge oder Gesamtnutzungsdauer überschritten ist. Kalkulatorische Abschreibungen werden so lange angesetzt, wie das Anlagegut für die Leistungserstellung genutzt wird. Umgekehrt endet die kalkulatorische Abschreibung, wenn ein Anlagegut vorzeitig aus dem Produktionsprozeß ausscheidet. In der Finanzbuchhaltung wären in diesem Falle noch außerplanmäßige Abschreibungen in Höhe des verbliebenen Restwertes erforderlich. Diese außerplanmäßigen Abschreibungen haben jedoch keinen Kostencharakter.

b) Berechnung der kalkulatorischen Abschreibungen

Abschreibungsquote nennt man den relativen Anteil an der Abschreibungssumme, der auf eine Abschreibungsperiode entfällt. Die Abschreibungsquoten werden durch die Abschreibungsbasis und das Abschreibungsverfahren bestimmt.

Die **Abschreibungsrate** ist der absolute, wertmäßig ausgedrückte Anteil an der Abschreibungssumme, der auf die Abschreibungsperiode entfällt. Die Abschreibungsraten ergeben sich durch Multiplikation der Abschreibungsquoten mit der Abschreibungssumme (= Bewertungsvorgang).

(1) Technik der Mengenabschreibung

Die Berechnung der Abschreibungen auf Basis der Leistungsmenge ist insofern recht einfach, als die Verteilung ausschließlich proportional zur Leistungsmenge vorgenommen wird. Degressive oder progressive Mengenabschreibungen kommen in der Praxis nicht vor.

Basis für die Mengenabschreibung ist die geschätzte Gesamtleistungsmenge. Als Maßstab für die Leistung kommt entweder die Ausbringungsmenge der Erzeugnisse (in Stück, m, m^2, m^3, hl, kg, t, ...) oder eine andere Maßgröße für die Beschäftigung (Arbeitsstunden, Maschinenstunden, gefahrene Kilometer, transportierte Tonnenkilometer, ...) in Frage. Abschreibungsquoten und Abschreibungsraten werden wie folgt errechnet:

$$\text{Abschreibungsquote} = \frac{\text{Leistungsmenge dieser Periode}}{\text{erwartete Gesamtleistungsmenge}}$$

$$\text{Abschreibungsrate} = \text{Abschreibungsquote} \cdot \text{Abschreibungssumme}$$

Beispiel für eine Mengenabschreibung:

Ein Lastkraftwagen mit einem Anschaffungswert von 80000 DM soll ohne Berücksichtigung eines Restwertes nach Maßgabe der gefahrenen Kilometer abgeschrieben werden. Die Gesamtleistung wird auf 400000 km geschätzt.

Die Abschreibungstabelle hat dann folgenden Inhalt:

	Leistung	Abschreibungsquote	Abschreibungsrate
1. Periode	86 400 km	0,216	17 280 DM
2. Periode	77 700 km	0,19425	15 540 DM
3. Periode	91 100 km	0,22775	18 220 DM
4. Periode	88 800 km	0,222	17 760 DM
5. Periode	56 000 km	0,14	11 200 DM
Summe	400 000 km	1,00000	80 000 DM

Eine andere Möglichkeit der Errechnung der Abschreibungsraten führt über den Abschreibungssatz:

$$\text{Abschreibungssatz} = \frac{\text{Abschreibungssumme}}{\text{erwartete Gesamtleistungsmenge}}$$

$$\text{Abschreibungsrate} = \text{Abschreibungssatz} \cdot \text{Leistungsmenge dieser Periode}$$

Im obigen Zahlenbeispiel ergibt sich für die erste Periode folgende Rechnung:

$$\text{Abschreibungssatz} = \frac{80\,000\,\text{DM}}{400\,000\,\text{km}} = 0{,}20\,\text{DM/km}$$

$$\text{Abschreibungsrate} = 0{,}20 \cdot 86\,400 = 17\,280\,\text{DM}$$

Anwendung findet die Mengenabschreibung vornehmlich bei Fertigungsanlagen, Transporteinrichtungen, Kiesgruben, Steinbrüchen und Bergwerken. Nicht angewendet wird die Mengenabschreibung dagegen bei Gebäuden, bei den meisten Gütern der Betriebs- und Geschäftsausstattung sowie bei zeitlich befristeten Rechten.

(2) Verfahren der Zeitabschreibung

Bei der Zeitabschreibung wird als Maßstab für die Leistungsabgabe des Anlagegutes die abgelaufene Kalenderzeit verwendet. Abschreibungsbasis ist hier die erwartete Gesamtnutzungsdauer des Anlagegutes, gemessen in Jahren und Monaten. Für die Bestimmung der Abschreibungsraten der einzelnen Nutzungsperioden ist es allerdings noch erforderlich, den Verteilungsmodus festzulegen. Die Betriebswirtschaftslehre hat hierfür diverse Verfahren entwickelt, die hier zunächst im Überblick vorgestellt werden sollen:

    I. Proportionale (lineare) Abschreibung
   II. Degressive Abschreibung
      1. Arithmetisch-degressive Abschreibung
        a) Normalform
        b) Digitale Abschreibung
      2. Geometrisch-degressive Abschreibung
        a) Normalform
        b) Buchwert- oder Restwertabschreibung
  III. Progressive Abschreibung
      1. Arithmetisch-progressive Abschreibung
      2. Geometrisch-progressive Abschreibung
  IV. Mischformen

Für die Erläuterung dieser Verfahren soll ein **einheitliches Beispiel** verwendet werden, bei dem die Abschreibungssumme 92 232 DM und die Abschreibungsdauer sechs Nutzungsperioden (Jahre oder Monate) beträgt. Ein eventueller Schrottwert, Wiederverkaufswert oder Erinnerungswert wird nicht berücksichtigt. Die Abschreibungsraten werden auf volle DM auf- oder abgerundet.

(2.1) Proportionale Abschreibung

Die proportionale Abschreibung wird ungenau auch als **lineare Abschreibung** bezeichnet. Sie stellt das einfachste Verteilungsverfahren dar und ist durch gleichbleibende Abschreibungsraten gekennzeichnet. Die Abschreibungsraten betragen in unserem Zahlenbeispiel in jeder Periode 92232 : 6 = 15372 DM. Allgemein ausgedrückt:

$$r_m = \frac{A}{n}$$

r_m = Abschreibungsrate der m-ten Periode

A = Abschreibungssumme

n = Gesamtnutzungsdauer

(2.2) Normalform der arithmetisch-degressiven Abschreibung

Als degressiv bezeichnet man alle Verfahren, bei denen die Abschreibungsraten von Periode zu Periode abnehmen. Bei der arithmetisch-degressiven Abschreibung fallen die Raten jeweils um denselben Betrag (lineare Degression). Die Abschreibungsraten bilden also eine arithmetisch fallende Reihe, die durch eine konstante Differenz (d) zwischen zwei aufeinanderfolgenden Gliedern gekennzeichnet ist:

$$d = r_m - r_{m-1} < 0$$

Bei der Normalform der arithmetisch-degressiven Abschreibung hängt die Höhe der einzelnen Abschreibungsraten neben der Abschreibungssumme und der Nutzungsdauer auch von der gewählten konstanten Differenz (d) ab. Je kleiner diese Differenz (d.h. je größer der Absolutbetrag der Differenz) ist, um so stärker ist die Degression ausgeprägt. Für d=0 geht die arithmetisch-degressive Abschreibung in die proportionale Abschreibung über.

Soll im gewählten Zahlenbeispiel jede Abschreibungsrate um 2000 DM niedriger sein als die der Vorperiode (d = −2000), ergibt sich folgende Rechnung zur Bestimmung der ersten Rate:

$$
\begin{array}{rcl}
r_1 = & r_1 & \\
r_2 = & r_1 - & 2\,000 \\
r_3 = & r_1 - & 4\,000 \\
r_4 = & r_1 - & 6\,000 \\
r_5 = & r_1 - & 8\,000 \\
r_6 = & r_1 - & 10\,000 \\
\hline
92\,232 = & 6\,r_1 - & 30\,000
\end{array}
$$

$$r_1 = \frac{92\,232 + 30\,000}{6} = 20\,372\,\text{DM}$$

Die Abschreibungstabelle hat dann folgendes Aussehen:

$$
\begin{array}{lcl}
1.\,\text{Periode} & = & 20\,372\,\text{DM} \\
2.\,\text{Periode} & = & 18\,372\,\text{DM} \\
3.\,\text{Periode} & = & 16\,372\,\text{DM} \\
4.\,\text{Periode} & = & 14\,372\,\text{DM} \\
5.\,\text{Periode} & = & 12\,372\,\text{DM} \\
6.\,\text{Periode} & = & 10\,372\,\text{DM} \\
\hline
\text{Summe} & = & 92\,232\,\text{DM}
\end{array}
$$

Allgemein lauten die Bestimmungsgleichungen für die erste Rate r_1 und für eine beliebige Rate r_m:

$$r_1 = \frac{A}{n} - \frac{d}{2} \cdot (n - 1)$$

$$r_m = \frac{A}{n} - \frac{d}{2} \cdot (n - 2m + 1)$$

(2.3) Digitale Abschreibung

Eine Sonderform der arithmetisch-degressiven Abschreibung bildet die digitale Abschreibung, bei der die letzte Abschreibungsrate gleich dem Absolutbetrag der konstanten Differenz ist ($r_n = -d$). Die Differenz d ist hier keine variable Größe, sondern durch die Abschreibungssumme und die Nutzungsdauer eindeutig bestimmt. Im obigen Zahlenbeispiel ergibt sich folgende Rechnung:

$$
\begin{aligned}
r_1 &= 6\,r_6 \\
r_2 &= 5\,r_6 \\
r_3 &= 4\,r_6 \\
r_4 &= 3\,r_6 \\
r_5 &= 2\,r_6 \\
r_6 &= 1\,r_6 \\
\hline
92\,232 &= 21\,r_6
\end{aligned}
$$

$$r_6 = 92\,232 : 21 = 4\,392\ \text{DM}$$

Daraus ergibt sich folgende Abschreibungstabelle:

1. Periode =	26 352 DM
2. Periode =	21 960 DM
3. Periode =	17 568 DM
4. Periode =	13 176 DM
5. Periode =	8 784 DM
6. Periode =	4 392 DM
Summe =	92 232 DM

Allgemein lauten die Bestimmungsgleichungen für die Abschreibungsraten:

$$r_n = \frac{2\,A}{n \cdot (n + 1)}$$

$$r_m = 2\,A \cdot \frac{n - m + 1}{n \cdot (n + 1)}$$

(2.4) Normalform der geometrisch-degressiven Abschreibung

Bei der geometrisch-degressiven Abschreibung bilden die Abschreibungsraten eine geometrisch fallende Reihe, die dadurch gekennzeichnet ist, daß zwei aufeinanderfolgende Glieder stets den gleichen Quotienten (q) bilden:

$$q = \frac{r_m}{r_{m-1}} \; ; \quad 0 < q < 1$$

Bei der geometrisch-degressiven Abschreibung hängt die Höhe der einzelnen Abschreibungsraten neben der Abschreibungssumme und der Nutzungsdauer auch von dem gewählten konstanten Quotienten (q) ab. Je kleiner der Quotient ist, um so stärker ist die Degression ausgeprägt. Für q=1 geht die geometrisch-degressive Abschreibung in die proportionale Abschreibung über.

Soll im ursprünglichen Zahlenbeispiel jede Abschreibungsrate um 20% niedriger sein als die der Vorperiode (q=0,8), ergibt sich folgende Rechnung zur Bestimmung der ersten Rate:

$$
\begin{aligned}
r_1 &= \quad 1 \qquad r_1 \\
r_2 &= \quad 0{,}8 \qquad r_1 \\
r_3 &= \quad 0{,}64 \qquad r_1 \\
r_4 &= \quad 0{,}512 \qquad r_1 \\
r_5 &= \quad 0{,}4096 \; r_1 \\
r_6 &= \quad 0{,}32768 \, r_1 \\
\hline
92\,232 &= \quad 3{,}68928 \, r_1
\end{aligned}
$$

$$r_1 = 92\,232 : 3{,}68928 = 25\,000 \, \text{DM}$$

Die Abschreibungstabelle sieht dann wie folgt aus:

$$
\begin{aligned}
1. \, \text{Periode} &= 25\,000 \, \text{DM} \\
2. \, \text{Periode} &= 20\,000 \, \text{DM} \\
3. \, \text{Periode} &= 16\,000 \, \text{DM} \\
4. \, \text{Periode} &= 12\,800 \, \text{DM} \\
5. \, \text{Periode} &= 10\,240 \, \text{DM} \\
6. \, \text{Periode} &= \quad 8\,192 \, \text{DM} \\
\hline
\text{Summe} &= 92\,232 \, \text{DM}
\end{aligned}
$$

Allgemein lauten die Bestimmungsgleichungen für die Abschreibungsraten:

$$r_1 = A \cdot \frac{q-1}{q^n - 1}$$

$$r_m = r_1 \cdot q^{m-1}$$

(2.5) Buchwert- oder Restwertabschreibung

Eine Sonderform der geometrisch-degressiven Abschreibung bildet die Buchwert- oder Restwertabschreibung, bei der in jeder Periode ein konstanter Prozentsatz (p) vom Buchwert zu Beginn dieser Periode abgeschrieben wird. Die Abschreibungsraten bilden auch hier eine geometrisch fallende Reihe, deren konstanter Quotient wie folgt aus dem Abschreibungsprozentsatz abgeleitet wird:

$$q = 1 - \frac{p}{100}$$

Soll in unserem Zahlenbeispiel die Abschreibung mit 40% vom Buchwert vorgenommen werden, ergibt sich folgende Rechnung:

	Buchwert zu Beginn	40 % Abschreibung	Buchwert am Ende
1. Periode	92 232	36 893	55 339
2. Periode	55 339	22 136	33 203
3. Periode	33 203	13 281	19 922
4. Periode	19 922	7 969	11 953
5. Periode	11 953	4 781	7 172
6. Periode	7 172	2 869	4 303

Dabei zeigt sich, daß nach der 6. Abschreibung noch ein Restwert von 4 303 DM verbleibt, eine Vollabschreibung innerhalb der vorgegebenen sechs Nutzungsperioden also nicht erreicht wird. Theoretisch wird eine Abschreibung auf null DM nie erreicht. Je niedriger der Restwert sein soll, um so höher muß der Abschreibungsprozentsatz gewählt werden. Für eine Abschreibung auf den Erinnerungswert von 1 DM müßte im obigen Beispiel der Abschreibungssatz 85,123% ausmachen. Zwischen dem Restwert (R_n) und dem Abschreibungsprozentsatz (p) besteht folgende allgemeine Beziehung:

$$p = (1 - \sqrt[n]{\frac{R_n}{A}}) \cdot 100$$

Soll in unserem Beispiel der Restwert 1 000 DM betragen, müßte folgender Abschreibungsprozentsatz zugrunde gelegt werden:

$$p = (1 - \sqrt[6]{\frac{1\,000}{92\,232}}) \cdot 100 = 52,9543\%$$

Die Abschreibungstabelle zeigt dann folgendes Bild:

	Buchwert zu Beginn	52,9543 % Abschreibung	Buchwert am Ende
1. Periode	92 232	48 841	43 391
2. Periode	43 391	22 977	20 414
3. Periode	20 414	10 810	9 604
4. Periode	9 604	5 086	4 518
5. Periode	4 518	2 392	2 126
6. Periode	2 126	1 126	1 000

Soll innerhalb der vorgegebenen Nutzungsperioden eine Vollabschreibung erreicht werden, bleibt nur die Möglichkeit, den am Ende der letzten Periode vorhandenen Restwert der letzten Abschreibungsrate zuzuschlagen. Die mathematische Gesetzmäßigkeit wird damit allerdings beim Übergang zur letzten Periode durchbrochen.

Die Bestimmungsgleichungen für die erste Abschreibungsrate sowie für die Abschreibungsrate und den Restwert einer beliebigen Periode m haben bei der Buchwertabschreibung folgende allgemeine Form:

$$r_1 = A \cdot \frac{p}{100} = A \cdot (1 - q)$$

$$r_m = r_1 \cdot q^{m-1}$$

$$R_m = A \cdot q^m$$

(2.6) Progressive Abschreibungen

Als Gegenstück zur degressiven Abscheibung kennt die Betriebswirtschaftslehre die Verfahren der progressiven Abschreibung, bei denen die Abschreibungsraten von Periode zu Periode zunehmen und entweder eine arithmetisch steigende oder eine geometrisch steigende Reihe bilden. Ihre Bedeutung für die Praxis ist jedoch gleich Null, weil es zum einen nur wenige Anlagegüter gibt, bei denen die Wertminderung am Anfang geringer ist als in den Folgeperioden, und zum anderen selbst in diesen relativ seltenen Fällen meist die Mengenabschreibung der progressiven Zeitabschreibung vorgezogen wird.

Rechentechnisch ergeben sich hier keine Besonderheiten, da die progressiven Verfahren lediglich eine **Umkehrung der degressiven Abschreibungsverfahren** bedeuten. Die für die Normalformen der arithmetisch- und geometrisch-degressiven Abschreibung aufgeführten Bestimmungsgleichungen gelten unverändert weiter; nur ist zu beachten, daß bei arithmetisch-progressiver Abschreibung die konstante Differenz positiv ist (d>0) und bei geometrisch-progressiver Abschreibung der konstante Quotient über 1 liegt (q>1). Die Progression ist um so stärker ausgeprägt, je größer die Werte für die Konstanten d bzw. q sind.

(2.7) Mischformen

Neben den bisher aufgezeigten „reinen" Abschreibungsverfahren sind auch Mischformen bekannt, die Elemente unterschiedlicher Abschreibungsverfahren miteinander vereinigen. Von größter Bedeutung ist hierbei die **Kombination aus Buchwertabschreibung und proportionaler Abschreibung**. Bei diesem Verfahren wird zunächst einige Perioden lang nach der Buchwertmethode abgeschrieben, dann aber der verbleibende Restwert gleichmäßig auf die Restnutzungsdauer verteilt, um zu vermeiden, daß bei Vollabschreibung des Anlagegutes die Abschreibungsrate der letzten Periode größer ist als die der vorletzten Nutzungsperiode. Der **optimale Zeitpunkt für den Übergang** ist dann gegeben, wenn die gleichmäßige Verteilung des Restwertes auf die Restnutzungsdauer zu einer höheren Abschreibungsrate führt als diejenige Rate, die sich durch eine Fortsetzung der Buchwertabschreibung ergibt. Der optimale Zeitpunkt für den Übergang hängt folglich von der Höhe des auf den Buchwert anzuwendenden Abschreibungsprozentsatzes ab. Bei einem Abschreibungssatz von p % sind die letzten k = 100 : p Perioden proportional abzuschreiben. Bruchteile von weniger als einer Periode bleiben dabei unberücksichtigt, so daß beispielsweise bei einem

Abschreibungssatz von 15% auf den jeweiligen Buchwert die letzten sechs Jahre nach dem proportionalen Verfahren abzuschreiben sind.

Soll im ursprünglichen Zahlenbeispiel die Abschreibung zunächst mit 30% vom Buchwert vorgenommen und im optimalen Zeitpunkt zur proportionalen Abschreibung übergegangen werden, ergibt sich folgende Rechnung:

$$k = \frac{100}{30} = 3 \text{ Perioden}$$

$$q = 1 - \frac{30}{100} = 0,7$$

	Buchwert zu Beginn	Abschreibung	Buchwert am Ende
1. Periode	92 232	27 670	64 562
2. Periode	64 562	19 369	45 193
3. Periode	45 193	13 558	31 635
4. Periode	31 635	10 545	21 090
5. Periode	21 090	10 545	10 545
6. Periode	10 545	10 545	0

Eine andere Mischform bildet die **Kombination der Mengenabschreibung mit einem Verfahren der Zeitabschreibung,** insbesondere mit der proportionalen Zeitabschreibung, um den unterschiedlichen Entwertungsursachen (Gebrauchsverschleiß und natürlicher Verschleiß) Rechnung zu tragen. Hierbei wird ein Teil der Abschreibungssumme auf Basis der Leistungsmenge und der Rest auf Basis der Kalenderzeit abgeschrieben. Soll in dem früher verwendeten Beispiel der Anschaffungswert des Lastkraftwagens in Höhe von 80 000 DM zu 60% auf Basis der Gesamtleistung von 400 000 Kilometern und zu 40% durch gleichmäßige Verteilung auf fünf Nutzungsperioden abgeschrieben werden, erhält man folgende Abschreibungstabelle:

	Leistung	Abschreibungsraten		
		Mengenanteil	Zeitanteil	insgesamt
1. Periode	86 400 km	10 368 DM	6 400 DM	16 768 DM
2. Periode	77 700 km	9 324 DM	6 400 DM	15 724 DM
3. Periode	91 100 km	10 932 DM	6 400 DM	17 332 DM
4. Periode	88 800 km	10 656 DM	6 400 DM	17 056 DM
5. Periode	56 000 km	6 720 DM	6 400 DM	13 120 DM
Summe	400 000 km	48 000 DM	32 000 DM	80 000 DM

(3) Organisation der Anlagenrechnung

Die Erfassung der Abschreibungen erfolgt in jeder größeren Unternehmung in einer besonderen Nebenbuchhaltung: der **Anlagenbuchhaltung.** Die Hauptaufgabe der Anlagenbuchhaltung liegt in der Erfassung der Abschreibungen für die kalkulatorische, die handelsrechtliche und die steuerliche Erfolgsermittlung sowie in der Vorbereitung der Weiterverrechnung der kalkulatorischen Abschreibungen auf Kostenstellen oder Kostenbereiche. Als Hilfsmittel der Anlagenrechnung dienen:

a) die Anlagenkartei, in der für jedes Anlagegut Angaben über den Standort (die Kostenstelle), den Lieferanten, den Anschaffungstermin, die Anschaffungskosten, den Schrottwert sowie die Abschreibungsbasis, das Abschreibungsverfahren, die periodischen Abschreibungsraten und die Restwerte für die kalkulatorische, handelsrechtliche und steuerliche Abschreibung enthalten sind.

b) jährlich aufzustellende Anlagelisten, in denen die handelsrechtlichen und steuerlichen Abschreibungen und Restwerte nach Anlagekonten zusammengefaßt sind und die die Grundlage für die Aufstellung des Jahresabschlusses bilden.

c) monatlich aufzustellende Anlagelisten, in denen die kalkulatorischen Abschreibungen und Restwerte nach Kostenstellen und Kostenbereichen zusammengefaßt sind und die als Grundlage für die Verrechnung der kalkulatorischen Abschreibungen und der kalkulatorischen Zinsen dienen.

2.3.6.5 Kalkulatorische Zinsen

Kalkulatorische Zinsen sind die **Kosten für die Nutzung des im Leistungsprozeß eingesetzten Kapitals**. Der Unterschied zwischen den in der Finanzbuchhaltung als Aufwand erfaßten Fremdkapitalzinsen und den in der Kostenrechnung verrechneten kalkulatorischen Zinsen läßt sich auf drei Gründe zurückführen:

a) In den pagatorischen Zinsen wird lediglich das Fremdkapital verzinst, während den kalkulatorischen Zinsen das gesamte eingesetzte Kapital zugrunde gelegt wird ohne Rücksicht auf die Art der Finanzierung, insbesondere das Verhältnis zwischen Eigen- und Fremdkapital.

b) Während auf die Höhe der pagatorischen Zinsen die Art der Kapitalverwendung keinen Einfluß ausübt, dürfen kalkulatorische Zinsen nur auf das in den betriebsnotwendigen Vermögensteilen gebundene Kapital berechnet werden. Dieser Teil des Gesamtkapitals wird als betriebsbedingtes oder betriebsnotwendiges Kapital bezeichnet.

c) Schließlich unterscheiden sich die pagatorischen von den kalkulatorischen Zinsen in der Bewertung. Während den pagatorischen Zinsen meist mehrere unterschiedlich hohe Zinssätze zugrunde liegen, wird für die Ermittlung der kalkulatorischen Zinsen das gesamte betriebsnotwendige Kapital mit einem einheitlichen Satz verzinst.

Zur Ermittlung des **betriebsnotwendigen Kapitals** geht man von der Aktivseite der Bilanz aus, da die Passivseite über die Art der Kapitalverwendung (für die Leistungserstellung oder für leistungsneutrale Zwecke) keine Auskunft geben kann. Aus der Gesamtheit der Vermögensgegenstände sind also diejenigen auszusondern, die nicht dem Zweck der Leistungserstellung dienen, wie z.B. bei einer Industrieunternehmung land- oder forstwirtschaftlich genutzter Grundbesitz, Wohnhäuser, ausrangierte Fertigungsanlagen, Beteiligungen, Wertpapiere und Bankguthaben, die über den zur Abwicklung des Zahlungsverkehrs erforderlichen Bestand hinausgehen. Bei den verbleibenden Gegenständen tritt die Frage nach der Höhe des Wertansatzes auf. Anstelle der in der Bilanz grundsätzlich angesetzten Anschaffungswerte können Tagesbeschaffungswerte treten. In jedem Falle sind aber beim Anlagevermögen die kalkulatorischen Restwerte, d.h. die um die kalkulatorischen Abschreibungen verminderten Anschaffungs- bzw. Tagesbeschaffungswerte, anstelle der Buchwerte aus der Finanzbuchhaltung der Ermittlung des betriebsnotwendigen Vermögens zugrunde zu legen. Weiterhin tritt die Frage auf, ob die Vermögensbestände zu Beginn oder am Ende der Abrechnungsperiode anzusetzen sind. Strenggenommen müßten die Bestände mit der Dauer der Kapitalbindung gewichtet werden, doch begnügt man sich hier üblicherweise mit dem Ansatz des einfachen arithmetischen Mittels aus Anfangs- und Schlußbeständen.

Das auf diese Weise ermittelte betriebsnotwendige Vermögen entspricht dem betriebsnotwendigen Kapital und bildet die Grundlage für den Ansatz der kalkulatorischen Zinsen. In der Praxis ist es allerdings zur Gewohnheit geworden, zuvor vom betriebsnotwendigen Kapital noch das sog. **Abzugskapital** zu subtrahieren, das der Unternehmung zinsfrei zur Verfügung steht und die Verbindlichkeiten aus Lieferungen und Leistungen, die sonstigen Verbindlichkeiten, die Anzahlungen von Kunden und die kurzfristigen Rückstellungen umfaßt. Diese Praxis geht zweifellos auf den Regierungserlaß über „Allgemeine Grundsätze der Kostenrechnung" vom 16.1.1939 und die später darauf aufbauenden „Allgemeinen Regeln zur industriellen Kostenrechnung" zurück, obwohl sie nach Kriegsende ihre bindende Wirkung verloren hatten. *Kosiol*[14] weist darauf hin, daß diese Fremdkapitalbeträge meist nur scheinbar zinsfrei zur Verfügung stehen, in Wirklichkeit aber in anderer Form (z.B. im Warenpreis) bereits verzinst und kalkulatorisch erfaßt werden, so daß eine verdeckte Verzinsung vorliegt. Die Subtraktion des Abzugskapitals bedeutet jedenfalls eine teilweise Aufgabe des Grundgedankens der einheitlichen, von der Finanzierung unabhängigen kalkulatorischen Verzinsung und ist deshalb betriebswirtschaftlich abzulehnen. Auch die in der Praxis gelegentlich anzutreffende Vorgehensweise, von den errechneten kalkulatorischen Zinsen die Zinserträge aus betriebsnotwendigen Vermögensteilen abzuziehen, ist wissenschaftlich nicht haltbar. Aus betriebswirtschaftlicher Sicht bildet das betriebsnotwendige Kapital ungeschmälert die Grundlage für die kalkulatorischen Zinsen, und alle Zinsaufwendungen und Zinserträge – einschließlich der Skonti – sind dem Neutralergebnis zuzurechnen.

Der **kalkulatorische Zinsfuß** ist nach den allgemeinen Regeln für die Bewertung kalkulatorischer Kosten zu ermitteln. Bei direkter Bewertung ist der für das Fremdkapital zu zahlende Zins anzusetzen, und zwar entweder der Durchschnittszinssatz oder der Grenzzinssatz. Eine andere Möglichkeit liegt im Ansatz der Opportunitätskosten für das Eigenkapital, d.h. man orientiert sich an dem Zinssatz, den das Eigenkapital in der nächstgünstigsten Verwendung erzielen würde. In der Praxis wird regelmäßig der landesübliche Zinssatz, erhöht um einen bestimmten Risikozuschlag, den kalkulatorischen Zinsen zugrunde gelegt. Als landesüblichen Zinssatz bezeichnet man die Rendite, die das Kapital gegenwärtig am Markt für festverzinsliche Wertpapiere erzielt.

---

[14] Kosiol, Erich: Kosten- und Leistungsrechnung, a.a.O., S. 189-190.

2.3.6.6 Kalkulatorische Wagnisse

In den Wagniskosten werden **ungewöhnliche, regellose und nicht voraussehbare betriebliche Aufwendungen** kalkulatorisch berücksichtigt. Anstelle der zufallsabhängigen, von Monat zu Monat meist stark schwankenden Aufwendungen werden in den Kosten gleichbleibende Raten oder Zuschläge für die verschiedenen Risiken angesetzt.

Die Erfassung der kalkulatorischen Wagnisse erfolgt nach dem Grade der Wahrscheinlichkeit des Eintretens der sog. **Wagnisverluste** (der effektiven Wagnisaufwendungen). In der Praxis genügt es für viele Wagnisarten, langfristige Durchschnitte der Wagnisaufwendungen als Kosten anzusetzen oder sich an den bei einer Fremdversicherung zu zahlenden Versicherungsprämien, gekürzt um die schätzungsweise darin enthaltenen Verwaltungskosten-, Vertriebskosten- und Gewinnanteile, zu orientieren. Kalkulatorische Wagnisse können für alle nicht fremdversicherten Risiken angesetzt werden. Sie werden deshalb auch als Kosten einer Eigenversicherung bezeichnet.

Die wichtigsten Wagnisarten sind:

a) das **Beständewagnis** für Inventurdifferenzen durch Feuer, Einbruch, Diebstahl, Schwund, Verderb und Veraltung sowie für Wertminderungen bei den Beständen an Roh-, Hilfs- und Betriebsstoffen und an Halb- und Fertigfabrikaten.

b) das **Fertigungswagnis** für Ausschuß, für Nacharbeiten sowie für Gewährleistungs- und andere Haftungsansprüche.

c) das **Entwicklungswagnis** für das Risiko mißlungener Forschungsarbeiten, Konstruktionen und Versuche.

d) das **Anlagenwagnis** für das Risiko von Brand, Explosion und Maschinenbruch, nicht dagegen für Fehleinschätzungen der Nutzungsdauer von Anlagegütern, da sich in einer guten Kostenrechnung zu hohe und zu niedrige Einschätzungen der Nutzungsdauer auf lange Sicht ausgleichen sollten.

e) das **Vertriebswagnis** für Transportschäden, Konventionalstrafen, Kulanznachlässe, Debitorenausfälle und Währungsverluste aus Kundenforderungen.

Das **allgemeine Unternehmerwagnis** ist nicht kalkulierbar und wird letztlich im Gewinn mit abgegolten.

2.3.6.7 Zeitliche Verteilung von Aufwendungen

Neben den bisher genannten klassischen Arten von Zusatz- und Anderskosten werden kalkulatorische Kosten angesetzt, um eine periodengerechte Verteilung betrieblicher Aufwendungen zu erreichen. Diese kalkulatorischen Kosten haben eine gewisse Ähnlichkeit mit den Wagniskosten, jedoch liegt hier ein spezielles Risiko nicht vor. Der Zweck liegt lediglich in einer zeitlichen Verteilung der Aufwendungen, weil diese unregelmäßig anfallen und in ihrer Höhe stärkeren Schwankungen unterliegen, so daß sie in dieser Form für den kalkulatorischen Ansatz ungeeignet sind. Auch ist diese Gruppe der kalkulatorischen Kosten deutlich zu trennen von der kurzfristigen Periodenabgrenzung der Grundkosten. Während bei den Abgrenzungsposten Aufwand und Ausgabe in verschiedene Abrechnungsperioden fallen, werden hier Aufwand und Kosten unterschiedlichen Abrechnungszeiträumen zugerechnet. Für eine Periodenabgrenzung muß der abzugrenzende Betrag der Höhe nach feststehen; bei den hier behandelten kalkulatorischen Kosten muß dagegen der Periodenanteil stets geschätzt werden. Die zeitliche Verteilung von Aufwendungen in der Kostenrechnung kommt beispielsweise bei folgenden Kostenarten in Frage:

a) kalkulatorische Instandhaltungskosten,
b) kalkulatorische Urlaubs-, Feiertags- und Krankheitslöhne,
c) kalkulatorische Sozialkosten,
d) kalkulatorische Werbungskosten,
e) kalkulatorische Raumkosten für Beheizung, Beleuchtung und Reinigung der Räume, soweit diese nicht ohnehin bereits in die kalkulatorische Miete einbezogen worden sind.

2.3.7 Testfragen und Übungsaufgaben

34. Nennen Sie zehn verschiedenartige Beispiele für Kostenarten!

35. Was verstehen Sie unter sekundären Kostenarten und wo treten sie im Rahmen der Betriebsabrechnung in Erscheinung?

36. a) Welches Merkmal liegt der Unterscheidung von Einzel- und Gemeinkosten zugrunde?
    b) Worauf können diese Begriffe bezogen werden?
    c) Nennen Sie Beispiele hierfür!

37. Nennen Sie Beispiele für
    a) Sondereinzelkosten der Fertigung!
    b) Sondereinzelkosten des Vertriebs!

38. a) Was versteht man unter Kostenauflösung?
    b) Welche Verfahren der Kostenauflösung kennen Sie?

39. Führen Sie für die nachstehend genannten Zahlen die Kostenauflösung mittels Trendberechnung nach der Methode der kleinsten Quadrate durch!

Periode	Ausbringung	Periodenkosten
1. Monat	10 t	234 000 DM
2. Monat	8 t	210 000 DM
3. Monat	12 t	270 000 DM

40. In einer Ziegelei sind im vergangenen Jahr folgende Periodenkosten angefallen:

Quartal	1.	2.	3.	4.	
Ausbringung	1 300 000	1 400 000	1 250 000	1 350 000	Ziegel
Periodenkosten	154 300	162 800	151 250	159 650	DM

Wie hoch sind die variablen Kosten für 1 000 Ziegel und die fixen Kosten pro Quartal
    a) bei Anwendung der Zweipunktmethode, wenn man den niedrigsten und den höchsten Beschäftigungsgrad zugrunde legt?
    b) bei der Trendberechnung nach der Methode der kleinsten Quadrate?

41. a) Beschreiben Sie die Methode der buchtechnischen Kostenauflösung!
    b) Worin liegt der wichtigste Unterschied dieser Methode zur mathematischen Kostenauflösung?

42. Nennen Sie Beispiele für
    a) proportionale Einzelkosten einer Kostenträgerart!
    b) proportionale Gemeinkosten einer Kostenträgerart!
    c) fixe Einzelkosten einer Kostenträgerart!
    d) fixe Gemeinkosten einer Kostenträgerart!

43. a) Was verstehen Sie unter retrograder Kostenerfassung?
    b) Welche Kosten lassen sich mit Hilfe dieses Verfahrens erfassen?

44. a) Grenzen Sie Hilfs- und Betriebsstoffe gegeneinander ab!
    b) Nennen Sie Beispiele für Hilfs- und Betriebsstoffe im Fertigungsbereich!

45. Welche Möglichkeiten kennen Sie
    a) für die Erfassung des Materialverbrauchs in der Fertigung?
    b) für die Bewertung des Materialverbrauchs in der Kostenrechnung?

46. Ein Steinkohlenkraftwerk hat im September 600000 t Kohle im Gesamtwert von 72000000 DM eingekauft. Ende September befanden sich noch 90000 t Kohle auf Lager, Anfang September waren es 80000 t im Werte von 9464000 DM.
    a) Wie hoch war der Kohleverbrauch im September mengenmäßig?
    b) Wie hoch waren die Kosten des Kohleverbrauchs
       (1) unter Zugrundelegung der FIFO-Bewertung?
       (2) unter Zugrundelegung der LIFO-Bewertung?
       (3) unter Zugrundelegung der Durchschnittspreisbewertung?
    c) Wie hoch war der Kohlebestand Ende September
       (1) unter Zugrundelegung der FIFO-Bewertung?
       (2) unter Zugrundelegung der LIFO-Bewertung?
       (3) unter Zugrundelegung der Durchschnittspreisbewertung?

47. a) Was versteht man unter den sog. kalkulatorischen Kosten?
    b) Welche kalkulatorischen Kosten kennen Sie?

48. In welchen Fällen wird in der Betriebsabrechnung kalkulatorische Miete anstelle der effektiven Ausgaben für die Raumnutzung angesetzt?

49. a) Warum werden Anlagegüter überhaupt abgeschrieben?
    b) Werden alle bilanzierten Anlagegüter auch kalkulatorisch abgeschrieben?

50. Auf welchen Ursachen kann die Differenz zwischen der kalkulatorischen Abschreibung und der Bilanzabschreibung beruhen?

51. Eine Maschine mit einem Anschaffungswert von 42028 DM soll unter Berücksichtigung eines Schrottwertes von 1500 DM und einer geschätzten Nutzungsdauer von vier Jahren auf Zeitbasis abgeschrieben werden. Wie hoch sind die Abschreibungsraten in den vier Jahren, wenn
    a) linear abgeschrieben wird?
    b) die Abschreibungsraten von Jahr zu Jahr um 1500 DM fallen?
    c) die Abschreibungsrate jedes Jahres um 30% niedriger ist als die des Vorjahres?

d) die Buchwertabschreibung am Ende des vierten Jahres genau den Schrottwert ergibt?

52. Eine Maschine soll kalkulatorisch vom Wiederbeschaffungswert, der auf 54000 DM geschätzt wird, auf der Grundlage der Laufstunden abgeschrieben werden. Anfangs war der Abschreibung eine erwartete Gesamtlaufzeit von 12000 Stunden zugrunde gelegt worden. Am Ende des dritten Jahres wurde aufgrund einer drohenden wirtschaftlichen Überholung diese Schätzung korrigiert und vom vierten Jahr an eine Gesamtlaufzeit von 10000 Stunden zugrunde gelegt. Die effektive Laufzeit der Maschine betrug
    im 1. Jahr   2 200 Stunden,
    im 2. Jahr   1 800 Stunden,
    im 3. Jahr   2 400 Stunden,
    im 4. Jahr   2 500 Stunden,
    im 5. Jahr   1 500 Stunden,
    im 6. Jahr   1 000 Stunden.
Wie hoch sind die kalkulatorischen Abschreibungsraten in den einzelnen Jahren?

53. Eine Anlage, deren Anschaffungswert 17010 DM betragen hat, soll ohne Restwert auf sechs Jahre abgeschrieben werden. Wie hoch sind die Abschreibungsraten in den einzelnen Jahren unter Zugrundelegung

    a) der digitalen Abschreibung?
    b) einer Abschreibung mit jeweils 2/3 vom Buchwert?
    c) einer Mischform aus einer 30%igen Restwertabschreibung und einer linearen Zeitabschreibung mit Übergang zum optimalen Zeitpunkt?

54. Worauf ist der Unterschied zwischen den kalkulatorischen Zinsen und den effektiv gezahlten Zinsaufwendungen zurückzuführen?

55. Beschreiben Sie die Technik zur Ermittlung der kalkulatorischen Zinsen in der Praxis!

56. a) Begründen Sie, warum in der Kostenrechnung Wagniskosten anstelle der entsprechenden Aufwendungen verrechnet werden!
    b) Nennen Sie Beispiele für Wagnisse!

2.4 Kostenstellenrechnung

2.4.1 Aufgaben der Kostenstellenrechnung

Kostenstellen sind die Orte der Kostenentstehung. Sie sind die **Abrechnungsbezirke,** in denen der Güterverbrauch stattfindet, und werden nach Tätigkeits- und Verantwortungsbereichen gebildet. Die Kostenstellenrechnung liefert somit eine Antwort auf die Frage, wo der Güterverbrauch stattfindet.

Die Kostenstellenrechnung hat zwei Hauptaufgaben, die als die abrechnungstechnische und die organisatorische Aufgabe charakterisiert werden können. Die **abrechnungstechnische Aufgabe** der Kostenstellenrechnung liegt in der differenzierten Verrechnung der Kosten auf die Erzeugnisse. Dies bedeutet, daß die Einrichtung einer Kostenstelle immer dann erforderlich wird, wenn die Erzeugnisse im Ablauf des Produktionsprozesses einzelne Betriebsteile unterschiedlich stark beanspruchen. Die Gemeinkosten können dann nicht undifferenziert den Kostenträgern belastet werden, sondern müssen zunächst nach Verursachungsgesichtspunkten – möglichst durch direkte Verteilung – den Kostenstellen zugerechnet und anschließend nach Maßgabe der Beanspruchung auf die Kostenträger verteilt werden.

Umgekehrt kann hieraus geschlossen werden, daß unter abrechnungstechnischem Blickwinkel eine Kostenstellenrechnung entbehrlich ist, wenn die Unternehmung nur ein einziges Massenprodukt herstellt und Lagerbestände bei diesem Erzeugnis nicht auftreten. Alle Kosten lassen sich dann diesem Produkt direkt zurechnen und können mit Hilfe einer einzigen Division auf die Leistungseinheit verteilt werden. Treten dagegen bei diesem Erzeugnis Lagerbestände in wechselnder Höhe auf, müssen die Kosten auf die beiden Bereiche Herstellung und Absatz verteilt werden, da die Herstellkosten den hergestellten Erzeugnissen zuzurechnen sind, während die Vertriebskosten und meist auch die Verwaltungskosten nur den verkauften Erzeugnissen belastet werden. Damit liegt schon der kleinste Fall einer Kostenstellenrechnung vor.

Selbst bei einer Einproduktfertigung muß der Herstellbereich bereits in verschiedene Kostenstellen untergliedert werden, wenn sich der Fertigungsprozeß in mehreren Stufen vollzieht und sich zwischen diesen Stufen Lagerbestände an Halbfabrikaten in wechselnder Höhe bilden. Die Kostenstellen entsprechen dann den einzelnen Fertigungsstufen.

Eine Untergliederung des Fertigungsbereichs in Kostenstellen wäre selbst bei einer Mehrproduktfertigung nicht notwendig, wenn die verschiedenen Erzeugnisse die einzelnen Betriebsteile (Werkstätten) gleich stark oder im selben Verhältnis beanspruchen. Dieser Fall kommt allerdings in der Praxis kaum vor. In aller Regel werden die Werkstätten von den Erzeugnissen unterschiedlich stark in Anspruch genommen, so daß die Gemeinkosten zunächst diesen Werkstätten zugerechnet und dann nach Maßgabe der Inanspruchnahme auf die Kostenträger weiterverrechnet werden müssen.

Die **organisatorische Aufgabe** der Kostenstellenrechnung besteht in der **Kostenkontrolle**. Die Einrichtung einer Kostenstelle wird also immer dann erforderlich, wenn ein abgegrenzter Verantwortungsbereich geschaffen und der Leiter dieses Bereiches für Überschreitungen der Kostenvorgaben zur Rechenschaft gezogen werden soll. Ohne exakte Kostenzurechnung ist eine sinnvolle Kostenkontrolle nicht möglich.

Beide Aufgaben, die abrechnungstechnische wie auch die organisatorische, sind bei der Kostenstellenbildung gleichzeitig zu berücksichtigen. Das bedeutet zum einen, daß trotz gleicher Beanspruchung durch alle Erzeugnisse ein Abrechnungsbezirk in mehrere Kostenstellen gegliedert werden muß, wenn für die Kostenentstehung in diesem Bezirk mehrere Personen verantwortlich sind. Hier hat der organisatorische Aspekt Vorrang vor dem abrechnungstechnischen. Auf der anderen Seite müssen selbst dann, wenn für einen bestimmten Bereich nur eine Person verantwortlich ist, mehrere Kostenstellen gebildet werden, wenn die Erzeugnisse diese Teilbereiche unterschiedlich stark beanspruchen. Hier hat zwecks differenzierter Kostenverteilung der abrechnungstechnische Aspekt Vorrang vor dem organisatorischen.

2.4.2 Gliederung der Kostenstellen

2.4.2.1 Gliederung nach Tätigkeits- und Verantwortungsbereichen

Auf der obersten Gliederungsstufe sind die Kostenstellen grundsätzlich nach Tätigkeits- und Verantwortungsbereichen zu bilden. Dabei wird die Unternehmung für abrechnungstechnische Zwecke regelmäßig zunächst in Kostenbereiche gegliedert und innerhalb des Fertigungsbereichs und des Bereichs der Hilfsleistungen in Kostenstellen untergliedert. Diese Gliederung ist, wie im vorangegangenen Abschnitt gezeigt wurde, für eine differenzierte Verrechnung der Kosten auf die Kostenträger erforderlich. Die Kostenstellen haben hier den Charakter heterogener Tätigkeitsbereiche. Für den Zweck der Kostenkontrolle werden allerdings auch der Materialbereich, der Verwaltungsbereich und der Vertriebsbereich in Kostenstellen untergliedert, die hier den Charakter abgegrenzter Verantwortungsbereiche annehmen.

In der Praxis wird die Kostenstellenbildung in starkem Maße von der Branche, der Fertigungsorganisation und der Betriebsgröße beeinflußt. An dieser Stelle kann deshalb nur ein Beispiel für die Gliederung einer Unternehmung in Kostenstellen gegeben werden. Recht häufig werden die Kostenbereiche durch folgende Kostenstellengruppierung gebildet:

a) **Allgemeine Hilfskostenstellen.**
Das sind Hilfskostenstellen, die dem Gesamtbetrieb dienen und daher grundsätzlich von allen anderen Kostenstellen in Anspruch genommen werden. Hierzu zählen beispielsweise Kostenstellen wie Grundstücke und Gebäude, Wasserversorgung, Kesselhaus, Stromerzeugung, Druckerei, Fuhrpark, Innerbetrieblicher Transport, Betriebsfeuerwehr oder Soziale Einrichtungen.

b) **Fertigungshilfskostenstellen.**
Diese Kostenstellen stehen in einem engen Zusammenhang mit der Fertigung, so daß ihre Leistungen in aller Regel nur von den Fertigungsstellen beansprucht werden. Als Beispiele können die technische Betriebsleitung, die Arbeitsvorbereitung, das Lohnbüro, die Konstruktionsabteilung, die Preßlufterzeugung, die Werkzeugmacherei oder die Reparaturwerkstätten genannt werden.

c) **Fertigungskostenstellen.**
Diese Kostenstellen dienen unmittelbar der Herstellung oder Weiterverarbeitung der Erzeugnisse. In einem Betrieb der metallverarbeitenden Industrie ließen sich beispielsweise Kostenstellen wie Gießerei, Härterei, Schmiede, Schweißerei, Dreherei, Schlosserei, Bohrerei, Fräserei, Stanzerei, Schleiferei, Brennerei, Galvanotechnik, Vormontage, Endmontage oder Abnahme bilden.

d) **Materialkostenstellen.**
Sie dienen der Beschaffung, Annahme, Prüfung, Aufbewahrung und Ausgabe der Einsatzstoffe und heißen dementsprechend Einkauf, Materialannahme, Materialprüfung und Materiallager.

e) **Verwaltungskostenstellen.**
Verwaltende Tätigkeiten treten in nahezu allen Kostenstellen auf. In der Gruppe der Verwaltungskostenstellen werden jedoch nur diejenigen Kosten-

stellen zusammengefaßt, die der allgemeinen Verwaltung dienen und keinem anderen Kostenbereich zugeordnet werden können. Typische Beispiele hierfür sind Kostenstellen wie Geschäftsleitung, Buchhaltung, Kalkulation, Statistik, Kasse, Personalabteilung, Rechtsabteilung, Organisationsabteilung, Revisionsabteilung, Telefonzentrale, Poststelle und Registratur.

f) **Vertriebskostenstellen.**
Diese Kostenstellen dienen der Werbung sowie der Aufbewahrung, dem Verkauf, der Auslieferung und der Wartung der Erzeugnisse. Dementsprechend heißen die Kostenstellen beispielsweise Werbeabteilung, Absatzlager, Verkauf, Verkaufskorrespondenz, Expedition und Kundendienst.

Ferner wird in forschungsintensiven Unternehmungen häufig ein gesonderter Kostenbereich „**Forschung und Entwicklung**" gebildet.

2.4.2.2 Gliederung in Haupt-, Neben- und Hilfskostenstellen

Die Gliederung der Kostenstellen in Haupt-, Neben- und Hilfsstellen beruht auf erzeugungstechnischen Gesichtspunkten. In den Hauptkostenstellen wird der Fertigungsprozeß der Haupterzeugnisse einschließlich aller ihrer Vorstufen (Halbfabrikate) durchgeführt. Haupterzeugnisse sind diejenigen Produkte, die das eigentliche Ziel der Leistungserstellung in der Unternehmung bilden, wie z.B. die Produkte Koks und Gas in einer Kokerei. Nebenkostenstellen dienen dagegen der Fertigung von Nebenprodukten, die nicht das Produktionsziel der Unternehmung ausmachen, wie z.B. die Teerverarbeitung in der Kokerei. Während Haupt- und Nebenkostenstellen letztlich der Fertigung der abzusetzenden Leistungen dienen, werden in den Hilfskostenstellen innerbetriebliche Leistungen erbracht. Die Hilfskostenstellen dienen somit nur mittelbar der Herstellung der Haupt- und Nebenprodukte. Ihre Leistungen werden grundsätzlich nicht nach außen abgegeben.

Die Fertigungskostenstellen können, je nachdem, ob in ihnen Haupt- oder Nebenprodukte gefertigt werden, Haupt- oder Nebenkostenstellen sein. Dagegen sind alle Kostenstellen außerhalb des Fertigungsbereichs stets Hilfskostenstellen, d.h., auch die Leistungen der Material-, Verwaltungs- und Vertriebsstellen haben den Charakter von innerbetrieblichen Leistungen.

2.4.2.3 Gliederung in Vor- und Endkostenstellen

Die Gliederung in Vor- und Endkostenstellen ist nicht erzeugungstechnischer, sondern rein abrechnungstechnischer Natur. Sie betrifft die Art der Weiterverrechnung der im Zuge der Kostenartenumlage auf die Kostenstellen verteilten Kostenträger-Gemeinkosten. Die Vorkostenstellen verrechnen ihre Kosten auf andere Kostenstellen, die deren Leistungen in Anspruch genommen haben. Die leistungsempfangenden Kostenstellen können wiederum Vorkostenstellen sein, überwiegend sind es jedoch die Endkostenstellen. Die Endkostenstellen bilden den rechnungstechnischen Abschluß der Kostenstellenrechnung. Sie verrechnen ihre Kosten nicht mehr auf andere Kostenstellen, sondern unmittelbar auf die Kostenträger. Dementsprechend werden in der Kostenträgerrechnung auch nur für die Endkostenstellen Gemeinkostenverrechnungssätze (Zuschlagssätze) gebildet.

Alle Fertigungskostenstellen (sowohl die Haupt- als auch die Nebenkostenstellen) sowie die Verwaltung- und Vertriebsstellen sind stets Endkostenstellen. Demgegenüber bilden die allgemeinen Hilfskostenstellen und die Fertigungshilfsstellen in jedem Falle Vorkostenstellen. Die Behandlung der Materialstellen ist nicht einheitlich; sie werden ganz überwiegend als Endkostenstellen betrachtet, in besonders gelagerten Fällen (z.b. bei mehrstufiger Fertigung eines Massenprodukts mit Zwischenlagerbildung) aber auch als Vorkostenstellen behandelt.

Die Begriffe Hilfskostenstellen und Vorkostenstellen werden in der Literatur mitunter als synonym angesehen. Dies ist nach der hier gegebenen Definition nicht richtig. Zwar sind alle Vorkostenstellen stets auch Hilfskostenstellen, doch läßt sich diese Aussage nicht umkehren, da die Hilfskostenstellen nur zum Teil Vorkostenstellen sind. Andere Hilfskostenstellen wie die Verwaltungs- und Vertriebsstellen sind dagegen immer Endkostenstellen.

2.4.3 Die Verteilung der Kosten auf Kostenstellen

2.4.3.1 Kostenarten- und Kostenstellenumlage

Das Ziel der Betriebsbuchhaltung liegt in der möglichst verursachungsgerechten Zurechnung aller Kosten auf die Kostenträger, um durch deren Gegenüberstellung mit den Leistungen den Periodenerfolg der Kostenträger ermitteln zu können. Für einen Teil der Kosten ist die Zurechnung auf die Kostenträger völlig unproblematisch, weil diese Kosten von der betreffenden Kostenträgerart allein verursacht worden sind. Ihre Zuordnung kann unmittelbar und direkt erfolgen; man nennt sie die **Einzelkosten des Kostenträgers**.

Der nach Aussonderung der Kostenträgereinzelkosten verbleibende Teil der Gesamtkosten umfaßt die **Kostenträgergemeinkosten**. Diese Kosten sind von mehreren oder gar allen Kostenträgerarten gemeinsam verursacht worden und lassen sich der einzelnen Kostenträgerart deshalb auch nur mittelbar oder indirekt zurechnen. Indirekte Kostenzurechnung bedeutet Verteilung der Kosten mit Hilfe einer Maßstabgröße, die der Kostenverursachung möglichst proportional ist (Kostenschlüsselung). Für die Verteilung der Kostenträgergemeinkosten auf die einzelnen Kostenträgerarten wird als Maßstab die Beanspruchung der verschiedenen Kostenstellen durch die Kostenträger benutzt[15]. Für die Betriebsabrechnung ist es deshalb erforderlich, die Kostenträgergemeinkosten zunächst auf die Kostenstellen zu verteilen, in denen sie entstanden sind.

Dieser erste Schritt, die Verteilung des Gemeinkostenanteils der Kostenarten auf diejenigen Kostenstellen, in denen der Güterverbrauch stattgefunden hat, wird als **Kostenartenumlage** bezeichnet. Dabei zeigt sich, daß ein Teil der Kostenträgergemeinkosten den Kostenstellen unmittelbar oder direkt zugerechnet werden kann. Diese Kosten nennen wir **Kostenstelleneinzelkosten**. Typische Beispiele sind die Gehälter, die kalkulatorischen Abschreibungen und der Verbrauch von Betriebsstoffen, soweit er (etwa aufgrund von Materialentnahmescheinen) kostenstellenweise erfaßt wird. Die verbleibenden Kosten sind **Kostenstellengemeinkosten**. Sie lassen sich den einzelnen Kostenstellen nur mittel-

---

[15] Vgl. hierzu auch Kapitel 2.4.4.

bar oder indirekt, d.h. im Wege der Schlüsselung, zurechnen. Typische Beispiele für Kostenarten, die den Kostenstellen nur indirekt zugerechnet werden können, sind die Raumkosten (Miete, Heizung, Reinigung, Beleuchtung), die Telefonkosten und ein Teil der Sozialkosten.

Im Zuge der Kostenartenumlage werden die Kostenträgergemeinkosten sowohl auf Vorkostenstellen als auch auf Endkostenstellen verteilt. Eine Weiterverrechnung auf Kostenträger erfolgt aber nur von den Endkostenstellen. Aus diesem Grunde müssen die den Vorkostenstellen belasteten Kosten zuvor auf die Endkostenstellen weiterverrechnet werden. Diesen zweiten Schritt innerhalb der Kostenstellenrechnung nennt man die **Kostenstellenumlage**. Sie beinhaltet die (stets indirekte) Verteilung der Kosten der Vorkostenstellen auf diejenigen Kostenstellen, die die Leistungen der Vorkostenstellen in Anspruch genommen haben. Die leistungsempfangenden Kostenstellen können sowohl Vorkostenstellen als auch Endkostenstellen sein. Nach Abschluß der Kostenstellenumlage müssen allerdings alle Vorkostenstellen ausgeglichen und sämtliche Kostenträgergemeinkosten den Endkostenstellen zugerechnet sein.

Abrechnungstechnisch gestaltet sich die Kostenstellenumlage immer dann am einfachsten, wenn sich die Vorkostenstellen derart ordnen lassen, daß jede Kostenstelle nur Kostenbelastungen von vorgelagerten Kostenstellen erhält und umgekehrt ihre Kosten nur an nachgelagerte Kostenstellen abgibt. Dies setzt allerdings voraus, daß Vorkostenstellen untereinander in keiner gegenseitigen Leistungsbeziehung stehen. Sobald aber zwei (oder mehr) Vorkostenstellen ihre Leistungen untereinander austauschen (A liefert an B, und B liefert an A), kann keine der beiden Stellen mit der Abrechnung beginnen, da sie noch eine Kostenbelastung von der anderen Vorkostenstelle zu erwarten hat. In der Praxis ist eine **einseitige Verrechnungsrichtung** nur relativ selten anzutreffen. Die rechentechnischen Probleme und ihre Lösungsmöglichkeiten bei **gegenseitig abrechnenden Kostenstellen** werden weiter unten[16] im Rahmen der Verrechnung innerbetrieblicher Leistungen ausführlicher beschrieben.

2.4.3.2 Direkte und indirekte Verteilung der Kosten

Unter direkter Kostenverteilung versteht man die unmittelbare Zuordnung von Kosten auf betriebliche Bezugsbasen, insbesondere auf Kostenstellen und Kostenträger. Kosten, die sich direkt zurechnen lassen, werden als Einzelkosten dieser Bezugsbasis bezeichnet. Die Gemeinkosten lassen sich dagegen nur mittelbar oder indirekt zurechnen, d.h. durch Schlüsselung mit Hilfe von Maßstabgrößen, die der Kostenverursachung möglichst proportional sind. Direkt gemessen wird also nicht die Kostenverursachung selbst, sondern die ausgewählte Maßstabgröße und damit indirekt auch die Kostenverursachung. Dies ist ein typisches Beispiel für indirektes Messen, wie es in der täglichen Praxis häufig auftritt. Mit Hilfe des Quecksilberthermometers beispielsweise wird nicht die Temperatur direkt gemessen, sondern die Höhe der Quecksilbersäule. Diese bildet jedoch insofern einen geeigneten Maßstab, als sich ihre Ausdehnung direkt proportional zur Temperaturänderung verhält. Mit der direkten Messung der Höhe der Quecksilbersäule läßt sich somit indirekt die Temperatur messen.

---

[16] Siehe Kapitel 2.5.5.2.

In der Kostenrechnungspraxis besteht das Problem darin, **geeignete Maßstabgrößen** ausfindig zu machen. Einerseits soll die gesuchte Maßstabgröße so weit wie möglich der Kostenverursachung proportional sein, andererseits darf aber aus Gründen der Wirtschaftlichkeit der Arbeitsaufwand zur (direkten) Messung der Maßstabgröße nicht allzu groß sein. Am Beispiel der Heizkosten wird dies recht deutlich. Ihre Schlüsselung auf die Kostenstellen nach der Raumfläche ist zwar einfach, doch verhält sich die Raumfläche dann nicht mehr proportional zur Kostenverursachung, wenn es Räume unterschiedlicher Höhe gibt. Die Verwendung des Raumvolumens als Schlüsselgröße kompliziert die Rechnung zwar nur unwesentlich, dennoch ist auch sie als Maßstab ungeeignet, wenn in den beheizten Räumen unterschiedliche Temperaturen (z.b. in den Fertigungskostenstellen niedrigere und in den Verwaltungskostenstellen höhere Temperaturen) herrschen. Hier könnte die Zahl und die Größe der installierten Heizkörper einen besseren Maßstab abgeben, der aber mit Sicherheit immer noch nicht der Heizkostenverursachung proportional ist. In der Praxis wird trotz der angeführten Mängel in aller Regel die Raumfläche als Schlüsselgröße verwandt.

Nachstehend sind einige in der Praxis häufig verwendete **Schlüsselgrößen** aufgeführt. Verteilt werden beispielsweise

a) die Mietkosten nach der Raumfläche (in m²) oder dem Rauminhalt (in m³);
b) die Kosten für Heizdampf nach der beheizten Raumfläche, dem beheizten Rauminhalt, der Anzahl der Heizkörper, der Anzahl der Heizrippen oder der Anzahl der Einheiten laut Verdunstungswärmemesser;
c) die Kosten für Industriedampf nach Betriebsstunden, gewichtet mit dem Nennverbrauch;
d) die Kosten für Lichtstrom nach der Zahl der Brennstellen oder der installierten Leistung (in kW);
e) die Kosten für Kraftstrom nach der installierten Leistung, gewichtet mit der Betriebsdauer und gegebenenfalls einem Belastungsfaktor;
f) die Urlaubs-, Feiertags- und Krankheitslöhne nach der Fertigungslohnsumme;
g) die gesetzlichen Sozialkosten nach der Lohn- und Gehaltssumme;
h) die freiwilligen Sozialkosten nach der Lohn- und Gehaltssumme oder der Zahl der Beschäftigten;
i) die Kosten für Büromaterial nach der Zahl der Angestellten, sofern sie nicht als Kostenstelleneinzelkosten erfaßt werden;
j) die Versicherungsprämien nach den Versicherungswerten.

2.4.3.3 Rechnungstechnische Formen der Kostenschlüsselung

a) Indirekte Verteilung mit Hilfe von Schlüsseleinheitskosten

Diese Form der Kostenschlüsselung wird **bei mengenmäßigen Schlüsselgrößen** angewandt. Zu den Mengenschlüsseln gehören Zählgrößen (z.B. die Zahl der bearbeiteten Werkstücke, der tätigen Mitarbeiter, der Verkaufsakte, der Brennstellen oder der Heizkörper), Zeitgrößen (z.B. die Arbeitszeit, die Maschinenlaufzeit oder die geleisteten Fuhrparkstunden), Gewichtsgrößen (z.B. das Gewicht des Einsatzmaterials, der bearbeiteten Werkstücke oder der transportierten Mengen) und technische Maßgrößen (z.B. die installierten Kilowatt, die verbrauchten Kilowattstunden, die transportierten Tonnenkilometer oder die verbrauchten Kilojoule). Folgende Rechnungen sind vorzunehmen:

$$\text{Schlüsselsumme} = \text{Summe aller Schlüsselzahlen}$$

$$\text{Schlüsseleinheitskosten} = \frac{\text{Kostensumme}}{\text{Schlüsselsumme}}$$

$$\text{Kostenanteil} = \text{Schlüsselzahl} \cdot \text{Schlüsseleinheitskosten}$$

Beispiel: Die Kosten der Kantine in Höhe von 7 920 DM sollen im Verhältnis der Zahl der Beschäftigten auf die Kostenstellen verteilt werden. Beschäftigt werden:

in der Kostenstelle	A	B	C	D	E
Zahl der Personen	66	50	10	44	70

Lösung:

Schlüsselsumme = 66 + 50 + 10 + 44 + 70 = 240 Beschäftigte

Schlüsseleinheitskosten = 7920 : 240 = 33 DM je Beschäftigten

Kostenanteile: A: 66 · 33 =   2 178 DM
                   B: 50 · 33 =   1 650 DM
                   C: 10 · 33 =   330 DM
                   D: 44 · 33 =   1 452 DM
                   E: 70 · 33 =   2 310 DM

Kostensumme: 7 920 DM

b) Indirekte Verteilung mit Hilfe von Zuschlagsprozentsätzen

Diese Form der Kostenschlüsselung wird **bei wertmäßigen Schlüsselgrößen** angewandt. Zu den Wertschlüsseln gehören vor allem Kostengrößen (z.B. die Fertigungsmaterialkosten, die Fertigungslohnkosten, die gesamten Löhne und Gehälter, die Kostenstelleneinzelkosten, die Herstellkosten oder die Selbstkosten), Einstandsgrößen (Waren- oder Materialeinkauf), Bestandsgrößen (z.B. Warenoder Materialbestände, Erzeugnisbestände, Debitorenbestände oder Anlagenbestände) und Umsatzgrößen. Die Rechnung hat folgendes Aussehen:

$$\text{Schlüsselsumme} = \text{Summe aller Schlüsselzahlen}$$

$$\text{Zuschlagsprozentsatz} = \frac{\text{Kostensumme} \cdot 100}{\text{Schlüsselsumme}}$$

$$\text{Kostenanteil} = \frac{\text{Schlüsselzahl} \cdot \text{Zuschlagsprozentsatz}}{100}$$

Beispiel: Die gesetzlichen Sozialkosten in Höhe von 42 000 DM sollen im Verhältnis der Lohn- und Geahltssumme auf die Kostenstellen verteilt werden. Die Löhne und Gehälter betragen

in der Kostenstelle	A	B	C	D	E
DM	85 000	60 000	12 000	55 000	88 000

Lösung:

Schlüsselsumme $= 85\,000 + 60\,000 + 12\,000 + 55\,000 + 88\,000 = 300\,000$ DM

Zuschlagsprozentsatz $= \dfrac{42\,000 \cdot 100}{300\,000} = 14\%$

Kostenanteile: A: 14% von 85000 = 11900 DM
                B: 14% von 60000 = 8400 DM
                C: 14% von 12000 = 1680 DM
                D: 14% von 55000 = 7700 DM
                E: 14% von 88000 = 12320 DM

Kostensumme: 42000 DM

c) Indirekte Verteilung mit Hilfe von Anteilsprozentsätzen

Diese Form der Kostenschlüsselung kann **bei jeder Art von Mengen- oder Wertschlüsseln** angewandt werden. In der Praxis kommt sie regelmäßig immer dann zum Zuge, wenn die Schlüsselzahlen und die Schlüsselsumme über längere Zeit konstant bleiben, da sich dann auch die Anteilsprozentsätze nicht verändern. Unabhängige Variable ist dann nur die Kostensumme. Eine derartige Konstanz der Anteilsprozentsätze ist beispielsweise bei einer Umlage nach der Raumfläche, nach Versicherungswerten, nach installierten Leistungen oder nach der Anzahl der Brennstellen oder der installierten Heizkörper gegeben. Es ergibt sich die folgende Rechnung:

Schlüsselsumme = Summe aller Schlüsselzahlen

$$\text{Anteilsprozentsatz} = \frac{\text{Schlüsselzahl} \cdot 100}{\text{Schlüsselsumme}}$$

$$\text{Kostenanteil} = \frac{\text{Kostensumme} \cdot \text{Anteilsprozentsatz}}{100}$$

Beispiel: Die Mietkosten von 16000 DM sollen im Verhältnis der Fläche der Räume auf die Kostenstellen verteilt werden. Die Raumfläche beträgt

in der Kostenstelle	A	B	C	D	E
m²	450	324	180	270	576

Lösung:

Schlüsselsumme $= 450 + 324 + 180 + 270 + 576 = 1\,800$ m²

Anteilsprozentsätze: A: 450 · 100 : 1800 = 25%
                      B: 324 · 100 : 1800 = 18%
                      C: 180 · 100 : 1800 = 10%
                      D: 270 · 100 : 1800 = 15%
                      E: 576 · 100 : 1800 = 32%

Kostenanteile: A: 25% von 16 000 = 4 000 DM
                        B: 18% von 16 000 = 2 880 DM
                        C: 10% von 16 000 = 1 600 DM
                        D: 15% von 16 000 = 2 400 DM
                        E: 32% von 16 000 = 5 120 DM
Kostensumme: 16 000 DM

d) Kombinierte Schlüssel

Werden mehrere Schlüsselgrößen nebeneinander verwendet, so sind sie multiplikativ miteinander zu verbinden. Erst das Produkt aus den verschiedenen Schlüsselgrößen ergibt die jeweilige Schlüsselzahl. Für die weitere Rechnung bedient man sich in der Regel der bereits beschriebenen Methode der Verteilung mit Hilfe von Schlüsseleinheitskosten.

Beispiel: Die Stromkosten von 4 992 DM sollen im Verhältnis der Betriebsstunden der Maschinen und der installierten Leistung auf die Kostenstellen verteilt werden. Ermittelt wurden

in der Kostenstelle	A	B	C	D	E
Betriebsstunden	160	176	165	160	180
installierte Leistung (kW)	125	100	40	75	150

Lösung:

Schlüsselzahlen: A: 160 · 125 = 20 000 Einheiten
                       B: 176 · 100 = 17 600 Einheiten
                       C: 165 · 40 = 6 600 Einheiten
                       D: 160 · 75 = 12 000 Einheiten
                       E: 180 · 150 = 27 000 Einheiten
Schlüsselsumme: 83 200 Einheiten

Schlüsseleinheitskosten = 4992 : 83200 = 0,06 DM/Einheit

Kostenanteile: A: 20 000 · 0,06 = 1 200 DM
                       B: 17 600 · 0,06 = 1 056 DM
                       C: 6 600 · 0,06 =   396 DM
                       D: 12 000 · 0,06 =   720 DM
                       E: 27 000 · 0,06 = 1 620 DM
Kostensumme: 4 992 DM

e) Gewichtung mit Äquivalenzziffern

Mit Hilfe von Äquivalenzziffern kann eine Gewichtung der Schlüsselgrößen vorgenommen werden, wenn diese für sich allein noch keinen geeigneten Maßstab für die Kostenverursachung abgeben. Die Schlüsselzahlen erhält man durch Multiplikation der Schlüsselgrößen mit den jeweiligen Äquivalenzziffern, die wiederum durch Schätzung oder aufgrund von Erfahrungswerten oder durch genauere Kostenanalysen gewonnen werden. Die Schlüsselzahlen und die Schlüsselsumme sind dimensionslose Größen; die Ermittlung der Kostenanteile erfolgt wiederum durch Verteilung der Kostensumme mit Hilfe von Schlüsseleinheitskosten.

Beispiel: Die Heizkosten in Höhe von 6600 DM sollen im Verhältnis der beheizten Fläche auf die Kostenstellen verteilt werden. Die Kostenstelle C soll jedoch 20% und die Kostenstelle E 30% höhere Heizkosten je Quadratmeter tragen als die übrigen Kostenstellen. Die beheizte Fläche beträgt

in der Kostenstelle	A	B	C	D	E
m²	460	300	200	350	500

Lösung:

Äquivalenzziffern: 1,0 für die Kostenstellen A, B und D
                     1,2 für die Kostenstelle C
                     1,3 für die Kostenstelle E

Schlüsselzahlen: A: $460 \cdot 1,0 =$ 460 Einheiten
                   B: $300 \cdot 1,0 =$ 300 Einheiten
                   C: $200 \cdot 1,2 =$ 240 Einheiten
                   D: $350 \cdot 1,0 =$ 350 Einheiten
                   E: $500 \cdot 1,3 =$ 650 Einheiten

Schlüsselsumme: 2000 Einheiten

Schlüsseleinheitskosten = 6600 : 2000 = 3,30 DM/Einheit

Kostenanteile: A: $460 \cdot 3,30 =$ 1518 DM
                 B: $300 \cdot 3,30 =$ 990 DM
                 C: $240 \cdot 3,30 =$ 792 DM
                 D: $350 \cdot 3,30 =$ 1155 DM
                 E: $650 \cdot 3,30 =$ 2145 DM

Kostensumme: 6600 DM

Für die Bildung der Äquivalenzziffern ist allein das richtige Verhältnis entscheidend, nicht dagegen ihre absolute Höhe. Anstelle des oben gewählten Verhältnisses (1,0 : 1,0 : 1,2 : 1,0 : 1,3) könnten beispielsweise auch folgende Äquivalenzziffernreihen der Rechnung zugrunde gelegt werden:

10 :	10 :	12 :	10 :	13
440 :	440 :	528 :	440 :	572
0,7692 :	0,7692 :	0,9231 :	0,7692 :	1,0000

Bei gleichbleibendem Verhältnis führen höhere Äquivalenzziffern zu höheren Schlüsselzahlen und damit zu niedrigeren Schlüsseleinheitskosten; die Kostenanteile werden dadurch jedoch nicht verändert.

2.4.3.4 Tabellarische Verteilung der Kosten im Kostenstellenbogen

Man spricht von einer tabellarischen Kostenverteilung, wenn die Kostenstellenrechnung, d.h. die Kostenartenumlage und die Kostenstellenumlage, außerhalb der Konten der Buchhaltung im sog. **Betriebsabrechnungsbogen (BAB)** durchgeführt wird. Der Betriebsabrechnungsbogen besteht aus zwei Teilen: dem Kostenstellenbogen (BAB I), der die tabellarisch durchgeführte Kostenstellenrech-

Tab. 12: Kostenstellenbogen (BAB I)

Kostenarten \ Kostenstellen	Summe	930 Allgemeine Hilfsstelle	932 Fertigungshilfsstelle	933 Fertigungsstellen A	934 Fertigungsstellen B	936 Materialstelle	937 Verwaltungsstelle	938 Vertriebsstelle	Einzelkosten
920 Stoffkosten	232 000	8 000	1 000	23 000	29 000	1 000	10 000	10 000	150 000
922 Lohnkosten	300 000	8 000	6 000	10 000	14 000	6 000	36 000	20 000	200 000
924 Dienstleistungskosten	87 000	3 000	5 000	28 000	20 000	1 000	9 000	13 000	8 000
926 Abschreibungen	135 000	7 000	–	45 000	60 000	–	15 000	8 000	–
928 Steuern und Beiträge	61 000	1 000	1 000	2 000	3 000	1 000	13 000	4 000	36 000
929 Zinsen	60 000	3 000	–	18 000	24 000	2 000	6 000	7 000	–
Primäre Kosten	875 000	30 000	13 000	126 000	150 000	11 000	89 000	62 000	394 000
Umlage der Stelle 930	–	–30 000	2 000	8 000	5 000	1 000	10 000	4 000	
Umlage der Stelle 932	–	–	–15 000	10 000	5 000	–	–	–	
Summe	875 000	–	–	144 000	160 000	12 000	99 000	66 000	394 000
Zuschlagsbasis				FL A 120 000	FL B 80 000	FM 150 000	HK (a) 660 000	HK (a) 660 000	
Zuschlagssatz				120%	200%	8%	15%	10%	

nung zum Inhalt hat, und dem Kostenträgerzeitblatt (BAB II), das weiter unten ausführlicher beschrieben wird[17].

Ein Muster für einen **Kostenstellenbogen** ist in Tabelle 12 wiedergegeben. Der Kostenstellenbogen ist vertikal nach Kostenarten und horizontal nach Kostenstellen gegliedert. Das Ziel, das mit der Erstellung des Kostenstellenbogens verfolgt wird, besteht letztlich in der Verteilung des Gemeinkostenanteils der Kostenarten auf die Endkostenstellen. Zu diesem Zweck sind die folgenden Schritte erforderlich:

a) Die sachlich und zeitlich abgegrenzten Kosten werden in die Summenspalte für die **Kostenarten** übernommen.

b) Die in den Kostenartensummen enthaltenen **Einzelkosten** werden in einer besonderen Spalte (rechts außen) ausgegliedert, da sie den Kostenträgern direkt zurechenbar sind und deshalb keiner Verteilung auf die Kostenstellen bedürfen. Anstelle einer einzigen Ausgliederungsspalte kann man auch mehrere Spalten einrichten, z.B. eine Ausgliederungsspalte für das Fertigungsmaterial und die Fertigungslöhne sowie je eine Spalte für die Sondereinzelkosten der Fertigung und des Vertriebs. Denkbar wäre auch der Ausweis der Fertigungsmaterial- und Fertigungslohnkosten in einer separaten Spalte bei den einzelnen Fertigungskostenstellen, so daß rechts außen nur die Sondereinzelkosten ausgegliedert würden. Entscheidend ist allein, daß die Einzelkosten letztlich nicht in den Kostensummen der Endkostenstellen enthalten sind.

c) Im Zuge der **Kostenartenumlage** wird der Gemeinkostenanteil der Kostenarten, d.h. die Differenz zwischen der jeweiligen Kostensumme und den ausgegliederten Kostenträgereinzelkosten, auf die Kostenstellen verteilt, in denen der Güterverbrauch stattgefunden hat. Diese Verteilung erfolgt nach Möglichkeit direkt (= Kostenstelleneinzelkosten), nur die restlichen Kosten müssen indirekt, d.h. im Wege der Schlüsselung, auf die Kostenstellen verteilt werden (= Kostenstellengemeinkosten).

d) Die Zwischensummenzeile weist die **primären Kosten** je Kostenstelle aus. Im Zuge der **Kostenstellenumlage** werden die Kostenstellen mit den sekundären Kosten, den Kosten für den Verbrauch selbst erstellter Leistungen, belastet. Der Übersichtlichkeit wegen ist es zweckmäßig, diese Kosten nicht nur den leistungsempfangenden Kostenstellen zu belasten, sondern sie auch den leistenden Kostenstellen (Vorkostenstellen) in Form eines negativen Betrages gutzuschreiben. Empfänger innerbetrieblicher Leistungen können nicht nur Endkostenstellen, sondern auch andere Vorkostenstellen sein. Nach Abschluß der Kostenstellenumlage müssen allerdings sämtliche Gemeinkosten den Endkostenstellen zugerechnet sein und die Kostensummen in den Vorkostenstellen – unter Berücksichtigung der Gutschriften – Null ergeben.

e) Aus den Kosten der Endkostenstellen werden zum Zwecke der Abrechnung der Kostenträger **Verteilungssätze (Zuschlagssätze)** errechnet. Hierzu wird auf das Kapitel 2.4.4 verwiesen.

---

[17] Siehe Kapitel 2.5.3.3.

2.4.3.5 Kontenmäßige Kostenverteilung durch doppelte Buchungen

Bei kontenmäßiger Kostenverteilung werden in der Betriebsbuchhaltung Konten für die Kostenarten, die Kostenstellen, die Kostenträger und die sachliche und zeitliche Abgrenzung der Kosten und Leistungen geführt. Kostenartenumlage und Kostenstellenumlage werden dann durch doppelte Buchungen auf diesen Konten durchgeführt. Im einzelnen ergeben sich folgende Buchungen:

a) Nach sachlicher und zeitlicher Abgrenzung in den Kontengruppen 90/91 werden die Kosten den Kostenartenkonten in der Gruppe 92 belastet.

b) Die Einzelkosten werden den Kostenträgern direkt zugerechnet (Belastung der Kostenträgerkonten in den Gruppen 94 bis 97) und den Kostenartenkonten in der Gruppe 92 gutgeschrieben.

c) Im Zuge der Kostenartenumlage werden die Kostenträgergemeinkosten den Kostenstellenkonten in der Gruppe 93 belastet bei gleichzeitiger Gutschrift dieser Beträge auf den Kostenartenkonten in der Gruppe 92.

d) Im Zuge der Kostenstellenumlage werden die Kosten der innerbetrieblichen Leistungen den Konten der leistungsempfangenden Kostenstellen (Vor- oder Endkostenstellen) belastet und den Konten der leistenden Kostenstellen (Vorkostenstellen) gutgeschrieben. Ein Konto in der Gruppe 93 wird belastet, und ein anderes Konto in derselben Kontengruppe wird mit demselben Betrag erkannt. Nach Abschluß der Kostenstellenumlage dürfen die Konten der Vorkostenstellen keinen Saldo mehr aufweisen.

e) Die Salden der Konten der Endkostenstellen weisen die Kostenträgergemeinkosten aus: die Fertigungsgemeinkosten, Materialgemeinkosten, Verwaltungsgemeinkosten und Vertriebsgemeinkosten. Sie werden den Kostenträgerkonten in den Kontengruppen 94 bis 97 belastet und den Konten der Endkostenstellen in der Gruppe 93 gutgeschrieben.

Nachfolgend ist für die Zahlen aus dem Kostenstellenbogen in Tabelle 12 der **Inhalt der Kostenartenkonten (Gruppe 92) und der Kostenstellenkonten (Gruppe 93)** wiedergegeben. In Klammern ist jeweils das Gegenkonto angegeben. Da aus dem Kostenstellenbogen in Tabelle 12 die sachliche und zeitliche Abgrenzung der Kosten nicht hervorgeht, sind die Zahlen auf der Sollseite der Kostenartenkonten teilweise frei erfunden. So soll beispielsweise mit den Sollbuchungen auf dem Lohnkostenkonto angedeutet werden, daß Bruttolöhne in Höhe von 246000 DM ausgezahlt wurden, Löhne in Höhe von 14000 DM am Monatsende noch nicht ausgezahlt waren, anteilige Urlaubs-, Feiertags- und Krankheitslöhne in Höhe von 33000 DM verrechnet wurden und ein Unternehmerlohn in Höhe von 7000 DM angesetzt wurde. Für die Weiterverrechnung der Einzel- und Gemeinkosten auf die Kostenträger (Sollbuchungen in den Kontengruppen 94 und 97) wird auf das Kapitel 2.5.3.2 verwiesen. Die dort beim Umsatzkostenverfahren vorgenommenen Buchungen knüpfen unmittelbar an das hier dargestellte Buchungsbeispiel an.

920 Stoffkosten

(999)	210 000	(940)	150 000
(9130)	22 000	(930)	8 000
		(932)	1 000
		(933)	23 000
		(934)	29 000
		(936)	1 000
		(937)	10 000
		(938)	10 000
	232 000		232 000

922 Lohnkosten

(999)	246 000	(940)	200 000
(918)	14 000	(930)	8 000
(9121)	33 000	(932)	6 000
(9100)	7 000	(933)	10 000
		(934)	14 000
		(936)	6 000
		(937)	36 000
		(938)	20 000
	300 000		300 000

924 Dienstleistungskosten

(999)	74 000	(940)	8 000
(9120)	5 000	(930)	3 000
(9123)	2 000	(932)	5 000
(9124)	6 000	(933)	28 000
		(934)	20 000
		(936)	1 000
		(937)	9 000
		(938)	13 000
	87 000		87 000

926 Kalkulatorische Abschreibungen

(9110)	135 000	(930)	7 000
		(933)	45 000
		(934)	60 000
		(937)	15 000
		(938)	8 000
	135 000		135 000

928 Steuern und Beiträge

(999)	48 000	(970)	15 000
(918)	13 000	(971)	11 000
		(972)	10 000
		(930)	1 000
		(932)	1 000
		(933)	2 000
		(934)	3 000
		(936)	1 000
		(937)	13 000
		(938)	4 000
	61 000		61 000

929 Kalkulatorische Zinsen

(9111)	60 000	(930)	3 000
		(933)	18 000
		(934)	24 000
		(936)	2 000
		(937)	6 000
		(938)	7 000
	60 000		60 000

930 Allgemeine Hilfsstelle

(920)	8 000	(932)	2 000
(922)	8 000	(933)	8 000
(924)	3 000	(934)	5 000
(926)	7 000	(936)	1 000
(928)	1 000	(937)	10 000
(929)	3 000	(938)	4 000
	30 000		30 000

932 Fertigungshilfsstelle

(920)	1 000	(933)	10 000
(922)	6 000	(934)	5 000
(924)	5 000		
(928)	1 000		
(930)	2 000		
	15 000		15 000

933 Fertigungsstelle A

(920)	23 000	(940)	144 000
(922)	10 000		
(924)	28 000		
(926)	45 000		
(928)	2 000		
(929)	18 000		
(930)	8 000		
(932)	10 000		
	144 000		144 000

934 Fertigungsstelle B

(920)	29 000	(940)	160 000
(922)	14 000		
(924)	20 000		
(926)	60 000		
(928)	3 000		
(929)	24 000		
(930)	5 000		
(932)	5 000		
	160 000		160 000

936 Materialstelle

(920)	1 000	(940)	12 000
(922)	6 000		
(924)	1 000		
(928)	1 000		
(929)	2 000		
(930)	1 000		
	12 000		12 000

937 Verwaltungsstelle

(920)	10 000	(970)	39 000
(922)	36 000	(971)	36 000
(924)	9 000	(972)	24 000
(926)	15 000		
(928)	13 000		
(929)	6 000		
(930)	10 000		
	99 000		99 000

938 Vertriebsstelle

(920)	10 000	(970)	26 000
(922)	20 000	(971)	24 000
(924)	13 000	(972)	16 000
(926)	8 000		
(928)	4 000		
(929)	7 000		
(930)	4 000		
	66 000		66 000

2.4.4 Ermittlung von Gemeinkosten-Verrechnungssätzen

Die abrechnungstechnische Aufgabe der Kostenstellenrechnung war als differenzierte Verrechnung der Gemeinkosten auf die Kostenträger beschrieben worden. Die Gemeinkosten werden nicht unmittelbar von den Kostenarten auf die Kostenträger verrechnet, sondern zunächst auf die Kostenstellen verteilt und dann nach Maßgabe der Inanspruchnahme auf die Kostenträger weiterverrechnet. Der erste Schritt, die Verteilung des Gemeinkostenanteils der Kostenarten bis hin zu den Endkostenstellen, ist in den vorangegangenen Abschnitten bereits dargestellt worden. Für den zweiten Schritt, die Weiterverrechnung der Gemeinkosten von den Endkostenstellen auf die Kostenträger, gilt es zunächst, einen **geeigneten Maßstab** zu finden, der die Inanspruchnahme der Kostenstellen durch die Kostenträger hinreichend gut widerspiegelt.

Für die Verteilung der **Materialgemeinkosten** wird als Verteilungsmaßstab (Schlüsselgröße) in der Praxis durchweg der Wert des verbrauchten Fertigungsmaterials verwendet. Man geht also davon aus, daß ein Erzeugnis, das doppelt so hohe Materialeinzelkosten verursacht hat wie ein anderes Erzeugnis, auch mit doppelt so hohen Materialgemeinkosten belastet werden muß. Eine Verwendung mengenmäßiger Schlüssel, wie z.B. das Gewicht der eingesetzten Materialien, kommt wegen der Heterogenität der Einsatzstoffe wohl kaum in Frage.

Die **Fertigungsgemeinkosten** werden nach Kostenstellen differenziert verrechnet. Dabei ist es durchaus möglich, daß in den einzelnen Kostenstellen unterschiedliche Schlüsselgrößen für die Verteilung der Fertigungsgemeinkosten verwendet werden. Sehr häufig anzutreffen ist die Schlüsselung der Fertigungsgemeinkosten nach Maßgabe der den Kostenträgern direkt zurechenbaren Lohnkosten (Fertigungslöhne). Vornehmlich bei anlageintensiver Fertigung wird auch eine Verteilung aufgrund der Maschinenbelegungszeit gewählt. Andere (mengenmäßige) Verteilungsmaßstäbe für die Fertigungsgemeinkosten sind beispielsweise die Anzahl der bearbeiteten Werkstücke, die angefallenen Fertigungslohnzeiten oder in der chemischen Industrie das Durchsatzvolumen oder das Durchsatzgewicht, d.h. das Volumen bzw. Gewicht der be- oder verarbeiteten Stoffe oder Zwischenprodukte oder der hergestellten Produkte. Nicht selten kommt es vor, daß in ein und derselben Fertigungskostenstelle gleichzeitig mehrere Schlüsselgrößen nebeneinander verwendet werden. Dann wird beispielsweise ein Teil der Fertigungsgemeinkosten auf Basis der Fertigungslöhne verrechnet, während der andere Teil nach Maßgabe der Maschinenlaufzeit verteilt wird.

Die Schlüsselung der **Verwaltungsgemeinkosten** erfolgt in der Praxis stets anhand der Herstellkosten. Werden die Verwaltungsgemeinkosten, wie dies üblich ist, nur den abgesetzten Erzeugnissen belastet, so muß die Verteilung auch nach Maßgabe der Herstellkosten der abgesetzten Erzeugnisse erfolgen. Nur wenn die Verwaltungsgemeinkosten anteilig in die Bewertung der Erzeugisbestände einbezogen werden, kommt eine Schlüsselung anhand der Herstellkosten der hergestellten Erzeugnisse (d.s. die in der Abrechnungsperiode angefallenen Herstellkosten) in Frage.

Wird ein separater Kostenbereich „**Forschung und Entwicklung**" gebildet, so werden diese Kosten auf die gleiche Weise weiterverrechnet wie die Verwaltungsgemeinkosten, d.h. in aller Regel nur auf die abgesetzten Erzeugnisse nach Maßgabe ihrer Herstellkosten verteilt. Nur wenn ausnahmsweise die Forschungs- und Entwicklungskosten anteilig in die Bewertung der Erzeugnisbestände einbezogen werden, kommt eine Schlüsselung anhand der Herstellkosten der hergestellten Erzeugnisse in Frage.

Die Verteilung der **Vertriebsgemeinkosten** darf nur nach Maßgabe der Herstellkosten der abgesetzten Erzeugnisse erfolgen, da die Vertriebsgemeinkosten nur von den abgesetzten Erzeugnissen verursacht worden sind. Die in der Praxis mitunter anzutreffende Schlüsselung aufgrund der Herstellkosten der hergestellten Erzeugnisse ist deshalb strikt abzulehnen. Lediglich für langfristige Durchschnittsrechnungen ist diese Methode aus Vereinfachungsgründen vertretbar, da die hergestellte und die abgesetzte Erzeugnismenge auf lange Sicht nahezu identisch sind.

Die Schlüsselung selbst erfolgt nach den üblichen, bereits beschriebenen Methoden[18]. Bei mengenmäßigen Schlüsseln (z.B. Arbeitsstunden, Durchsatzgewichte oder -volumen) werden im Kostenstellenbogen die Schlüsseleinheitsko-

---

[18] Vgl. Kapitel 2.4.3.3.

sten (in DM/Std., DM/kg, DM/hl), bei wertmäßigen Schlüsseln (Fertigungsmaterial, Fertigungslöhne, Herstellkosten) die Zuschlagsprozentsätze errechnet und ausgewiesen[19]. Sie bilden damit das Bindeglied zwischen der Kostenstellenrechnung und der Kostenträgerrechnung.

2.4.5 Testfragen und Übungsaufgaben

57. Erläutern Sie die Aufgaben der Kostenstellenrechnung!

58. a) Erläutern Sie den Unterschied zwischen Vor- und Endkostenstellen!
    b) Nennen Sie die Kostenbereiche, die stets als Endkostenstellen behandelt werden!
    c) Nennen Sie Beispiele für Vorkostenstellen!

59. Was verstehen Sie
    a) unter der Kostenartenumlage?
    b) unter der Kostenstellenumlage?

60. a) Was sind Kostenstelleneinzelkosten?
    b) Nennen Sie Beispiele hierfür!

61. Welche rechnungstechnischen Formen der Kostenschlüsselung kennen Sie und wo werden diese vorzugsweise angewandt?

62. Die Kosten für Lichtstrom von insgesamt 1 850 DM sollen auf die Kostenstellen im Verhältnis der Raumfläche verteilt werden.

Kostenstelle	A	B	C	D	
Fläche	341	496	248	465	m²

   a) Wie hoch sind die Anteilsprozentsätze dieser Kostenstellen?
   b) Wie hoch sind die Kostenanteile dieser Kostenstellen?

63. Die Heizkosten von insgesamt 3 135 DM sollen auf die Kostenstellen im Verhältnis der Zahl und der Größe der Heizkörper verteilt werden. In der Unternehmung sind Heizkörper mit 10, 15 und 20 Heizrippen installiert.

Kostenstelle	Zahl der Heizkörper	Heizrippen pro Heizkörper
A	80	20
B	120	10
C	100	20
D	60	15

   Wie hoch sind die Kostenanteile dieser Kostenstellen?

64. Die gesetzlichen Sozialkosten von insgesamt 18 700 DM sollen auf die Kostenstellen im Verhältnis der Bruttolohn- und -gehaltssumme verteilt werden. In den Fertigungskostenstellen soll jedoch der Zuschlagssatz um 20% höher liegen als in den übrigen Kostenstellen.

---

[19] In dem auf Seite 116 wiedergegebenen Muster für einen Kostenstellenbogen sind die Zuschlagsbasen und Zuschlagssätze in den beiden letzten Zeilen ausgewiesen.

Kostenstelle	Lohn- und Gehaltssumme
Fertigungsstelle A	25 000 DM
Fertigungsstelle B	15 000 DM
Materialstelle	8 000 DM
Verwaltungsstelle	17 000 DM
Vertriebsstelle	12 000 DM

Wie hoch sind die Kostenanteile dieser Kostenstellen?

65. a) Welchem Zweck dient die Errechnung der Zuschlagssätze für die Endkostenstellen im Kostenstellenbogen?
    b) Welche Zuschlagsbasen werden üblicherweise für die Fertigungsgemeinkosten, die Materialgemeinkosten, die Verwaltungsgemeinkosten und die Vertriebsgemeinkosten verwendet?

66. In einer Unternehmung der Einzel- und Kleinserienfertigung weisen die Konten der Betriebsbuchhaltung nach Durchführung der Abgrenzung am Monatsende folgende Salden aus:

920 Materialverbrauch	290 000 DM
922 Lohnkosten	344 000 DM
924 Diverse Kosten	162 000 DM
925 Mietkosten	99 000 DM
929 Kalkulatorische Zinsen	45 000 DM

Im gesamten Materialverbrauch sind 250 000 DM Fertigungsmaterial, in den gesamten Lohnkosten 105 000 DM Fertigungslöhne der Teilefertigung und 80 000 DM Fertigungslöhne der Montage und in den diversen Kosten (Konto Nr. 924) 42 000 DM Sondereinzelkosten enthalten. Die Umlage der Gemeinkosten auf die Kostenstellen wird nach folgendem Schlüssel vorgenommen:

	920	922	924	925	929
930 Fuhrpark	5%	9 000 DM	5%	200 m²	400 000 DM
932 Arbeitsvorbereitung	–	9 000 DM	5%	160 m²	–
933 Teilefertigung	40%	12 000 DM	35%	1 000 m²	2 000 000 DM
934 Montage	30%	19 000 DM	25%	800 m²	1 600 000 DM
936 Materialstellen	–	9 000 DM	5%	400 m²	400 000 DM
937 Verwaltungsstellen	10%	66 000 DM	15%	600 m²	800 000 DM
938 Vertriebsstellen	15%	35 000 DM	10%	800 m²	800 000 DM
	100%	159 000 DM	100%	3 960 m²	6 000 000 DM

Die Kostenstellenumlage wird wie folgt durchgeführt:

	930 Fuhrpark	932 Arbeitsvorbereitung
932 Arbeitsvorbereitung	4%	–
933 Teilefertigung	16%	150 Stunden
934 Montage	12%	100 Stunden
936 Materialstellen	8%	–
937 Verwaltungsstellen	40%	–
938 Vertriebsstellen	20%	–
	100%	250 Stunden

Aufgaben:

a) Führen Sie im Kostenstellenbogen die Kostenartenumlage und die Kostenstellenumlage durch!

b) Ermitteln Sie im Kostenstellenbogen für die Endkostenstellen die Gemeinkostenzuschlagssätze! Als Zuschlagsbasen dienen die Fertigungslöhne für die Fertigungsgemeinkosten, das Fertigungsmaterial für die Materialgemeinkosten und die Herstellkosten der abgesetzten Erzeugnisse (700 000 DM) für die Verwaltungs- und Vertriebsgemeinkosten.

2.5 Kostenträgerzeitrechnung

2.5.1 Aufgaben der Kostenträgerzeitrechnung

Jede Leistungserstellung verursacht Kosten. Die im Produktionsprozeß der Unternehmung entstehenden Erzeugnisse haben diese Kosten zu tragen. Man bezeichnet deshalb die Erzeugnisse (die Fertigfabrikate) und deren Vorstufen (die Halbfabrikate und die anderen Wiedereinsatzleistungen) als Kostenträger.

Aufgabe der Kostenträgerrechnung ist es, die Kosten möglichst verursachungsgerecht den betrieblichen Leistungen zuzurechnen. Die Kostenträgerrechnung beantwortet somit die Frage, wofür die Kosten entstanden sind: für welche Produkte welche Kosten in welcher Höhe angefallen sind. Wichtigstes Ermittlungsziel der Kostenträgerrechnung sind die Herstellkosten, die Selbstkosten und der kalkulatorische Erfolg.

Die Kostenträgerrechnung gliedert sich in zwei Teilbereiche. Je nach dem Leistungsumfang, auf den sich die Rechnung bezieht, kann es sich um eine periodenbezogene oder um eine stückbezogene Kostenträgerrechnung handeln. Die periodenbezogene Rechnung wird als **Kostenträgerzeitrechnung** bezeichnet und bildet ein Teilgebiet der Betriebsbuchhaltung. Die stückbezogene Kostenträgerrechnung ist die **Kalkulation**, die die Ermittlung der Kosten einer Leistungseinheit zum Gegenstand hat. Zwischen Kostenträgerstückrechnung und Kostenträgerzeitrechnung bestehen naturgemäß enge Verbindungen: Die Kalkulation bezieht ihre zahlenmäßigen Grundlagen von der Betriebsbuchhaltung, und umgekehrt kommt die Kostenträgerzeitrechenung zur Ermittlung der Selbstkosten und des Erfolges nicht ohne eine Kalkulation der Fabrikatebestände und der innerbetrieblichen Leistungen aus.

In diesem Abschnitt wird lediglich die Kostenträgerzeitrechnung als Teilbereich der Betriebsbuchhaltung behandelt. Ihre Aufgabe liegt vor allem in der Ermittlung der Herstellkosten und der Selbstkosten der in einer Abrechnungsperiode abgesetzten Erzeugnisse sowie – unter Einbeziehung der Verkaufserlöse – in der Ermittlung des kalkulatorischen Periodenerfolgs einzelner Produktarten oder Produktgruppen (kurzfristige Erfolgsrechnung, Betriebsergebnisrechnung).

2.5.2 Gliederung der Kostenträger

2.5.2.1 Gliederung nach der Leistungsart

Nach der Art der erzeugten Leistung lassen sich Haupt-, Neben- und Hilfskostenträger unterscheiden. **Haupt- und Nebenkostenträger** bilden die Leistungen der Haupt- und Nebenkostenstellen und stellen stets Absatzleistungen dar. Sämtliche Kosten der Unternehmung müssen von ihnen letztlich getragen und durch die Verkaufserlöse gedeckt werden. Die Hauptkostenträger bilden das Produktionsziel der Unternehmung, während Nebenkostenträger durch die Weiterverarbeitung von Kuppelprodukten und die Verwertung von Abfallerzeugnissen entstehen.

Hilfskostenträger sind die Leistungen der Hilfskostenstellen. Sie werden als sekundäre Kostengüter in anderen Kostenstellen wieder eingesetzt und deshalb als Einsatzleistungen, Wiedereinsatzleistungen oder innerbetriebliche Leistungen (im engeren Sinne) bezeichnet.

2.5.2.2 Abrechnungstechnische Gliederung

In abrechnungstechnischer Hinsicht lassen sich Vor- und Endkostenträger unterscheiden. **Endkostenträger** sind diejenigen Leistungen, auf die letztlich alle Kosten zu verteilen sind: die abgesetzten Leistungen und die zum Absatz bestimmten Leistungen (Fertigerzeugnisse).

Vorkostenträger sind die nicht zum Absatz bestimmten innerbetrieblichen Leistungen im weiteren Sinne, d.h. alle Vor- und Zwischenerzeugnisse (Halbfabrikate) und die in den Hilfskostenstellen erzeugten innerbetrieblichen Leistungen im engeren Sinne. Die auf die Vorkostenträger verteilten Kosten werden auf andere Kostenträger weiterverrechnet, letztlich auf die Endkostenträger. Die Endkostenträger können ihre Kosten nicht mehr weiterwälzen, sonden müssen sie – soweit möglich – aus den Verkaufserlösen decken.

2.5.2.3 Gliederung nach dem Leistungsprogramm

Nach dem Leistungsprogramm lassen sich Massenleistungen, Sortenleistungen, Serienleistungen und Einzelleistungen unterscheiden. **Massenleistungen** sind völlig homogene Leistungen, die die gleiche Rohstoffgrundlage besitzen und denselben Fertigungsprozeß durchlaufen. Die Unternehmung stellt nur eine einzige Erzeugnisart her. Werden mehrere Erzeugnisarten hergestellt, die sich allerdings nur geringfügig unterscheiden (z.B. in der Größe, dem Material oder der Fertigungsqualität), spricht man von **Sortenleistungen**. Bei **Serienleistungen** sind die Erzeugnisarten untereinander heterogen, innerhalb einer Erzeugnisart (Serie) besteht jedoch weiterhin Homogenität der Leistungen. **Einzelleistungen** sind dagegen untereinander stets heterogen; sie sind individuelle Erzeugnisse, die nur ausnahmsweise und zufällig ein zweites Mal produziert werden.

2.5.3 Ermittlung des Kostenträgererfolges

Das Betriebsergebnis einer Abrechnungsperiode kann auf verschiedene Weise ermittelt werden: entweder nach dem Gesamtkostenverfahren, dessen Anwendungsvoraussetzungen allerdings relativ selten erfüllt sind, oder nach dem Umsatzkostenverfahren, dem in der Praxis zweifellos die größere Bedeutung zukommt.

2.5.3.1 Gesamtkostenverfahren

Der kalkulatorische Periodenerfolg ergibt sich beim Gesamtkostenverfahren auf dem Betriebsergebniskonto als **Differenz zwischen den gesamten Periodenkosten und der gesamten Periodenleistung**. Die Periodenkosten sind dabei in aller Regel nach Kostenarten gegliedert. Die Periodenleistung setzt sich – mengenmäßig betrachtet – aus den abgesetzten Produkten, den auf Lager gefertigten Erzeugnissen und den aktivierten innerbetrieblichen Leistungen zusammen. Während die abgesetzten Erzeugnisse mit Verkaufspreisen bewertet werden, sind die aktivierten Eigenleistungen und die Lagerbestandszunahme mit Herstellkosten anzusetzen. Das Betriebsergebniskonto weist damit folgenden Inhalt auf:

Betriebsergebnis

Gesamtkosten der Abrechnungsperiode (nach Kostenarten gegliedert)	Umsatzerlöse
Saldo = Gewinn	Bestandszunahme bei den unfertigen und fertigen Erzeugnissen (zu Herstellkosten)
	Herstellkosten der aktivierten Eigenleistungen

Eine Bestandsabnahme bei den Erzeugnissen müßte strenggenommen auf der Habenseite des Betriebsergebniskontos von den Umsatzerlösen abgesetzt werden, da die Gesamtleistung dann kleiner ist als die Menge der abgesetzten Erzeugnisse. Da jedoch in der doppelten Buchhaltung keine negativen Werte gebucht werden, sondern der entsprechende Betrag auf der anderen Seite des Kontos erfaßt wird, werden Bestandsminderungen auf der Sollseite des Betriebsergebniskontos gebucht, obwohl sie nicht Bestandteil der Gesamtkosten der Abrechnungsperiode sind. Die Bestandsveränderungen selbst ergeben sich als Saldo zwischen Anfangs- und Endbeständen auf den Bestandskonten für die Halb- und Fertigfabrikate.

Die Anwendung des Gesamtkostenverfahrens in der Betriebsbuchhaltung ist **nur bei Einproduktfertigung sinnvoll**. Bei Mehrproduktfertigung ist eine kostenträgerweise Erfolgsermittlung mit Hilfe des Gesamtkostenverfahrens nicht möglich, da die Gesamtkosten auf der Sollseite des Betriebsergebniskontos nach Kostenarten und nicht nach Kostenträgern gegliedert sind. Eine Beschränkung der Erfolgsermittlung auf das undifferenzierte Betriebsergebnis widerspricht aber dem Hauptziel der Betriebsbuchhaltung, der nach Produktarten bzw. Produktgruppen differenzierten Ermittlung des kalkulatorischen Periodenerfolgs.

Das Prinzip des Gesamtkostenverfahrens findet sich auch im Jahresabschluß der **Finanzbuchhaltung** wieder. Nach § 275 Abs. 2 HGB wird der Jahresabschluß ebenfalls durch Gegenüberstellung der gesamten, nach Arten gegliederten Aufwendungen einerseits und der Umsatzerlöse, der Veränderungen des Bestandes an unfertigen und fertigen Erzeugnissen, der anderen aktivierten Eigenleistungen und der übrigen Erträge auf der anderen Seite ermittelt.

2.5.3.2 Umsatzkostenverfahren

Beim Umsatzkostenverfahren werden auf dem der Erfolgsermittlung dienenden Konto **den Umsatzerlösen die Selbstkosten der abgesetzten Erzeugnisse („Kosten des Umsatzes") gegenübergestellt,** so daß der Saldo den kalkulatorischen Periodenerfolg ausweist. Bei der Ableitung des Umsatzkostenverfahrens zeigt sich eine deutliche Parallele zur Erfolgsermittlung im Warenhandel. Dort weist das Wareneinkaufskonto die Warenbestände zu Einstandspreisen (Anfangsbestände, Zu- und Abgänge, Endbestände) und das Warenverkaufskonto den Roherfolg als Differenz zwischen den Umsatzerlösen und dem Wareneinsatz (dem Einstandswert der verkauften Waren) aus. Beim Umsatzkostenverfahren findet sich diese Trennung in Bestands- und Erfolgskonto (Wareneinkauf und Warenverkauf) im Grundsatz wieder; auch hier könnte man sich mit je einem Konto für die Erzeugnisbestände und den Verkaufserfolg begnügen:

Erzeugnisbestand		Erzeugnisverkauf	
Anfangsbestände	Abgänge	Selbstkosten der abgesetzten Erzeugnisse	Umsatzerlöse
Zugänge	Endbestände		
		Saldo = Gewinn	

Auf dem Erzeugnisbestandskonto werden alle Bestände, Zugänge und Abgänge zu Herstellkosten erfaßt. Die Zugänge entsprechen dabei den in der Abrechnungsperiode angefallenen Herstellkosten. Die Abgänge setzen sich aus den abgesetzten Erzeugnissen und den aktivierten innerbetrieblichen Leistungen zusammen. Die Selbstkosten der abgesetzten Erzeugnisse bestehen aus den Herstellkosten der abgesetzten Erzeugnisse („Herstellkosten des Umsatzes") und den Verwaltungs- und Vertriebskosten. Unter Berücksichtigung dieser Erläuterungen haben die beiden Konten folgenden Inhalt:

Erzeugnisbestand	
Anfangsbestände (zu Herstellkosten)	Herstellkosten der abgesetzten Erzeugnisse
Herstellkosten der Abrechnungsperiode	Herstellkosten der aktivierten Eigenleistungen
	Endbestände (zu Herstellkosten)

Erzeugnisverkauf	
Herstellkosten der abgesetzten Erzeugnisse	Umsatzerlöse
Verwaltungs- und Vertriebskosten	
Saldo = Gewinn	

Die weitere Ausgestaltung des Umsatzkostenverfahrens hängt in starkem Maße von dem in der jeweiligen Unternehmung angewandten Kalkulationsverfahren ab. Das in der Praxis am häufigsten anzutreffende Kalkulationsverfahren, die

Kostenstellen-Zuschlagskalkulation[20], gliedert die Herstellkosten und die Verwaltungs- und Vertriebskosten wie folgt:

> Fertigungsmaterial
> + Materialgemeinkosten
> + Fertigungslöhne
> + Fertigungsgemeinkosten
> + Sondereinzelkosten der Fertigung
> = Herstellkosten
> + Verwaltungsgemeinkosten
> + Vertriebsgemeinkosten
> + Sondereinzelkosten des Vertriebs
> = Selbstkosten

Die beiden Konten des Umsatzkostenverfahrens weisen dann folgenden Inhalt auf:

Erzeugnisbestand	
Anfangsbestände (zu Herstellkosten)	Herstellkosten der abgesetzten Erzeugnisse
Fertigungsmaterial	Herstellkosten der aktivierten Eigenleistungen
Materialgemeinkosten	Endbestände (zu Herstellkosten)
Fertigungslöhne	
Fertigungsgemeinkosten	
Sondereinzelkosten der Fertigung	

Erzeugnisverkauf	
Herstellkosten der abgesetzten Erzeugnisse	Umsatzerlöse
Verwaltungsgemeinkosten	
Vertriebsgemeinkosten	
Sondereinzelkosten des Vertriebs	
Saldo = Gewinn	

Bei der üblichsten Form des Umsatzkostenverfahrens wird das Erzeugnisbestandskonto in mehrere Konten zerlegt: in ein Herstellkonto zur Sammlung der in der Abrechnungsperiode angefallenen Herstellkosten, ein Halbfabrikatekonto für die Bestände und Bewegungen bei den unfertigen Erzeugnissen und ein Fertigfabrikatekonto für die Bestände und Bewegungen bei den fertigen Erzeugnissen. Der Saldo des Herstellkontos zeigt die Herstellkosten der Abrechnungsperiode. Das Halbfabrikatekonto weist als Zugänge die Herstellkosten der Abrechnungsperiode und als Abgänge die Herstellkosten der fertiggestellten Er-

---

[20] Vgl. hierzu Kapitel 3.4.2.

zeugnisse aus. Letztere bilden gleichzeitig die Zugänge auf dem Fertigfabrikatekonto. Die Konten zeigen nun folgenden Inhalt:

Herstellkonto

Fertigungsmaterial	Herstellkosten der Abrechnungs-
Materialgemeinkosten	periode
Fertigungslöhne	
Fertigungsgemeinkosten	
Sondereinzelkosten der Fertigung	

Halbfabrikate

Anfangsbestand zu Herstellkosten	Herstellkosten der fertiggestellten
Herstellkosten der Abrechnungs-	Erzeugnisse
periode	Endbestand zu Herstellkosten

Fertigfabrikate

Anfangsbestand zu Herstellkosten	Herstellkosten der abgesetzten
Herstellkosten der fertiggestellten	Erzeugnisse
Erzeugnisse	Herstellkosten der aktivierten
	Eigenleistungen
	Endbestand zu Herstellkosten

Verkauf

Herstellkosten der abgesetzten	Umsatzerlöse
Erzeugnisse	
Verwaltungsgemeinkosten	
Vertriebsgemeinkosten	
Sondereinzelkosten des Vertriebs	
Saldo = Gewinn	

Abschließend sei besonders darauf hingewiesen, daß in der Betriebsbuchhaltung
für jede Produktart oder Produktgruppe, für die der kalkulatorische Erfolg gesondert ermittelt werden soll, ein eigenes Fertigfabrikatekonto und ein eigenes
Verkaufskonto geführt werden muß. Das Halbfabrikatekonto kann ungeteilt
bleiben, kann aber bei Bedarf auch untergliedert werden, z.B. nach Baugruppen.

**Umsatzkostenverfahren und Gesamtkostenverfahren führen selbstverständ-
lich zum gleichen Ergebnis.** Dies zeigt sich deutlich, wenn man die beim Umsatzkostenverfahren verwendeten vier Konten (Herstellkonto, Halbfabrikate, Fertigfabrikate und Verkauf) zu einem Konto zusammenfaßt und die auf beiden Seiten erscheinenden gleichen Posten (Herstellkosten der Abrechnungsperiode,
Herstellkosten der fertiggestellten Erzeugnisse und Herstellkosten der abgesetzten Erzeugnisse) gegeneinander aufrechnet. Auf dem zusammengefaßten Konto
verbleiben nach der Saldierung folgende Positionen:

Betriebsergebnis		
	Umsatzerlöse	
Fertigungsmaterial		
Materialgemeinkosten		
Fertigungslöhne		
Fertigungsgemeinkosten		Gesamt-
Sondereinzelkosten der Fertigung		kosten
Verwaltungsgemeinkosten		
Vertriebsgemeinkosten		
Sondereinzelkosten des Vertriebs		
Anfangsbestand an Halb- fabrikaten	Endbestand an Halb- fabrikaten	Bestands- verände-
Anfangsbestand an Fertig- fabrikaten	Endbestand an Fertig- fabrikaten	rungen
	Herstellkosten der aktivierten Eigenleistungen	
Saldo = Gewinn		

Die materielle Übereinstimmung ist offensichtlich. Formal bestehen allerdings Unterschiede hinsichtlich der Gliederung der Gesamtkosten.

In der Literatur wird mitunter das Umsatzkostenverfahren in einer etwas abgewandelten Form dargestellt, die sich jedoch leicht aus dem hier beschriebenen Grundschema ableiten läßt. Eine erste Variante besteht in dem Verzicht auf das Herstellkonto, das ohnehin nur ein Hilfskonto zur Sammlung der Herstellkosten bildet. In diesem Falle werden die Herstellkosten der Abrechnungsperiode direkt dem Halbfabrikatekonto belastet.

In einer zweiten Variante werden auf den Fabrikatebestandskonten nur die Anfangs- und Endbestände sowie als Saldo die Bestandsveränderungen gebucht, während die übrigen Größen auf dem Herstellkonto erfaßt werden. Das Herstellkonto hat hierbei folgenden Inhalt:

Herstellkonto	
Fertigungsmaterial	Bestandszunahme bei den Halb- fabrikaten
Materialgemeinkosten	
Fertigungslöhne	Bestandszunahme bei den Fertig- fabrikaten
Fertigungsgemeinkosten	
Sondereinzelkosten der Fertigung	Herstellkosten der aktivierten Eigenleistungen
	Herstellkosten der abgesetzten Erzeugnisse

Ein Nachteil dieser Methode ist darin zu sehen, daß die Herstellkosten der fertiggestellten Erzeugnisse aus dieser Rechnung nicht unmittelbar ersichtlich sind.

Dem folgenden **Buchungsbeispiel** sind die Zahlen aus dem Kostenstellenbogen (Seite 116) und dem Kostenträgerzeitblatt (Seite 133) zugrunde gelegt, um die Unterschiede zwischen Umsatz- und Gesamtkostenverfahren aufzuzeigen. Die Buchungen beim Umsatzkostenverfahren knüpfen unmittelbar an die im Kapitel 2.4.3.5 dargestellte kontenmäßige Kostenstellenrechnung an.

Buchungstechnik nach dem Umsatzkostenverfahren:

940 Herstellkonto

(920)	150 000	(945)	674 000
(936)	12 000		
(922)	120 000		
(933)	144 000		
(922)	80 000		
(934)	160 000		
(924)	8 000		
	674 000		674 000

945 Halbfabrikate

(9165)	85 000	(950)	255 000
(940)	674 000	(951)	228 000
		(952)	183 000
		(9165)	93 000
	759 000		759 000

950 Fertigfabrikate I

(9165)	25 000	(970)	260 000
(945)	255 000	(96)	4 000
		(9165)	16 000
	280 000		280 000

951 Fertigfabrikate II

(9165)	25 000	(971)	240 000
(945)	228 000	(9165)	13 000
	253 000		253 000

952 Fertigfabrikate III

(9165)	12 000	(972)	160 000
(945)	183 000	(96)	20 000
		(9165)	15 000
	195 000		195 000

970 Verkauf Erzeugnis I

(950)	260 000	(98)	405 000
(937)	39 000		
(938)	26 000		
(928)	15 000		
(990)	65 000		
	405 000		405 000

971 Verkauf Erzeugnis II

(951)	240 000	(98)	305 000
(937)	36 000	(990)	6 000
(938)	24 000		
(928)	11 000		
	311 000		311 000

972 Verkauf Erzeugnis III

(952)	160 000	(98)	240 000
(937)	24 000		
(938)	16 000		
(928)	10 000		
(990)	30 000		
	240 000		240 000

990 Betriebsergebnis

(971)	6 000	(970)	65 000
(998)	89 000	(972)	30 000
	95 000		95 000

Buchungstechnik nach dem Gesamtkostenverfahren:

94 Halbfabrikate				990 Betriebsergebnis			
(9165)	85 000	(9165)	93 000	(920)	232 000	(98)	950 000
(990)	8 000			(922)	300 000	(94)	8 000
	93 000		93 000	(924)	87 000	(96)	24 000
				(926)	135 000		
95 Fertigfabrikate				(928)	61 000		
				(929)	60 000		
(9165)	62 000	(9165)	44 000	(95)	18 000		
		(990)	18 000	(998)	89 000		
	62 000		62 000		982 000		982 000

Mit dem Bilanzrichtlinien-Gesetz vom 19.12.1985 wurde das Umsatzkostenverfahren auch für den Jahresabschluß der Finanzbuchhaltung eingeführt. Nach § 275 Abs. 3 HGB kann der Jahresüberschuß durch Gegenüberstellung der Umsatzerlöse und der übrigen Erträge einerseits und der Herstellungskosten der zur Erzielung der Umsatzerlöse erbrachten Leistungen, der Vertriebskosten, der allgemeinen Verwaltungskosten und der übrigen Aufwendungen auf der anderen Seite ermittelt werden.

2.5.3.3 Das Kostenträgerzeitblatt

Das Kostenträgerzeitblatt bildet den zweiten Teil des Betriebsabrechnungsbogens und beinhaltet die Durchführung der **Kostenträgerzeitrechnung in tabellarischer Form**. Horizontal ist das Kostenträgerzeitblatt nach den einzelnen Produktarten oder Produktgruppen gegliedert, für die der kalkulatorische Periodenerfolg ermittelt werden soll. Die vertikale Gliederung wird im wesentlichen durch das in der jeweiligen Unternehmung verwendete Kalkulationsschema bestimmt und entspricht vollständig der **Abrechnungstechnik des Umsatzkostenverfahrens** bei kontenmäßiger Erfolgsermittlung. Ein Beispiel für ein Kostenträgerzeitblatt ist in Tabelle 13 wiedergegeben.

Die im Kostenträgerzeitblatt enthaltenen Zahlenangaben knüpfen an das im Kapitel 2.4.3.4 verwendete Zahlenbeispiel für einen Kostenstellenbogen an, so daß die Zusammenhänge zwischen dem BAB I und dem BAB II, d.h. zwischen Kostenstellenrechnung und Kostenträgerzeitrechnung, deutlicher hervortreten. Die in den Zeilen 1, 3, 5, 7 und 18 des BAB II ausgewiesenen Kosten für Fertigungsmaterial, Fertigungslöhne sowie Sondereinzelkosten der Fertigung und des Vertriebs ergeben zusammen 394 000 DM und stimmen damit mit der Kostensumme in der Ausgliederungsspalte für die Einzelkosten im BAB I überein. Die Materialgemeinkostensumme von 12 000 DM wurde aus der Summenzeile der Spalte 936 des Kostenstellenbogens übernommen in die Summenspalte der Zeile 2 des Kostenträgerzeitblattes. Die Verteilung der 12 000 DM auf die Produktgruppen I, II und III erfolgt nach dem in der Spalte 936 des Kostenstellenbogens angegebenen Schlüssel, d.h. mit einem Zuschlag von 8% auf das Fertigungsmaterial. Für die in den Spalten 933, 934, 937 und 938 des Kostenstellenbogens bzw. in den Zeilen 4, 6, 16 und 17 des Kostenträgerzeitblattes ausgewiesenen Fertigungsgemeinkosten der Stellen A und B, Verwaltungsgemeinkosten und Vertriebsgemeinkosten gilt sinngemäß das gleiche.

Tab. 13: Kostenträgerzeitblatt (BAB II)

Zeile		Summe	Kostenträgergruppe		
			I	II	III
1	Fertigungsmaterialverbrauch	150 000	60 000	50 000	40 000
2	Materialgemeinkosten = 8% von (1)	12 000	4 800	4 000	3 200
3	Fertigungslöhne A	120 000	50 000	40 000	30 000
4	Fertigungsgemeinkosten A = 120% von (3)	144 000	60 000	48 000	36 000
5	Fertigungslöhne B	80 000	30 000	28 000	22 000
6	Fertigungsgemeinkosten B = 200% von (5)	160 000	60 000	56 000	44 000
7	Sondereinzelkosten der Fertigung	8 000	5 200	–	2 800
8	Herstellkosten der Abrechnungsperiode	674 000	270 000	226 000	178 000
9	+ Anfangsbestand an Halbfabrikaten	85 000	35 000	30 000	20 000
10	– Endbestand an Halbfabrikaten	93 000	50 000	28 000	15 000
11	Herstellkosten der fertiggestellten Erzeugnisse	666 000	255 000	228 000	183 000
12	+ Anfangsbestand an Fertigfabrikaten	62 000	25 000	25 000	12 000
13	– Endbestand an Fertigfabrikaten	44 000	16 000	13 000	15 000
14	– Aktivierte innerbetriebliche Leistungen	24 000	4 000	–	20 000
15	Herstellkosten der abgesetzten Erzeugnisse	660 000	260 000	240 000	160 000
16	Verwaltungsgemeinkosten = 15% von (15)	99 000	39 000	36 000	24 000
17	Vertriebsgemeinkosten = 10% von (15)	66 000	26 000	24 000	16 000
18	Sondereinzelkosten des Vertriebs	36 000	15 000	11 000	10 000
19	Selbstkosten	861 000	340 000	311 000	210 000
20	Netto-Verkaufserlöse	950 000	405 000	305 000	240 000
21	Kalkulatorischer Periodenerfolg	+89 000	+65 000	−6 000	+30 000

Ein Vergleich mit der kontenmäßigen Darstellung der Erfolgsermittlung im vorangegangenen Kapitel zeigt die weitestgehende Übereinstimmung des vertikalen Aufbaus des Kostenträgerzeitblattes mit dem Konteninhalt beim Umsatzkostenverfahren:

Herstellkonto		Fertigfabrikate	
Zeile 1	Zeile 8	Zeile 12	Zeile 15
Zeile 2		Zeile 11	Zeile 14
Zeile 3			Zeile 13
Zeile 4			
Zeile 5			
Zeile 6			
Zeile 7			

Halbfabrikate		Verkauf	
Zeile 9	Zeile 11	Zeile 15	Zeile 20
Zeile 8	Zeile 10	Zeile 16	
		Zeile 17	
		Zeile 18	
		Zeile 21	

2.5.4 Rechnerische Ermittlung der Halbfabrikatebestände

Bei der Darstellung des Umsatzkostenverfahrens in den vorangegangenen Abschnitten wurde stillschweigend unterstellt, daß die Endbestände an Halb- und Fertigfabrikaten bekannt sind, so daß der Saldo des Halbfabrikatekontos die Herstellkosten der fertiggestellten Erzeugnisse und der Saldo des Fertigfabrikatekontos die Herstellkosten der abgesetzten Erzeugnisse ausweist. Diese Unterstellung ist für die Fertigfabrikate noch durchaus realistisch, da die Endbestände hier entweder durch körperliche Bestandsaufnahme an jedem Monatsende (nur bei wenigen Erzeugnisarten anwendbar) oder anhand einer Lagerbestandskartei ermittelt werden können. Bei den Halbfabrikaten ist die Situation jedoch insofern komplizierter, als

a) eine monatliche Inventur nur in sehr wenigen Fällen durchführbar ist, weil sich zu viele Erzeugnisse mit unterschiedlichem Grad der Absatzreife im Fertigungsprozeß befinden;

b) buchmäßige Aufzeichnungen nur selten existieren, weil die unterschiedliche Absatzreife der Erzeugnisse eine Skontration (mengenmäßige Bestandsrechnung) meist verhindert;

c) eine Schätzung des Wertes der Halbfabrikate-Bestände in aller Regel nicht hinreichend präzise möglich ist.

Hier muß der Endbestand an Halbfabrikaten für die monatliche Betriebsabrechnung rechnerisch aus anderen Größen abgeleitet werden, die leichter und schneller erfaßt werden können. Mindestens einmal jährlich muß dieser Buchbestand allerdings auch durch eine körperliche Bestandsaufnahme kontrolliert und gegebenenfalls korrigiert werden. Ja nachdem, an welche Größen die rechnerische Bestandsermittlung anknüpft, stehen zwei Berechnungsschemata zur Verfügung, die sich beide leicht aus der Technik des Umsatzkostenverfahrens ableiten lassen.

Wird für die Fertigfabrikate eine mengenmäßige Bestandsfortschreibung durchgeführt, ist es u.a. erforderlich, die Zugänge im Fertiglager laufend zu erfassen. Dies geschieht meist durch sog. Fertigmeldungen, die für jeden Auftrag (Kundenauftrag oder innerbetrieblichen Auftrag) erstellt werden. Aufgrund der Fertigmeldungen werden in der Kalkulation anhand der Materialentnahmescheine, der Lohnzettel und der Gemeinkosten-Zuschlagssätze die Herstellkosten dieses Auftrags ermittelt. Die Summe der Herstellkosten aller in einer Abrechnungsperiode fertiggestellten Aufträge ergibt die Herstellkosten der fertiggestellten Erzeugnisse, aus denen der Endbestand an Halbfabrikaten dann wie folgt errechnet werden kann:

> Fertigungsmaterialverbrauch
> + Materialgemeinkosten
> + Fertigungslöhne
> + Fertigungsgemeinkosten
> + Sondereinzelkosten der Fertigung
> _____
> = Herstellkosten der Abrechnungsperiode
> + Anfangsbestand an Halbfabrikaten
> − Herstellkosten der fertiggestellten Erzeugnisse
> _____
> = Endbestand an Halbfabrikaten

Gibt es in der Unternehmung ausnahmsweise keine Lagerkartei für die Fertigfabrikate, muß an jedem Monatsende der Endbestand an Fertigfabrikaten durch Inventur ermittelt und mit Herstellkosten bewertet werden. Ferner müssen die abgesetzten Erzeugnisse laufend erfaßt werden (z.b. anhand von Versandmeldungen) und in der Kalkulation mit Herstellkosten bewertet werden. Da die Herstellkosten der aktivierten innerbetrieblichen Leistungen ohnehin in jeder Unternehmung erfaßt werden, läßt sich der Endbestand an Halbfabrikaten nun folgendermaßen errechnen:

> Fertigungsmaterialverbrauch
> + Materialgemeinkosten
> + Fertigungslöhne
> + Fertigungsgemeinkosten
> + Sondereinzelkosten der Fertigung
> _____
> = Herstellkosten der Abrechnungsperiode
> + Anfangsbestand an Halbfabrikaten
> + Anfangsbestand an Fertigfabrikaten
> − Herstellkosten der abgesetzten Erzeugnisse
> − Herstellkosten der aktivierten Eigenleistungen
> − Endbestand an Fertigfabrikaten
> _____
> = Endbestand an Halbfabrikaten

2.5.5 Verrechnung innerbetrieblicher Leistungen

Innerbetriebliche Leistungen im engeren Sinne sind **Hilfsleistungen, die nicht zum Absatz bestimmt sind**. Sie werden im eigenen Betrieb wieder eingesetzt, um die Absatzreife der Erzeugnisse mittelbar zu fördern. Sie stehen damit im Gegensatz zu den Halbfabrikaten, die die Absatzreife der Erzeugnisse unmittelbar fördern und zu den innerbetrieblichen Leistungen im weiteren Sinne zu zählen sind.

Auf die Technik der Abrechnung der Halbfabrikate ist bereits bei der Darstellung des Umsatzkostenverfahrens eingegangen worden[21]. Für die Abrechnung der innerbetrieblichen Leistungen im engeren Sinne hat die Praxis zahlreiche Verfahren entwickelt, die sich vor allem hinsichtlich der Genauigkeit und des Anwendungsbereiches unterscheiden. Einige Verfahren sind nur bei aktivierten innerbetrieblichen Leistungen anwendbar, während andere den sofortigen Verbrauch der innerbetrieblichen Leistungen in der Periode ihrer Erstellung voraussetzen. Einige Verfahren werden bevorzugt bei homogenen innerbetrieblichen Leistungen angewandt, die einen einheitlichen Mengenmaßstab besitzen, während andere Verfahren zur Abrechnung heterogener Leistungen besser geeignet sind. Die wichtigsten Verfahren sind das Kostenartenverfahren, das Kostenstellenumlageverfahren, das Kostenstellenausgleichsverfahren und das Kostenträgerverfahren[22].

---

[21] Vgl. Kapitel 2.5.3.2 und 2.5.4.
[22] Eine ausführliche Darstellung dieser Verfahren findet sich bei Kosiol, Erich: Kosten- und Leistungsrechnung, a.a.O., S. 285-321.

2.5.5.1 Kostenartenverfahren

Beim Kostenartenverfahren werden nur die den innerbetrieblichen Leistungen direkt zurechenbaren Material- und Lohnkosten gesondert erfaßt und bereits im Zuge der Kostenartenumlage den leistungsempfangenden Kostenstellen belastet. Die zugehörigen Gemeinkosten der innerbetrieblichen Leistungen bleiben aus der Verteilung ausgeschlossen und mischen sich letzten Endes mit den anderen Gemeinkosten für die Absatzleistungen. Dadurch, daß die Gemeinkosten nicht den leistungsempfangenden Kostenstellen nach Maßgabe der Verursachung zugerechnet werden, tritt eine Verzerrung der Kostenstruktur ein. Das Kostenartenverfahren ist deshalb nur bei sofort verbrauchten innerbetrieblichen Leistungen geringen Umfangs anwendbar. Als Beispiele können Kleinstreparaturen und die Einzelanfertigung von Werkzeugen genannt werden.

2.5.5.2 Kostenstellenumlageverfahren

Das entscheidende Merkmal des Kostenstellenumlageverfahrens liegt in der Einrichtung besonderer Hilfskostenstellen für die innerbetrieblichen Leistungen, denen sämtliche primären Kosten zugerechnet werden. Erfaßt werden also nicht nur die Einzelkosten der innerbetrieblichen Leistungen, sondern auch alle Gemeinkosten wie z.B. Hilfslöhne, Gehälter, Sozialkosten, Mietkosten, kalkulatorische Abschreibungen und kalkulatorische Zinsen. Die Weiterverrechnung erfolgt im Wege der Kostenstellenumlage von den leistenden Hilfskostenstellen auf die leistungsempfangenden Kostenstellen. Verteilungstechnisch bedient man sich dabei meist der Methode der Schlüsselung mit Hilfe von Schlüsseleinheitskosten oder mit Hilfe von Anteilsprozentsätzen.

Zu den Anwendungsvoraussetzungen des Kostenstellenumlageverfahrens zählt wiederum der Sofortverbrauch der innerbetrieblichen Leistungen in der Periode ihrer Erstellung. Ferner muß die Erstellung der innerbetrieblichen Leistungen zentralisiert in einer Hilfskostenstelle erfolgen, so daß die Verteilung der Kosten anhand eines einheitlichen Mengenmaßstabes vorgenommen werden kann. Diese Voraussetzungen sind beispielsweise bei selbst erzeugtem Dampf oder Strom gegeben.

Ein besonderes abrechnungstechnisches Problem tritt auf, wenn **mehrere Hilfskostenstellen in gegenseitiger Leistungsbeziehung** stehen. Hier kann keine dieser Kostenstellen mit der Verteilung ihrer Kosten beginnen, weil sie noch eine oder mehrere Belastungen von anderen Hilfskostenstellen zu erwarten hat. Zur Lösung dieses Problems hat die Praxis mehrere Verfahren entwickelt, die im folgenden als das Anbauverfahren, das Treppenverfahren, das Schätzverfahren und das Simultanverfahren vorgestellt werden.

Für die Darstellung der Verfahren wird **ein einheitliches Zahlenbeispiel** einer Unternehmung mit zwei Vorkostenstellen und fünf Endkostenstellen verwendet. Der Kostenstellenbogen (BAB I) zeigt für den abgelaufenen Monat nach Durchführung der Kostenartenumlage, aber vor Durchführung der Kostenstellenumlage, das folgende Bild:

	Dampf-erzeu-gung	Strom-erzeu-gung	Fertigungsstelle		Ma-terial-stelle	Verwal-tungs-stelle	Ver-triebs-stelle
			A	B			
Stoffkosten	12 000	700	1 700	1 100	500	1 500	2 500
Lohnkosten	4 000	1 200	29 000	15 800	10 000	60 000	40 000
Sozialkosten	1 000	300	12 000	7 200	2 000	10 000	7 500
Abschreibungen	6 000	16 000	24 000	13 000	9 000	8 000	4 000
Diverse Kosten	4 160	2 364	42 288	27 588	6 600	4 800	12 200
Primäre Kosten Kostenstellen-umlage	27 160	20 564	108 988	64 688	28 100	84 300	66 200
Gemeinkosten	–	–					

Die Vorkostenstellen „Dampferzeugung" und „Stromerzeugung" stehen in einer wechselseitigen Leistungsbeziehung, da zum einen in der Kostenstelle Dampfer-zeugung Strom verbraucht wird und zum anderen die Kostenstelle Stromerzeu-gung den benötigten Dampf aus der Kostenstelle Dampferzeugung bezieht.

Die Gesamtleistung der Kostenstelle Dampferzeugung betrug im vergangenen Monat 400 t Dampf. Davon wurden verbraucht

240 t in der Kostenstelle Stromerzeugung,
80 t in der Fertigungskostenstelle A und
80 t in der Fertigungskostenstelle B.

In der Stromerzeugung wurden insgesamt 500 000 kWh Strom erzeugt. Ver-braucht wurden

25 000 kWh in der Kostenstelle Dampferzeugung,
200 000 kWh in der Fertigungskostenstelle A,
125 000 kWh in der Fertigungskostenstelle B,
25 000 kWh in den Materialkostenstellen,
75 000 kWh in den Verwaltungskostenstellen und
50 000 kWh in den Vertriebskostenstellen.

a) Anbauverfahren

Beim Anbauverfahren wird auf die gegenseitige Abrechnung der Vorkostenstel-len gänzlich verzichtet. Die primären Kosten der Vorkostenstellen werden allein auf die Endkostenstellen verteilt. Durch den Verzicht auf die Erfassung eines Teils der innerbetrieblichen Leistungen kann die Kostenstruktur erheblich ver-zerrt werden, so daß dieses Verfahren nicht empfehlenswert ist.

Im vorliegenden Zahlenbeispiel werden von den Endkostenstellen 475 000 kWh Strom verbraucht, so daß sich ein Verrechnungspreis von 20 564 : 475 = 43,29 DM/1000 kWh ergibt. Beim Dampf wird sogar nur der Verbrauch von 160 t in den beiden Fertigungskostenstellen erfaßt und mit einem Preis von 27 160 : 160 = 169,75 DM/t abgerechnet. Der Teil des Kostenstellenbogens, der die Kosten-stellenumlage zum Inhalt hat, zeigt dann folgendes Bild:

	Dampf-erzeu-gung	Strom-erzeu-gung	Fertigungsstelle A	Fertigungsstelle B	Ma-terial-stelle	Verwal-tungs-stelle	Ver-triebs-stelle
Primäre Kosten	27 160	20 564	108 988	64 688	28 100	84 300	66 200
Umlage Strom			8 658	5 412	1 082	3 247	2 165
Umlage Dampf			13 580	13 580	–	–	–
Gemeinkosten			131 226	83 680	29 182	87 547	68 365

b) Treppenverfahren

Das Treppenverfahren ist dadurch gekennzeichnet, daß die Vorkostenstellen ihre Kosten nicht nur auf die Endkostenstellen verrechnen, sondern auch auf alle anderen, ihnen nachgelagerten Vorkostenstellen. Bei mehreren Vorkostenstellen zeigt die Kostenstellenumlage dann das Bild einer Treppe. Diese Abrechnungstechnik hat zur Folge, daß alle innerbetrieblichen Leistungen, die die Vorkostenstellen an andere vorgelagerte Vorkostenstellen erbringen, bei der Abrechnung unberücksichtigt bleiben. Die Vorkostenstellen müssen deshalb so geordnet werden, daß die an vorgelagerte Kostenstellen erbrachten Leistungen möglichst gering sind, um den mit diesem Verfahren verbundenen Fehler so klein wie möglich zu halten.

In unserem Beispiel werden die für die Dampferzeugung entstandenen Kosten von 27 160 DM auf alle drei dampfverbrauchenden Kostenstellen verteilt. Das ergibt einen Verrechnungspreis von 27 160 : 400 = 67,90 DM/t. Dagegen wird der Verbrauch von 25 000 kWh Strom in der Kostenstelle Dampferzeugung vernachlässigt, so daß sich die Stromkosten von insgesamt 36 860 DM auf nur 475 000 kWh verteilen. Daraus ergibt sich ein Verrechnungspreis von 36 860 : 475 = 77,60 DM/1000 kWh. Die Kostenstellenumlage zeigt hier folgendes Bild:

	Dampf-erzeu-gung	Strom-erzeu-gung	Fertigungsstelle A	Fertigungsstelle B	Ma-terial-stelle	Verwal-tungs-stelle	Ver-triebs-stelle
Primäre Kosten	27 160	20 564	108 988	64 688	28 100	84 300	66 200
Umlage Dampf		16 296	5 432	5 432	–	–	–
Umlage Strom			15 520	9 700	1 940	5 820	3 880
Gemeinkosten			129 940	79 820	30 040	90 120	70 080

c) Schätzverfahren

Bei dem sog. Schätzverfahren werden die zwischen den Vorkostenstellen ausgetauschten innerbetrieblichen Leistungen ganz oder teilweise mit geschätzten Verrechnungspreisen vorweg abgerechnet. Nach Durchführung der Vorwegabrechnung werden die übrigen innerbetrieblichen Leistungen entweder nach dem Anbauverfahren oder nach dem Treppenverfahren abgerechnet. Die Verrechnungspreise für die Vorwegabrechnung werden meist einmal jährlich festgelegt und anhand genauerer Kostenanalysen oder als Mittelwerte vergangener Abrechnungsperioden ermittelt.

Im folgenden Zahlenbeispiel werden die in der Kostenstelle Dampferzeugung verbrauchten 25 000 kWh Strom mit 74,00 DM/1000 kWh und die in der Kostenstelle Stromerzeugung verbrauchten 240 t Dampf mit 75,00 DM/t vorweg abgerechnet. Die Verteilung auf die Endkostenstellen kann dann nach dem Anbauverfahren vorgenommen werden mit Verrechnungspreisen von 36 714 : 475 = 77,29 DM/1000 kWh Strom bzw. 11 010 : 160 = 68,81 DM/t Dampf.

	Dampferzeugung	Stromerzeugung	Fertigungsstelle A	B	Materialstelle	Verwaltungsstelle	Vertriebsstelle
Primäre Kosten	27 160	20 564	108 988	64 688	28 100	84 300	66 200
Vorwegabr. Strom	1 850	−1 850	–	–	–	–	–
Vorw.abr. Dampf	−18 000	18 000	–	–	–	–	–
Zwischensumme	11 010	36 714	108 988	64 688	28 100	84 300	66 200
Umlage Strom			15 458	9 662	1 932	5 797	3 865
Umlage Dampf			5 505	5 505	–	–	–
Gemeinkosten			129 951	79 855	30 032	90 097	70 065

Im nächsten Beispiel wird nur der in der Dampferzeugung verbrauchte Strom vorweg mit 74,00 DM/1000 kWh abgerechnet. Die restlichen innerbetrieblichen Leistungen werden nach dem Treppenverfahren mit 29 010 : 400 = 72,52 DM/t Dampf bzw. 36 120 : 475 = 76,04 DM/1000 kWh Strom verteilt.

	Dampferzeugung	Stromerzeugung	Fertigungsstelle A	B	Materialstelle	Verwaltungsstelle	Vertriebsstelle
Primäre Kosten	27 160	20 564	108 988	64 688	28 100	84 300	66 200
Vorwegabr. Strom	1 850	−1 850	–	–	–	–	–
Zwischensumme	29 010	18 714	108 988	64 688	28 100	84 300	66 200
Umlage Dampf		17 406	5 802	5 802	–	–	–
Umlage Strom			15 209	9 505	1 901	5 703	3 802
Gemeinkosten			129 999	79 995	30 001	90 003	70 002

d) Simultanverfahren

Das Simultanverfahren ist das einzige genaue Verteilungsverfahren, weil die Verteilungssätze nicht sukzessiv, sondern simultan ermittelt werden. Die Reihenfolge, in der die Vorkostenstellen geordnet sind und in der sie abrechnen, ist deshalb völlig beliebig und beeinflußt nicht das Ergebnis der Abrechnung.

Das Simultanverfahren wird auch als mathematisches Verfahren oder als Gleichungsverfahren bezeichnet, weil für n Vorkostenstellen ein System von n Gleichungen mit n Unbekannten angesetzt wird. Als Unbekannte kann man die Schlüsseleinheitskosten (Verrechnungspreise) oder die zu verteilenden Kostensummen wählen.

Im ersten Falle bilden die Kosten für 1 t Dampf und die Kosten für 1000 kWh Strom die beiden Unbekannten k_1 und k_2. Die Kosten für 400 t Dampf setzen sich zusammen aus den primären Kosten von 27160 DM und den sekundären Kosten für 25000 kWh Strom. Entsprechend setzen sich die Kosten für 500000 kWh Strom zusammen aus den primären Kosten von 20564 DM und den sekundären Kosten für 240 t Dampf. Die beiden Bestimmungsgleichungen für die zwei Unbekannten lauten demnach:

$$400\,k_1 = 27\,160 + 25\,k_2$$
$$500\,k_2 = 20\,564 + 240\,k_1$$

Die Lösung ergibt:

$$k_1 = 72{,}65 \text{ DM/t Dampf}$$
$$k_2 = 76{,}00 \text{ DM/1000 kWh Strom}$$

Die Kostenstellenumlage zeigt dann folgendes Bild:

	Dampf-erzeu-gung	Strom-erzeu-gung	Fertigungsstelle A	B	Ma-terial-stelle	Verwal-tungs-stelle	Ver-triebs-stelle
Primäre Kosten	27 160	20 564	108 988	64 688	28 100	84 300	66 200
Umlage Dampf	−29 060	17 436	5 812	5 812	–	–	–
Umlage Strom	1 900	−38 000	15 200	9 500	1 900	5 700	3 800
Gemeinkosten	–	–	130 000	80 000	30 000	90 000	70 000

Der zweite Lösungsansatz geht von einer Kostenschlüsselung mit Hilfe von Anteilsprozentsätzen aus. Der Anteil der Kostenstelle Dampferzeugung am gesamten Stromverbrauch beträgt 25000 kWh : 500000 kWh = 0,05 = 5%. Der Anteil der Kostenstelle Stromerzeugung am gesamten Dampfverbrauch beläuft sich auf 240 t : 400 t = 0,6 = 60%. Die zu verteilenden Kosten der Dampferzeugung (K_1) setzen sich zusammen aus den primären Kosten von 27160 DM und einem Anteil von 5% an den Kosten der Stromerzeugung. Entsprechend beträgt die zu verteilende Kostensumme in der Stromerzeugung (K_2) 20564 DM zuzüglich 60% der Kosten der Dampferzeugung. Die beiden Bestimmungsgleichungen lauten folglich:

$$K_1 = 27\,160 + 0{,}05\,K_2$$
$$K_2 = 20\,564 + 0{,}6\,K_1$$

Die Lösung ergibt:

$$K_1 = 29\,060 \text{ DM}$$
$$K_2 = 38\,000 \text{ DM}$$

Die Technik des Simultanverfahrens soll im folgenden anhand eines Beispiels mit **drei Vorkostenstellen**, die sich in gegenseitiger Leistungsbeziehung befinden, dargestellt werden. Der Kostenstellenbogen der Unternehmung möge für den abgelaufenen Monat nach Durchführung der Kostenartenumlage folgende Kostensummen in den Kostenstellen ausweisen:

Dampferzeugung	25 700 DM
Stromerzeugung	19 200 DM
Reparaturwerkstatt	12 100 DM
Fertigungsstellen	156 200 DM
Materialstellen	26 100 DM
Verwaltungs- und Vertriebsstellen	160 700 DM
Summe der primären Kosten	400 000 DM

Die Gesamtleistung der Kostenstelle Dampferzeugung betrug im vergangenen Monat 400 t Dampf. Davon wurden verbraucht

240 t in der Kostenstelle Stromerzeugung,
40 t in der Kostenstelle Reparaturwerkstatt und
120 t in den Fertigungskostenstellen.

In der Stromerzeugung wurden insgesamt 510 000 kWh Strom erzeugt. Verbraucht wurden

20 000 kWh in der Kostenstelle Dampferzeugung,
10 000 kWh in der Kostenstelle Stromerzeugung selbst,
40 000 kWh in der Kostenstelle Reparaturwerkstatt,
300 000 kWh in den Fertigungskostenstellen,
40 000 kWh in den Materialkostenstellen und
100 000 kWh in den Verwaltungs- und Vertriebsstellen.

Die Reparaturwerkstatt hat im vergangenen Monat 1 200 Arbeitsstunden geleistet. Davon entfielen

120 Stunden auf die Kostenstelle Dampferzeugung,
60 Stunden auf die Kostenstelle Stromerzeugung,
840 Stunden auf die Fertigungskostenstellen,
60 Stunden auf die Materialkostenstellen und
120 Stunden auf die Verwaltungs- und Vertriebsstellen.

Lösungsansatz mit Schlüsseleinheitskosten:

$$400\,k_1 = 25\,700 + \quad 20\,k_2 + 120\,k_3$$
$$510\,k_2 = 19\,200 + 240\,k_1 + \quad 10\,k_2 + 60\,k_3$$
$$1\,200\,k_3 = 12\,100 + \quad 40\,k_1 + \quad 40\,k_2$$

Auf den Ansatz des in der Kostenstelle Stromerzeugung verbrauchten Stroms könnte man auch verzichten, ohne daß sich das Ergebnis dadurch verändert. Die Lösung des Gleichungssystems ergibt:

$$k_1 = 72,50 \text{ DM/t Dampf}$$
$$k_2 = 75,00 \text{ DM/1000 kWh Strom}$$
$$k_3 = 15,00 \text{ DM/Reparaturstunde}$$

Der Lösungsansatz mit Anteilsprozentsätzen (unter Außerachtlassung des Stromverbrauchs in der Kostenstelle Stromerzeugung) lautet:

$$K_1 = 25\,700 + 0,04\,K_2 + 0,1\quad K_3$$

$$K_2 = 19\,200 + 0,6 \quad K_1 + 0,05\,K_3$$
$$K_3 = 12\,100 + 0,1 \quad K_1 + 0,08\,K_2$$

Die Lösung ergibt:

$$K_1 = 29\,000 \quad DM$$
$$K_2 = 37\,500 \quad DM$$
$$K_3 = 18\,000 \quad DM$$

Die Kostenstellenumlage zeigt in beiden Fällen folgendes Bild:

	Dampf-erzeu-gung	Strom-erzeu-gung	Repa-ratur-werkstatt	Ferti-gungs-stellen	Ma-terial-stellen	Verwal-tung und Vertrieb
Primäre Kosten	25 700	19 200	12 100	156 200	26 100	160 700
Umlage Dampf	−29 000	17 400	2 900	8 700	–	–
Umlage Strom	1 500	−37 500	3 000	22 500	3 000	7 500
Umlage Reparatur	1 800	900	−18 000	12 600	900	1 800
Gemeinkosten	–	–	–	200 000	30 000	170 000

2.5.5.3 Kostenstellenausgleichsverfahren

Das Kostenstellenausgleichsverfahren wird angewandt, wenn die innerbetrieblichen Leistungen dezentral erstellt werden, d.h. wenn an ihrer Erstellung mehrere Kostenstellen beteiligt sind. Die Abrechnung kann dann nicht mehr nach der Divisionsrechnung erfolgen, sondern muß nach der Methode der Zuschlagskalkulation vorgenommen werden. Weitere Anwendungsvoraussetzung ist wiederum, daß die innerbetrieblichen Leistungen in der Periode ihrer Erstellung auch voll verbraucht werden. Diese Voraussetzungen sind beispielsweise bei innerbetrieblichen Reparaturleistungen gegeben, die von den Fertigungskostenstellen für andere Kostenstellen erbracht werden.

Beim Kostenstellenausgleichsverfahren werden die den innerbetrieblichen Leistungen direkt zurechenbaren Material- und Lohnkosten gesondert erfaßt und – wie beim Kostenartenverfahren – bereits im Zuge der Kostenartenumlage den leistungsempfangenden Kostenstellen belastet. Während jedoch die zugehörigen Gemeinkosten der innerbetrieblichen Leistungen beim Kostenartenverfahren unverteilt bleiben, werden sie beim Kostenstellenausgleichsverfahren im Anschluß an die Kostenartenumlage zwischen den beteiligten Kostenstellen ausgeglichen. Dabei sind der Abrechnung der innerbetrieblichen Leistungen grundsätzlich dieselben Gemeinkosten-Zuschlagssätze zugrunde zu legen wie der Abrechnung der Absatzleistungen. Allerdings liegt ein rechentechnisches Problem darin, daß die innerbetrieblichen Leistungen vor der Ermittlung der Gemeinkosten-Zuschlagssätze abgerechnet werden müssen. Dieses Problem wird entweder dadurch gelöst, daß die innerbetrieblichen Leistungen mit geschätzten Gemeinkosten-Zuschlagssätzen abgerechnet werden oder daß die Abrechnung simultan mit der Ermittlung der Gemeinkosten-Zuschlagssätze erfolgt. Im letzteren Falle müßte wiederum ein System von n Gleichungen mit n Unbekannten angesetzt werden. Hierzu das folgende stark vereinfachte Beispiel:

Die primären Kosten nach Durchführung der Kostenartenumlage betragen

45 000 DM in der allgemeinen Hilfskostenstelle,
104 960 DM in der Fertigungskostenstelle,
20 340 DM in der Materialkostenstelle und
129 700 DM in der Verwaltungs- und Vertriebsstelle.

Die allgemeine Hilfskostenstelle hat von der Fertigungsstelle innerbetriebliche Leistungen empfangen, für die Stoffeinzelkosten von 10000 DM und Lohneinzelkosten von 5000 DM angefallen sind. Diese Einzelkosten von 15000 DM sind im Zuge der Kostenartenumlage auf die allgemeinen Hilfskostenstellen verteilt worden und in der Kostensumme von 45000 DM enthalten. Vor Durchführung der Kostenstellenumlage soll die allgemeine Hilfskostenstelle mit den anteiligen Material- und Fertigungsgemeinkosten belastet werden. Der Gemeinkosten-Zuschlagssatz soll mit dem für die Absatzleistungen übereinstimmen (simultane Ermittlung). Zuschlagsbasis für die Materialgemeinkosten ist das verbrauchte Fertigungsmaterial von 150000 DM, Zuschlagsbasis für die Fertigungsgemeinkosten sind die Fertigungslöhne von 100000 DM. In diesen beiden Zahlen sind die Einzelkosten der innerbetrieblichen Leistungen nicht enthalten. Die Kosten der allgemeinen Hilfskostenstelle werden schließlich mit 40% auf die Fertigungsstelle, mit 10% auf die Materialstelle und mit 50% auf die Verwaltungs- und Vertriebsstelle weiterverrechnet.

Werden die zu verteilenden Kosten der allgemeinen Hilfskostenstelle mit K_H und die Zuschlagssätze für die Material- und Fertigungsgemeinkosten mit Z_{MGK} und Z_{FGK} bezeichnet, lauten die drei Bestimmungsgleichungen wie folgt:

$$K_H = 45\,000 + 10\,000\,Z_{MGK} + 5\,000\,Z_{FGK}$$
$$150\,000\,Z_{MGK} = 20\,340 - 10\,000\,Z_{MGK} + 0,1\,K_H$$
$$100\,000\,Z_{FGK} = 104\,960 - 5\,000\,Z_{FGK} + 0,4\,K_H$$

Die Lösung des Gleichungssystems ergibt:

$$K_H = 52\,600\,DM$$
$$Z_{MGK} = 0,16 = 16\%$$
$$Z_{FGK} = 1,2 = 120\%$$

Der entsprechende Ausschnitt aus dem Kostenstellenbogen hat dann folgenden Inhalt:

	Allgemeine Hilfsstelle	Fertigungs- stelle	Material- stelle	Verwaltung und Vertrieb
Primäre Kosten	45 000	104 960	20 340	129 700
Gemeinkosten-Ausgleich	7 600	−6 000	−1 600	−
Umlage Hilfsstelle	−52 600	21 040	5 260	26 300
Gemeinkosten	−	120 000	24 000	156 000
Zuschlagsbasis		FL 100 000	FM 150 000	
Zuschlagssatz		120%	16%	

2.5.5.4 Kostenträgerverfahren

Das Kostenträgerverfahren kommt immer dann zur Anwendung, wenn die in dieser Abrechnungsperiode erzeugten innerbetrieblichen Leistungen ganz oder teilweise erst in einer späteren Periode verbraucht werden und aus diesem Grunde eine zeitliche Abgrenzung (Aktivierung) erforderlich ist. Für die innerbetrieblichen Leistungen werden dann innerbetriebliche Kostenträger gebildet, auf die die Herstellkosten dieser Leistungen verrechnet werden.

Werden diese **zu aktivierenden innerbetrieblichen Leistungen** in den Fertigungskostenstellen erzeugt, ergeben sich für ihre Abrechnung kaum nennenswerte Unterschiede zu den Absatzleistungen. Die Kostenstellenrechnung wird überhaupt nicht berührt. In der Kostenträgerrechnung ist der Wert der innerbetrieblichen Leistungen sowohl in den Herstellkosten der hergestellten Erzeugnisse als auch in den Herstellkosten der fertiggestellten Erzeugnisse, nicht aber in den Herstellkosten der abgesetzten Erzeugnisse enthalten. Deshalb müssen die zu aktivierenden innerbetrieblichen Leistungen als Abgänge bei den Fertigfabrikaten erfaßt werden[23]. Buchungstechnisch wird der Wert der innerbetrieblichen Leistungen dem Fertigfabrikatekonto gutgeschrieben und dem Konto „Aktivierte Eigenleistungen" belastet. In der Praxis tritt dieser Fall immer dann auf, wenn Unternehmungen ihre Erzeugnisse, die eigentlich zum Absatz bestimmt sind, im Produktionsprozeß wieder einsetzen. Als Beispiel sei ein Büromaschinenhersteller genannt, der Schreibmaschinen aus der Fertigung entnimmt und sie im Verwaltungsbereich einsetzt; oder ein Werkzeugmaschinenhersteller, der in der eigenen Fertigung eine Drehbank benötigt und sie dem Fertiglager entnimmt; oder eine Hochbauunternehmung, die sich selbst ein Verwaltungsgebäude errichtet. In späteren Abrechnungsperioden gehen die Kosten dieser innerbetrieblichen Leistungen in Form der kalkulatorischen Abschreibungen wieder in die Betriebsabrechnung ein.

Werden innerbetriebliche Leistungen in einer besonderen Hilfskostenstelle erzeugt und zum Teil erst in einer späteren Periode verbraucht, so werden die Kosten der innerbetrieblichen Leistungen im Zuge der Kostenstellenumlage nur zu einem Teil den leistungsempfangenden Kostenstellen belastet, während die restlichen Kosten, die die zu aktivierenden innerbetrieblichen Leistungen betreffen, besonderen Ausgliederungsstellen belastet werden. Als Beispiel hierfür kann die Werkzeugmacherei dienen. Die Herstellkosten für Werkzeuge, die sofort im Fertigungsprozeß eingesetzt werden, werden von der Hilfskostenstelle „Werkzeugmacherei" unmittelbar auf die Fertigungskostenstellen weiterverrechnet. Die Kosten der auf Vorrat produzierten Werkzeuge müssen dagegen aus der Kostenstellenrechnung ausgegliedert werden. Sie gehen in späteren Abrechnungsperioden, wenn die Werkzeuge verbraucht werden, über die Stoffkosten (Kleinmaterial) wieder in die Kostenrechnung ein.

---

[23] Vgl. Zeile 14 im Kostenträgerzeitblatt auf Seite 133.

2.5.6 Gemeinkostenverrechnung mit Normalzuschlagssätzen

a) Problematik

Die Geschäftsleitung einer Unternehmung möchte meist sehr kurzfristig über das Ergebnis der unternehmerischen Tätigkeit unterrichtet werden, damit sie ihre Entscheidungen, insbesondere auf preis- und programmpolitischem Sektor, informatorisch besser fundieren kann. Aus diesem Grunde wird die kalkulatorische Periodenerfolgsrechnung (Betriebsergebnisrechnung) nicht nur einmal jährlich durchgeführt, sondern in erheblich kürzeren Zeitabständen, meist monatlich erstellt. Das genaue monatliche Betriebsergebnis kann aber in der Praxis trotz automatisierter Datenverarbeitung häufig frühestens zwischen dem 10. und dem 20. des Folgemonats ermittelt werden, weil die Durchführung der Kostenstellenrechnung erhebliche Zeit in Anspruch nimmt. Um diesen Zeitraum auf ein Minimum zu verkürzen, kann man bereits in den ersten Tagen des neuen Monats ein vorläufiges Betriebsergebnis (einen kalkulatorischen Sollerfolg) für den abgelaufenen Monat ermitteln, bei dem anstelle der tatsächlich entstandenen Gemeinkosten (Ist-Gemeinkosten) normalisierte Gemeinkosten (Soll-Gemeinkosten) auf die Kostenträger verrechnet werden. Diese Soll-Gemeinkosten werden mit Hilfe von Normalzuschlagssätzen, die meist Mittelwerte der Vergangenheit darstellen, ermittelt.

Sind dann später die tatsächlich angefallenen Gemeinkosten (Ist-Gemeinkosten) im Zuge der Kostenartenumlage und der Kostenstellenumlage auf die Endkostenstellen verteilt, stellt man sie den verrechneten Gemeinkosten (Soll-Gemeinkosten) gegenüber und ermittelt die Differenz. Sind die Sollkosten größer als die Istkosten, liegt eine **Kostenüberdeckung** vor, da auf die Kostenträger mehr Gemeinkosten verrechnet als letzten Endes entstanden sind. Sind die Istkosten größer als die Sollkosten, spricht man von einer **Kostenunterdeckung**, weil die auf die Kostenträger verrechneten Gemeinkosten nicht zur Deckung der tatsächlich entstandenen Gemeinkosten ausreichen. Durch eine Kostenüberdeckung verbessert sich der Periodenerfolg, d.h. der Istgewinn ist größer als der Sollgewinn bzw. der Istverlust kleiner als der Sollverlust.

b) Normalkostenverrechnung bei tabellarischer Betriebsabrechnung

Werden die Kostenträger anstelle der tatsächlich entstandenen mit normalisierten Gemeinkosten belastet, wird die Reihenfolge der Betriebsabrechnung umgekehrt. Man beginnt nicht mit dem BAB I, sondern mit dem BAB II, dem Kostenträgerzeitblatt. Hinsichtlich der Technik der Aufstellung des Kostenträgerzeitblattes besteht der einzige Unterschied zur reinen Istkostenrechnung darin, daß die Zuschlagssätze nicht dem Kostenstellenbogen entnommen (der ja noch nicht aufgestellt ist), sondern an ihrer Stelle Normalzuschlagssätze verwendet werden, die regelmäßig auf statistischem Wege aus den Ist-Zuschlägen vergangener Abrechnungsperioden abgeleitet werden (z.B. als Mittelwert des vergangenen Geschäftsjahres oder der vergangenen zwölf Monate). Der in der letzten Zeile des Kostenträgerzeitblattes ausgewiesene Gewinn ist daher nicht der tatsächlich entstandene Gewinn (Ist-Gewinn), sondern ein Soll-Gewinn, der aufgrund der Annahme normaler Gemeinkostenverursachung ermittelt wurde.

Im Anschluß an den BAB II wird der BAB I, der Kostenstellenbogen, aufgestellt, also die Kostenartenumlage und die Kostenstellenumlage durchgeführt.

Als Ergebnis erhält man die Ist-Gemeinkosten in den Endkostenstellen. Alsdann werden die Soll-Gemeinkosten aus dem Kostenträgerzeitblatt in den Kostenstellenbogen übertragen und dort den Ist-Gemeinkosten gegenübergestellt zur Ermittlung der Kostenüber- und -unterdeckungen. Die Summe aller Über- und Unterdeckungen wird dann aus dem BAB I in den BAB II zurückübertragen und dort der kalkulatorische Sollerfolg berichtigt. Die Korrektur des Sollerfolgs wird allerdings nur global durchgeführt, d.h. nur für die Unternehmung als Ganzes. Die Ergebnisse der einzelnen Produktarten oder Produktgruppen werden üblicherweise nicht berichtigt, weil dies zu Doppelarbeiten in der Kostenträgerrechnung führen würde, ohne daß ein entsprechend hoher Nutzen erzielt wird.

Auch bei einer Gemeinkostenverrechnung mit Hilfe von Normalzuschlagssätzen werden im Kostenstellenbogen letztlich die Ist-Zuschlagssätze für die Gemeinkosten errechnet, weil sie in die statistische Ermittlung künftiger Normalzuschlagssätze eingehen.

Ein Muster für einen Betriebsabrechnungsbogen unter Verwendung von Normalzuschlagssätzen für die Gemeinkosten findet sich auf den Seiten 147-148 (Tabelle 14 für den Kostenstellenbogen und Tabelle 15 für das Kostenträgerzeitblatt). Dabei entsprechen die in den Kostenstellen ausgewiesenen Istkosten (die entstandenen Kosten) den Zahlen aus Tabelle 12 auf Seite 116.

c) Buchungstechnik bei kontenmäßiger Betriebsabrechnung

Der chronologische Ablauf einer kontenmäßigen Betriebsabrechnung nach dem Umsatzkostenverfahren bei Verwendung von Normalzuschlagssätzen für die Gemeinkosten ist in der Abbildung 25 auf Seite 149 schematisch dargestellt. Zu den in den Konten aufgeführten Ziffern werden folgende Erläuterungen gegeben:

(1) Die Kosten sind sachlich und zeitlich abgegrenzt den Kostenartenkonten belastet. Die Gegenbuchungen hierzu finden sich bei einer Organisation der Buchhaltung nach dem Spiegelbildsystem entweder auf dem Betrieblichen Abschlußkonto 999 oder auf den Abgrenzungskonten der Gruppe 91.

(2) Fertigungsmaterial, Fertigungslöhne und die Sondereinzelkosten der Fertigung werden als Einzelkosten unmittelbar dem Herstellkonto belastet und den entsprechenden Kostenartenkonten gutgeschrieben.

(3) Die Materialgemeinkosten und die Fertigungsgemeinkosten werden anhand der Normalzuschlagssätze errechnet und ebenfalls dem Herstellkonto belastet. Die Gutschrift erfolgt auf den Konten der betreffenden Endkostenstellen.

(4) Der Saldo auf dem Herstellkonto bildet die Herstellkosten der Abrechnungsperiode und wird dem Halbfabrikatekonto belastet.

(5) Auf dem Halbfabrikatekonto ergeben sich aus der Differenz zwischen dem Anfangsbestand und den Herstellkosten der Abrechnungsperiode einerseits und dem Endbestand andererseits die Herstellkosten der fertiggestellten Erzeugnisse. Sie werden dem Halbfabrikatekonto gutgeschrieben (Abgänge) und dem Fertigfabrikatekonto belastet (Zugänge).

(6) Die aktivierten innerbetrieblichen Leistungen werden mit Herstellkosten bewertet und auf dem Konto „Eigenleistungen" im Haben erfaßt. Die Gegenbuchung befindet sich – infolge der gegenüber der Finanzbuchhaltung

Tab. 14: Kostenstellenbogen (BAB I)

Kostenstellen / Kostenarten	Summe	930 Allgemeine Hilfsstelle	932 Fertigungshilfsstelle	933 Fertigungsstellen A	934 Fertigungsstellen B	936 Materialstelle	937 Verwaltungsstelle	938 Vertriebsstelle	Einzelkosten
920 Stoffkosten	232 000	8 000	1 000	23 000	29 000	1 000	10 000	10 000	150 000
922 Lohnkosten	300 000	8 000	6 000	10 000	14 000	6 000	36 000	20 000	200 000
924 Dienstleistungskosten	87 000	3 000	5 000	28 000	20 000	1 000	9 000	13 000	8 000
926 Abschreibungen	135 000	7 000	–	45 000	60 000	–	15 000	8 000	–
928 Steuern und Beiträge	61 000	1 000	1 000	2 000	3 000	1 000	13 000	4 000	36 000
929 Zinsen	60 000	3 000	–	18 000	24 000	2 000	6 000	7 000	–
Primäre Kosten	875 000	30 000	13 000	126 000	150 000	11 000	89 000	62 000	394 000
Umlage der Stelle 930	–	–30 000	2 000	8 000	5 000	1 000	10 000	4 000	–
Umlage der Stelle 932	–	–	–15 000	10 000	5 000	–	–	–	–
Entstandene Kosten	875 000	–	–	144 000	160 000	12 000	99 000	66 000	394 000
Verrechnete Kosten	869 000	–	–	148 200	144 000	13 800	91 000	78 000	394 000
Überdeckung (+) oder Unterdeckung (–)	–6 000	–	–	+4 200	–16 000	+1 800	–8 000	+12 000	–
Zuschlagsbasis				FLA 120 000	FLB 80 000	FM 150 000	HK (a) 660 000	HK (a) 660 000	
Zuschlagssatz				120%	200%	8%	15%	10%	

Tab. 15: Kostenträgerzeitblatt (BAB II)

Zeile		Summe	Kostenträgergruppe		
			I	II	III
1	Fertigungsmaterialverbrauch	150 000	60 000	50 000	40 000
2	Materialgemeinkosten = 9,2% von (1)	13 800	5 520	4 600	3 680
3	Fertigungslöhne A	120 000	50 000	40 000	30 000
4	Fertigungsgemeinkosten A = 123,5% von (3)	148 200	61 750	49 400	37 050
5	Fertigungslöhne B	80 000	30 000	28 000	22 000
6	Fertigungsgemeinkosten B = 180% von (5)	144 000	54 000	50 400	39 600
7	Sondereinzelkosten der Fertigung	8 000	5 200	–	2 800
8	Herstellkosten der Abrechnungsperiode	664 000	266 470	222 400	175 130
9	+ Anfangsbestand an Halbfabrikaten	85 000	35 000	30 000	20 000
10	– Endbestand an Halbfabrikaten	93 000	50 000	28 000	15 000
11	Herstellkosten der fertiggestellten Erzeugnisse	656 000	251 470	224 400	180 130
12	+ Anfangsbestand an Fertigfabrikaten	62 000	25 000	25 000	12 000
13	– Endbestand an Fertigfabrikaten	44 000	16 000	13 000	15 000
14	– Aktivierte innerbetriebliche Leistungen	24 000	4 000	–	20 000
15	Herstellkosten der abgesetzten Erzeugnisse	650 000	256 470	236 400	157 130
16	Verwaltungsgemeinkosten = 14% von (15)	91 000	35 906	33 096	21 998
17	Vertriebsgemeinkosten = 12% von (15)	78 000	30 776	28 368	18 856
18	Sondereinzelkosten des Vertriebs	36 000	15 000	11 000	10 000
19	Selbstkosten	855 000	338 152	308 864	207 984
20	Netto-Verkaufserlöse	950 000	405 000	305 000	240 000
21	Soll-Betriebsergebnis	+95 000	+66 848	−3 864	+32 016
22	Überdeckung (+) bzw. Unterdeckung (−)	−6 000	–	–	–
23	Ist-Betriebsergebnis	+89 000	–	–	–

abweichenden Bewertung – auf einem Abgrenzungskonto in der Gruppe 91.

(7) Die aktivierten Eigenleistungen werden aus der Kontengruppe 96 auf die Habenseite der Fertigfabrikatekonten übertragen, da sie Abgänge bei den fertigen Erzeugnissen darstellen.

(8) Die Herstellkosten der abgesetzten Erzeugnisse werden den Verkaufskonten belastet und den Fertigfabrikatekonten gutgeschrieben (Abgänge).

(9) Die Verkaufskonten werden mit Verwaltungs- und Vertriebsgemeinkosten belastet, die mit Hilfe der Normalzuschlagssätze errechnet worden sind. Die Gutschrift dieser Soll-Gemeinkosten erfolgt auf den Konten der betreffenden Endkostenstellen.

(10) Die Sondereinzelkosten des Vertriebs werden ebenfalls den Verkaufskonten belastet. Die Gegenbuchung wird direkt auf den jeweiligen Kostenartenkonten vorgenommen, da es sich um Einzelkosten handelt.

(11) Die Umsatzerlöse werden unverändert aus der Finanzbuchhaltung übernommen. Sie werden undifferenziert der Kontengruppe 98 gutgeschrieben und dem Betrieblichen Abschlußkonto 999 belastet.

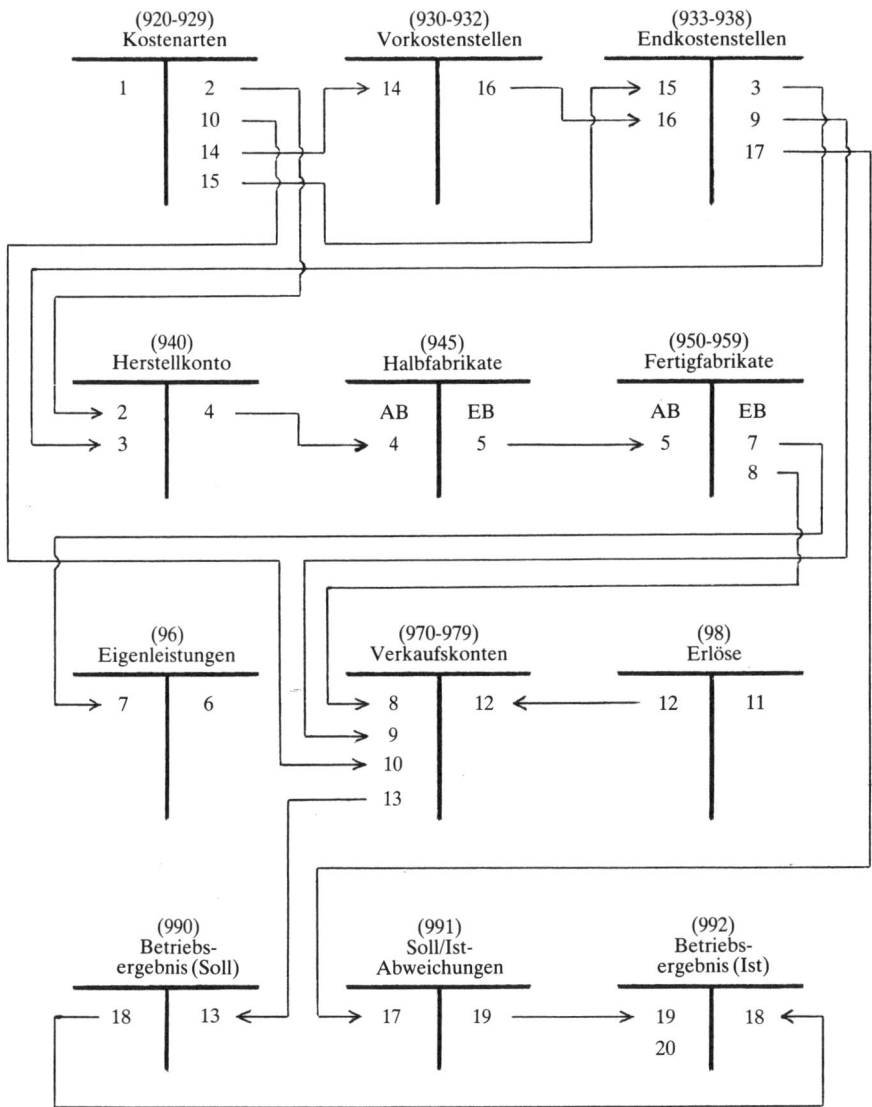

Abb. 25:   Gemeinkostenverrechnung mit Normalzuschlagssätzen

(12) Aus der Kontengruppe 98 werden die Umsatzerlöse auf die Verkaufskonten der einzelnen Produktarten oder Produktgruppen verteilt.

(13) Der Saldo der Verkaufskonten weist den vorläufigen kalkulatorischen Periodenerfolg der jeweiligen Produktart oder Produktgruppe aus und wird auf das Sammelkonto 990 (Betriebsergebnis-Soll) übertragen. Im vorliegenden Beispiel wird ein Periodengewinn unterstellt.

(14) Im Zuge der Kostenartenumlage wird ein Teil der Gemeinkosten den Vorkostenstellen belastet.

(15) Der andere Teil der Gemeinkosten wird den Endkostenstellen belastet.

(16) Im Zuge der Kostenstellenumlage werden die Kosten der Vorkostenstellen auf die Endkostenstellen weiterverrechnet.

(17) Auf den Konten der Endkostenstellen stehen sich jetzt im Soll die entstandenen und im Haben die verrechneten Gemeinkosten gegenüber, so daß der Saldo die jeweilige Kostenüber- oder -unterdeckung ausweist. Der Saldo – hier eine Unterdeckung – wird auf das Konto 991 (Verrechnungsergebnis) übernommen.

(18) Die Summe aller Sollerfolge wird auf das Konto „Betriebsergebnis-Ist" übertragen. Hier wird ein Gewinn unterstellt.

(19) Der Saldo aller Kostenüber- und -unterdeckungen wird zur Korrektur des Sollerfolges ebenfalls auf das Konto „Betriebsergebnis-Ist" übernommen.

(20) Der Saldo des Kontos „Betriebsergebnis-Ist" zeigt den kalkulatorischen Isterfolg der Abrechnungsperiode (hier einen Gewinn) und wird an das Konto 998 (Gesamtergebnis) abgegeben.

2.5.7 Testfragen und Übungsaufgaben

67. Beschreiben Sie Zweck und Aufbau des Kostenträgerzeitblattes!

68. Erläutern Sie die Unterschiede zwischen Umsatz- und Gesamtkostenverfahren bei der Ermittlung des Periodenerfolgs!

69. In einer Unternehmung sind im abgelaufenen Jahr folgende Kosten entstanden:

Fertigungsmaterialverbrauch	180 000 DM
Fertigungslöhne	140 000 DM
Sondereinzelkosten der Fertigung	4 000 DM
Sondereinzelkosten des Vertriebs	24 000 DM
Fertigungsgemeinkosten	210 000 DM
Materialgemeinkosten	36 000 DM
Verwaltungsgemeinkosten	104 000 DM
Vertriebsgemeinkosten	52 000 DM
	750 000 DM

Anfang Januar waren die folgenden Bestände vorhanden:

Halbfabrikate	90 000 DM
Fertigerzeugnis A	60 000 DM
Fertigerzeugnis B	40 000 DM

Der Zugang im Fertiglager, bewertet mit Herstellkosten, betrug im abgelaufenen Jahr

beim Fertigerzeugnis A	340 000 DM
beim Fertigerzeugnis B	210 000 DM

Die Inventur per 31. Dezember ergab beim Fertigprodukt A einen Endbestand von 50 000 DM.

Beim Fertigprodukt B wurde der Lagerabgang (bewertet zu Herstellkosten) mit 180 000 DM ermittelt. Davon entfielen 10 000 DM auf aktivierte innerbetriebliche Leistungen.

Die Verwaltungs- und Vertriebsgemeinkosten wurden im Verhältnis der Herstellkosten der abgesetzten Erzeugnisse auf die Produkte A und B verteilt. Die Sondereinzelkosten des Vertriebs verteilen sich mit 16 000 DM auf Produkt A und 8 000 DM auf Produkt B.

Die Verkaufserlöse betrugen für das Erzeugnis A 500 000 DM und für das Erzeugnis B 215 000 DM.

a) Stellen Sie anhand dieser Zahlen kontenmäßig die Buchungstechnik beim Umsatzkostenverfahren dar! Dabei sind ausschließlich die folgenden Konten zu führen:
940 Herstellkonto
945 Halbfabrikate
950 Fertigerzeugnis A
951 Fertigerzeugnis B
970 Verkauf Erzeugnis A
971 Verkauf Erzeugnis B
990 Betriebsergebnis

b) Welchen Inhalt hat das Betriebsergebnis-Konto, wenn der Abschluß nach dem Gesamtkostenverfahren vorgenommen wird?

70. Im Anschluß an die Aufgabe 66 ist das Kostenträgerzeitblatt für die beiden Erzeugnisse A und B anhand der folgenden zusätzlichen Angaben aufzustellen:

	Erzeugnis A	Erzeugnis B
Fertigungsmaterialverbrauch	150 000 DM	100 000 DM
Fertigungslöhne in der Teilefertigung	70 000 DM	35 000 DM
Fertigungslöhne in der Montage	50 000 DM	30 000 DM
Sondereinzelkosten der Fertigung	10 000 DM	5 000 DM
Sondereinzelkosten des Vertriebs	15 000 DM	12 000 DM
Anfangsbestand an Halbfabrikaten	59 000 DM	26 000 DM
Anfangsbestand an Fertigfabrikaten	111 000 DM	34 000 DM
Herstellkosten der fertiggestellten Erz.	480 000 DM	265 000 DM
Herstellkosten der abgesetzten Erzeugnisse	500 000 DM	200 000 DM
Aktivierte Eigenleistungen	8 000 DM	22 000 DM
Verkaufserlöse	610 000 DM	300 000 DM

71. Der Betriebsbuchhaltung einer Unternehmung sind die folgenden Zahlen entnommen:

Herstellkosten des abgelaufenen Monats	555 000 DM
Herstellkosten der fertiggestellten Erzeugnisse	567 000 DM
Herstellkosten der abgesetzten Erzeugnisse	523 000 DM
Herstellkosten der aktivierten Eigenleistungen	33 000 DM
Anfangsbestand an Halbfabrikaten	77 000 DM
Anfangsbestand an Fertigfabrikaten	111 000 DM
Endbestand an Fertigfabrikaten	122 000 DM

Welchen Herstellkostenwert verkörpert der Endbestand an Halbfabrikaten?

72. Ermitteln Sie anhand der folgenden Angaben den Wert des Endbestandes an unfertigen Erzeugnissen:

Fertigungsmaterialverbrauch	350 000 DM
Fertigungslöhne	220 000 DM
Sondereinzelkosten der Fertigung	30 000 DM
Sondereinzelkosten des Vertriebs	58 000 DM
Fertigungsgemeinkosten	240 000 DM
Materialgemeinkosten	48 000 DM
Verwaltungs- und Vertriebsgemeinkosten	242 000 DM
Anfangsbestand an unfertigen Erzeugnissen	55 000 DM
Anfangsbestand an fertigen Erzeugnissen	57 000 DM
Endbestand an fertigen Erzeugnissen	40 000 DM
Herstellkosten der abgesetzten Erzeugnisse	870 000 DM
Herstellkosten der aktivierten Eigenleistungen	24 000 DM

73. Welche Verfahren kennen Sie für die Verrechnung innerbetrieblicher Leistungen und welches sind die Voraussetzungen ihrer Anwendbarkeit?

74. In einer Unternehmung werden nach Durchführung der Kostenartenumlage die folgenden Kostensummen in den Kostenstellen ausgewiesen:

Grundstücke und Gebäude	110 000 DM
Kraftzentrale	20 118 DM
Wasserversorgung	35 990 DM
Fertigung	402 332 DM
Material	56 060 DM
Verwaltung	160 700 DM
Vertrieb	114 800 DM

Im Zuge der Kostenstellenumlage werden die Kosten wie folgt weiterverrechnet:

(1) die Kosten der Kostenstelle Grundstücke und Gebäude
    mit 15% auf die Kostenstelle Kraftzentrale,
    mit 5% auf die Kostenstelle Wasserversorgung,
    mit 30% auf die Fertigungsstelle,
    mit 10% auf die Materialstelle,
    mit 30% auf die Verwaltungsstelle und
    mit 10% auf die Vertriebsstelle;
(2) die Kosten der Kostenstelle Kraftzentrale
    mit 8% auf die Kostenstelle Wasserversorgung,
    mit 60% auf die Fertigungsstelle,
    mit 7% auf die Materialstelle,
    mit 15% auf die Verwaltungsstelle und
    mit 10% auf die Vertriebsstelle;
(3) die Kosten der Kostenstelle Wasserversorgung
    mit 12% auf die Kostenstelle Kraftzentrale und
    mit 88% auf die Fertigungsstelle.

Stellen Sie den Teil des Betriebsabrechnungsbogens auf, der die nach der mathematischen Methode durchgeführte Kostenstellenumlage beinhaltet!

75. Es ist die Kostenstellenumlage für eine Unternehmung durchzuführen, die aus den drei Vorkostenstellen V−1, V−2 und V−3 sowie aus den beiden

Endkostenstellen E−1 und E−2 besteht. Die Kostenartenumlage ist bereits durchgeführt und hat die folgenden primären Kosten ergeben:

Kostenstelle V−1	7 168 DM
Kostenstelle V−2	39 088 DM
Kostenstelle V−3	22 960 DM
Kostenstelle E−1	123 376 DM
Kostenstelle E−2	107 408 DM
Gesamtkosten	300 000 DM

Die von V−1 erbrachten innerbetrieblichen Leistungen beliefen sich auf insgesamt 1 540 Stunden; davon wurden verbraucht

− in der Kostenstelle V−2	77 Stunden
− in der Kostenstelle V−3	77 Stunden
− in der Kostenstelle E−1	924 Stunden
− in der Kostenstelle E−2	462 Stunden

Von der Hilfskostenstelle V−2 wurden 5 880 kg eines Stoffes erzeugt und in derselben Abrechnungsperiode in vollem Umfang wieder im Produktionsprozeß eingesetzt. Der Verbrauch verteilt sich wie folgt:

− auf die Kostenstelle V−1	1 764 kg
− auf die Kostenstelle V−3	1 176 kg
− auf die Kostenstelle E−1	1 470 kg
− auf die Kostenstelle E−2	1 470 kg

Die von der Vorkostenstelle V−3 erzeugten 420 000 kWh Strom wurden von den übrigen Kostenstellen wie folgt in Anspruch genommen:

− von der Kostenstelle V−1	42 000 kWh
− von der Kostenstelle V−2	84 000 kWh
− von der Kostenstelle E−1	126 000 kWh
− von der Kostenstelle E−2	168 000 kWh

Die Kostenstellenumlage soll alternativ nach den folgenden vier Methoden durchgeführt werden:

a) Die in den Kostenstellen V−2 und V−3 verbrauchten Leistungen der Kostenstelle V−1 (je 77 Stunden) sowie die von der Kostenstelle V−2 in Anspruch genommenen Leistungen der Kostenstelle V−3 (84 000 kWh Strom) bleiben unberücksichtigt.

b) Die in den Kostenstellen V−2 und V−3 verbrauchten Leistungen der Kostenstelle V−1 sind vorweg mit 17,45 DM/Stunde abzurechnen. Desgleichen sind die von der Kostenstelle V−2 in Anspruch genommenen Leistungen der Kostenstelle V−3 vorweg mit 87,00 DM für 1000 kWh abzurechnen.

c) Die in den Kostenstellen V−2 und V−3 verbrauchten Leistungen der Kostenstelle V−1 sind vorweg mit 17,45 DM/Stunde abzurechnen. Die Kosten für die gegenseitigen Leistungen der Kostenstellen V−2 und V−3 sind mathematisch exakt nach dem Simultanverfahren zu verteilen.

d) Alle drei Vorkostenstellen sind nach der mathematischen Methode abzurechnen.

Die Kostenanteile sind stets auf volle DM kaufmännisch zu runden.

76. Welchen Zweck hat die Gemeinkostenverrechnung mit Hilfe von Normalzu-schlagssätzen?

77. Wann liegt eine Gemeinkosten-Unterdeckung vor und wie wirkt sie sich auf den Periodenerfolg aus?

78. Eine Unternehmung, die die beiden Produktgruppen A und B herstellt, führt ihre Betriebsabrechnung ausschließlich tabellarisch im Betriebsabrech-nungsbogen durch. Die Kosten für den Monat September sind bereits sach-lich und zeitlich abgegrenzt und erreichen eine Gesamthöhe von 310 000 DM. Dieser Betrag verteilt sich wie folgt auf die Kostenarten:

(920)	Stoffkosten	117 100 DM
(922)	Lohnkosten	153 000 DM
(924)	Dienstleistungskosten	3 900 DM
(925)	Mietkosten	11 000 DM
(926)	Abschreibungen	16 000 DM
(928)	Steuern	9 000 DM

In der Kostensumme für die Stoffkosten sind enthalten:

Fertigungsmaterial für Produktgruppe A	50 000 DM
Fertigungsmaterial für Produktgruppe B	30 000 DM
Sondereinzelkosten der Fertigung für A	900 DM
Sondereinzelkosten der Fertigung für B	800 DM
Sondereinzelkosten des Vertriebs für A	6 200 DM
Sondereinzelkosten des Vertriebs für B	4 200 DM
Gemeinkostenmaterial	25 000 DM

Die ausgewiesenen Lohnkosten umfassen:

Fertigungslöhne der Teilefertigung für A	18 000 DM
Fertigungslöhne der Teilefertigung für B	12 000 DM
Fertigungslöhne der Vormontage für A	12 000 DM
Fertigungslöhne der Vormontage für B	8 000 DM
Fertigungslöhne der Endmontage für A	20 000 DM
Fertigungslöhne der Endmontage für B	10 000 DM
Hilfslöhne und Gehälter	73 000 DM

Die Fertiglagerkartei weist für September folgende Zahlen (jeweils zu Her-stellkosten) aus:

Produktgruppe A:
Bestand am Monatsanfang	32 100 DM
Abgesetzte Erzeugnisse	148 000 DM
Aktivierte Eigenleistungen	5 500 DM
Bestand am Monatsende	48 300 DM

Produktgruppe B:
Bestand am Monatsanfang	12 300 DM
Abgesetzte Erzeugnisse	58 000 DM
Bestand am Monatsende	38 100 DM

Zum Ende des Vormonats wurden folgende Bestände an Halbfabrikaten er-mittelt:

Produktgruppe A	53 000 DM
Produktgruppe B	12 400 DM

Die Umsatzerlöse betrugen im September

für Produktgruppe A	200 000 DM
für Produktgruppe B	70 000 DM

Da der kalkulatorische Monatserfolg sehr kurzfristig ermittelt werden soll und die Kostenstellenrechnung in dieser Unternehmung erhebliche Zeit in Anspruch nimmt, verrechnet man zunächst die Gemeinkosten mit Hilfe von Normalzuschlägen. Die Zuschlagssätze lauten:

FGK der Teilefertigung	= 120%	auf die FL der Teilefertigung
FGK der Vormontage	= 85%	auf die FL der Vormontage
FGK der Endmontage	= 69%	auf die FL der Endmontage
Material-GK	= 7%	auf das Fertigungsmaterial
Verwaltungs-GK	= 15%	auf die HK der abgesetzten Erz.
Vertriebs-GK	= 10%	auf die HK der abgesetzten Erz.

Aufgaben:

a) Erstellen Sie ein Kostenträgerzeitblatt (BAB II) für den Monat September und ermitteln Sie
   (1) den kalkulatorischen Sollerfolg für die Produktgruppen A und B und
   (2) die Bestände an Halbfabrikaten am Ende des Monats für beide Produktgruppen!

b) Führen Sie im Kostenstellenbogen (BAB I) die Verteilung der Gemeinkosten auf die Kostenstellen anhand des folgenden Schlüssels durch:

Kostenstelle	Kostenart Nr.					
	920	922	924	925	926	928
Stromerzeugung	20%	6 000 DM	800 DM	160 m²	10%	300 DM
Sozialkosten-stelle	10%	3 000 DM	–	80 m²	–	–
Teilefertigung	30%	18 000 DM	800 DM	160 m²	15%	300 DM
Vormontage	6%	7 000 DM	800 DM	240 m²	30%	700 DM
Endmontage	6%	9 000 DM	800 DM	320 m²	25%	100 DM
Materialbereich	–	3 000 DM	–	160 m²	5%	700 DM
Verwaltungs-bereich	16%	18 000 DM	700 DM	400 m²	10%	5 000 DM
Vertriebsbereich	12%	9 000 DM	–	240 m²	5%	1 900 DM
Summe	100%	73 000 DM	3 900 DM	1 760 m²	100%	9 000 DM

c) Führen Sie im Kostenstellenbogen die Kostenstellenumlage nach dem mathematischen Verfahren anhand der folgenden Angaben durch:
   (1) Von der Kostenstelle Stromerzeugung wurden 252 000 kWh Strom erzeugt; davon wurden verbraucht: 2 000 kWh in der Stromerzeugung selbst, 25 000 kWh in der Sozialkostenstelle, 100 000 kWh in der Teilefertigung, je 12 500 kWh in der Vormontage, in der Endmontage und im Materialbereich, 50 000 kWh in der Verwaltung und 37 500 kWh im Vertrieb.
   (2) Die Kosten der Sozialkostenstelle werden im Verhältnis der Lohnkosten (in den Fertigungsstellen einschließlich der Fertigungslöhne) auf die Kostenstellen weiterverrechnet.

d) Übertragen Sie die verrechneten Gemeinkosten aus dem Kostenträgerzeitblatt in den Kostenstellenbogen, ermitteln Sie dort die Soll/Ist-Ab-
weichungen für die Gemeinkosten und übertragen Sie die Gesamtabweichung in das Kostenträgerzeitblatt zum Zwecke der Ermittlung des kalkulatorischen Isterfolgs für den Monat Semptember!

e) Im kommenden Jahr will die Unternehmung neue Normalzuschlagssätze
verwenden, die mittels statistischer Verfahren aus den Ist-Zuschlagssät-
zen des laufenden Jahres errechnet werden sollen. Ermitteln Sie deshalb
aus den Istzahlen für September die Gemeinkosten-Zuschlagssätze und
tragen Sie die Prozentsätze unter Angabe der verwendeten Zuschlagsbasis in den Kostenstellenbogen ein!

3. Kapitel:
Kostenträgerstückrechnung (Kalkulation)

3.1 Aufgaben und Teilbereiche der Kostenträger-stückrechnung

Im Gegensatz zur Betriebsbuchhaltung, die eine periodenbezogene Kostenträgerrechnung darstellt, ist die Kalkulation eine **objektbezogene Rechnung**. Ihre Aufgabe liegt in der Ermittlung der Herstellkosten, der Selbstkosten und des kalkulatorischen Erfolges einer Leistungseinheit. Eine Leistungseinheit kann beispielsweise ein Stück, ein Kilogramm, eine Tonne, ein Meter, ein Quadratmeter, ein Kubikmeter, ein Liter, ein Hektoliter, ein Tonnenkilometer, eine Kilowattstunde, aber auch 1000 kWh oder 100 Stück eines Erzeugnisses oder auch ein Kundenauftrag, ein Fertigungslos o. ä. sein.

Die Kosten einer Leistungseinheit werden allgemein als **Stückkosten** bezeichnet, auch wenn die Leistungseinheit nicht in Stück gemessen wird. Ebenso spricht man allgemein vom kalkulatorischen Stückerfolg und einer Kostenträgerstückrechnung.

Nach dem Zeitpunkt der Rechnung lassen sich **Vorkalkulation** (Angebotskalkulation) und **Nachkalkulation** unterscheiden. Die in den folgenden Abschnitten behandelten Kalkulationsverfahren sind naturgemäß vom Zeitpunkt der Rechnung unabhängig.

Nach dem Umfang der in die Rechnung einbezogenen Kosten unterscheidet man Vollkosten-, Teilkosten- und Grenzkostenkalkulationen. Während bei einer **Vollkostenkalkulation alle Kosten in die Rechnung einbezogen werden, wird bei einer Teilkostenkalkulation** nur ein Teil der entstandenen Kosten auf die Kostenträger verrechnet. Dies können beispeilsweise die variablen Kosten, die Einzelkosten oder die variablen Einzelkosten sein. Bei einer **Grenzkostenkalkulation** werden nur die für die weitere Leistungseinheit hinzukommenden Kosten kalkuliert. Bei linearem Verlauf der Periodenkostenkurve ist die Grenzkostenkalkulation eine Proportionalkostenrechnung und dadurch mit einer Form der Teilkostenrechnung, dem Direct Costing, identisch. In diesem Kapitel werden die Kalkulationsverfahren zunächst auf Vollkostenbasis dargestellt. Auf die Aussagefähigkeit einer Teilkostenkalkulation wird erst im Kapitel 4 näher eingegangen.

3.2 Überblick über die Verfahren der industriellen Kalkulation

Zur Ermittlung der Kosten je Leistungseinheit haben sich in der Praxis zwei grundlegende Verfahren herausgebildet, die im allgemeinen als Divisionskalkulation und als Zuschlagskalkulation bezeichnet werden. Der wesentliche Unterschied zwischen diesen beiden Verfahren liegt darin, daß bei der Zuschlagsrechnung eine Aufteilung der Gesamtkosten in Einzel- und Gemeinkosten vorgenommen wird, während bei der Divisionsrechnung die Gesamtkosten undifferenziert auf die Leistungseinheiten verrechnet werden.

Bei der **Zuschlagskalkulation** werden die Einzelkosten für jeden Kostenträger gesondert erfaßt und direkt zugerechnet, während die Gemeinkosten den Kostenträgern in irgendeiner Weise zugeschlagen werden. Die einzelnen Verfahren der Zuschlagskalkulation unterscheiden sich dann nur durch die Art und Weise der Verrechnung der Gemeinkosten auf die Kostenträger. Werden sämtliche Gemeinkosten des Betriebes mit Hilfe eines einzigen Zuschlages verrechnet, spricht man von einer summarischen oder Gesamt-Zuschlagskalkulation. Eine differenzierte Verrechnung der Gemeinkosten auf Kostenbereiche und innerhalb des Fertigungsbereichs auf Kostenstellen führt zu einer Kostenstellen-Zuschlagskalkulation. Werden die Gemeinkosten in den Fertigungskostenstellen sogar auf Arbeitsplätze zugerechnet, gelangt man zu einer Platzkostenrechnung.

Dagegen werden bei der **Divisionskalkulation** sämtliche Kosten zusammengefaßt und im Wege der Durchschnittsrechnung auf die Kostenträger verteilt. Eine Trennung in Einzel- und Gemeinkosten ist bei der Divisionskalkulation überflüssig und wird daher auch in aller Regel nicht vorgenommen.

Innerhalb der Divisionsrechnung kann man zwischen einfacher und mehrfacher sowie zwischen einstufiger und mehrstufiger Divisionskalkulation unterscheiden. Die erste Unterscheidung betrifft die Anzahl der abzurechnenden Erzeugnisse: Die einfache Divisionskalkulation bezieht sich auf ein einziges Produkt, während bei der mehrfachen Divisionsrechnung mehrere Produkte durch mehrere einfache Divisionsrechnungen kalkuliert werden. Einstufige Divisionsrechnung bedeutet, daß der gesamte Fertigungsprozeß in einem Zuge abgerechnet wird. Demgegenüber werden bei der mehrstufigen Divisionsrechnung die einzelnen Fabrikationsstufen gesondert kalkuliert, indem die Kosten jeder Stufe durch die Ausbringungsmenge in dieser Stufe dividiert werden. Einfache wie auch mehrfache Divisionsrechnungen können ein- oder mehrstufig durchgeführt werden.

Grundsätzlich können sowohl Divisionskalkulation als auch Zuschlagskalkulation durch Verwendung von **Äquivalenzziffern** verfeinert werden. Äquivalenzziffern sind Verhältniszahlen, mit denen die Ausbringungs- oder Absatzmengen verschiedenartiger Erzeugnisse gewichtet werden, um eine unterschiedlich hohe Kostenbelastung je Mengeneinheit zu erreichen. Durch die Verwendung von Äquivalenzziffern bei einer Divisionskalkulation können daher mehrere Erzeugnisse mit Hilfe eines einzigen Divisionsvorgangs abgerechnet werden. In der Zuschlagskalkulation wird seltener mit Äquivalenzziffern gerechnet.

3.3 Die Verfahren der Divisionskalkulation

3.3.1 Einfache Divisionskalkulation

3.3.1.1 Einstufige Divisionskalkulation

Eine einfache und einstufige Divisionskalkulation liegt vor, wenn nur ein einziges Erzeugnis hergestellt und abgesetzt wird (Einproduktfertigung) und sich die

Rechnung auf den gesamten Fertigungsprozeß in einem Zuge, d.h. ohne Unterscheidung einzelner Produktionsstufen, erstreckt. Auf eine differenzierte Abrechnung der einzelnen Fertigungsstufen kann man allerdings nur dann verzichten, wenn sich keine Zwischenlager an halbfertigen Erzeugnissen bilden oder wenn diese Zwischenlagerbestände in ihrer Höhe stets gleichbleiben.

In der Praxis ist diese Kalkulationsform nicht allzu häufig anzutreffen. Die genannten Voraussetzungen können aber beispielsweise in Elektrizitätswerken, Bergwerken, Brauereien, Ziegeleien, Steinbrüchen, Zementfabriken, Hochofenwerken, Schwefelsäurefabriken usw. gegeben sein.

Beispiel 1:

Die Erlöse eines Elektrizitätswerkes betrugen im Monat Oktober 765 180 DM bei einem Absatz von 10 900 MWh. Für denselben Monat sind folgende Kosten angefallen:

(920)	Stoffkosten	337 900 DM
(922)	Lohnkosten	98 700 DM
(923)	Sozialkosten	21 000 DM
(924)	Dienstleistungskosten	94 900 DM
(925)	Kalkulatorische Miete	54 300 DM
(926)	Kalkulatorische Abschreibungen	45 600 DM
(927)	Kalkulatorische Wagnisse	11 100 DM
(928)	Steuern	32 300 DM
(929)	Kalkulatorische Zinsen	34 500 DM
	Summe der Kostenarten	730 300 DM

Daraus ergibt sich

a) ein Erlös pro MWh von 765 180 : 10 900 = 70,20 DM
b) Selbstkosten von 730 300 : 10 900 = 67,00 DM/MWh
c) ein Gewinn pro MWh von 70,20 − 67,00 = 3,20 DM
d) ein Periodengewinn von 10 900 · 3,20 = 34 880 DM/Monat

Das vorstehende Beispiel stellt insofern einen besonders einfachen Fall dar, als bei Elektrizitätswerken die abgesetzte stets gleich der hergestellten Erzeugnismenge ist. Eine Kostenstellenrechnung ist hier nicht erforderlich, da sämtliche Kosten der Periode (einschließlich der Verwaltungs- und Vertriebskosten) dem einen Kostenträger unmittelbar belastet werden können.

Anders ist die Situation in dem folgenden Beispiel einer Ziegelei. Hier muß eine Kongruenz zwischen hergestellter und abgesetzter Erzeugnismenge nicht mehr gegeben sein, weil es sich um ein lagerfähiges Erzeugnis handelt. In diesem Falle müssen die Kostenarten zumindest auf die beiden Bereiche Herstellung sowie Verwaltung und Vertrieb verteilt werden, da die Verwaltungs- und Vertriebskosten nur den abgesetzten Erzeugnissen belastet werden, während die noch nicht abgesetzten Fertigfabrikate nur mit den Herstellkosten belastet werden. Für die Kalkulation bedeutet dies, daß die Stückkosten getrennt für die Bereiche Produktion und Absatz ermittelt werden müssen und erst anschließend addiert werden können.

Beispiel 2:

Eine Ziegelei stellte im Monat November 4 200 000 Ziegelsteine gleicher Art her, setzte davon aber nur 3 900 000 Stück ab, für die insgesamt 197 145 DM an Erlösen erzielt wurden. Laut BAB sind im gleichen Monat folgende Kosten entstanden:

Fertigungskosten	119 160 DM	
Materialkosten	58 500 DM	177 660 DM
Verwaltungskosten	9 860 DM	
Vertriebskosten	16 738 DM	26 598 DM
Periodenkosten insgesamt		204 258 DM

Daraus ergeben sich:

a) Herstellkosten von $177 660 : 4 200 = 42,30$ DM/1000 Ziegel
b) Verwaltungs- und Vertriebskosten von $26 598 : 3 900 = 6,82$ DM/1000 Ziegel
c) Selbstkosten von $42,30 + 6,82 = 49,12$ DM/1000 Ziegel
d) ein Stückerlös von $197 145 : 3 900 = 50,55$ DM/1000 Ziegel
e) ein Stückgewinn von $50,55 - 49,12 = 1,43$ DM/1000 Ziegel
f) ein Periodengewinn von $3 900 \cdot 1,43 = 5 577$ DM/Monat
g) ein Endbestand von 300 000 Ziegeln im Werte von $300 \cdot 42,30 = 12 690$ DM

Wäre im obigen Beispiel unter sonst gleichen Bedingungen ein Anfangsbestand an Fertigfabrikaten von 200 000 Ziegeln, der mit 41,86 DM für 1000 Stück bewertet wurde, zu berücksichtigen, ergeben sich unterschiedlich hohe Gewinne, je nachdem, ob die Lagerabgänge und -bestände nach dem LIFO-Verfahren, nach dem FIFO-Verfahren oder mit Durchschnittskosten bewertet werden:

a) Bewertung nach der LIFO-Methode:
   Endbestand = $200 \cdot 41,86 + 300 \cdot 42,30 = 21 062$ DM
   Herstellkosten der abgesetzten Erzeugnisse = $3 900 \cdot 42,30 = 164 970$ DM
   Periodengewinn = $197 145 - 164 970 - 26 598 = 5 577$ DM
   Stückgewinn = $5 577 : 3 900 = 1,43$ DM/1000 Ziegel

b) Bewertung nach der FIFO-Methode:
   Endbestand = $500 \cdot 42,30 = 21 150$ DM
   Herstellkosten der abgesetzten Erzeugnisse = $200 \cdot 41,86 + 3 700 \cdot 42,30 = 164 882$ DM
   Periodengewinn = $197 145 - 164 882 - 26 598 = 5 665$ DM
   Stückgewinn = $5 665 : 3 900 = 1,4526$ DM/1000 Ziegel

c) Bewertung mit Durchschnittskosten:
   Durchschnittliche Herstellkosten = $(200 \cdot 41,86 + 4 200 \cdot 42,30) : 4 400 = 42,28$ DM/1000 Steine
   Endbestand = $500 \cdot 42,28 = 21 140$ DM
   Herstellkosten der abgesetzten Erzeugnisse = $3 900 \cdot 42,28 = 164 892$ DM
   Periodengewinn = $197 145 - 164 892 - 26 598 = 5 655$ DM
   Stückgewinn = $5 655 : 3 900 = 1,45$ DM/1000 Ziegel

3.3.1.2 Mehrstufige Divisionskalkulation

Eine einfache, mehrstufige Divisionskalkulation liegt vor, wenn nur ein einziges Erzeugnis hergestellt und abgesetzt wird, die einzelnen Fabrikationsstufen aber gesondert im Wege der Divisionsrechnung abgerechnet werden. Eine mehrstufige Divisionskalkulation wird immer dann erforderlich, wenn sich zwischen den einzelnen Stufen Lagerbestände an Halbfabrikaten in wechselnder Höhe bilden, da dann eine durchgängige Division nicht mehr möglich ist. Die Kosten der verschiedenen Fertigungsstufen beziehen sich jetzt nicht mehr auf die Menge der hergestellten Fertigerzeugnisse, sondern auf die unterschiedlich hohen Mengen der entsprechenden Zwischenerzeugnisse (Halbfabrikate).

In der Betriebsbuchhaltung wird man daher für jede Fabrikationsstufe eine Kostenstelle bilden, auf die die gesamten Herstellkosten der Stufe (Material- und Fertigungskosten) verrechnet werden. Zur Ermittlung der Herstell-Stückkosten werden nun die Kosten jeder Fabrikationsstufe durch die Ausbringungsmenge der betreffenden Stufe dividiert, und in der nächsten Stufe werden nur die eingesetzten (weiterverarbeiteten) Mengen weiterverrechnet. Dieses Verfahren wird fortgeführt bis hin zur letzten Stufe, deren Ergebnis das Fertigprodukt darstellt. Anschließend werden auch hier die Verwaltungs- und Vertriebskosten, für die ebenfalls eine oder mehrere Kostenstellen zu bilden sind, auf die Menge der abgesetzten Erzeugnisse verteilt, da die nicht verkauften Fertigfabrikate nur mit ihren Herstellkosten bewertet werden.

Beispiel 3:

Eine Zementfabrik weist fünf Fabrikationsstufen auf, deren Einsatz- und Ausbringungsmengen im Monat Dezember wie folgt lauteten:

(1) In der ersten Stufe wurden 15 400 t Kalkstein gefördert.
(2) In der zweiten Stufe wurden 15 200 t Kalkstein aufbereitet und in 14 500 t Rohmehl verwandelt.
(3) In der dritten Stufe wurden 13 800 t Rohmehl zu Rohziegeln gepreßt und in die Öfen geleitet und daraus 9 200 t Klinker gebrannt.
(4) In der vierten Stufe wurden 9 000 t Klinker, zusammen mit 500 t Gips, zu 9 500 t Zement vermahlen.
(5) In der fünften Stufe wurden 8 000 t gemahlener Zement in Säcke zu je 50 kg verpackt.

Der Betriebsabrechnungsbogen liefert für den Monat Dezember folgende Kostenstellenkosten:

(1) Kalksteinförderung   33 880 DM
(2) Aufbereitung (Rohmühle)   35 000 DM
(3) Zementöfen   140 116 DM
(4) Zementmühle   47 065 DM
(5) Verpackung   13 440 DM
(6) Allgemeine Verwaltung   22 222 DM
(7) Vertrieb   37 684 DM

Abgesetzt wurden im gleichen Monat 7 700 t verpackter Zement, für die 292 600 DM an Erlösen erzielt wurden.

Die Kalkulation hat folgendes Aussehen:

a) Die Herstellkosten für Kalkstein betragen 33 880 : 15 400 = 2,20 DM/t

b) Die Herstellkosten für Rohmehl setzen sich zusammen aus den Herstellkosten für die eingesetzte Menge an Kalkstein und den Kosten für die Aufbereitung; sie betragen

$$\frac{15\,200 \cdot 2,20 + 35\,000}{14\,500} = 4,72 \text{ DM/t}$$

c) Die Herstellkosten für Klinker errechnen sich mit

$$\frac{13\,800 \cdot 4{,}72 + 140\,116}{9\,200} = 22{,}31\,\text{DM/t}$$

d) Für losen Zement ergeben sich Herstellkosten von

$$\frac{9\,000 \cdot 22{,}31 + 47\,065}{9\,500} = 26{,}09\,\text{DM/t}$$

e) Die Herstellkosten für verpackten Zement betragen

$$\frac{8\,000 \cdot 26{,}09 + 13\,440}{8\,000} = 27{,}77\,\text{DM/t}$$

Da in dieser Stufe die Einsatz- und Ausbringungsmengen gleich hoch sind (8000 t), können auch die Stufenkosten durch die Ausbringungsmenge dividiert und zu den Herstell-Stückkosten der Vorstufe addiert werden:

$$\frac{13\,440}{8\,000} + 26{,}09 = 27{,}77\,\text{DM/t}$$

f) Die Verwaltungs- und Vertriebskosten belaufen sich auf

$$\frac{22\,222 + 37\,684}{7\,700} = 7{,}78\,\text{DM/t}$$

g) Daraus ergeben sich Selbstkosten von 27,77 + 7,78 = 35,55 DM/t

h) Der Durchschnittserlös beträgt 292 600 : 7700 = 38,00 DM/t

i) Daraus ergibt sich ein kalkulatorischer Gewinn von
38,00 − 35,55 = 2,45 DM/t

j) Der Periodengewinn beträgt somit 7700 · 2,45 = 18 865 DM/Monat

k) Die Endbestände an Halb- und Fertigfabrikaten werden wie folgt bewertet:

– Kalkstein	=	200 · 2,20 =	440 DM
– Rohmehl	=	700 · 4,72 =	3 304 DM
– Klinker	=	200 · 22,31 =	4 462 DM
– Loser Zement	=	1 500 · 26,09 =	39 135 DM
– Verpackter Zement	=	300 · 27,77 =	8 331 DM

Das obige Beispiel soll nun wiederum dahingehend modifiziert werden, daß folgende Anfangsbestände an Halb- und Fertigfabrikaten zu berücksichtigen sind:

Kalkstein	= 1 000 t im Werte von 1 708 DM
Rohmehl	= 1 200 t im Werte von 4 236 DM
Klinker	= 800 t im Werte von 18 404 DM
Loser Zement	= 400 t im Werte von 10 535 DM
Verpackter Zement	= 700 t im Werte von 19 289 DM

Unter der Voraussetzung, daß die Lagerabgänge und -endbestände mit durchschnittlichen Herstellkosten bewertet werden, ergibt sich jetzt folgende Rechnung:

a) Ausbringung an Kalkstein	=	15 400 t	zu HK von	33 880 DM
Anfangsbestand an Kalkstein	=	1 000 t	zu HK von	1 708 DM
Summe	=	16 400 t	zu HK von	35 588 DM
Durchschnittliche Herstellkosten	= 2,17 DM/t Kalkstein			

b) Einsatz an Kalkstein   = 15 200 t zu HK von   32 984 DM
    Kosten der Aufbereitung   35 000 DM

    Ausbringung an Rohmehl   = 14 500 t zu HK von   67 984 DM
    Anfangsbestand an Rohmehl   = 1 200 t zu HK von   4 236 DM

    Summe   = 15 700 t zu HK von   72 220 DM

    Durchschnittliche Herstellkosten   = 4,60 DM/t Rohmehl

c) Einsatz an Rohmehl   = 13 800 t zu HK von   63 480 DM
    Kosten des Brennens   140 116 DM

    Ausbringung an Klinkern   = 9 200 t zu HK von   203 596 DM
    Anfangsbestand an Klinkern   =   800 t zu HK von   18 404 DM

    Summe   = 10 000 t zu HK von   222 000 DM

    Durchschnittliche Herstellkosten   = 22,20 DM/t Klinker

d) Einsatz an Klinkern   = 9 000 t zu HK von   199 800 DM
    Kosten der Zementmühle   47 065 DM

    Ausbringung an losem Zement   = 9 500 t zu HK von   246 865 DM
    Anfangsbestand an losem Zement   =   400 t zu HK von   10 535 DM

    Summe   = 9 900 t zu HK von   257 400 DM

    Durchschnittliche Herstellkosten   = 26,00 DM/t losem Zement

e) Einsatz an losem Zement   = 8 000 t zu HK von   208 000 DM
    Kosten der Verpackung   13 440 DM

    Ausbringung an verp. Zement   = 8 000 t zu HK von   221 440 DM
    Anfangsbestand an verp. Zement   =   700 t zu HK von   19 289 DM

    Summe   = 8 700 t zu HK von   240 729 DM

    Durchschnittliche Herstellkosten   = 27,67 DM/t verpacktem Zement

f) Selbstkosten = 27,67 + 7,78 = 35,45 DM/t

g) Gewinn = 38,00 − 35,45 = 2,55 DM/t

h) Periodengewinn = 7 700 · 2,55 = 19 635 DM/Monat

i) Endbestände an

    – Kalkstein   = 1 200 · 2,17 = 2 604 DM
    – Rohmehl   = 1 900 · 4,60 = 8 740 DM
    – Klinkern   = 1 000 · 22,20 = 22 200 DM
    – losem Zement   = 1 900 · 26,00 = 49 400 DM
    – verpacktem Zement = 1 000 · 27,67 = 27 670 DM

3.3.2 Mehrfache Divisionskalkulation

Die mehrfache Divisionsrechnung wird angewandt, wenn Sorten- oder Serienleistungen simultan auf verschiedenen Anlagen gefertigt werden, so daß jeder Bereich für sich das betreffende Erzeugnis nach der einfachen (ein- oder mehrstufigen) Divisionsrechnung abrechnen kann. Dementsprechend werden in der Betriebsbuchhaltung für jeden Bereich Kostenstellen eingerichtet, denen die Be-

reichseinzelkosten unmittelbar belastet werden, und des weiteren Kostenstellen für die Gesamtunternehmung, denen alle Kosten belastet werden, die keinem Teilbereich direkt zurechenbar sind (= Bereichsgemeinkosten). Vor Anwendung der Divisionsrechnung sind die Gemeinkosten nach Maßgabe der Beanspruchung durch die einzelnen Bereiche aufzuschlüsseln und, zusammen mit den Einzelkosten, den Kostenträgern zu belasten.

Beispiel 4:

Eine Brauerei hat zwei Abteilungen. In der Abteilung P wird Pilsner, in der Abteilung W Weißbier hergestellt. Da die fertigungstechnisch notwendigen Bestände an Zwischenprodukten sich in ihrer Höhe praktisch nicht verändern, rechnen beide Abteilungen nach der einstufigen Divisionsrechnung ab. Der Ausstoß im Monat Juli betrug 6 300 hl Pils und 2 100 hl Weißbier. Abgesetzt wurden im selben Monat 5 800 hl Pilsner und 2 200 hl Weißbier. Die Erlöse hierfür beliefen sich auf 719 200 DM für Pilsner und 245 300 DM für Weißbier. Anfang Juli war noch ein Bestand von 400 hl Weißbier vorhanden, der mit 93,25 DM/hl zu Buche stand. Die Gesamtkosten für Juli betrugen 987 569 DM und setzten sich laut BAB wie folgt zusammen:

	Einzelkosten Abteilung P	Einzelkosten Abteilung W	Gemeinkosten
Materialkosten	456 789 DM	135 135 DM	–
Fertigungskosten	154 626 DM	50 505 DM	44 940 DM
Verwaltungskosten	–	–	64 640 DM
Vertriebskosten	34 974 DM	13 640 DM	32 320 DM

Die Verteilung der Fertigungsgemeinkosten auf die beiden Abteilungen soll im Verhältnis der Ausstoßmengen, die Verteilung der Verwaltungs- und Vertriebsgemeinkosten im Verhältnis der Absatzmengen vorgenommen werden. Die Bewertung der Erzeugnisbestände soll mit durchschnittlichen Herstellkosten erfolgen.

Die Kalkulation zeigt dann folgendes Bild:

a) Die Herstellkosten für Pilsner belaufen sich auf

$$\frac{456\,789 + 154\,626}{6\,300} + \frac{44\,940}{8\,400} = 102,40\,\text{DM/hl}$$

b) Die Herstellkosten der hergestellten 2 100 hl Weißbier ergeben

$$\frac{135\,135 + 50\,505}{2\,100} + \frac{44\,940}{8\,400} = 93,75\,\text{DM/hl}$$

c) Die durchschnittlichen Herstellkosten für Weißbier betragen dann

$$\frac{400 \cdot 93,25 + 2\,100 \cdot 93,75}{2\,500} = 93,67\,\text{DM/hl}$$

d) Die Verwaltungs- und Vertriebskosten ergeben

$$\frac{34\,974}{5\,800} + \frac{64\,640 + 32\,320}{8\,000} = 18,15\,\text{DM/hl Pilsner bzw.}$$

$$\frac{13\,640}{2\,200} + \frac{64\,640 + 32\,320}{8\,000} = 18{,}32 \text{ DM/hl Weißbier}$$

e) Daraus errechnen sich die Selbstkosten mit

102,40 + 18,15 = 120,55 DM/hl Pilsner und
93,67 + 18,32 = 111,99 DM/hl Weißbier

f) Die Durchschnittserlöse belaufen sich auf

719 200 : 5 800 = 124,00 DM/hl Pilsner bzw.
245 300 : 2 200 = 111,50 DM/hl Weißbier

g) Daraus ergeben sich folgende Stückerfolge:

für Pilsner ein Gewinn von 124,00 − 120,55 = 3,45 DM/hl
für Weißbier ein Verlust von 111,99 − 111,50 = 0,49 DM/hl

h) Der kalkulatorische Periodengewinn beträgt somit

5 800 · 3,45 − 2 200 · 0,49 = 18 932 DM/Monat

i) Die Endbestände werden wie folgt bewertet:

500 · 102,40 = 51 200 DM für Pilsner
300 ·   93,67 = 28 101 DM für Weißbier

3.3.3 Divisionskalkulation mit Äquivalenzziffern

Die Divisionsrechnung mit Äquivalenzziffern ist ebenfalls ein Kalkulationsverfahren für die Fertigung mehrerer Erzeugnisse; im Gegensatz zur oben beschriebenen mehrfachen Divisionsrechnung wird hier jedoch nur eine einzige Division für die gesamte Produktions- bzw. Absatzmenge vorgenommen. Divisor ist hierbei allerdings nicht die Gesamtausbringungs- bzw. -absatzmenge selbst, sondern eine Schlüsselsumme, die sich aus der Addition von Schlüsselzahlen der einzelnen Erzeugnisarten ergibt. Die Schlüsselzahlen wiederum werden abgeleitet aus den Ausbringungs- bzw. Absatzmengen der einzelnen Erzeugnisse durch Multiplikation (Gewichtung) mit sog. Äquivalenzziffern, die die unterschiedliche Kostenbelastung der Erzeugnisse zum Ausdruck bringen.

Äquivalenzziffern lassen sich damit als Verhältniszahlen der Kostenbelastung (Kostengewichte) für die Ausbringungs- bzw. Absatzmengen verschiedener Erzeugnisarten charakterisieren. Durch die Gewichtung ist es möglich, die Gesamtkosten mit Hilfe eines einzigen Divisionsvorgangs auf die verschiedenen Erzeugnisarten zu verteilen und trotzdem die unterschiedlich hohe Kostenbelastung zu berücksichtigen. Die Äquivalenzziffern werden in der Praxis regelmäßig aus der Erfahrung gewonnen oder aufgrund genauerer Kostenanalysen ermittelt. In jedem Falle müssen sie von Zeit zu Zeit auf ihre Gültigkeit hin überprüft werden.

Voraussetzung für die Anwendbarkeit der Äquivalenzziffernkalkulation ist ein hoher Grad innerer Verwandtschaft der einzelnen Erzeugnisarten im Hinblick auf ihre Kostengestaltung. Diese Voraussetzung ist häufig bei Sortenleistungen gegeben, die die gleiche oder eine ähnliche Rohstoffgrundlage besitzen und bei denen der Fertigungsprozeß für alle Erzeugnisse prinzipiell der gleiche ist (z.B. in Brauereien, Ziegeleien, Blechwalzwerken, Spinnereien, Webereien usw.). Die verschiedenen Erzeugnisarten werden daher oft sukzessiv auf ein und derselben Produktionsanlage hergestellt, doch ist grundsätzlich auch bei Simultanfertigung auf getrennten Anlagen die Anwendung der Äquivalenzziffernkalkulation möglich.

Beispiel 5:

Ein Walzwerk stellt Stahlbleche in drei verschiedenen Stärken her: Sorte A mit 1,0 mm, Sorte B mit 1,5 mm und Sorte C mit 2,0 mm Stärke. Während die Materialkosten bei den drei Sorten gleich hoch sind, weisen die dünneren Bleche höhere Fertigungskosten pro Tonne auf. Insgesamt verändern sich die Herstellkosten, wie eine genauere Kostenanalyse ergeben hat, im Verhältnis A : B : C = 1,2 : 1 : 0,7. Demgegenüber verteilen sich die Verwaltungs- und Vertriebskosten pro Tonne im Verhältnis 1 : 1,05 : 1,1 auf die drei Sorten A, B und C. Im August sind 2 340 000 DM an Herstellkosten und 640 000 DM an Verwaltungs- und Vertriebskosten entstanden. Die weiteren Daten sind aus der folgenden Tabelle ersichtlich:

Sorte	A	B	C
Verkaufspreis	1 900 DM/t	1 600 DM/t	1 300 DM/t
Absatzmenge	445 t	800 t	650 t
Ausbringungsmenge	425 t	870 t	600 t
Anfangsbestand	100 t	200 t	130 t
Wert des Anfangsbestandes	1 382 DM/t	1 180 DM/t	860 DM/t

Unter der Voraussetzung, daß die Erzeugnisbestände nach dem FIFO-Verfahren bewertet werden, ergibt sich folgende Kalkulation:

a) Herstellkosten der hergestellten Erzeugnisse:

Sorte	Ausbringung	Äquivalenz-ziffer	Schlüssel-zahl	HK/Monat	HK/t
A	425 t	1,2	510	663 000 DM	1 560 DM
B	870 t	1,0	870	1 131 000 DM	1 300 DM
C	600 t	0,7	420	546 000 DM	910 DM
Summe			1 800	2 340 000 DM	

Die Schlüsseleinheitskosten von 2 340 000 : 1 800 = 1 300 DM sind zugleich die Herstellkosten pro Tonne der Sorte, die die Äquivalenzziffer 1 hat. Die Herstellkosten der übrigen Sorten erhält man durch Multiplikation der Schlüsseleinheitskosten mit der entsprechenden Äquivalenzziffer. Die Ermittlung der Herstellkosten pro Monat ist daher nicht unbedingt erforderlich.

b) Herstellkosten der abgesetzten Erzeugnisse (nach FIFO):

Sorte A:	100 t	zu 1 382 DM =	138 200 DM	
	345 t	zu 1 560 DM =	538 200 DM	
	445 t		676 400 DM	
Sorte B:	200 t	zu 1 180 DM =	236 000 DM	
	600 t	zu 1 300 DM =	780 000 DM	
	800 t		1 016 000 DM	

Sorte C:	130 t	zu	860 DM =	111 800 DM
	520 t	zu	910 DM =	473 200 DM
	650 t			585 000 DM

c) Verwaltungs- und Vertriebskosten:

Sorte	Absatz-menge	Äquivalenz-ziffer	Schlüssel-zahl	Perioden kosten	Kosten pro Tonne
A	445 t	1,00	445	142 400 DM	320 DM
B	800 t	1,05	840	268 800 DM	336 DM
C	650 t	1,10	715	228 800 DM	352 DM
Summe			2 000	640 000 DM	

d) Selbstkosten:
 – der Sorte A = (676 400 + 142 400) : 445 = 1 840 DM/t
 – der Sorte B = (1 016 000 + 268 800) : 800 = 1 606 DM/t
 – der Sorte C = (585 000 + 228 800) : 650 = 1 252 DM/t

e) Kalkulatorischer Stückerfolg:
 – der Sorte A = 1 900 − 1 840 = +60 DM/t (Gewinn)
 – der Sorte B = 1 600 − 1 606 = − 6 DM/t (Verlust)
 – der Sorte C = 1 300 − 1 252 = +48 DM/t (Gewinn)

f) Kalkulatorischer Periodenerfolg (Betriebsergebnis):
 – der Sorte A = +60 · 445 =   + 26 700 DM
 – der Sorte B = − 6 · 800 =   − 4 800 DM
 – der Sorte C = +48 · 650 =   + 31 200 DM
 Betriebsergebnis (Gewinn) =   + 53 100 DM

g) Erzeugnis-Endbestände:
 – der Sorte A = 80 t zu 1 560 DM = 124 800 DM
 – der Sorte B = 270 t zu 1 300 DM = 351 000 DM
 – der Sorte C = 80 t zu 910 DM = 72 800 DM

3.4 Die Verfahren der Zuschlagskalkulation

3.4.1 Summarische Zuschlagskalkulation

Bei der summarischen Zuschlagskalkulation (Gesamt-Zuschlagskalkulation) wird die Summe aller Gemeinkosten auf eine einzige Zuschlagsbasis bezogen, da man unterstellt, daß sich sämtliche Gemeinkosten auf diese eine Einflußgröße zurückführen lassen. Die Anwendbarkeit der summarischen Zuschlagskalkulation ist daher auf die relativ wenigen Fälle beschränkt, bei denen die Kostenstruktur aller Erzeugnisse etwa gleich ist und über einen längeren Zeitraum konstant bleibt. Diese Voraussetzung wird insbesondere dann erfüllt sein, wenn alle Erzeugnisse sämtliche Kostenstellen der Unternehmung gleich stark beanspruchen. In der Praxis sind summarische Zuschlagskalkulationen in Industriebetrieben kaum, im Handwerk dagegen häufig anzutreffen.

Als Zuschlagsbasis für die Gemeinkosten kommen sowohl mengenmäßige als auch wertmäßige Größen in Frage. Zu den **wertmäßigen Zuschlagsbasen** zählen beispielsweise:

- der Fertigungsmaterialverbrauch,
- die Fertigungslöhne,
- die Summe aus Fertigungsmaterial und Fertigungslohn,
- die Summe aller Einzelkosten im Bereich der Herstellung (einschließlich der Sondereinzelkosten der Fertigung).

Zu den **mengenmäßigen Zuschlagsbasen** gehören zum Beispiel:

- die eingesetzte Materialmenge,
- die benötigte Fertigungszeit,
- das Durchsatzgewicht.

Welche Zuschlagsbasis im Einzelfall gewählt wird, hängt von den jeweiligen Fertigungsbedingungen ab. Es ist diejenige Bezugsgröße zugrunde zu legen, zu der möglichst viele Gemeinkostenarten in einer proportionalen Beziehung stehen. Weicht die Kostenstruktur eines einzelnen Auftrags von der durchschnittlichen Kostenstruktur aller Aufträge erheblich ab, kann die Kalkulation der Selbstkosten dieses Auftrags zu recht unterschiedlichen Ergebnissen führen, je nachdem, welche Zuschlagsbasis für die Verrechnung der Gemeinkosten benutzt wird. Das folgende Beispiel mag dies verdeutlichen.

Beispiel 6:

Im Monat November sind Erzeugnisse im Gesamtgewicht von 22 500 kg hergestellt und abgesetzt worden. In demselben Monat sind folgende Kosten entstanden:

Fertigungsmaterialverbrauch (24 000 kg)	270 000 DM
Fertigungslöhne (15 000 Fertigungsstunden)	180 000 DM
Sondereinzelkosten der Fertigung	30 000 DM
Sondereinzelkosten des Vertriebs	40 800 DM
Material- und Fertigungsgemeinkosten	207 000 DM
Verwaltungs- und Vertriebsgemeinkosten	52 200 DM
Gesamtkosten	780 000 DM

In diesem Monat wurde u.a. ein Artikel hergestellt, der 7,25 kg wiegt und für den folgende Einzelkosten ermittelt wurden:

8,55 kg Fertigungsmaterial	88,00 DM
5,25 Fertigungsstunden	62,00 DM
Sondereinzelkosten der Fertigung	11,00 DM
Sondereinzelkosten des Vertriebs	16,00 DM
Einzelkosten insgesamt	177,00 DM

Die folgende Tabelle zeigt, wie die Höhe der kalkulierten Selbstkosten von der gewählten Zuschlagsbasis abhängig ist:

Gewählte Zuschlagsbasis	Zuschlagssatz	Gemeinkosten des Artikels	Selbstkosten des Artikels
Durchsatzgewicht	259 200 : 22 500 = 11,52 DM/kg	7,25 · 11,52 = 83,52 DM	177 + 83,52 = 260,52 DM
Materialmenge	259 200 : 24 000 = 10,80 DM/kg	8,55 · 10,80 = 92,34 DM	177 + 92,34 = 269,34 DM
Fertigungszeit	259 200 : 15 000 = 17,28 DM/Std.	5,25 · 17,28 = 95,04 DM	177 + 95,04 = 272,04 DM
Fertigungsmaterial	259 200 : 270 000 = 96%	88 · 0,96 = 84,48 DM	177 + 84,48 = 261,48 DM
Fertigungslöhne	259 200 : 180 000 = 144%	62 · 1,44 = 89,28 DM	177 + 89,28 = 266,28 DM
Summe aus FM und FL	259 200 : 450 000 = 57,6%	150 · 0,576 = 86,40 DM	177 + 86,40 = 263,40 DM
Herstelleinzelkosten	259 200 : 480 000 = 54%	161 · 0,54 = 86,94 DM	177 + 86,94 = 263,94 DM

Das Beispiel soll nun derart modifiziert werden, daß ein Teil der Erzeugnisse nicht abgesetzt werden konnte und auf Lager genommen wurde. In dieser Bestandszunahme sind 19 500 DM an Fertigungsmaterial und 12 900 DM an Fertigungslöhnen sowie 2 600 DM an Sondereinzelkosten der Fertigung enthalten. Die verkauften Erzeugnisse erbrachten einen Erlös von 750 000 DM. Unter der Voraussetzung, daß in der betreffenden Unternehmung die Summe aus Fertigungsmaterial und Fertigungslohn als Zuschlagsbasis für die Gemeinkosten verwendet wird, ergibt sich folgende Nachkalkulation für den oben bezeichneten Artikel:

a) Zuschlagssatz für die Material- und Fertigungsgemeinkosten:

$$\frac{207\,000}{270\,000 + 180\,000} = 46\%$$

b) Zuschlagssatz für die Verwaltungs- und Vertriebsgemeinkosten:

$$\frac{52\,200}{270\,000 - 19\,500 + 180\,000 - 12\,900} = 12,5\%$$

c) Zuschlagssatz für sämtliche Gemeinkosten: 46 + 12,5 = 58,5%

d) Selbstkosten des Artikels: 177 + 150 · 0,585 = 264,75 DM

Das Betriebsergebnis kann durch folgende Rechnung ermittelt werden:

e) Kalkulation der Zunahme der Erzeugnisbestände:

Fertigungsmaterial	19 500 DM
Fertigungslöhne	12 900 DM
Summe aus Fertigungsmaterial und -lohn	32 400 DM
46% Gemeinkosten	14 904 DM
Sondereinzelkosten der Fertigung	2 600 DM
Herstellkosten der Bestandszunahme	49 904 DM

f) Betriebsergebnis nach dem Umsatzkostenverfahren:

Fertigungsmaterial	270 000 DM
Fertigungslöhne	180 000 DM
Sondereinzelkosten der Fertigung	30 000 DM
Material- und Fertigungsgemeinkosten	207 000 DM
Herstellkosten des Monats	687 000 DM
Bestandszunahme	49 904 DM
Herstellkosten der abgesetzten Erzeugnisse	637 096 DM
Verwaltungs- und Vertriebsgemeinkosten	52 200 DM
Sondereinzelkosetn des Vertriebs	40 800 DM
Selbstkosten	730 096 DM
Verkaufserlöse	750 000 DM
Gewinn	19 904 DM

g) Betriebsergebnis nach dem Gesamtkostenverfahren:

S	Betriebsergebnis		H
Gesamtkosten	DM 780 000	Umsatzerlöse	DM 750 000
Gewinn	DM 19 904	Bestandszunahme	DM 49 904
	DM 799 904		DM 799 904

3.4.2 Kostenstellen-Zuschlagskalkulation

Das Hauptanwendungsgebiet der Kostenstellen-Zuschlagsrechnung ist die Fertigung verschiedenartiger Erzeugnisse, die die einzelnen Abteilungen und Werkstätten in unterschiedlichem Maße in Anspruch nehmen. Die Gemeinkosten lassen sich dann nicht mehr auf eine einzige Einflußgröße zurückführen, sondern werden nach unterschiedlichen Zuschlagsbasen gruppiert.

Die Unternehmung wird daher zum Zwecke der Kostenverteilung in Kostenstellen gegliedert, die für Kalkulationszwecke wiederum zu Kostenbereichen zusammengefaßt werden. Jeder Kostenbereich hat seine eigene Zuschlagsbasis. Meist werden vier Kostenbereiche gebildet: der Materialbereich, der Fertigungsbereich, der Verwaltungsbereich und der Vertriebsbereich. Der Fertigungsbereich wird in aller Regel weiter untergliedert in Fertigungskostenstellen (Werkstätten oder Fertigungsstraßen), vor allem dann, wenn nicht alle Erzeugnisse sämtliche Fertigungsstellen in Anspruch nehmen.

Die am häufigsten verwendeten **Zuschlagsbasen für die Gemeinkosten** sind:

a) für die Materialgemeinkosten das verbrauchte Fertigungsmaterial,
b) für die Fertigungsgemeinkosten die Fertigungslöhne oder die Fertigungszeit,
c) für die Verwaltungsgemeinkosten die Herstellkosten der abzurechnenden Periode oder die Herstellkosten der abgesetzten Erzeugnisse,
d) für die Vertriebsgemeinkosten die Herstellkosten der abgesetzten Erzeugnisse.

Beispiel 7:

Der Betriebsabrechnungsbogen weist für Oktober folgende Istkosten aus:

Fertigungsmaterial	270 000 DM
Fertigungslöhne in der Stelle I	130 000 DM
Fertigungslöhne in der Stelle II	50 000 DM
Sondereinzelkosten der Fertigung	8 700 DM
Sondereinzelkosten des Vertriebs	13 300 DM
Fertigungsgemeinkosten der Stelle I	236 600 DM
Fertigungsgemeinkosten der Stelle II	83 000 DM
Materialgemeinkosten	29 700 DM
Verwaltungsgemeinkosten	106 600 DM
Vertriebsgemeinkosten	61 500 DM

Die Bestände an Halb- und Fertigfabrikaten, bewertet zu Herstellkosten, beliefen sich auf 88 000 DM zu Beginn des Monats und 76 000 DM am Monatsende.

Es soll der Verkaufspreis eines Erzeugnisses einschließlich 14% Mehrwertsteuer kalkuliert werden unter Berücksichtigung von 10% kalkulatorischem Gewinn auf die Selbstkosten und 3% Skonto vom Verkaufspreis. Für das Erzeugnis sind folgende Einzelkosten angefallen:

Fertigungsmaterial	88,00 DM
Fertigungslöhne in der Stelle I	25,00 DM
Fertigungslöhne in der Stelle II	37,00 DM
Sondereinzelkosten der Fertigung	11,40 DM
Sondereinzelkosten des Vertriebs	14,21 DM

Die Kalkulation zeigt folgendes Bild:

a) Bezogen auf das verbrauchte Fertigungsmaterial, beträgt der Zuschlagssatz für die Materialgemeinkosten:

$$29\,700 : 270\,000 = 11\%$$

b) Die Zuschlagssätze für die Fertigungsgemeinkosten, bezogen auf die entsprechenden Fertigungslöhne, belaufen sich auf

$$236\,600 : 130\,000 = 182\% \text{ in der Fertigungsstelle I und}$$
$$83\,000 : 50\,000 = 166\% \text{ in der Fertigungsstelle II.}$$

c) Die Verwaltungs- und Vertriebsgemeinkosten sollen auf die Herstellkosten der abgesetzten Erzeugnisse bezogen werden; diese errechnen sich wie folgt:

Fertigungsmaterial	270 000 DM
Materialgemeinkosten	29 700 DM
Fertigungslöhne der Stelle I	130 000 DM
Fertigungsgemeinkosten	236 600 DM
Fertigungslöhne der Stelle II	50 000 DM
Fertigungsgemeinkosten	83 000 DM
Sondereinzelkosten der Fertigung	8 700 DM
Herstellkosten der Abrechnungsperiode	808 000 DM
Anfangsbestand an Erzeugnissen	+ 88 000 DM
Endbestand an Erzeugnissen	− 76 000 DM
Herstellkosten der abgesetzten Erzeugnisse	820 000 DM

Verwaltungsgemeinkosten = 106 600 : 820 000 = 13,0%
Vertriebsgemeinkosten = 61 500 : 820 000 = 7,5%

d) Die Kalkulation des Verkaufspreises führt zu folgender Rechnung:

Fertigungsmaterial	88,00 DM
11% Materialgemeinkosten	9,68 DM
Fertigungslöhne der Stelle I	25,00 DM
182% Fertigungsgemeinkosten	45,50 DM
Fertigungslöhne der Stelle II	37,00 DM
166% Fertigungsgemeinkosten	61,42 DM
Sondereinzelkosten der Fertigung	11,40 DM
Herstellkosten	278,00 DM
13% Verwaltungsgemeinkosten	36,14 DM
7,5% Vertriebsgemeinkosten	20,85 DM
Sondereinzelkosten des Vertriebs	14,21 DM
Selbstkosten	349,20 DM
10% kalkulatorischer Gewinn	34,92 DM
	384,12 DM
3% Skonto = $384,12 \cdot \dfrac{3}{97}$ =	11,88 DM
	396,00 DM
14% Mehrwertsteuer	55,44 DM
Brutto-Verkaufspreis	451,44 DM

3.4.3 Platzkostenkalkulation (Maschinenstundensatzkalkulation)

Die Platzkostenkalkulation stellt insofern eine Weiterentwicklung der Kosten-stellen-Zuschlagsrechnung im Fertigungsbereich dar, als die Fertigungsstellen weiter nach einzelnen Arbeitsplätzen (Handarbeits- oder Maschinenplätzen) un-tergliedert werden. Bezugsgrundlage für die Fertigungsgemeinkosten ist dabei überwiegend die benötigte Fertigungszeit, d.h. es werden Stundensätze für die Gemeinkosten gebildet.

Während eine auf Handarbeitsplätze bezogene Platzkostenrechnung in der Praxis selten angetroffen wird, ist die auf Maschinenplätze bezogene Rechnung in der Praxis weit verbreitet und vielfach unter der Bezeichnung „**Maschinenstun-densatzkalkulation**" bekannt.

Zur Anwendung gelangt die Maschinenstundensatzrechnung beispielsweise dann, wenn in den Fertigungskostenstellen gleichzeitig hochwertige Spezialma-schinen und relativ billige Maschinen vorhanden sind. Würde man die Gemein-kosten hier nicht differenzieren (wie dies in der Kostenstellen-Zuschlagsrech-nung der Fall ist), dann würden die Erzeugnisse, die auf den billigen Maschinen gefertigt werden, mit einem zu hohen Fertigungsgemeinkostenanteil belastet, während bei den Erzeugnissen, die auf den hochwertigen Spezialmaschinen her-gestellt werden, zu niedrige Fertigungsgemeinkosten kalkuliert würden.

Im allgemeinen enthält der Maschinenstundensatz nur die **platzgebundenen Fertigungsgemeinkosten** (z.B. kalkulatorische Abschreibungen auf die Maschi-nen, kalkulatorische Zinsen auf das gebundene Kapital, Kosten der Instandhaltung und Wartung, Energiekosten, Mietkosten, Sozialkosten auf die Fertigungslöhne), während die **nicht platzgebundenen Fertigungsgemeinkosten** (z.b. Meistergehälter, Hilfslöhne und die Kosten der Reinigung, Beheizung und Beleuchtung der Räume) auf andere Bezugsbasen, insbesondere die Fertigungslöhne, bezogen werden. Mitunter werden auch sowohl die platzgebundenen als auch die nicht platzgebundenen Fertigungsgemeinkosten auf Basis der Maschinenlaufzeit verrechnet. Die Kalkulation der Fertigungskosten lautet also:

Fertigungslöhne

+ platzgebundene Fertigungsgemeinkosten
  (in DM pro Maschinenstunde)

+ nicht platzgebundene Fertigungsgemeinkosten
  (in % der Fertigungslöhne oder in DM pro Maschinenstunde)

Bezugsbasis für die Ermittlung des Maschinenstundensatzes ist die Gesamtlaufzeit der Maschine bzw. aller Maschinen einer Maschinengruppe im Abrechnungszeitraum. Werden Maschinenstundensätze für die Vorkalkulation angesetzt, muß man von der zu erwartenden Gesamtlaufzeit ausgehen, wenn sämtliche Gemeinkosten gedeckt werden sollen. In der Praxis legt man jedoch häufig eine normalisierte Optimalbeschäftigung zugrunde, d.h. man geht von der Normalarbeitszeit aus und zieht die durchschnittlichen Ausfallzeiten für Urlaub und Krankheit der Arbeitnehmer sowie für Reinigung, Überholung und Reparatur der Maschinen ab.

Beispiel 8:

Eine Unternehmung stellt ihre Erzeugnisse in den Fertigungsstellen A und B her. In der Stelle A befinden sich drei Maschinen des Typs A−1 und zwei Maschinen des Typs A−2, in der Stelle B vier Maschinen des Typs B−1 und eine Maschine des Typs B−2. Die Betriebsabrechnung zeigt folgende Istkosten für den Monat August:

Fertigungsmaterial	234 800,00 DM
Fertigungslöhne der Stelle A	8 800,00 DM
Fertigungslöhne der Stelle B	14 500,00 DM
Sondereinzelkosten der Fertigung	7 590,56 DM
Sondereinzelkosten des Vertriebs	14 407,00 DM
Nicht platzgebundene Fertigungsgemeinkosten:	
− der Stelle A	10 912,00 DM
− der Stelle B	14 790,00 DM
Platzgebundene Fertigungsgemeinkosten:	
− der Maschinengruppe A−1	3 836,16 DM
− der Maschinengruppe A−2	1 962,00 DM
− der Maschinengruppe B−1	5 527,20 DM
− der Maschine B−2	1 807,08 DM
Materialgemeinkosten	14 675,00 DM
Verwaltungsgemeinkosten	41 625,00 DM
Vertriebsgemeinkosten	31 968,00 DM
Gesamtkosten	407 200,00 DM

Für die Maschinen wurden folgende Gesamtlaufzeiten im Monat August ermittelt:

Maschinengruppe A−1 = 144 Stunden je Maschine
Maschinengruppe A−2 = 150 Stunden je Maschine
Maschinengruppe B−1 = 140 Stunden je Maschine
Maschine B−2   = 148 Stunden

Die Bestände an Halbfabrikaten haben in diesem Monat um 2 300 DM zugenommen, die Bestände an Fertigfabrikaten um 16 100 DM abgenommen. Die Verkaufserlöse beliefen sich auf 444 000 DM.

Es soll die Nachkalkulation für ein bestimmtes Erzeugnis E durchgeführt werden, das 220 DM an Fertigungsmaterialkosten, 42 DM an Fertigungslöhnen in der Stelle A und 75 DM an Fertigungslöhnen in der Stelle B verursacht hat. Die Fertigungszeit betrug 7,5 Stunden auf einer Maschine des Typs A−1 und 14 Stunden auf der Maschine B−2. An Sondereinzelkosten der Fertigung fielen 43,13 DM, an Sondereinzelkosten des Vertriebs 38,70 DM an. Der Verkaufspreis betrug 1 114,92 DM einschließlich 14% Mehrwertsteuer; ferner wurde dem Kunden ein Skonto von 3% gewährt. Die Kalkulation zeigt folgendes Bild:

a) Zuschlagssätze für die nicht platzgebundenen Fertigungsgemeinkosten, bezogen auf die jeweiligen Fertigungslöhne:

   (1) in der Stelle A: 10 912 : 8 800 = 124%
   (2) in der Stelle B: 14 790 : 14 500 = 102%

b) Zuschlagssätze für die platzgebundenen Fertigungsgemeinkosten, bezogen auf eine Maschinenstunde:

   (1) Maschinengruppe A−1: 3 836,16 : 432 =   8,88 DM/Std.
   (2) Maschinengruppe A−2: 1 962,00 : 300 =   6,54 DM/Std.
   (3) Maschinengruppe B−1: 5 527,20 : 560 =   9,87 DM/Std.
   (4) Maschine B−2:   1 807,08 : 148 = 12,21 DM/Std.

c) Zuschlagssatz für die Materialgemeinkosten:

   14 675 : 234 800 = 6,25% auf das Fertigungsmaterial

d)
Gesamtkosten des Monats August	= 407 200 DM
Verwaltungsgemeinkosten	− 41 625 DM
Vertriebsgemeinkosten	− 31 968 DM
Sondereinzelkosten des Vertriebs	− 14 407 DM
Herstellkosten des Monats August	= 319 200 DM
Bestandszunahme bei den Halbfabrikaten	− 2 300 DM
Bestandsabnahme bei den Fertigfabrikaten	+ 16 100 DM
Herstellkosten der abgesetzten Erzeugnisse	= 333 000 DM

e) Bezogen auf die Herstellkosten der abgesetzten Erzeugnisse, betragen die Zuschlagssätze für die
   − Verwaltungsgemeinkosten = 41 625 : 333 000 = 12,5%
   − Vertriebsgemeinkosten = 31 968 : 333 000 = 9,6%

f) Für das Erzeugnis E errechnen sich daraus folgende Selbstkosten:

Fertigungsmaterial	220,00 DM
6,25% Materialgemeinkosten	13,75 DM

Fertigungslöhne der Stelle A	42,00 DM
124% nicht platzgebundene Fertigungsgemeinkosten	52,08 DM
8,88 DM/Std. platzgebundene Fertigungsgemeinkosten A−1	66,60 DM
Fertigungslöhne der Stelle B	75,00 DM
102% nicht platzgebundene Fertigungsgemeinkosten	76,50 DM
12,21 DM/Std. platzgebundene Fertigungsgemeinkosten B−2	170,94 DM
Sondereinzelkosten der Fertigung	43,13 DM
Herstellkosten	760,00 DM
12,5% Verwaltungsgemeinkosten	95,00 DM
9,6% Vertriebsgemeinkosten	72,96 DM
Sondereinzelkosten des Vertriebs	38,70 DM
Selbstkosten	966,66 DM

g) Der Nettoerlös errechnet sich wie folgt:

Verkaufspreis einschließlich 14% Mehrwertsteuer	1 114,92 DM
Mehrwertsteuer = 1 114,92 · 14 : 114 =	136,92 DM
Verkaufspreis ohne Mehrwertsteuer	978,00 DM
3% Skonto	29,34 DM
Nettoerlös	948,66 DM

h) Daraus ergibt sich ein kalkulatorischer Verlust von
966,66 − 948,66 = 18,00 DM

3.5 Besonderheiten bei der Kalkulation von Kuppelprodukten

In der Literatur zur Kostenrechnung wird nicht selten die sogenannte Kuppelkalkulation als eigenständiges Kalkulationsverfahren neben die Divisionsrechnung und die Zuschlagsrechnung gestellt. Diese „Kuppelkalkulation" stellt jedoch nur einen **Anwendungsfall der Divisionsrechnung** auf die Kalkulation von Kuppelprodukten dar.

Kuppelprodukte werden entweder mit Hilfe der Restkostenrechnung oder der Kostenverteilungsrechnung oder einer Kombination aus diesen beiden Verfahren kalkuliert. Die Restkostenrechnung wird angewandt, wenn im Kuppelprozeß nur ein einziges Haupterzeugnis hergestellt wird und die übrigen Kuppelerzeugnisse als Neben- oder Abfallprodukte anzusehen sind, deren Bestände so gering sind, daß auf ihre Bewertung verzichtet werden kann. Demgegenüber ist die **Kostenverteilungsrechnung** immer dann anzuwenden, wenn mehrere Haupterzeugnisse vorhanden sind oder wenn auf eine Bewertung der Bestände an Nebenprodukten nicht verzichtet werden kann. Restkostenrechnung und Kostenverteilungsrechnung treten kombiniert auf, wenn aus dem Kuppelprozeß beispielsweise mehrere Haupterzeugnisse hervorgehen und außerdem Neben- oder Abfallprodukte entstehen, deren Bestände am Ende der Abrechnungsperiode nicht bewertet werden.

3.5.1 Restkostenrechnung

Das Restkostenverfahren wird auch als Subtraktionsmethode bezeichnet. Bei diesem Verfahren werden von den Herstellkosten des Kuppelprozesses die Erlöse für die Neben- und Abfallprodukte subtrahiert und nur die restlichen Kosten im Wege einer einfachen einstufigen Divisionsrechnung auf das Haupterzeugnis verteilt.

Beispiel 9:

Eine Unternehmung stellt im Wege der Kuppelproduktion die drei Erzeugnisse A, B und C her. A ist das Haupterzeugnis, B bildet ein Nebenprodukt, und C stellt ein verwertbares Abfallprodukt dar. Kalkuliert wird lediglich das Produkt A nach dem Restkostenverfahren. Die Ausbringungsmengen, die Absatzmengen und die Verkaufspreise für den abzurechnenden Monat September können der folgenden Tabelle entnommen werden:

Erzeugnis	Ausbringung	Absatz	Verkaufspreis
A	78 300 kg	76 400 kg	47,85 DM/kg
B	13 600 kg	13 430 kg	5,00 DM/kg
C	24 700 kg	24 400 kg	0,55 DM/kg

Der Betriebsabrechnungsbogen für den Monat September weist folgende Kosten in den Endkostenstellen aus:

Materialkosten	2 424 240 DM
Fertigungskosten	882 290 DM
Verwaltungskosten	158 986 DM
Vertriebskosten	206 206 DM

Die Kalkulation nach der Restkostenmethode zeigt folgendes Bild:

a)
Materialkosten	2 424 240 DM
Fertigungskosten	882 290 DM
Herstellkosten des Kuppelprozesses	3 306 530 DM
Erlöse für Erzeugnis B = 13 430 · 5,00 =	− 67 150 DM
Erlöse für Erzeugnis C = 24 400 · 0,55 =	− 13 420 DM
Restliche Herstellkosten	3 225 960 DM

b) Herstellkosten des Erzeugnisses A:

$$3 225 960 : 78 300 = 41,20 \text{ DM/kg}$$

c) Verwaltungs- und Vertriebskosten für Produkt A:

$$\frac{158 986 + 206 206}{76 400} = 4,78 \text{ DM/kg}$$

d) Selbstkosten des Erzeugnisses A = 41,20 + 4,78 = 45,98 DM/kg

e) Gewinn des Erzeugnisses A = 47,85 − 45,98 = 1,87 DM/kg

f) Betriebsergebnis = 76 400 · 1,87 = 142 868 DM/Monat

g) Erzeugnis-Endbestände:
- Produkt A: 1 900 kg zu 41,20 DM = 78 280 DM
- Produkt B: 170 kg (ohne Wert) =   0 DM
- Produkt C: 300 kg (ohne Wert) =   0 DM

3.5.2 Kostenverteilungsrechnung

Die Kostenverteilungsrechnung entspricht einer **Divisionskalkulation mit Äquivalenzziffern**. Das Verfahren wird bei der Kalkulation von Kuppelprodukten angewandt, obwohl strenggenommen überhaupt kein Maßstab existiert, der eine Verteilung der entstandenen Kosten auf die Kuppelprodukte nach dem **Verursachungsprinzip** gestattet. Die in der Praxis verwendeten Maßstäbe für die Verteilung der Kosten des eigentlichen Kuppelprozesses (nicht die Kosten einer eventuellen Weiterverarbeitung) können beispielsweise Volumenmaße, das Fertigungsgewicht oder irgendwelche technischen Maßgrößen (z.B. der Heizwert in Kilojoule) sein. Am weitaus häufigsten verteilt man jedoch die Herstellkosten des Kuppelprozesses nach Maßgabe irgendwelcher Erlösgrößen (z.B. Durchschnittserlöse, Marktpreise oder Verkaufserlöse abzüglich Weiterverarbeitungskosten) und geht damit zum **Prinzip der Kostentragfähigkeit** über. Je höher der Erlös eines Erzeugnisses ist, desto größer ist auch der Anteil, den es an den gesamten Herstellkosten des Kuppelprozesses tragen kann.

Beispiel 10:

In einer Erdölraffinerie werden durch Destillation von Rohöl die Kuppelprodukte Benzin, Dieselöl (= leichtes Heizöl) und schweres Heizöl erzeugt. Die Ausbringungs- und Absatzmengen sowie die Verkaufserlöse für den Monat Dezember sind aus der folgenden Tabelle ersichtlich:

Erzeugnis	Ausbringung	Absatz	Erlöse
Benzin	62 700 t	61 300 t	44 442 500 DM
Diesel	57 200 t	54 700 t	36 102 000 DM
Heizöl	32 400 t	27 500 t	11 275 000 DM
Summe			91 819 500 DM

Laut Betriebsabrechnungsbogen sind im Dezember folgende Kosten entstanden:

Materialkosten	45 678 000 DM
Fertigungskosten	33 522 000 DM
Verwaltungskosten	6 300 000 DM
Vertriebskosten	8 880 000 DM
Gesamtkosten	94 380 000 DM

Die Herstellkosten sollen im Verhältnis der Marktpreise auf die Erzeugnisse verteilt werden. Da die Marktpreise gegenwärtig bei 720 DM/t Benzin, 648 DM/t Dieselöl und 396 DM/t schwerem Heizöl liegen, rechnet die Unternehmung mit Äquivalenzziffern von 1,00 für Benzin, 0,90 für Dieselöl und 0,55 für schweres Heizöl. Die Verwaltungs- und Vertriebskosten pro Tonne sollen bei Benzin und Dieselöl gleich hoch sein, bei schwerem Heizöl jedoch um 20% niedriger angesetzt werden.

Die Kalkulation hat dann folgendes Aussehen:

a) Herstellkosten der hergestellten Erzeugnisse:

Erzeugnis	Aus- bringung	Äquivalenz- ziffer	Schlüssel- zahl	Herstellkosten pro Monat	HK/t
Benzin	62 700 t	1,00	62 700	37 620 000 DM	600 DM
Diesel	57 200 t	0,90	51 480	30 888 000 DM	540 DM
Heizöl	32 400 t	0,55	17 820	10 692 000 DM	330 DM
Summe			132 000	79 200 000 DM	

b) Verwaltungs- und Vertriebskosten:

Erzeugnis	Absatz- menge	Äquivalenz- ziffer	Schlüssel- zahl	Periodenkosten	Kosten pro Tonne
Benzin	61 300 t	1,00	61 300	6 743 000 DM	110 DM
Diesel	54 700 t	1,00	54 700	6 017 000 DM	110 DM
Heizöl	27 500 t	0,80	22 000	2 420 000 DM	88 DM
Summe			138 000	15 180 000 DM	

c) Selbstkosten:
   Benzin: 600,00 + 110,00 = 710,00 DM/t
   Diesel: 540,00 + 110,00 = 650,00 DM/t
   Heizöl: 330,00 + 88,00 = 418,00 DM/t

d) Durchschnittserlöse:
   Benzin: 44 442 500 : 61 300 = 725,00 DM/t
   Diesel: 36 102 000 : 54 700 = 660,00 DM/t
   Heizöl: 11 275 000 : 27 500 = 410,00 DM/t

e) Kalkulatorischer Erfolg:
   Benzin: 725,00 − 710,00 = 15,00 DM/t Gewinn
   Diesel: 660,00 − 650,00 = 10,00 DM/t Gewinn
   Heizöl: 410,00 − 418,00 = 8,00 DM/t Verlust

f) Erzeugnis-Endbestände:
   Benzin: 1 400 t zu 600,00 DM =   840 000 DM
   Diesel: 2 500 t zu 540,00 DM = 1 350 000 DM
   Heizöl: 4 900 t zu 330,00 DM = 1 617 000 DM
              Summe   = 3 807 000 DM

g) Betriebsergebnis:
   Benzin: 61 300 · 15,00 = +   919 500 DM/Monat
   Diesel: 54 700 · 10,00 = +   547 000 DM/Monat
   Heizöl: 27 500 · 8,00 = −   220 000 DM/Monat
              Summe   = + 1 246 500 DM/Monat

oder:

S	Betriebsergebnis		H
Gesamtkosten	DM 94 380 000	Umsatzerlöse	DM 91 819 500
Gewinn	DM 1 246 500	Bestandszunahme	DM 3 807 000
	DM 95 626 500		DM 95 626 500

3.6 Anwendungsvoraussetzungen der Kalkulations-verfahren

Die Darstellung der Anwendungsvoraussetzungen für die einzelnen Kalkulationsverfahren kann sich auf eine Erläuterung der auf der folgenden Seite wiedergegebenen Abbildung 26 beschränken. Den dort entwickelten Unternehmungstypen liegen als Gliederungsmerkmale das Leistungsprogramm sowie verfahrenstechnische Gesichtspunkte zugrunde.

In einem **konvergierenden Produktionsprozeß** wird aus verschiedenen Einsatzstoffen ein einziges Erzeugnis hergestellt. Werden in einer solchen Unternehmung mehrere Erzeugnisse hergestellt, handelt es sich stets um eine freiwillige Mehrproduktfertigung. Aus einem **divergierenden Produktionsprozeß** gehen technisch zwangsläufig mehrere Erzeugnisse hervor. Einen solchen Prozeß nennt man Kuppelproduktion, die Erzeugnisse heißen Kuppelprodukte. Je nachdem, wie stark ein Kuppelprodukt zur Erlöserzielung beiträgt, unterscheidet man zwischen Haupt-, Neben- und Abfallprodukten. Ein Kuppelprozeß, aus dem nur ein einziges Haupterzeugnis hervorgeht, kann mit Hilfe der einfachen einstufigen Divisionskalkulation abgerechnet werden; entstehen im Kuppelprozeß mehrere Haupterzeugnisse, erfolgt die Abrechnung durch eine Divisionskalkulation mit Äquivalenzziffern.

Bei konvergierendem Produktionsprozeß wird zunächst nach dem Leistungsprogramm differenziert. **Homogene Leistungen** werden in den Augen der Nachfrager als gleichartig angesehen. Im einfachsten Fall handelt es sich um völlig gleichartige Erzeugnisse mit gleicher Rohstoffgrundlage und gleichem Fertigungsprozeß. Eine solche Unternehmung stellt **undifferenzierte Massenleistungen** her (Einproduktfertigung), die mit Hilfe der einfachen Divisionskalkulation abgerechnet werden. Entstehen in diesem Fertigungsprozeß keine Bestände an Zwischenprodukten in wechselnder Höhe, kann die Abrechnung sogar in einem Zuge erfolgen (einfache einstufige Divisionskalkulation), andernfalls muß jede Fabrikationsstufe gesondert abgerechnet werden (einfache mehrstufige Divisionskalkulation).

Treten innerhalb der Massenleistungen geringfügige Abweichungen auf, die beispielsweise in den Abmessungen, in der Rohstoffgrundlage oder im Fertigungsprozeß begründet sein können, spricht man von **Sortenleistungen**. Die unterschiedliche Kostenbelastung der einzelnen Sorten kann durch die Verwendung von Äquivalenzziffern bei der Divisionskalkulation zum Ausdruck gebracht werden.

Bei **heterogenen Leistungen** sind die Abweichungen zwischen den Erzeugnisarten stärker ausgeprägt. Im Extremfall unterscheidet sich jedes Produkt von jedem anderen Produkt (**Einzelleistungen**). Für ihre Abrechnung muß in jedem Falle die Zuschlagskalkulation herangezogen werden. Anderseits können heterogene Leistungen auch Produktarten sein, die in größerer Menge hergestellt werden. Innerhalb der Produktarten besteht dann wieder Homogenität der Leistungen, während die Produktarten untereinander heterogen sind. Dieser Fall wird als **Serienleistungen** bezeichnet. Für die Abrechnung von Serienleistungen kann die Divisionskalkulation nur noch dann eingesetzt werden, wenn ihre Fertigung simultan auf verschiedenen Anlagen erfolgt (mehrfache Divisionskalkula-

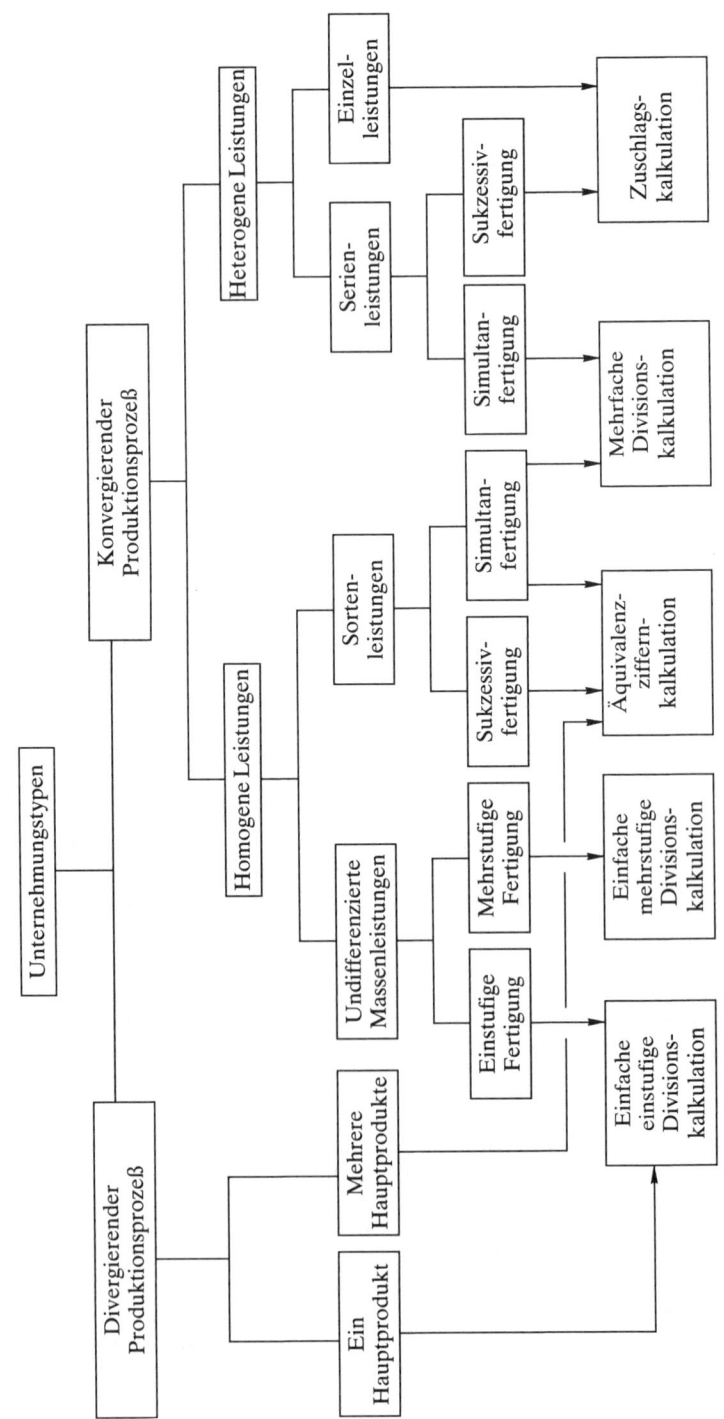

Abb. 26: Zusammenhang zwischen Kalkulationsverfahren und Unternehmungstyp

tion). Bei sukzessiver Fertigung auf denselben Anlagen kommt auch hier nur die Zuschlagskalkulation in Frage.

3.7 Testfragen und Übungsaufgaben

79. Welches ist das entscheidende Merkmal, durch das sich die Verfahren der Divisionskalkulation von den Verfahren der Zuschlagskalkulation unterscheiden?
80. a) Was sind Äquivalenzziffern?
    b) Wozu dienen Äquivalenzziffern in der Kalkulation?
    c) Wie werden die Äquivalenzziffern gewonnen?
81. a) Wodurch ist eine Gesamt-Zuschlagskalkulation gekennzeichnet?
    b) Nennen Sie die Voraussetzungen ihrer Anwendbarkeit!
82. Nennen Sie typische Beispiele für platzgebundene Fertigungsgemeinkosten!
83. Beschreiben Sie die Verfahren zur Kalkulation von Kuppelprodukten!
84. Welche Kalkulationsverfahren sind anwendbar
    a) bei simultaner Fertigung von Serienleistungen?
    b) bei sukzessiver Fertigung von Serienleistungen?
    c) bei sukzessiver Fertigung von Sortenleistungen?
    d) bei simultaner Fertigung von Sortenleistungen?
85. In einer Unernehmung wird als einzige Produktart das Erzeugnis C hergestellt. Der Fertigungsprozeß vollzieht sich in den drei Kostenstellen F_1, F_2 und F_3, die die Erzeugnisse nacheinander durchlaufen. Zwischen diesen Kostenstellen entstehen Lagerbestände an unfertigen Erzeugnissen, die in ihrer Höhe stärker schwanken. Das in der Fertigungskostenstelle F_2 hergestellte Halbfabrikat B kann entweder in dieser Form verkauft oder in der Fertigungskostenstelle F_3 zu dem erwähnten Fertigprodukt C weiterverarbeitet werden.

Der Betriebsabrechnungsbogen weist für den abgelaufenen Monat die folgenden Istkosten aus:

| Kosten-art | Summe | Strom-erzeu-gung | Fertigungsstelle | | | Mate-rial-stelle | Verwal-tungs-stelle | Ver-triebs-stelle |
			F_1	F_2	F_3			
Nr. 920	188 000	10 000	78 000	32 000	68 000	–	–	–
Nr. 922	128 000	2 600	24 200	9 500	22 200	5 000	38 200	26 300
Nr. 924	14 620	300	1 690	330	1 200	800	5 900	4 400
Nr. 925	49 300	1 200	12 200	9 900	11 000	1 000	6 500	7 500
Nr. 926	33 200	2 200	9 000	5 600	8 200	1 200	4 400	2 600
Nr. 928	5 500	–	–	–	–	–	5 500	–
Nr. 929	19 600	1 100	4 500	2 800	4 100	1 600	2 200	3 300
	438 220	17 400	129 590	60 130	114 700	9 600	72 700	44 100
Umlage S	–	–18 000	5 400	4 500	3 600	900	1 800	1 800
Umlage M	–	600	4 200	1 800	3 900	–10 500	–	–
Summe	438 220	–	139 190	66 430	122 200	–	64 500	45 900

Im vergangenen Monat wurden in der Fertigungskostenstelle F_1 310 hl des Halbfabrikats A hergestellt. In der Fertigungsstelle F_2 wurden bei einem Einsatz von 280 hl des Halbfabrikats A 350 hl des absatzfähigen Halbfabrikats B hergestellt. In der Fertigungskostenstelle F_3 schließlich wurden 200 hl des Halbfabrikats B eingesetzt und 320 hl des Fertigprodukts C ausgebracht.

Zu Beginn des Monats befanden sich auf Lager:

  50 hl des Halbfabrikats A   im Werte von 413 DM/hl
140 hl des Halbfabrikats B   im Werte von 531 DM/hl
  80 hl des Fertigfabrikats C   im Werte von 695 DM/hl

Abgesetzt wurden:

120 hl des Produkts B mit einem Erlös von   83 400 DM
340 hl des Produkts C mit einem Erlös von 347 820 DM

Beantworten Sie die folgenden Fragen:

a) Wie hoch sind die durchschnittlichen Herstellkosten
   (1) pro hl des Halbfabrikats A?
   (2) pro hl des Halbfabrikats B?
   (3) pro hl des Fertigerzeugnisses C?

b) Wie hoch sind die Verwaltungs- und Vertriebskosten pro hl der Erzeugnisse B und C, wenn sie pro Hektoliter für B nur halb so hoch angesetzt werden wie für C?

c) Wie hoch sind die Selbstkosten pro hl der Erzeugnisse B und C?

d) Wie hoch ist der kalkulatorische Erfolg pro hl der Erzeugnisse B und C?

e) Welche Endbestände waren am Monatsende mengen- und wertmäßig vorhanden?

f) Berechnen Sie das Betriebsergebnis nach dem Gesamtkostenverfahren!

g) Welchen zahlenmäßigen Inhalt würden die Kostenträgerbestands- und -erfolgskonten bei kontenmäßiger Betriebsabrechnung unter Zugrundelegung des Umsatzkostenverfahrens aufweisen?

h) Um wieviel DM wäre das Betriebsergebnis niedriger oder höher, wenn die Herstellkosten der Erzeugnisendbestände nicht nach der Durchschnittsmethode, sondern nach dem LIFO-Verfahren ermittelt würden?

86. In einem Gaswerk wurden im Monat Juni 570 000 m³ Stadtgas und 1 600 t Koks produziert. Darüber hinaus fielen noch diverse Neben- und Abfallprodukte an.

Die gesamten Herstellkosten dieses Monats beliefen sich auf 250 000 DM. An Vertriebskosten sind 11 880 DM für Stadtgas und 33 900 DM für Koks entstanden. Die Kosten der allgemeinen Verwaltung erreichten eine Höhe von insgesamt 46 260 DM.

Die Verkaufserlöse betrugen im Juni

   71 400 DM für 600 000 m³ Stadtgas,
255 000 DM für 1 500 t Koks und
    6 122 DM für Teer, Ammoniak, Benzol und andere Nebenprodukte.

Anfang Juni befanden sich noch auf Lager:

95 000 m³ Stadtgas im Werte von 8 179,50 DM

320 t Koks im Werte von 35 200,00 DM

Folgende Fragen sind zu beantworten:

a) Wie hoch sind die Herstellkosten der im Juni hergestellten Erzeugnisse
   (1) für 1 000 m³ Stadtgas,
   (2) für 1 t Koks
   unter der Voraussetzung, daß die Erlöse der Nebenprodukte von den Herstellkosten des Produktionsprozesses abgesetzt werden und die restlichen Herstellkosten im Verhältnis der mit den Durchschnittserlösen gewichteten Herstellmengen auf die beiden Haupterzeugnisse verteilt werden?

b) Wie hoch sind unter Einbeziehung der Anfangsbestände die durchschnittlichen Herstellkosten
   (1) für 1 000 m³ Stadtgas?
   (2) für 1 t Koks?

c) Wie hoch sind die Herstellkosten der im Monat Juni abgesetzten Mengen an Stadtgas und Koks unter Zugrundelegung der Durchschnittskostenbewertung?

d) Wie hoch sind die Selbstkosten für 1 000 m³ Stadtgas und für 1 t Koks, wenn die Verwaltungskosten auf die beiden Hauptprodukte im Verhältnis der Herstellkosten der abgesetzten Erzeugnisse verteilt werden?

e) Wie hoch sind die Lagerbestände an Stadtgas und Koks am Ende des Monats Juni mengen- und wertmäßig?

f) Wie hoch ist der kalkulatorische Erfolg
   (1) für 1 000 m³ Stadtgas?
   (2) für 1 t Koks?

g) Wie hoch ist das Betriebsergebnis des Monats Juni?

87. Eine Unternehmung stellt Großgetriebe im Wege der Werkstattfertigung her. In der Werkstatt A befinden sich 10 Maschinen vom Typ A−I, eine Maschine vom Typ A−II und 4 Maschinen vom Typ A−III, in der Werkstatt B laufen 3 Maschinen vom Typ B−I und 5 Maschinen vom Typ B−II, in der Werkstatt C befinden sich 7 Maschinen ein und desselben Typs.

Die Betriebsbuchhaltung liefert für den Monat Februar folgende Kosten:

Fertigungsmaterialverbrauch	90 000 DM
Fertigungslöhne in der Werkstatt A	20 000 DM
Fertigungslöhne in der Werkstatt B	15 000 DM
Fertigungslöhne in der Werkstatt C	14 000 DM
Sondereinzelkosten der Fertigung	2 000 DM
Sondereinzelkosten des Vertriebs	22 400 DM
Nicht platzgebundene Fertigungsgemeinkosten:	
− in der Werkstatt A	9 600 DM
− in der Werkstatt B	36 000 DM

Platzgebundene Fertigungsgemeinkosten:

− der Maschinengruppe A−I	149 850 DM
− der Maschinengruppe A−II	8 325 DM
− der Maschinengruppe A−III	53 280 DM
− der Maschinengruppe B−I	20 988 DM
− der Maschinengruppe B−II	62 548 DM
Fertigungsgemeinkosten der Werkstatt C	15 540 DM
Materialgemeinkosten	11 700 DM
Verwaltungsgemeinkosten	92 500 DM
Vertriebsgemeinkosten	74 000 DM
Gesamtkosten	697 731 DM
Umsatzerlöse	700 000 DM
Anfangsbestände an Halbfabrikaten	11 169 DM
Anfangsbestände an Fertigfabrikaten	44 100 DM

Für den Monat Februar wurden folgende Laufzeiten für die einzelnen Maschinengruppen ermittelt:

Maschinengruppe A−I	= 150 Stunden pro Maschine
Maschinengruppe A−II	= 150 Stunden
Maschinengruppe A−III	= 150 Stunden pro Maschine
Maschinengruppe B−I	= 440 Stunden insgesamt
Maschinengruppe B−II	= 760 Stunden insgesamt

In der folgenden Tabelle sind die anhand der Arbeitsbegleitpapiere ermittelten Einzelkosten und Fertigungszeiten für die abgesetzten Erzeugnisse, die aktivierten innerbetrieblichen Leistungen und den ultimo Februar vorhandenen Bestand an Fertigfabrikaten aufgeführt:

	abgesetzte Erzeugnisse	aktivierte Eigen-leistungen	Endbestand an Fertig-fabrikaten
Fertigungsmaterial	85 000 DM	800 DM	7 500 DM
Fertigungslöhne A	22 000 DM	300 DM	3 500 DM
Fertigungslöhne B	12 000 DM	200 DM	2 400 DM
Fertigungslöhne C	16 000 DM	250 DM	3 000 DM
Sondereinzelkosten der Fertigung	2 794 DM	88 DM	191,40 DM
Fertigungszeit in A−I	1 500 Std.	4 Std.	20 Std.
Fertigungszeit in A−II	144 Std.	−	10 Std.
Fertigungszeit in A−III	580 Std.	−	15 Std.
Fertigungszeit in B−I	420 Std.	−	24 Std.
Fertigungszeit in B−II	720 Std.	3 Std.	6 Std.

Beantworten Sie die folgenden Fragen:

a) Wie hoch ist der Zuschlagssatz für die Materialgemeinkosten, bezogen auf das verbrauchte Fertigungsmaterial?

b) Wie hoch ist der Zuschlagssatz für die nicht platzgebundenen Fertigungsgemeinkosten der Werkstatt A, bezogen auf die Fertigungslöhne in A?

c) Wie hoch sind die Zuschlagssätze für die platzgebundenen Fertigungsgemeinkosten der Maschinengruppen A−I bis A−III, bezogen auf eine Maschinenstunde?

d) Wie hoch sind die auf eine Maschinenstunde bezogenen Zuschlagssätze für die Fertigungsgemeinkosten der Maschinengruppen B−I und B−II, wenn sie sowohl die platzgebundenen als auch die nicht platzgebundenen Gemeinkosten umfassen?

e) Wie hoch ist der Zuschlagssatz für die Fertigungsgemeinkosten der Werkstatt C, bezogen auf die Fertigungslöhne dieser Werkstatt?

f) Wie hoch sind unter Zugrundelegung der ermittelten Zuschlagssätze die Herstellkosten der abgesetzten Erzeugnisse, die Herstellkosten der aktivierten innerbetrieblichen Leistungen und der Endbestand an Fertigerzeugnissen?

g) Wie hoch sind die Selbstkosten?

h) Wie hoch ist der Zuschlagssatz für die Verwaltungs- und Vertriebsgemeinkosten, bezogen auf die Herstellkosten der abgesetzten Erzeugnisse?

i) Wie hoch ist der Endbestand an Halbfabrikaten?

k) Wie hoch ist das Betriebsergebnis des Monats Februar?

l) Wie hoch ist der kalkulatorische Erfolg eines Getriebes, das zwei Stunden auf der Maschine A−II und fünf Stunden auf einer Maschine des Typs B−I gefertigt wurde und die folgenden Einzelkosten verursacht hat:

Fertigungsmaterial	130,00 DM
Fertigungslöhne in der Werkstatt A	80,00 DM
Fertigungslöhne in der Werkstatt B	124,20 DM
Fertigungslöhne in der Werkstatt C	100,00 DM
Sondereinzelkosten des Vertriebs	153,70 DM
Summe	587,90 DM

Der Verkaufspreis des Getriebes beträgt 2 109 DM einschließlich 14% Mehrwertsteuer. Ferner erhält der Kunde 10% Rabatt.

m) Wie hoch müßte in Frage l der Verkaufspreis einschließlich Mehrwertsteuer sein, damit die Unternehmung einen kalkulatorischen Gewinn von 5% der Selbstkosten erzielt?

4. Kapitel:
Teilkostenrechnung

4.1 Abgrenzung zwischen Voll- und Teilkostenrechnung

Als Teilkostenrechnung wird ein Abrechnungsverfahren bezeichnet, bei dem nur ein Teil der entstandenen Kosten auf die Kostenträger verrechnet wird, während die übrigen Kosten unter Umgehung der Kostenträgerrechnung direkt in die Betriebsergebnisrechnung geleitet werden. Welche Kosten auf die Kostenträger verrechnet werden und welche nicht, hängt von den einzelnen Verfahren der Teilkostenrechnung ab, die weiter unten im Kapitel 4.4 näher beschrieben werden.

Bei dem in der Praxis am häufigsten anzutreffenden Verfahren der Teilkostenrechnung, dem **Direct Costing**, werden beispielsweise nur die variablen Kosten dem einzelnen Kostenträger zugerechnet. Die nicht verteilten fixen Kosten müssen dann aus den Erlösüberschüssen der Kostenträger über ihre variablen Kosten gedeckt werden. Der Überschuß des Verkaufserlöses über die Teilkosten wird deshalb als **Deckungsbeitrag** bezeichnet. Eine Teilkostenrechnung ist somit immer eine Deckungsbeitragsrechnung.

In einer Vollkostenrechnung werden dagegen sämtlich Kosten auf die einzelnen Kostenträger verrechnet, so daß sich letzten Endes durch Vergleich mit dem Verkaufserlös auch der Gewinn oder Verlust pro Leistungseinheit angeben läßt. Bei den Verfahren der Teilkostenrechnung kann der Erfolg weder für eine Leistungseinheit als Stückerfolg noch für eine Kostenträgerart als Periodenerfolg ermittelt werden, sondern immer nur als Periodenergebnis für die Unternehmung als Ganzes. Für eine einzelne Produktart oder gar für eine Leistungseinheit können in der Teilkostenrechnung stets nur Deckungsbeiträge ausgewiesen werden.

Infolge der vollständigen Verteilung aller angefallenen Kosten liefert die Vollkostenrechnung immer Durchschnittskosten: die durchschnittlichen Kosten einer Einheit einer Produktart in einer ganz bestimmten Situation. Ändern sich die Rahmenbedingungen, wie z.B. die mengenmäßige Zusammensetzung des Produktprogramms, dann ändern sich auch die Durchschnittskosten. Für die allermeisten unternehmerischen Entscheidungen sind daher die durchschnittlichen Kosten einer Leistungseinheit als Information nicht brauchbar. Da der auf Durchschnittskostenbasis ermittelte Stückgewinn sich immer nur auf ein ganz bestimmtes Produktprogramm bezieht, kann er keine Aussage darüber liefern, wie sich das Betriebsergebnis v e r ä n d e r n würde, wenn das mengenmäßige Produktprogramm in einer bestimmten Weise variiert würde. Doch gerade hierauf kommt es in der Praxis an: die Auswirkungen von Entscheidungsalternativen auf die Höhe des Periodenerfolges zu erkennen.

Die Teilkostenrechnung kann für derartige Entscheidungen weitaus bessere Informationen liefern. Der Deckungsbeitrag pro Stück eines Erzeugnisses beispielsweise gibt an, um wieviel DM sich der Periodenerfolg verbessern würde, wenn von diesem Produkt ein Stück mehr hergestellt und abgesetzt würde. Der Deckungsbeitrag pro Maschinenstunde liefert die Aussage, um wieviel DM der

Gewinn steigen würde, wenn eine Stunde Maschinenkapazität zusätzlich für die Fertigung des betreffenden Erzeugnisses eingesetzt würde. Und der prozentuale Deckungsbeitrag zeigt, um wieviel DM der Gewinn zunähme, wenn von dem betreffenden Produkt 100 DM mehr umgesetzt würden. Die wenigen Beispiele mögen an dieser Stelle genügen; im Kapitel 4.6 wird die Aussagefähigkeit der Deckungsbeitragsrechnung ausführlicher anhand zahlreicher Entscheidungssituationen untersucht.

4.2 Grundprinzipien der Teilkostenrechnung

Das zweifellos wichtigste Grundprinzip der Teilkostenrechnung liegt in dem **Verzicht auf die Verteilung fixer Kosten auf die einzelne Leistungseinheit**. Die Unterscheidung fixer und variabler Kosten beruht auf der Tatsache, daß in der Unternehmung mehrere Einheiten derselben Produktart hergestellt und abgesetzt werden. Dann treten zum einen Kosten auf, die von jeder einzelnen Erzeugniseinheit verursacht werden (= variable Kosten), und zum anderen solche Kosten, die nur von allen Einheiten dieser Produktart gemeinsam verursacht werden (= fixe Kosten).

Die variablen Stückkosten sind demnach diejenigen Kosten, die fortfallen, wenn man auf die Erbringung einer Leistungseinheit verzichtet. Dagegen bleiben die fixen Periodenkosten in voller Höhe bestehen, wenn man innerhalb einer gegebenen Kapazität die Leistungsmenge erhöht oder vermindert. In bezug auf die Abrechnungsperiode sind also die variablen Kosten veränderlich und die fixen Kosten konstant, während in bezug auf die Leistungseinheit die variablen Kosten konstant und die fixen Kosten veränderlich sind.

Als Verfahren zur Auflösung der Gesamtkosten in ihre fixen und variablen Bestandteile wird regelmäßig die buchtechnische Methode angewandt (vgl. hierzu Kap. 2.3.2.4). Daraus folgt, daß die variablen Kosten in der Teilkostenrechnung als konstante Kosten pro Leistungseinheit, d.h. als proportionale Kosten, behandelt werden.

Der **Zweck der Kostenauflösung** besteht darin, die Einflüsse von Änderungen des Beschäftigungsgrades auf die Höhe der Kosten zu erkennen und hieran bestimmte unternehmerische Entscheidungen, vor allem auf dem Gebiet der Preis- und Programmpolitik, zu orientieren. In der Vollkostenrechnung bleiben diese Einflüsse verdeckt, weil dort die gesamten Kosten, d.h. neben den variablen auch die fixen Kosten, auf die Leistungseinheit verrechnet werden. Die Verteilung von Fixkosten auf die Leistungseinheiten läuft jedoch letztlich darauf hinaus, kalenderzeitabhängige Kosten gewaltsam in mengenabhängige Kosten zu verwandeln, d.h. künstlich zu proportionalisieren. Da die Fixkosten nicht von den einzelnen Leistungseinheiten selbst verursacht werden, sondern nur von allen in der Abrechnungsperiode erstellten Leistungen gemeinsam, verzichten sämtliche Verfahren der Teilkostenrechnung völlig auf die Verteilung fixer Kosten auf die Leistungseinheiten. Man verrechnet nur die variablen Kosten auf die Kostenträgereinheit, während die fixen Kosten unmittelbar, d.h. unter Umgehung der Kostenträgerrechnung, in die Betriebsergebnisrechnung geleitet werden.

Ein zweiter Grundsatz der Teilkostenrechnung verlangt den weitgehenden **Verzicht auf die Schlüsselung von Gemeinkosten**. Die Unterscheidung von Einzel- und Gemeinkosten geht auf die Tatsache zurück, daß in fast jeder Unternehmung mehrere Arten von Kostenträgern hergestellt und abgesetzt werden. Dann entstehen sowohl Kosten, die nur von einer einzigen Leistungsart verursacht worden sind (= Einzelkosten), als auch Kosten, die von mehreren oder gar allen Leistungsarten gemeinsam verursacht worden sind (= Gemeinkosten). Die Einzelkosten lassen sich stets direkt den Leistungsarten zurechnen, während die Gemeinkosten nur indirekt, d.h. durch Schlüsselung mit Hilfe möglichst proportionaler Maßstäbe, auf die betreffenden Leistungsarten verrechnet werden können.

Innerhalb der Gemeinkosten läßt sich weiterhin die Unterscheidung zwischen echten und unechten Gemeinkosten treffen. **Unechte Gemeinkosten** sind solche, die zwar grundsätzlich als Einzelkosten erfaßt werden könnten, auf deren getrennte Erfassung man aber aus Gründen der Wirtschaftlichkeit verzichtet. Als Beispiel für unechte Erzeugnisgemeinkosten kann der Verbrauch von Hilfsstoffen genannt werden, dessen Erfassung pro Kostenträger zwar grundsätzlich möglich ist, in der Praxis aber regelmäßig unterbleibt, weil diese Erfassungsmethode viel zu aufwendig ist. Man erfaßt diese Kostenarten nur pro Kostenstelle und verteilt sie auf die Kostenträger durch Schlüsselung, wobei sich hier im allgemeinen leicht proportionale Maßstäbe finden lassen. Echte Gemeinkosten lassen sich dagegen nie als Einzelkosten erfassen, auch wenn die Erfassungstechnik noch so verfeinert wird (z.B. die Heizkosten). Sie lassen sich daher auf die Erzeugnisarten nur durch eine mehr oder weniger willkürliche Schlüsselung verteilen, so daß der Aussagewert der so verrechneten Kosten stets fragwürdig bleiben muß. Bei den Verfahren der Teilkostenrechnung wird daher die Verteilung echter Gemeinkosten auf die einzelnen Leistungsarten nach Möglichkeit vermieden.

Bei einigen Verfahren der Teilkostenrechnung werden die angefallenen Kosten ausschließlich als **relative Einzelkosten**[1] erfaßt, und zwar so, daß sie in der Hierarchie betrieblicher Bezugsbasen an der untersten Stelle ausgewiesen werden, an der man sie gerade noch als Einzelkosten erfassen kann: als Kostenträgereinzelkosten, Kostenträgergruppeneinzelkosten, Kostenstelleneinzelkosten, Kostenstellengruppeneinzelkosten oder Unternehmungseinzelkosten. Auf eine Aufschlüsselung dieser Kosten auf untergeordnete Bezugsbasen, denen sie nicht mehr als Einzelkosten zugerechnet werden können, wird hier auf jeden Fall verzichtet. Der Zweck einer solchen stufenweisen Einzelkostenrechnung wird weiter unten im Kapitel 4.4.2 erläutert.

Ein weiteres Kennzeichen der Teilkostenrechnung ist die stärkere Verknüpfung von Kosten und Erlösen in der Abrechnung. In der traditionellen Vollkostenrechnung ist dies nicht in dem Maße erforderlich, da die errechneten Kosten der Leistungseinheit und der Verkaufspreis die gleiche Dimension (DM/Stück) besitzen und damit unmittelbar additionsfähig und vergleichbar sind. Diese Eigenschaften sind bei den Verfahren der Teilkostenrechnung strenggenommen nur zwischen dem Absatzpreis und den variablen Stückkosten gegeben, so daß es sich als zweckmäßig erweist, die Erlöse nicht erst am Schluß der Rechnung, sondern bereits an der obersten Stelle, bei den variablen Einzelkosten, mit einzubeziehen. Das Schema der Periodenerfolgsrechnung ist daher regelmäßig retrograd aufgebaut: Man beginnt mit den Verkaufserlösen, zieht davon stufenweise verschiedene Kostenkategorien ab und erhält am Schluß der Rechnung den kalkula-

---

[1] Zur Relativität des Begriffspaars Einzel- und Gemeinkosten vgl. Kapitel 2.3.2.3.

torischen Periodenerfolg für die Gesamtunternehmung. Diese Verknüpfung einer Teilkostenrechnung mit einer Erlösrechnung heißt **Deckungsbeitragsrechnung**.

Die retrograde Methode der Abrechnung führt zwangsläufig zu Zwischenergebnissen, die als Deckungsbeiträge bezeichnet werden. Unter einem **Deckungsbeitrag** versteht man daher die Differenz zwischen dem Verkaufserlös und bestimmten Teilkosten. Mit dem Deckungsbeitrag trägt ein Erzeugnis, eine Erzeugnisgruppe oder eine Kostenstelle zur Deckung der restlichen Kosten und gegebenenfalls zur Erzielung eines Periodengewinns der Unternehmung bei.

Je nachdem, welche Kostenkategorien man von den Erlösen subtrahiert, ergeben sich **verschiedene Inhalte für den Deckungsbeitragsbegriff**. So kann es sich beispielsweise um den Deckungsbeitrag eines Kostenträgers über seine variablen Einzelkosten, über seine gesamten Einzelkosten oder über seine gesamten variablen Kosten handeln. Ferner kann der Deckungsbeitrag auf eine Abrechnungsperiode, auf eine Einheit eines Kostenträgers oder eine Einheit eines Einsatzgutes bezogen sein. Den auf eine Einheit bezogenen Deckungsbeitrag bezeichnet man als Deckungsbeitragssatz. Er wird beispielsweise in DM/Stück, DM/Stunde oder DM/t ausgedrückt, während die Dimension des periodenbezogenen Deckungsbeitrags DM/Monat oder DM/Jahr lautet.

4.3 Historische Entwicklung der Teilkostenrechnung

Sieht man von der umfangreichen Literatur über die frühere Diskussion der Schmalenbachschen Vorschläge ab, so kann als unmittelbarer Ausgangspunkt für die Diskussion der Teilkostenrechnung die Entwicklung des **Direct Costing** in den USA und des **Marginal Costing** in England angesehen werden. 1933 veröffentlichte *Clark* einen Aufsatz über die Kostenrechnung im Handel, der die ersten Ansätze des Direct Costing enthält[2]. Die Bezeichnung des Verfahrens als Direct Costing und seine Anwendung in industriellen Unternehmungen ist erstmals 1936 bei *Harris* nachzulesen[3]. In den sechziger Jahren wurde in den USA dieses Verfahren zeitweise auch als Variable Costing bezeichnet. Die Entwicklung des Marginal Costing in England vollzog sich unabhängig von den amerikanischen Untersuchungen, wenn auch wesentlich später. Die erste Darstellung des Systems findet sich 1947 in einem Werk von *Lawrence* und *Humphreys*[4].

In Deutschland wurde die Diskussion der Verfahren der Teilkostenrechnung 1953 durch einen Aufsatz von *Plaut* erneut entfacht[5]. Ihm folgten im Jahre 1959 zahlreiche weitere Veröffentlichungen. Zu den wichtigsten zählen die Aufsätze

---

[2] Clark, C. B.: Reservoir Concept is Keynote of Future Profits. In: Retail Ledger, Dec. 1933, S. 13ff.

[3] Harris, J. N.: What did we Earn last Month? In: NACA Bulletin, Jan. 1936, S. 501-527.

[4] Lawrence, F. C., und E.N. Humphreys: Marginal Costing. London 1947.

[5] Plaut, Hans-Georg: Die Grenz-Plankostenrechnung. In: Zeitschrift für Betriebswirtschaft, 23. Jg. 1953, S. 347-363 und S. 402-413.

von *Heine, Agthe* und *Riebel*[6]. Sie sind in den folgenden Jahren durch einige weitere Veröffentlichungen ergänzt und teilweise verfeinert worden, doch kann den späteren Abhandlungen eine derart fundamentale Bedeutung nicht mehr beigemessen werden.

Die eigentlichen Wurzeln dieses auch heute noch als neu bezeichneten Kostendenkens liegen jedoch weder in den USA noch in England, sondern in Deutschland und reichen bis in das vergangene Jahrhundert zurück. *Schmalenbach,* der Altmeister der Betriebswirtschaftslehre, stellte bereits 1899 in einem Aufsatz fest, daß nicht alle „Unkosten ... gleichen Schritt mit der Produktion" halten und daß „dieser Unterschied in den Unkosten ... in der Deckung eine große Rolle (spielt)"[7]. Er unterscheidet bereits degressive, fixe, proportionale und progressive Kosten und löst nach der mathematischen Methode die degressiven und progressiven Kosten (in seiner ursprünglichen Terminologie) in fixe und proportionale Bestandteile auf, so daß die Periodenkosten der Unternehmung schließlich nur aus proportionalen („primären") und fixen („sekundären") Kosten zusammengesetzt sind[8]. *Schmalenbach* weist ausdrücklich auf die Notwendigkeit hin, primäre und sekundäre Kosten zu trennen, und formuliert eine Verrechnungsweise, nach der „die sekundären Unkosten durch die Gewinne gedeckt werden müssen. Theoretisch richtig wäre es daher, allen Kunden nur die primären Kosten anzurechnen, die sekundären Unkosten aber durch die Rohgewinne zu decken"[9].

Noch frühere Ansätze zu einem Verzicht auf die Verteilung sämtlicher Kosten auf die Leistungseinheit finden sich schon 1876 bei *Strousberg,* der die Preispolitik der deutschen Eisenproduzenten kritisiert: Der deutsche Fabrikant „will jede Arbeit mit einem entsprechenden Theil der General-Kosten nach momentanen Umständen belasten, und da ist es klar, daß er sich die Selbstkosten so hoch heraus rechnen kann, daß er concurrenzunfähig wird". Der Engländer dagegen „benutzt die höchsten Preise, sucht aber voll beschäftigt zu sein, selbst bei den niedrigsten. Die General-Unkosten-Rechnung ist in Folge dessen dort eine ganz andere. Fabriksanlagen, also Verzinsung des Anlage-Capitals und alle diejenigen Ausgaben, die unter allen Umständen, ob gearbeitet wird oder nicht, zu machen sind, rechnet der Engländer in seiner Selbstkostenrechnung gar nicht, er frägt sich, welcher Umsatz zu einem gewissen Procentsatz als Profit über die aus der jedesmaligen Production entstandenen Selbstkosten ist erforderlich, um vorerwähnte Ausgaben mit zu decken, und daher ist sein Augenmerk sein Umsatz. Er belastet aber nicht jeden Artikel mit General-Kosten, die sich je nach der Größe der Production ganz anders gestalten"[10].

---

6 Heine, Peter: Direct Costing – eine anglo-amerikanische Teilkostenrechnung. In: Zeitschrift für handelswissenschaftliche Forschung, N.F., 11. Jg. 1959, S. 515-534.
   Agthe, Klaus: Stufenweise Fixkostendeckung im System des Direct Costing. In: Zeitschrift für Betriebswirtschaft, 29. Jg. 1959, S. 404-418.
   Riebel, Paul: Das Rechnen mit Einzelkosten und Deckungsbeiträgen. In: Zeitschrift für handelswissenschaftliche Forschung, N.F., 11. Jg. 1959, S. 213-238.
7 Schmalenbach, Eugen: Buchführung und Kalkulation im Fabrikgeschäft. Unveränderter Nachdruck aus der Deutschen Metallindustriezeitung, 15. Jg. 1899. Leipzig 1928.
8 Schmalenbach, a.a.O., S. 8-9.
9 Schmalenbach, a.a.O., S. 9.
10 Strousberg, Bethel Henry: Dr. Strousberg und sein Wirken. Von ihm selbst geschildert. Berlin 1876, S. 413-414.

Schär hat in seinem 1914 erschienenen Werk über Buchhaltung und Bilanz ebenfalls die Periodenkosten aufgeteilt in einen proportionalen und einen fixen Teil, den er eiserne Kosten nennt. Die Erlösüberschüsse über die proportionalen Kosten haben zuerst die fixen Kosten zu decken, so daß nach *Schär* der Gewinn – wenn überhaupt – erst in den letzten ein oder zwei Monaten des Jahres verdient wird. Deshalb mißt er auch dem „toten Punkt" eine große Bedeutung zu, den er als den Zeitpunkt definiert, an dem „der Gewinn an den abgesetzten Produkten die gesamten eisernen Jahreskosten genau deckt; mit anderen Worten, wo der Gewinn gleich ist den eisernen Kosten des ganzen Jahres; in diesem Zeitpunkt sind also die eisernen Kosten verdient, so daß die von hierab verkauften Produkte nur noch mit den proportionalen Kosten belastet werden müssen"[11]. In den USA ist dieser Gedanke im „break even point" wieder aufgelebt.

Peiser darf wohl für sich in Anspruch nehmen, den Begriff der Deckung in die betriebswirtschaftliche Terminologie eingeführt zu haben. Er war bemüht, „auch für den Überschuß des Erlöses über die direkten Aufwendungen einen Namen zu finden, denn dieser Überschuß spielt in der Betriebsrechnung ... eine wichtige Rolle ... Wir schlagen hierfür das Wort ‚Deckung' vor und zwar aus der Überlegung heraus, daß aus diesem Überschuß mehrere Posten zu decken sind, nämlich die Betriebsunkosten einschließlich der Aufstellungsunkosten, ferner die Vertriebsunkosten und endlich der Reingewinn"[12]. Zur weiteren Erläuterung sei erwähnt, daß *Peiser* die Gesamtkosten in direkte Aufwendungen und Unkosten aufteilt. „Alle Aufwendungen gehören zu Lasten desjenigen Auftrages, für den sie geleistet werden. Unter Unkosten ist nur das zu verbuchen, was sich nicht zwanglos zu Lasten des Einzelauftrages erfassen läßt"[13]. Diese Gliederung entspricht somit in unserem heutigen Sprachgebrauch der Unterscheidung zwischen Einzel- und Gemeinkosten, so daß *Peisers* Deckungsbegriff als Deckungsbeitrag über die vollen Einzelkosten interpretiert werden kann.

Zum Abschluß der historischen Betrachtungen sei noch *Rummel* erwähnt, der im Geleitwort zur dritten Auflage seiner „Einheitlichen Kostenrechnung" feststellt, daß er von Auflage zu Auflage mehr und mehr zu der Überzeugung gekommen sei, „daß die sog. festen Kosten billigerweise den Erzeugnissen der Einzelfertigung überhaupt nicht zugerechnet werden dürfen"[14]. Diese „ketzerische Anschauung" sei für ihn die Veranlassung gewesen, die sog. Blockkostenrechnung zu entwickeln, die eine Verteilung der Kosten nach ihrem Verhalten bei Beschäftigungsänderungen vornimmt. Bei der Blockkostenrechnung „stellt man lediglich den Block der fixen Kosten dem Block der proportionalen Kosten gegenüber und rechnet ... den Erzeugnissen nur die proportionalen Kosten zu, nicht aber die Bereitschaftskosten"[15]. Die Bereitschaftskosten sind keine erzeugungsmengenabhängigen Kosten, sondern kalenderzeitproportionale Kosten und daher aus der Stückrechnung auszusondern.

[11] Schär, Johann Friedrich: Buchhaltung und Bilanz auf wirtschaftlicher, rechtlicher und mathematischer Grundlage für Juristen, Ingenieure, Kaufleute und Studierende der Privatwirtschaftslehre. 2. Aufl., Berlin 1914, S. 256.

[12] Peiser, Herbert: Grundlagen der Betriebsrechnung in Maschinenbauanstalten. 2. Aufl., Berlin 1923, S. 42-43.

[13] Peiser, a.a.O., S. 15-16.

[14] Rummel, Kurt: Einheitliche Kostenrechnung auf der Grundlage einer vorausgesetzten Proportionalität der Kosten zu betrieblichen Größen. 3. Aufl., Düsseldorf 1949, S. XIV.

[15] Rummel, a.a.O., S. 214.

4.4 Verfahrenstypen der Teilkostenrechnung und ihre Anwendungsbedingungen

Die Unterschiede im Abrechnungsverfahren sollen anhand eines **einheitlichen Zahlenbeispiels** dargestellt werden, in dem die gesamten variablen und fixen Kosten auf die Kostenträger verteilt wurden, so daß die Rechnung am Ende den auf Vollkostenbasis ermittelten Periodenerfolg ausweist.

Erzeugnisgruppe	1		2	
Erzeugnis	A	B	C	D
Variable Erzeugniseinzelkosten	7 500	2 500	5 000	20 000
Variable Erzeugnisgruppeneinzelkosten	2 400	800	1 600	6 400
Sonstige variable Kosten	1 500	500	1 000	4 000
Summe der variablen Kosten	11 400	3 800	7 600	30 400
Fixe Erzeugniseinzelkosten	3 300	5 100	12 000	8 800
Fixe Erzeugnisgruppeneinzelkosten	4 800	1 600	1 200	4 800
Sonstige fixe Kosten	9 000	3 000	6 000	24 000
Selbstkosten	28 500	13 500	26 800	68 000
Verkaufserlöse	24 000	8 500	18 000	99 500
Periodenerfolg	−4 500	−5 000	−8 800	31 500

4.4.1 Das Direct Costing

Im Direct Costing steht die Auflösung der Gesamtkosten in variable und fixe Kosten eindeutig im Vordergrund. Auf die Leistungseinheit werden nur die variablen Kosten verteilt, und zwar sowohl die variablen Einzelkosten als auch die variablen Gemeinkosten. Da hierfür eine Schlüsselung der variablen Gemeinkosten notwendig ist, wird insofern der Grundsatz des Verzichtes auf die Verteilung von Gemeinkosten teilweise durchbrochen. Man wendet das Direct Costing daher grundsätzlich nur dort an, wo die Schlüsselung variabler Erzeugnisgemeinkosten die Aussagefähigkeit dieses Kostenrechnungsverfahrens kaum beeinträchtigen kann: dort, wo sich die variablen Erzeugnisgemeinkosten vornehmlich aus unechten Gemeinkosten zusammensetzen. Die bei der Schlüsselung unechter variabler Erzeugnisgemeinkosten auftretenden Fehler beeinflussen nur geringfügig die Genauigkeit der Rechnung, keinesfalls aber können dadurch Fehlentscheidungen ausgelöst werden, wie dies infolge der Aufschlüsselung echter Gemeinkosten und der Proportionalisierung fixer Kosten in der traditionellen Vollkostenrechnung sehr leicht der Fall sein kann.

Im System des Direct Costing werden also stets von den Verkaufserlösen zunächst die gesamten variablen Kosten subtrahiert. Die Behandlung der fixen Kosten ist dagegen nicht einheitlich, so daß sich zwei Varianten des Direct Costing gebildet haben: das Direct Costing mit summarischer Fixkostendeckung und das Direct Costing mit stufenweiser Fixkostendeckung.

4.4.1.1 Direct Costing mit summarischer Fixkostendeckung

Beim Direct Costing mit summarischer Fixkostendeckung werden die fixen Kosten zu einem einzigen Block zusammengefaßt und in ihrer Gesamtheit aus den Deckungsbeiträgen der einzelnen Erzeugnisse über ihre variablen Kosten gedeckt. Sind die Deckungsbeiträge insgesamt größer als der Block der fixen Kosten, dann erzielt die Unternehmung einen Periodengewinn. Anwendbar ist dieses Verfahren **bei allen kurzfristigen Entscheidungen**, bei denen die fixen Kosten ohnehin nicht zu den relevanten Kosten zählen und ihre summarische Deckung deshalb keinen Informationsverlust bedeutet.

Unter Zugrundelegung des oben entwickelten Zahlenbeispiels hat die Deckungsbeitragsrechnung im Direct Costing mit summarischer Fixkostendeckung folgenden Inhalt:

Erzeugnis	A	B	C	D
Verkaufserlöse	24 000	8 500	18 000	99 500
Variable Kosten	11 400	3 800	7 600	30 400
Deckungsbeiträge	12 600	4 700	10 400	69 100
		96 800		
Fixe Kosten		83 600		
Periodengewinn		13 200		

4.4.1.2 Direct Costing mit stufenweiser Fixkostendeckung

Im System des Direct Costing mit stufenweiser Fixkostendeckung werden die fixen Kosten nicht zu einem einzigen Block zusammengefaßt, sondern auf Kostenträgerarten, Kostenträgergruppen, Kostenstellen, Kostenstellengruppen usw. verteilt, soweit dies direkt, d.h. ohne Schlüsselung, möglich ist. Die Deckung der fixen Kosten erfolgt dann stufenweise aus den Deckungsbeiträgen der vorgelagerten Bezugsbasen. Erst wenn diejenigen Fixkosten, die keinem bestimmten Leistungsobjekt oder Leistungsbereich, sondern nur der Unternehmung als Ganzes direkt zurechenbar sind (= fixe Unternehmungseinzelkosten), aus den restlichen Deckungsbeiträgen gedeckt sind, stellt der verbleibende Überschuß einen Gewinn der Abrechnungsperiode dar.

Das Direct Costing mit stufenweiser Fixkostendeckung liefert Informationen **für mittel- und langfristige Entscheidungen** in der Unternehmung. Auf längere Sicht muß der Erlös jeder Erzeugnisart nicht nur die variablen Kosten übersteigen, sondern darüber hinaus zumindest auch die von der Produktart allein verursachten Fixkosten decken. Die zu einer Produktgruppe gehörenden Erzeugnisse müssen ferner mit ihren Deckungsbeiträgen auch diejenigen Fixkosten decken, die von dieser Produktgruppe allein verursacht worden sind. Schließlich müssen auch die danach verbleibenden Deckungsbeiträge ausreichen, alle Fixkosten zu decken, die nur der Unternehmung als Ganzes direkt zugerechnet werden können.

Die Deckungsbeitragsrechnung im Direct Costing mit stufenweiser Fixkostendeckung hat bei Verwendung der bekannten Zahlen folgendes Aussehen:

Erzeugnis	A	B	C	D
Verkaufserlöse	24 000	8 500	18 000	99 500
Variable Kosten	11 400	3 800	7 600	30 400
Deckungsbeitrag I	12 600	4 700	10 400	69 100
Fixe Erzeugniseinzelkosten	3 300	5 100	12 000	8 800
Deckungsbeitrag II	9 300	−400	−1 600	60 300
	8 900		58 700	
Fixe Erzeugnisgruppeneinzelkosten	6 400		6 000	
Deckungsbeitrag III	2 500		52 700	
		55 200		
Fixe Unternehmungseinzelkosten		42 000		
Periodengewinn		13 200		

4.4.2 Die gestufte Einzelkostenrechnung

Während beim Direct Costing variable Erzeugnisgemeinkosten geschlüsselt werden, vermeidet die gestufte Einzelkostenrechnung strengstens jegliche Verteilung verbundener Kosten. Es werden also weder fixe Kosten proportionalisiert, noch werden irgendwelche Gemeinkosten geschlüsselt. Die Diskussion über diese Form der Deckungsbeitragsrechnung („auf der Basis relativer Einzelkosten") geht auf einen Aufsatz von *Riebel* aus dem Jahre 1959 zurück[16].

Das wichtigste, wenn nicht gar das ausschließliche Anwendungsgebiet der gestuften Einzelkostenrechnung ist die **Kuppelproduktion**. Hier versagen die Verfahren des Direct Costing, weil sie eine Aufschlüsselung variabler Gemeinkosten vornehmen. Im eigentlichen Kuppelprozeß stellen jedoch die variablen Herstellkosten stets echte Gemeinkosten dar, für deren Schlüsselung sich kein Maßstab finden ließe, der der Kostenverursachung proportional ist.

Die spezielle Ausgestaltung der Deckungsbeitragsrechnung mit relativen Einzelkosten hängt von den weiteren Zwecken ab, die neben der Ermittlung des globalen Unternehmungserfolges verfolgt werden. So sind für mittel- und langfristige Fragestellungen die vollen Einzelkosten eines Kostenträgers, einer Kostenträgergruppe oder eines Leistungsbereiches von Bedeutung, für kurzfristige Entscheidungen sind dagegen nur die variablen Einzelkosten relevant. Da in einer Deckungsbeitragsrechnung nicht beide Gesichtspunkte zugleich verwirklicht werden können, ergeben sich zwei Variationsformen der gestuften Einzelkostenrechnung: die **Deckungsbeitragsrechnung mit variablen Einzelkosten** und die **Deckungsbeitragsrechnung mit vollen Einzelkosten**.

Im ersten Falle werden von den Verkaufserlösen stufenweise die variablen Einzelkosten subtrahiert, so daß schließlich ein Deckungsbeitrag aller Erzeugnis-

---

[16] Riebel, Paul: Das Rechnen mit Einzelkosten und Deckungsbeiträgen. In: Zeitschrift für handelswissenschaftliche Forschung, N.F., 11. Jg. 1959, S. 213-238.

se über ihre variablen Kosten verbleibt, aus dem die fixen Kosten dann nur noch en bloc gedeckt werden können. Diese Deckungsbeitragsrechnung zeigt folgendes Bild:

Erzeugnis	A	B	C	D
Verkaufserlöse	24 000	8 500	18 000	99 500
Variable Erzeugniseinzelkosten	7 500	2 500	5 000	20 000
Deckungsbeitrag I	16 500	6 000	13 000	79 500
		22 500		92 500
Variable Erzeugnisgruppeneinzelkosten		3 200		8 000
Deckungsbeitrag II		19 300		84 500
			103 800	
Variable Unternehmungseinzelkosten			7 000	
Deckungsbeitrag III			96 800	
Fixe Kosten			83 600	
Periodengewinn			13 200	

Die zweite Variante beinhaltet eine reine Einzelkostenrechnung. Hier werden auf jeder Stufe der betrieblichen Bezugsgrößenhierariche sowohl die variablen als auch die fixen Einzelkosten subtrahiert, so daß die Deckungsbeitragsrechnung folgenden Inhalt aufweist:

Erzeugnis	A	B	C	D
Verkaufserlöse	24 000	8 500	18 000	99 500
Variable Erzeugniseinzelkosten	7 500	2 500	5 000	20 000
Fixe Erzeugniseinzelkosten	3 300	5 100	12 000	8 800
Deckungsbeitrag I	13 200	900	1 000	70 700
		14 100		71 700
Variable Erzeugnisgruppeneinzelkosten		3 200		8 000
Fixe Erzeugnisgruppeneinzelkosten		6 400		6 000
Deckungsbeitrag II		4 500		57 700
			62 200	
Variable Unternehmungseinzelkosten			7 000	
Fixe Unternehmungseinzelkosten			42 000	
Periodengewinn			13 200	

4.5 Besonderheiten der Betriebsabrechnung mit Teilkosten

4.5.1 Die Bewertung der Erzeugnisbestände

Für die Bewertung der Fabrikatebestände gilt in der Teilkostenrechnung das folgende **Grundprinzip**: Die am Ende einer Abrechnungsperiode vorhandenen Bestände an Halb- und Fertigfabrikaten sind generell mit den Kosten zu bewerten, die nicht entstanden wären, wenn man die betreffenden Erzeugniseinheiten nicht hergestellt hätte. Oder anders ausgedrückt: Dadurch, daß mehr Erzeugnisse hergestellt als abgesetzt wurden, sind zusätzliche Kosten entstanden. Mit diesen zusätzlich angefallenen Kosten ist die Mehrproduktion zu bewerten.

4.5.1.1 Einproduktfertigung und technisch unverbundene Mehrproduktfertigung

Bei Einproduktfertigung oder freiwilliger, d.h. technisch unverbundener Mehrproduktfertigung entsprechen die **variablen Herstellkosten** den infolge der Mehrproduktion zusätzlich angefallenen Kosten. Die Wertansätze für die Erzeugnisbestände dürfen keine Fixkostenanteile aus der Produktionsperiode enthalten, weil jede Abrechnungsperiode ihre Fixkosten in voller Höhe selbst tragen muß. Die Einbeziehung von Fixkostenanteilen in die Bestandsbewertung, wie dies in der Vollkostenrechnung praktiziert wird, entspricht einer Vorwegnahme von Gewinnen, die erst in einer späteren Abrechnungsperiode (bei der Veräußerung) erzielt werden, und ist unter betriebswirtschaftlichen Gesichtspunkten wegen der Gefahr von Fehlentscheidungen abzulehnen.

Die Unterschiede in der Bestandsbewertung zwischen Voll- und Teilkostenrechnung und ihre Auswirkungen auf die Höhe des Periodenerfolges sollen anhand eines Zahlenbeispiels dargestellt werden. Eine Einproduktunternehmung möge in den vergangenen vier Monaten folgende Mengen ihres Erzeugnisses hergestellt haben:

10000 t im 1. Monat
12000 t im 2. Monat
10000 t im 3. Monat
 8000 t im 4. Monat

Abgesetzt wurden in jedem Monat 10000 t zu einem Preis von 50,00 DM/t. Die variablen Herstellkosten sollen in jedem Monat 21,60 DM/t, die variablen Vertriebskosten 5,40 DM/t, die fixen Herstellkosten 144000 DM/Monat und die fixen Kosten der allgemeinen Verwaltung und des Vertriebs 66000 DM/Monat betragen haben. Zu Beginn des ersten Monats waren keine Erzeugnisbestände vorhanden.

In der Vollkostenrechnung ergibt sich daraus folgende Rechnung für die Bestandsbewertung (mit durchschnittlichen Herstellkosten) und für die Erfolgsermittlung:

	1. Monat	2. Monat	3. Monat	4. Monat
Variable Herstellkosten	216 000	259 200	216 000	172 800
Fixe Herstellkosten	144 000	144 000	144 000	144 000
Herstellkosten des Monats	360 000	403 200	360 000	316 800
Anfangsbestand	0	0	67 200	71 200
Zwischensumme	360 000	403 200	427 200	388 000
Endbestand	0	67 200	71 200	0
Herstellkosten des Umsatzes	360 000	336 000	356 000	388 000
Verwaltungs- und Vertriebskosten	120 000	120 000	120 000	120 000
Selbstkosten	480 000	456 000	476 000	508 000
Umsatzerlöse	500 000	500 000	500 000	500 000
Betriebsergebnis	+20 000	+44 000	+24 000	−8 000

In der Teilkostenrechnung erfolgt die Bewertung der Erzeugnisbestände mit den variablen Herstellkosten von 21,60 DM/t. Danach betragen die Bestände am Ende des zweiten und dritten Monats jeweils 43 200 DM. Auf die Höhe des Periodenerfolges üben diese Bestände überhaupt keinen Einfluß aus. Für die Erfolgsermittlung ergibt sich in jedem Monat die gleiche Rechnung:

Verkaufspreis		50,00 DM/t
Variable Kosten: Herstellung	21,60 DM/t	
Vertrieb	5,40 DM/t	27,00 DM/t
Deckungsbeitragssatz		23,00 DM/t
Deckungsbeitrag bei 10 000 t Absatz		230 000 DM
Fixe Kosten: Herstellung	144 000 DM	
Verwaltung und Vertrieb	66 000 DM	210 000 DM
Monatlicher Gewinn		20 000 DM

Der Vergleich beider Rechnungen führt zu folgenden Schlußfolgerungen:

Im Direct Costing hängt die Höhe des Periodenerfolges nur von der abgesetzten Erzeugnismenge ab, während in der Vollkostenrechnung der Periodenerfolg darüber hinaus auch von der hergestellten Menge beeinflußt wird. Bei einem Lageraufbau verteilen sich in der Vollkostenrechnung die fixen Herstellkosten auf eine größere Basis, so daß sie pro Leistungseinheit kleiner sind und dadurch der Periodenerfolg größer wird. Damit wird in der Vollkostenrechnung ein Teil der fixen Herstellkosten in den Beständen aktiviert, während in der Teilkostenrechnung jede Abrechnungsperiode ihre vollen Fixkosten allein tragen muß. Selbst dann, wenn die hergestellte und die abgesetzte Erzeugnismenge gleich hoch sind, stimmen die mittels Voll- und Teilkostenrechnung ermittelten Periodenerfolge nur überein, wenn entweder kein Erzeugnisbestände vorhanden sind oder aber die Bestände nach dem LIFO-Verfahren bewertet worden sind.

4.5.1.2 Technisch verbundene Mehrproduktfertigung (Kuppelproduktion)

Die bisher entwickelten Regeln für die Bewertung der Erzeugnisbestände mit variablen Herstellkosten sind nur auf Unternehmungen mit Einproduktfertigung oder freiwilliger Mehrproduktfertigung anwendbar. Die Bewertung von Lagerbeständen an Kuppelprodukten wirft zusätzliche betriebswirtschaftliche Probleme auf, die anhand von vier einfachen Beispielen aufgezeigt werden sollen.

Im Produktionsprozeß der Unternehmung mögen aus 5 Einheiten des Rohstoffs R gleichzeitig 3 Einheiten des Produkts A und 2 Einheiten des Produkts B entstehen. Beide Erzeugnisse können ohne weitere Be- oder Verarbeitung abgesetzt werden. Die variablen Kosten des Kuppelprozesses sollen 4,00 DM je eingesetzter Einheit des Rohstoffs betragen. Daneben fallen fixe Kosten in Höhe von 240 000 DM pro Periode an.

Die am Ende der Abrechnungsperiode vorhandenen Bestände an Fertigerzeugnissen sind, den bisherigen Ausführungen zufolge, mit denjenigen Kosten zu bewerten, die nicht entstanden wären, wenn die Fertigung der betreffenden Leistungseinheiten unterblieben wäre. Befinden sich also in unserem Beispiel vom Erzeugnis A am Ende der Periode noch 600 Einheiten auf Lager, so ist ihr Wert gleich den Kosten, die nicht entstanden wären, wenn in der Abrechnungsperiode 600 Einheiten des Erzeugnisses A weniger hergestellt worden wären. Die Fertigung dieser 600 Einheiten des Erzeugnisses A hätte aber nur dann unterbleiben können, wenn man gleichzeitg auf die Herstellung von 400 Einheiten des Erzeugnisses B verzichtet hätte. Man kann also nur angeben, welche Kosten eingespart worden wären, wenn man 1 000 Einheiten des Rohstoffs R weniger im Kuppelprozeß eingesetzt hätte. Da aber die hergestellte Menge des Erzeugnisses B in der Periode voll abgesetzt werden konnte, läßt sich auf diesem Wege kein Preis finden, der als Bewertungsmaßstab für die Bestände des Erzeugnisses A dienen kann, d.h. der Bestand muß für die Unternehmung als wertlos betrachtet werden.

Wie wären jedoch die Fertiglagerbestände zu bewerten, wenn neben den 600 Einheiten des Erzeugnisses A noch 400 Einheiten des Erzeugnisses B am Ende der Periode vorhanden wären? Wären die Bestände in der abgelaufenen Periode nicht produziert worden, so wären 1 000 Einheiten des Rohstoffs weniger im Produktionsprozeß eingesetzt worden und damit 4 000 DM an variablen Kosten weniger angefallen. Die 600 Einheiten des Erzeugnisses A und die 400 Einheiten des Erzeugnisses B sind also zusammen 4 000 DM wert. Wieviel von diesen 4 000 DM auf das Erzeugnis A und wieviel auf das Erzeugnis B entfällt, läßt sich wegen der Produktionsverbundenheit nicht bestimmen. Der Wert des Lagerbestandes ist ausschließlich aus echten variablen Herstellgemeinkosten abgeleitet.

Diesem Vorgehen bei der Bestandsbewertung könnte Inkonsequenz vorgeworfen werden; denn die 600 Einheiten des Erzeugnisses A sind, isoliert betrachtet, wertlos; ebenso sind die 400 Einheiten des Erzeugnisses B, für sich gesehen, wertlos; den beiden Erzeugnisbeständen zusammen wird dagegen ein Wert von 4 000 DM beigemessen. Die Inkonsequenz ist jedoch nur scheinbar vorhanden, da die Frage nach den Kosten, die nicht entstanden wären, wenn man auf die Fertigung bestimmter Leistungseinheiten verzichtet hätte, eben nur dann beantwortet werden kann, wenn eine echte Alternative vorhanden ist. Die Wahlmöglichkeit zwischen Mehrproduktion und Produktionsverzicht bezieht sich bei Kuppelfertigung aber stets auf den Einsatz. In unserem Beispiel besteht die Möglichkeit, 1 000 Einheiten des Rohstoffs mehr oder weniger im Produktionsprozeß einzusetzen; nicht dagegen hat man die Wahl, ceteris paribus 600 Einheiten des Erzeugnisses A mehr oder weniger herzustellen.

Sieht man von den kalkulatorischen Zinsen, die auf den Lagerbestand entfallen, ab, so übt der Lagerauf- und -abbau bei Einproduktfertigung keinen Einfluß auf den Periodenerfolg der Unternehmung aus. Auch bei technisch unverbundener Mehrproduktfertigung sind Lagerbestandsveränderungen erfolgsneutral, d.h. die Höhe des Periodenerfolgs richtet sich ausschließlich nach dem Verkauf der Erzeugnisse. Dieses Prinzip muß konsequent auch auf die Kuppelproduktion angewandt werden. Ein Lageraufbau darf auch hier insoweit keinen Einfluß auf den Periodenerfolg der Unternehmung ausüben, als ihm als echte Alternative der Produktionsverzicht gegenübersteht.

Das obige Beispiel soll nun dahingehend abgeändert werden, daß der Lagerbestand jetzt 600 Einheiten des Erzeugnisses A und 600 Einheiten des Erzeugnisses B umfassen möge. Nach unserer Bewertungsmaxime verkörpern diese Bestände insgesamt ebenfalls nur einen Wert von 4000 DM, da die Alternative zum Lageraufbau darin besteht, 1000 Einheiten des Rohstoffs R weniger im Produktionsprozeß einzusetzen. Dann wären 600 Einheiten des Erzeugnisses A und 400 Einheiten des Erzeugnisses B weniger hergestellt und damit Kosten in Höhe von 4000 DM eingespart worden. Für die verbleibenden 200 Einheiten des Erzeugnisses B kommt der Produktionsverzicht als Alternative nicht in Frage, so daß dieser Teil des Lagerbestandes als wertlos anzusehen ist.

Weiter oben wurde bereits erwähnt, daß Kuppelerzeugnisse nach ihrer Trennung kostenrechnerisch wie technisch unverbundene Erzeugnisse zu behandeln sind. Dies gilt selbstverständlich auch für die Bewertung der am Ende der Abrechnungsperiode vorhandenen Bestände an Fertigerzeugnissen. Müssen im obigen Beispiel die beiden Kuppelprodukte erst noch zu absatzreifen Erzeugnissen weiterverarbeitet werden, so sind den Fertiglagerbeständen die variablen Einzel- und Gemeinkosten der Weiterverarbeitung zuzurechnen. Im Gegensatz zu den variablen Kosten des Kuppelprozesses handelt es sich bei den variablen Gemeinkosten der Weiterverarbeitung vorwiegend um unechte Gemeinkosten, deren Schlüsselung betriebswirtschaftlich unbedenklich ist. Unter der Voraussetzung, daß die variablen Stückkosten der Weiterverarbeitung für das Erzeugnis A 0,40 DM (0,36 DM Einzelkosten und 0,04 DM Gemeinkosten) und für das Erzeugnis B 0,50 DM (0,45 DM Einzelkosten und 0,05 DM Gemeinkosten) betragen, errechnet sich der Wert des Lagerbestandes wie folgt:

Erzeugnis	A	B	A + B
Bestandsmenge (in Einheiten)	600	600	1 200
Variable Kosten der Weiterverarbeitung: Einzelkosten Unechte Gemeinkosten	216,00 24,00	270,00 30,00	486,00 54,00
Variable Kosten des Kuppelprozesses	240,00 –	300,00 –	540,00 4 000,00
Wert des Lagerbestandes	240,00	300,00	4 540,00

Die Tabelle ist so zu interpretieren, daß unter der Bedingung, daß vom Erzeugnis B keine Bestände vorhanden sind, der Bestand von 600 Einheiten des Erzeugnisses A mit 240 DM zu bewerten ist. Dementsprechend verkörpert der Bestand von 600 Einheiten des Erzeugnisses B einen Wert von 300 DM, solange vom Erzeugnis A keine Bestände vorhanden sind. Befinden sich jedoch von den Erzeugnissen A und B je 600 Einheiten auf Lager, so sind diese insgesamt nicht mit 540 DM, sondern mit 4540 DM zu bewerten, da ihnen gemeinsam noch die variablen Kosten des Kuppelprozesses für 1000 Einheiten des Rohstoffs R zugerechnet werden müssen.

4.5.1.3 Anmerkungen zu den Wertansätzen in der Bilanz

Wenn auch die Frage der Bewertung der Erzeugnisbestände für die Handels- und Steuerbilanz nicht unmittelbar zum Gegenstand eines Lehrbuchs zur Kosten- und Leistungsrechnung gehört, so seien hier doch einige Anmerkungen zu der Frage gestattet, ob die Bestände an Halb- und Fertigfabrikaten nach den handels- und steuerrechtlichen Vorschriften mit Teilkosten bewertet werden dürfen.

Zunächst wollen wir versuchen, den Mindestumfang der handelsrechtlichen Herstellungskosten zu bestimmen. Nach dem Wortlaut des § 255 Abs. 2 HGB gehören zu den Herstellungskosten die Materialkosten, die Fertigungskosten und die Sonderkosten der Fertigung. Da für die Einbeziehung der Material- und Fertigungsgemeinkosten ausdrücklich ein Wahlrecht eingeräumt wird, sind die Materialeinzelkosten, die Fertigungseinzelkosten und die Sondereinzelkosten der Fertigung die mindestens aktivierungspflichtigen Herstellungskosten.

Trotz des an sich eindeutigen Wortlauts des Gesetzestextes muß jedoch davon ausgegangen werden, daß der Gesetzgeber nicht von der in der Betriebswirtschaftslehre üblichen Definition der Einzel- und Gemeinkosten ausgegangen ist. In Kommentaren zu den Rechnungslegungsvorschriften des HGB[17] wird regelmäßig die Meinung vertreten, daß als Bezugsbasis für das Begriffspaar Einzel- und Gemeinkosten hier nicht die Leistungsart, sondern die Leistungseinheit zu gelten habe, da dies aus dem Prinzip der Einzelbewertung folge.

Die von der einzelnen Leistungseinheit verursachten Kosten sind die variablen Einzelkosten. Sie wären hiernach die mindestens aktivierungspflichtigen Herstellungskosten. Sie setzen sich aus dem Fertigungsmaterialverbrauch, den (variablen) Fertigungslöhnen und den variablen Sondereinzelkosten der Fertigung (z.B. stückbezogenen Lizenzgebühren) zusammen. Außerdem sollten die unechten Gemeinkosten (z.B. der Verbrauch von Hilfsstoffen) einbezogen werden, da sich diese Kosten grundsätzlich als Einzelkosten erfassen ließen, auf deren gesonderte Erfassung jedoch aus Wirtschaftlichkeitsgründen meist verzichtet wird.

Fixe Einzelkosten, wie z.B. die Kosten für Spezialwerkzeuge oder für eine Pauschallizenz, brauchen hiernach nicht in die handelsrechtlichen Herstellungskosten eingerechnet zu werden. Ebenso kann auf die Einbeziehung sämtlicher Gemeinkosten, ob sie variabel sind oder fix, verzichtet werden. Die eingangs gestellte Frage, ob die Bewertung der Erzeugnisbestände mit variablen Herstellkosten im Einklang mit den handelsrechtlichen Vorschriften steht, kann somit eindeutig bejaht werden. Der Bilanzierende würde sogar den Bewertungsspielraum, den ihm das HGB einräumt, noch nicht einmal voll ausschöpfen, da die variablen Herstellkosten auch Gemeinkosten enthalten, die, soweit sie nicht unechte Gemeinkosten sind, nicht in die Bestandsbewertung einbezogen werden müssen.

---

[17] Siehe z.B. Handbuch der Rechnungslegung. Hrsg. von Karlheinz Küting und Claus-Peter Weber. Stuttgart 1986, Rn. 110ff. zu § 255 HGB.

Auch in der Steuerbilanz sind die Erzeugnisbestände nach § 6 Abs. 1 Ziff. 2
EStG grundsätzlich mit ihren Herstellungskosten anzusetzen. Zur Berechnung
der Herstellungskosten wird im Abschnitt 33 der Einkommensteuer-Richtlinien
ausgeführt, daß sie sich aus den Materialkosten einschließlich der notwendigen
Materialgemeinkosten (allerdings merkwürdigerweise ohne die Kosten des Einkaufs und des Wareneingangs) und den Fertigungskosten (insbesondere den Fertigungslöhnen) einschließlich der notwendigen Fertigungsgemeinkosten zusammensetzen. Kosten der allgemeinen Verwaltung brauchen, ebenso wie nach Handelsrecht, nicht in die Berechnung der Herstellungskosten eingeschlossen zu werden. Da die Material- und Fertigungsgemeinkosten ganz überwiegend aus fixen
Kosten bestehen, ist somit steuerlich eine Bewertung der Bestände an unfertigen
und fertigen Erzeugnissen nur mit variablen Herstellkosten nicht zulässig. Für die
Ermittlung des steuerlichen Wertansatzes muß deshalb eine Umbewertung von
den variablen auf die vollen Herstellkosten vorgenommen werden. Es ist nun
Aufgabe des Betriebswirts, für diese einmal jährlich notwendige Umbewertung
möglichst einfache Verfahren zu entwickeln, die den Anforderungen des Steuerrechts genügen.

Sehr einfach gestaltet sich die Umbewertung bei Unternehmungen mit Einproduktfertigung. Es müssen lediglich die fixen Herstellkosten durch die Ausbringungsmenge der Periode dividiert und das Ergebnis mit der Bestandsmenge multipliziert werden. Man erhält dann den auf den Fabrikatebestand entfallenden
Anteil an den fixen Herstellkosten der Periode, der den variablen Herstellkosten
des Bestandes im Zuge der Umbewertung zugeschlagen werden muß.

Bei der Fertigung mehrerer (technisch nicht verbundener) Erzeugnisse ist dieses einfache Verfahren nicht mehr anwendbar, weil die Produktmengen nicht ohne weiteres addiert werden können. Hier empfiehlt es sich, als Basis für die Verteilung der fixen Herstellkosten die variablen Herstellkosten zu wählen. Im einfachsten Fall werden die gesamten fixen Herstellkosten mit Hilfe eines einzigen
globalen Zuschlagsatzes auf die variablen Herstellkosten des Bestandes verteilt.
Man kann aber auch, insbesondere wenn sich die Steuerbehörde nicht mit dem
vorgenannten Verfahren zufrieden geben sollte, getrennte Zuschlagsätze für die
fixen Kostenträger-, Kostenträgergruppen-, Kostenstellen-, Kostenstellengrup-
pen- und Unternehmungseinzelkosten bestimmen. Diese Methode der elektiven
Zuschläge entspricht in ihren Grundzügen der Kalkulationsweise der Fixkosten-
deckungsrechnung von *Mellerowicz*[18].

Auch das erste Verfahren, das nur einen einzigen Zuschlagsatz für sämtliche
Erzeugnisse der Unternehmung bildet (kumulatives Verfahren), wird wohl von
den Steuerbehörden anzuerkennen sein, da der Gesetzgeber über die Technik,
wie die „notwendigen Material- und Fertigungsgemeinkosten" zu ermitteln sind,
insbesondere welche Zuschlagsätze verwendet werden müssen, keine verbindli-
chen Regelungen getroffen hat. Aus dem Blickwinkel der Teilkostenrechnung ist
ohnehin jede Methode, die fixe Kosten proportionalisiert oder echte Gemeinkosten schlüsselt, abzulehnen, so daß aus diesem Grunde stets dem einfacher zu
handhabenden Verfahren der Vorzug zu geben ist.

---

[18] Vgl. Mellerowicz, Konrad: Neuzeitliche Kalkulationsverfahren. 6. Aufl., Freiburg im
Breisgau 1977, S. 193-201.

Etwas umständlicher gestaltet sich die Umbewertung bei Kuppelprodukten. Hier müssen, wie oben dargelegt wurde, bei konsequenter Anwendung der Bewertungsprinzipien der Teilkostenrechnung die Bestände an Kuppelerzeugnissen, die nach ihrer Trennung keiner weiteren Verarbeitung bedürfen, mit Null bewertet werden, da keine variablen Einzelkosten entstanden sind. Eine solche Bewertung ist nun aber nach herrschender Meinung selbst für die Handelsbilanz nicht zulässig. Obwohl im HGB ausdrücklich ein Wahlrecht für die Einbeziehung von Gemeinkosten in die Herstellungskosten eingeräumt wird, kann es kaum die Absicht des Gesetzgebers gewesen sein, den Unternehmungen zu gestatten, ihre Bestände an Kuppelprodukten, die nach ihrer Trennung keiner Weiterverarbeitung bedürfen, mit Null zu bewerten. Dies würde auch der Forderung widersprechen , daß der Jahresabschluß ein den tatsächlichen Verhältnissen entsprechendes Bild der Vermögenslage der Kapitalgesellschaft vermitteln muß. Für die Ermittlung der handelsrechtlichen Herstellungskosten folgt daraus, daß die Kosten des Materialeinsatzes, die variablen Lohnkosten und bestimmte andere variable Kosten (z.B. die Kosten einer Stücklizenz) im Wege der Schlüsselung auf die Kuppelprodukte zu verteilen sind. Sie bilden, gegebenenfalls zusammen mit den variablen Einzelkosten der Weiterverarbeitung, die mindestens aktivierungspflichtgen Herstellungskosten für die Kuppelprodukte in der Handelsbilanz. Die Schlüsselung der variablen Kosten des Kuppelprozesses könnte nach denselben Verfahren vorgenommen werden, wie sie in der Vollkostenrechnung bei Kuppelprodukten angewendet werden. In jedem Falle leicht durchführbar ist die Verteilung der variablen Kosten des Kuppelprozesses im Verhältnis der durchschnittlichen Erlöse der einzelnen Kuppelerzeugnisse in der abgelaufenen Periode. Die Verteilung der fixen Herstellkosten für steuerliche Zwecke kann dann wiederum durch kumulative oder elektive Zuschläge auf die variablen Herstellkosten vorgenommen werden.

Es sei an dieser Stelle noch einmal besonders hervorgehoben: Betriebswirtschaftlich ist jede Schlüsselung echter Gemeinkosten und jede Verteilung von Fixkosten auf Leistungseinheiten unsinnig. Da aber der Gesetzgeber eine Vollkostenbewertung verlangt, sollte zur Umbewertung das Verfahren gewählt werden, das sich in der Unternehmung mit dem geringsten Arbeitsaufwand durchführen läßt, aber trotzdem noch den gesetzlichen Vorschriften genügt. Betriebswirtschaftlich ist es völlig gleichgültig, wie man Fixkosten „umlegt" und nach welchen Schlüsseln man die Gemeinkosten verteilt, da kein Verteilungsverfahren besser ist als das andere.

Abschließend sei in diesem Zusammenhang noch einmal daran erinnert, daß die Herstellungskosten im Sinne des Handelsrechts wie auch des Steuerrechts keine Kosten, sondern Aufwendungen sind[19]. Vor einer Umbewertung nach einem der hier beschriebenen Verfahren müssen aus den Herstellkosten die aufwandslosen Kosten (Zusatzkosten) eliminiert werden, und anstelle der verrechneten Anderskosten müssen die entsprechenden Aufwendungen angesetzt werden.

---

[19] Vgl. die Ausführungen im Kapitel 1.2.2 und 2.2.2.4.

4.5.2 Kostenstellen- und Kostenträgerzeitrechnung

In diesem Kapitel geht es um die Frage, ob der Aufbau der Kostenstellenrechnung und der Kostenträgerzeitrechnung in der Teilkostenrechnung anders ist als in der Vollkostenrechnung. Dabei wollen wir von dem Betriebsabrechnungsbogen ausgehen, wie er im Kapitel 2 für die Zuschlagskalkulation dargestellt wurde[20] und in der Praxis am häufigsten anzutreffen ist.

Im Kostenstellenbogen (BAB I) der Vollkostenrechnung werden die Einzelkosten in einer oder mehreren Spalten ausgegliedert, da sie den Kostenträgern direkt zurechenbar sind und deshalb keiner Verteilung auf die Kostenstellen bedürfen. Die Gemeinkosten werden im Zuge der Kostenartenumlage auf die Kostenstellen verteilt und anschließend im Zuge der Kostenstellenumlage von den Vorkostenstellen auf die Endkostenstellen weiterverrechnet. Der **Aufbau des Kostenstellenbogens im Direct Costing mit summarischer Fixkostendeckung** unterscheidet sich vor allem in drei Punkten von dem der Vollkostenrechnung.

(1) An erster Stelle sind nicht die Einzelkosten, sondern die fixen Kosten auszugliedern, da sie nicht auf die Kostenträger verteilt werden. Für kalkulatorische Zwecke genügt es, die gesamten Fixkosten der Unternehmung in einer einzigen Ausgliederungsspalte zu sammeln. Für Zwecke der Kostenkontrolle wäre es allerdings erforderlich, auch die fixen Kosten nach Kostenstellen zu gliedern.

(2) Innerhalb der variablen Kosten werden weiterhin die Einzelkosten ausgegliedert und die Gemeinkosten auf die Kostenstellen verteilt. In der Kostenstellengliederung fehlt allerdings der Bereich der allgemeinen Verwaltung, weil die Verwaltungsgemeinkosten ausschließlich als fixe Kosten behandelt werden.

(3) Bei der Kostenstellenumlage zeigt sich, daß ein Teil der variablen Kosten einer Vorkostenstelle wiederum als fix ausgegliedert werden muß, da sich diese Kosten zwar proportional mit der Leistungsmenge in den liefernden Kostenstellen verändern, sich aber in bezug auf die Leistungsmenge der abnehmenden Kostenstellen fix verhalten. Als Beispiel hierfür sei die eigene Stromerzeugung genannt. Zu den variablen Kosten der allgemeinen Hilfskostenstelle „Stromerzeugung" gehört z.B. der Kohle- und Wasserverbrauch, da sich diese Kosten etwa proportional mit der erzeugten Strommenge verändern. Für eine stromverbrauchende Kostenstelle sind diese Kosten jedoch nur dann als variabel anzusehen, wenn sich der Stormverbrauch proportional zur Ausbringungsmenge dieser Kostenstelle verhält. Dies wäre regelmäßig beim Kraftstrom für Maschinen im Fertigungsbereich anzunehmen, während beispielsweise der für die Raumbeleuchtung verbrauchte Strom Fixkosten der abnehmenden Kostenstelle darstellt.

Die **Kostenträgerzeitrechnung (Deckungsbeitragsrechnung)**, wie sie im Kapitel 4.4.1.1 für das Direct Costing mit summarischer Fixkostendeckung dargestellt wurde, ändert sich unter Berücksichtigung von Bestandsveränderungen bei den Halb- und Fertigfabrikaten insofern, als die variablen Kosten aufgegliedert werden müssen. Zunächst sind die variablen Vertriebskosten auszusondern, da sie

---

[20] Siehe Tabelle 12 auf S. 116 und Tabelle 13 auf S. 133.

nicht in die Bewertung der Erzeugnisbestände eingehen. Die verbleibenden variablen Herstellkosten der Abrechnungsperiode sind anschließend durch Addition der Anfangsbestände und Subtraktion der Endbestände an Halb- und Fertigfabrikaten in die variablen Herstellkosten der abgesetzten Erzeugnisse umzurechnen. Die Deckungsbeitragsrechnung könnte dann folgendes Aussehen haben:

Erzeugnis	A	B	C	D
Verkaufserlöse	24 000	8 500	18 000	99 500
Variable Vertriebskosten	2 200	800	1 600	8 100
Deckungsbeitrag I	21 800	7 700	16 400	91 400
Variable Herstellkosten	8 000	3 600	6 300	24 400
Erzeugnis-Anfangsbestand	14 400	5 200	8 800	15 000
Erzeugnis-Endbestand	13 200	5 800	9 100	17 100
Deckungsbeitrag II	12 600	4 700	10 400	69 100
		96 800		
Fixe Kosten		83 600		
Periodengewinn		13 200		

Die Auswirkungen des Direct Costing mit summarischer Fixkostendeckung auf die **kontenmäßige Betriebsabrechnung** sind relativ gering. Die fixen Kosten werden von den Kostenartenkonten – gegebenenfalls unter Einschaltung eines Sammelkontos – direkt auf das Betriebsergebniskonto übernommen. Die verbleibenden variablen Kosten werden, soweit es sich um Einzelkosten handelt, den Kostenträgerkonten (Herstell- bzw. Verkaufskonten) belastet, und, soweit es sich um Gemeinkosten handelt, den Kostenstellenkonten belastet.

Die Abrechnung der Kostenträger erfolgt durchweg zu variablen Herstellkosten. Das Halbfabrikatekonto wird, eventuell unter Einschaltung eines Herstellkontos, mit den variablen Herstellkosten der Abrechnungsperiode belastet und mit den variablen Herstellkosten der fertiggestellten Erzeugnisse erkannt. Auf den Fertigfabrikatekonten buchen wir im Soll neben dem Anfangsbestand die variablen Herstellkosten der fertiggestellten Erzeugnisse und im Haben die variablen Herstellkosten der abgesetzten Erzeugnisse, die variablen Herstellkosten der aktivierten Eigenleistungen und den Endbestand. Auf den Verkaufskonten schließlich stehen sich im Haben die Verkaufserlöse und im Soll die variablen Herstellkosten der abgesetzten Erzeugnisse, die variablen Vertriebsgemeinkosten und die variablen Sondereinzelkosten des Vertriebs gegenüber. Der Saldo auf jedem Verkaufskonto zeigt nun den Deckungsbeitrag der betreffenden Produktart oder Produktgruppe an. Er wird auf das Betriebsergebniskonto übertragen und dort, zusammen mit den Deckungsbeiträgen der anderen Produktarten bzw. Produktgruppen, den gesamten Fixkosten der Unternehmung gegenübergestellt. Der dann auf dem Betriebsergebniskonto verbleibende Saldo stellt schließlich den kalkulatorischen Gewinn oder Verlust der Unternehmung dar. Er ist nur für die Unternehmung als Ganzes bestimmbar; für einzelne Kostenträger werden nur Deckungsbeiträge auf den Verkaufskonten ausgewiesen.

Werden in der Kostenträgerrechnung die Gemeinkosten mit Hilfe von **Normalzuschlagssätzen** verrechnet, so sind die Kostenüber- und -unterdeckungen in der Teilkostenrechnung erheblich geringer als in einer Vollkostenrechnung. Dies liegt daran, daß die Normalzuschlagssätze für die Fertigungs-, Material- und Vertriebsgemeinkosten keine Fixkostenanteile enthalten, so daß sich Beschäftigungsänderungen nicht in den Kostenabweichungen niederschlagen.

4.6 Beispiele zur Aussagefähigkeit der Teilkostenrechnung

Auf eine systematische Untersuchung der Aussagemöglichkeiten der Teilkostenrechnung für unternehmerische Entscheidungen wird hier verzichtet, weil dies zum einen den Rahmen des vorliegenden Lehrbuches sprengen würde und ich dies auch bereits an anderer Stelle getan habe[21]. Hier wollen und müssen wir uns damit begnügen, einige typische Beispiele für betriebliche Entscheidungssituationen zu analysieren und sie mit Hilfe eines der beschriebenen Verfahren der Teilkostenrechnung zu lösen. Die Beispiele sind fortlaufend numeriert und in die Form kleiner Aufgaben gekleidet.

4.6.1 Annahme eines Zusatzauftrags

Beispiel 1:

Eine kapazitätsmäßig nicht voll ausgelastete Unternehmung, die bisher 6000 Stück ihres einheitlichen Erzeugnisses mit proportionalen Kosten von 52 800 DM und fixen Kosten von 42 000 DM pro Monat hergestellt und zu einem Preis von 15,00 DM/Stück abgesetzt hat, könnte im laufenden Monat einen zusätzlichen Auftrag von 1 000 Stück zu einem Preis von 14,00 DM/Stück erhalten. Dieser Zusatzauftrag kann mit der vorhandenen Fertigungskapazität realisiert werden und übt keinen Einfluß auf den laufenden Absatz aus. Es ist zu prüfen, ob der Zusatzauftrag unter den gegebenen Bedingungen angenommen oder abgelehnt werden muß.

Würde die Entscheidung allein anhand der vollen Stückkosten gefällt, so wäre der Zusatzauftrag abzulehnen. Die Vollkosten beliefen sich bisher auf (52 800 + 42 000) : 6 000 = 15,80 DM/Stück, die durch den Verkaufspreis von 15,00 DM/Stück nicht gedeckt waren. Auch unter Berücksichtigung des Zusatzauftrages würden die Vollkosten nur auf (61 600 + 42 000) : 7 000 = 14,80 DM/Stück sinken und durch den gebotenen Preis von 14,00 DM/Stück für den Zusatzauftrag nicht gedeckt werden.

Die geschilderte Betrachtungsweise ist jedoch für unsere Entscheidungssituation falsch, da sie lediglich einen bestimmten Zustand beschreibt und nicht die Erfolgsveränderung berücksichtigt. Durch die Annahme des Zusatzauftrags würde sich der Periodenerfolg wie folgt verändern:

---

[21] Vgl. Moews, Dieter: Zur Aussagefähigkeit neuerer Kostenrechnungsverfahren. Berlin 1969.

a) ohne Zusatzauftrag:

Erlöse	= 6 000 · 15,00 =	90 000 DM
Vollkosten	= 6 000 · 15,80 =	94 800 DM
Verlust		4 800 DM

b) mit Zusatzauftrag:

Erlöse	= 6 000 · 15,00 + 1 000 · 14,00 =	104 000 DM
Vollkosten	= 7 000 · 14,80 =	103 600 DM
Gewinn		400 DM

c) Erfolgsverbesserung .... 5 200 DM

Dieses Ergebnis läßt sich mit Hilfe der Teilkostenrechnung leichter und schneller ermitteln. Für jede zusätzlich hergestellte und verkaufte Erzeugniseinheit steigen die Erlöse um 14,00 DM/Stück, während die (variablen) Kosten nur um 8,80 DM/Stück zunehmen. Jedes verkaufte Produkt trägt folglich mit seinem Deckungsbeitrag von 5,20 DM/Stück zusätzlich zur Deckung der fixen Kosten bzw. zur Gewinnerzielung bei. Durch die Annahme des Zusatzauftrags verbessert sich der Periodenerfolg demnach um 1 000 · 5,20 = 5 200 DM.

Unter erfolgsrechnerischen Gesichtspunkten muß deshalb jeder Zusatzauftrag angenommen werden, dessen Preis über den variablen Stückkosten liegt. In Höhe des Deckungsbeitrages steigt der Periodengewinn bzw. sinkt der Periodenverlust der Unternehmung, auch wenn der erzielte Preis nicht die vollen Stückkosten deckt. Die Preisuntergrenze für derartige Zusatzaufträge liegt bei den variablen Stückkosten.

Bei einer derartigen Entscheidung muß jedoch zum einen vorausgesetzt werden, daß die Unternehmung den Zusatzauftrag auch mit der vorhandenen Kapazität realisieren kann, da Veränderungen der Kapazität auch eine Veränderung der fixen Kosten nach sich ziehen würde. Zweitens muß vorausgesetzt werden, daß die durch die Preisdifferenzierung geschaffenen Teilmärkte exakt gegeneinander abgegrenzt werden können, da andernfalls die Nachfrage in der Zukunft versuchen würde, auf den billigeren Teilmarkt auszuweichen.

4.6.2 Förderungswürdigkeit einzelner Erzeugnisse

Den folgenden Beispielen 2 bis 4 liegt eine Unternehmung zugrunde, die die drei Produktarten A, B und C herstellt. Der Einfachheit halber sei unterstellt, daß die gesamte in einem Monat hergestellte Produktmenge in diesem Monat auch voll abgesetzt wird. Für den vergangenen Monat hat die Unternehmung folgende Daten ermittelt:

Erzeugnis	A	B	C
Produktmenge	4 000 Stück	2 000 Stück	5 000 Stück
Verkaufserlöse	200 000 DM	160 000 DM	300 000 DM
Variable Kosten	104 000 DM	100 000 DM	175 000 DM
Fixe Kosten		265 300 DM	

Beispiel 2:

Die Unternehmung könnte aufgrund gestiegener Nachfrage von einem der drei Erzeugnisse 1 000 Stück mehr absetzen. Die Herstellung dieser zusätzlichen Menge ist mit der vorhandenen Kapazität möglich. Es ist zu prüfen, welches der drei Erzeugnisse am stärksten zur Erfolgsverbesserung beiträgt.

Zur Ermittlung der Vollkosten pro Stück sollen die fixen Kosten im Verhältnis der variablen Kosten auf die Erzeugnisse geschlüsselt werden. Die Rechnung hat dann folgendes Aussehen:

Erzeugnis	A	B	C	Summe
Variable Kosten	104 000 DM	100 000 DM	175 000 DM	379 000 DM
Fixe Kosten	72 800 DM	70 000 DM	122 500 DM	265 300 DM
Gesamtkosten	176 800 DM	170 000 DM	297 500 DM	644 300 DM
Verkaufserlöse	200 000 DM	160 000 DM	300 000 DM	660 000 DM
Periodenerfolg	+23 200 DM	−10 000 DM	+2 500 DM	+15 700 DM
Stückerfolg	+5,80 DM	−5,00 DM	+0,50 DM	

Hiernach wäre das Erzeugnis A zu bevorzugen, da es den höchsten Stückgewinn aufweist. Diese Betrachtungsweise ist jedoch falsch, da der auf Vollkostenbasis ermittelte Stückerfolg für die Entscheidung über die Förderungswürdigkeit der einzelnen Erzeugnisse irrelevant ist. Er liefert lediglich eine Information über eine ganz bestimmte Situation, sagt aber nichts über die Erfolgsveränderung aufgrund eines Mehrabsatzes von 1 000 Stück aus. Selbst bei dem Erzeugnis B, das auf Vollkostenbasis einen Verlust von 5,00 DM/Stück ausweist, würde – wie die nachfolgende Rechnung zeigen wird – durch zusätzliche Verkaufsmengen der Gesamtgewinn der Unternehmung steigen.

Eine Aussage über die Erfolgsveränderung liefert der Deckungsbeitrag pro Stück eines Erzeugnisses. Der Überschuß des Verkaufspreises über die variablen Stückkosten beträgt

beim Erzeugnis A:	$50,00 - 26,00 = +24,00$ DM/Stück
beim Erzeugnis B:	$80,00 - 50,00 = +30,00$ DM/Stück
beim Erzeugnis C:	$60,00 - 35,00 = +25,00$ DM/Stück

Folglich ist das Erzeugnis B am förderungswürdigsten. Durch einen Mehrabsatz von 1 000 Stück würde der Periodengewinn um $1 000 \cdot 30 = 30 000$ DM zunehmen. Mit Hilfe der Vollkostenrechnung wäre dieses Ergebnis nur durch umständliche Alternativrechnungen zu ermitteln.

Beispiel 3:

Aufgrund der gestiegenen Nachfrage könnte die Unternehmung bei einem der drei Erzeugnisse 60 000 DM mehr umsetzen. Es ist wiederum zu prüfen, welches der drei Erzeugnisse am stärksten zur Erfolgsverbesserung beiträgt.

Zur Erzielung eines Umsatzes von 60 000 DM müßten abgesetzt werden:

$60 000 : 50 = 1 200$ Stück des Erzeugnisses A oder
$60 000 : 80 = 750$ Stück des Erzeugnisses B oder
$60 000 : 60 = 1 000$ Stück des Erzeugnisses C.

Das ergäbe einen zusätzlichen Deckungsbeitrag

beim Erzeugnis A in Höhe von $1\,200 \cdot 24 = 28\,800$ DM,
beim Erzeugnis B in Höhe von $750 \cdot 30 = 22\,500$ DM,
beim Erzeugnis C in Höhe von $1\,000 \cdot 25 = 25\,000$ DM.

In diesem Falle leistet das Erzeugnis A den höchsten Beitrag zur Gewinnsteigerung. Entscheidend ist folglich das Verhältnis des Deckungsbeitrages pro Stück zum Preis des Erzeugnisses. Am förderungswürdigsten ist das Erzeugnis, das den höchsten Deckungsbeitrag, bezogen auf eine DM Umsatz, erbringt. Diese Größe ist der relative oder prozentuale Deckungsbeitrag. Er beträgt

beim Erzeugnis A $\quad 24 : 50 = 0{,}48 \quad = 48\%$,
beim Erzeugnis B $\quad 30 : 80 = 0{,}375 = 37{,}5\%$,
beim Erzeugnis C $\quad 25 : 60 = 0{,}417 = 41{,}7\%$.

Von jeder DM Umsatz stehen beim Erzeugnis A 48 Pfennig zur Deckung der fixen Kosten und zur Gewinnerzielung zur Verfügung. Bei einer Zunahme des Umsatzes um 60 000 DM würde folglich der Gewinn der Unternehmung um $0{,}48 \cdot 60\,000 = 28\,800$ DM steigen.

Beispiel 4:

Bei einer Fertigung von 4 000 Stück des Erzeugnisses A, 2 000 Stück des Erzeugnisses B und 5 000 Stück des Erzeugnisses C ist die Kapazität der Unternehmung voll ausgelastet. Die Maschinen, die den Engpaß bilden, werden vom Erzeugnis A mit 6 Minuten, vom Erzeugnis B mit 10 Minuten und vom Erzeugnis C mit 5 Minuten pro Stück in Anspruch genommen. Nach allen drei Erzeugnissen besteht weitere Nachfrage, die jedoch aufgrund der begrenzten Kapazität nicht befriedigt werden kann. Die Unternehmung möchte diese Situation zur Steigerung ihres Gewinns ausnutzen und die Produktion des gewinnträchtigsten Erzeugnisses steigern bei gleichzeitiger Drosselung der Produktion des Erzeugnisses, das am wenigsten zur Gewinnerzielung beiträgt.

In diesem Falle müssen die Deckungsbeitragssätze der Erzeugnisse auf eine Engpaßeinheit (Maschinenminute) bezogen werden, da die Förderung des einen Erzeugnisses stets zu Lasten eines anderen Erzeugnisses geht. Das Ziel besteht darin, die knappe Kapazität so zu belegen, daß ein Maximum an Deckungsbeiträgen und damit ein optimaler Periodenerfolg erzielt wird. Am förderungswürdigsten ist demnach das Erzeugnis, das den höchsten Deckungsbeitrag pro Engpaßeinheit erbringt. Im vorliegenden Beispiel beträgt der Deckungsbeitragssatz

des Erzeugnisses A $\quad 24 : 6 = 4{,}00$ DM/min.,
des Erzeugnisses B $\quad 30 : 10 = 3{,}00$ DM/min.,
des Erzeugnisses C $\quad 25 : 5 = 5{,}00$ DM/min.

Demzufolge wäre das Erzeugnis C am förderungswürdigsten; an zweiter Stelle folgt Produkt A, während Produkt B am wenigsten förderungswürdig wäre. Ließe sich beispielsweise der Absatz bei allen drei Erzeugnissen um maximal 20% steigern, so wäre das erfolgsoptimale Produktprogramm wie folgt zu ermitteln:

Erzeugnis	Bisheriges Produktprogramm			Optimales Produktprogramm		
	Stück	Minuten	Deckungsbeitrag	Stück	Minuten	Deckungsbeitrag
A	4 000	24 000	96 000 DM	4 800	28 800	115 200 DM
B	2 000	20 000	60 000 DM	1 020	10 200	30 600 DM
C	5 000	25 000	125 000 DM	6 000	30 000	150 000 DM
Summe		69 000	281 000 DM		69 000	295 800 DM
Fixkosten			265 300 DM			265 300 DM
Gewinn			15 700 DM			30 500 DM

Obwohl sich weder die Kapazität noch die Beschäftigung verändert haben, ist der Periodengewinn infolge der aufgezeigten Variation des mengenmäßigen Produktprogramms um 14 800 DM gestiegen.

4.6.3 Gewinnschwellenanalysen

Als Gewinnschwelle wird die Produktmenge bezeichnet, die eine Unternehmung herstellen und absetzen muß, damit sämtliche Kosten gerade gedeckt sind, die Unternehmung also aus der Verlustzone in die Gewinnzone kommt. Für die Gewinnschwelle gelten somit die folgenden Beziehungen:

$$G = E - K = 0 \qquad \text{(G} = \text{Periodengewinn)}$$
$$\text{(E} = \text{Periodenerlös)}$$
$$E = K \qquad \text{(K} = \text{gesamte Periodenkosten)}$$

Durch Umformen dieser Beziehung erhält man:

$$E = p \cdot x \qquad \text{(x} = \text{Produktmenge)}$$
$$\text{(p} = \text{Stückerlös)}$$
$$K = k_v \cdot x + K_f \qquad \text{(}k_v = \text{variable Stückkosten)}$$
$$\text{(}K_f = \text{fixe Periodenkosten}$$
$$p \cdot x = k_v \cdot x + K_f \qquad \text{(d} = \text{Deckungsbeitrag/Stück)}$$
$$\text{(D} = \text{Periodendeckungsbeitrag)}$$
$$(p - k_v) \cdot x = K_f$$

$$d \cdot x = D = K_f$$

Die Gewinnschwelle ist folglich erreicht, wenn die Deckungsbeiträge aller abgesetzten Erzeugnisse gerade ausreichen, die fixen Kosten zu decken.

Die Gewinnschwelle wird auch als **Nutzschwelle**, als **toter Punkt** oder (vor allem in der angelsächsischen Literatur) als „**break even point**" bezeichnet.

Beispiel 5:

Eine Unternehmung stellt nur eine einzige Produktart her, die variable Kosten von 9,10 DM/Stück und fixe Kosten von 35 200 DM pro Monat verursacht. Der Marktpreis dieses Erzeugnisses beträgt 14,60 DM/Stück und kann von der betrachteten Unternehmung nicht beeinflußt werden (Mengenanpasser). Die Gewinnschwelle läßt sich dann wie folgt ermitteln:

$D = K_f$

$(14,60 - 9,10) \cdot x = 35\,200$

$x = 35\,200 : 5,50 = 6\,400\,\text{Stück/Monat}$

Will sich die Unternehmung nicht mit voller Kostendeckung zufrieden geben, sondern beispielsweise einen monatlichen Gewinn von 4400 DM erzielen, so müßte der Verkauf einen Deckungsbeitrag von 35200 + 4400 = 39600 DM erbringen. Dafür wäre die folgende Absatzmenge erforderlich:

$x = 39\,600 : 5,50 = 7\,200\,\text{Stück/Monat}$

Beispiel 6:

Die Unternehmung möge zwei Produktarten herstellen, deren Kosten und Preise der folgenden Tabelle entnommen werden können:

	Erzeugnis 1	Erzeugnis 2
Marktpreis	14,60 DM	11,60 DM
variable Stückkosten	9,10 DM	7,20 DM
Fixe Kosten pro Monat	48400 DM	

Die Gewinnschwelle ist in diesem Falle keine feste Größe, da die fixen Kosten aus den Deckungsbeiträgen beider Erzeugnisse zu decken sind. Lediglich wenn die Absatzmenge eines Erzeugnisses festlegt, kann man für das andere Erzeugnis die Gewinnschwelle bestimmen. Werden beispielsweise vom Erzeugnis 2 pro Monat 6000 Stück abgesetzt, müssen zur vollen Deckung sämtlicher Kosten vom Produkt 1 folgende Mengen abgesetzt werden:

$$x_1 = \frac{48\,400 - (11,60 - 7,20) \cdot 6\,000}{14,60 - 9,10} = 4\,000\,\text{Stück/Monat}$$

Sind dagegen die Absatzmengen beider Erzeugnisse variabel, läßt sich die Gewinnschwelle lediglich durch die folgende funktionale Beziehung zwischen den Absatzmengen der beiden Erzeugnisse ausdrücken:

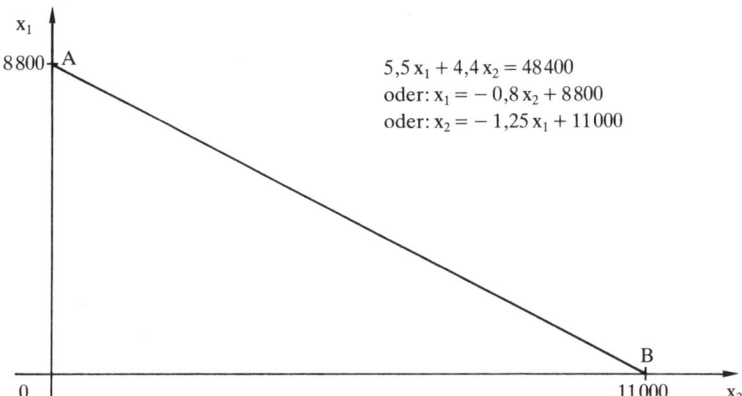

$5,5\,x_1 + 4,4\,x_2 = 48\,400$
oder: $x_1 = -0,8\,x_2 + 8\,800$
oder: $x_2 = -1,25\,x_1 + 11\,000$

In der grafischen Darstellung wird die Gewinnschwelle durch eine sog. Bilanz-gerade dargestellt. Jeder Punkt auf dieser Geraden liefert eine mögliche Produkt-mengenkombination, bei der sämtliche Kosten der Unternehmung gerade ge-deckt sind. Jeder Punkt innerhalb des Dreiecks 0AB ergibt eine Produktmengen-kombination, die zu einem Periodenverlust der Unternehmung führt, während jeder Punkt außerhalb dieses Dreiecks (aber im 1. Quadranten) Absatzmengen für beide Produkte anzeigt, bei denen die Unternehmung insgesamt mit einem Periodengewinn abschließt.

Beispiel 7:

Eine Unternehmung plant für den kommenden Monat, 20 000 Stück ihres Er-zeugnisses herzustellen und für 800 000 DM zu verkaufen. Die variablen Kosten hierfür werden mit 520 000 DM geplant. Die Fertigungskapazität wird dann zu 80% ausgelastet sein. Im vergangenen Monat war die Kapazität nur zu 70% aus-gelastet und dabei ein Periodengewinn von 63 000 DM bei gleichem Verkaufs-preis und gleicher Kostenstruktur erzielt worden.

Hieraus errechnet sich folgender Deckungsbeitrag pro Stück:

$$d = \frac{D}{x} = \frac{E - K_V}{x} = \frac{800\,000 - 520\,000}{20\,000} = 14,00 \, \text{DM/Stück}$$

Die fixen Kosten pro Monat lassen sich dann wie folgt ermitteln:

$$G = D - K_f = d \cdot x - K_f$$
$$K_f = d \cdot x - G = 14 \cdot 17\,500 - 63\,000 = 182\,000 \, \text{DM}$$

Die Gewinnschwelle kann nun wie folgt bestimmt werden:

$$x = \frac{K_f}{d} = \frac{182\,000}{14} = 13\,000 \, \text{Stück/Monat}$$

Weiterhin möge die Unternehmung festgestellt haben, daß sie bei voller Kapazi-tätsauslastung ihre Erzeugnisse nur zu einem niedrigeren Preis absetzen kann. Sie möchte deshalb wissen, auf wieviel DM der Preis gesenkt werden könnte, wenn dennoch ein Gewinn von 88 000 DM pro Monat erzielt werden soll. Die Antwort auf diese Frage ergibt sich aus der folgenden Rechnung:

$$G = D - K_f = d \cdot x - K_f = (p - k_v) \cdot x - K_f$$
$$p = \frac{K_f + G}{x} + k_v = \frac{182\,000 + 88\,000}{25\,000} + 26 = 36,80 \, \text{DM/Stück}$$

4.6.4 Verfahrensvergleiche

Gemeinsam ist allen Verfahrensvergleichen, daß sich die Entscheidungsalterna-tiven auf unterschiedliche Produktionsfunktionen beziehen. Es werden also Ko-sten miteinander verglichen, die aus unterschiedlichen Kostenfunktionen abgeleitet werden. Im Beispiel 8 wird ein Massenerzeugnis parallel auf zwei verschiedenartigen Anlagen gefertigt, so daß bei einem Absatzrückgang die Frage auftritt, auf welcher der beiden Anlagen die Produktion gedrosselt werden soll. Dem Beispiel 9 liegt eine Investitionsentscheidung zugrunde. Hier ist zwischen zwei Anlagen zu wählen, die sich in der Höhe der variablen Stückkosten wie auch der fixen Periodenkosten unterscheiden.

Beispiel 8:

Eine Unternehmung fertigt ihr einziges Produkt parallel auf den beiden Anlagen A und B, deren Kapazität bisher voll ausgelastet war. Insgesamt wurden 14 000 kg pro Monat hergestellt und zu einem Preis von 34,00 DM/kg abgesetzt. Die weiteren Daten können der nachstehenden Vollkostenkalkulation entnommen werden:

	Anlage A	Anlage B
Ausbringungsmenge	6 000 kg	8 000 kg
Variable Herstellkosten	84 000 DM	96 000 DM
Fixe Herstellkosten	60 000 DM	120 000 DM
Herstellkosten insgesamt	144 000 DM	216 000 DM
Variable Vertriebskosten	12 000 DM	16 000 DM
Fixe Verwaltungs- und Vertriebskosten (= 20% der Herstellkosten)	28 800 DM	43 200 DM
Selbstkosten insgesamt	184 800 DM	275 200 DM
Verkaufspreis	34,00 DM	34,00 DM
Selbstkosten pro kg	30,80 DM	34,40 DM
Ergebnis pro kg	+ 3,20 DM	− 0,40 DM

Für die nächste Periode rechnet die Unternehmung mit einem Rückgang der Nachfrage um 1 000 kg und möchte die Ausbringung deshalb auf 13 000 kg reduzieren.

Aufgrund der obigen Vollkostenkalkulation ist es scheinbar günstiger, die Produktion auf der Anlage B zu drosseln, da die Stückkosten hier höher sind als auf der Anlage A. Dies wäre jedoch eine Fehlentscheidung, wie die folgende Rechnung beweist.

Die in den Selbstkosten enthaltenen Fixkosten sind für die genannte Entscheidung nicht relevant, da sie kurzfristig nicht beeinflußt werden können. Entscheidungsrelevant sind nur die variablen Kosten bzw. der Deckungsbeitrag pro Mengeneinheit. Im obigen Beispiel ergeben sich auf der Anlage A variable Kosten von 16,00 DM/kg und ein Deckungsbeitrag von 18,00 DM/kg, auf der Anlage B variable Kosten von 14,00 DM/kg und ein Deckungsbeitrag von 20,00 DM/kg. Die Ausbringung ist deshalb auf der Anlage A um 1 000 kg zurückzunehmen, da sich das Periodenergebnis dann nur um 18.000 DM verschlechtern würde, während bei einer Drosselung der Produktion auf der Anlage B der Gesamtdeckungsbeitrag um 20 000 DM zurückgehen würde.

Beispiel 9:

Eine Unternehmung, die nur ein einziges Erzeugnis herstellt, plant, die veraltete Fertigungsanlage durch eine neue zu ersetzen. Zur Auswahl stehen die Anlagen A und B, die beide eine Kapazität von 60 000 Stück im Monat besitzen. Bei einer Fertigung auf der Anlage A fallen pro Monat fixe Herstellkosten in Höhe von 352 000 DM an, auf der Anlage B sind es 528 000 DM. Demgegenüber belaufen sich die variablen Herstellkosten bei der Anlage A auf 12,00 DM/Stück, während es bei der Anlage B nur 8,00 DM/Stück sind. Für welche Anlage soll sich die Unternehmung entscheiden?

Auf der Anlage B sind die variablen Herstellkosten pro Stück um 4,00 DM niedriger als auf der Anlage A. Dementsprechend ist auch der Deckungsbeitrag pro Stück um 4,00 DM höher. Die Anschaffung der Anlage B ist folglich nur dann günstiger als der Kauf der Anlage A, wenn die höheren Fixkosten durch die höheren Deckungsbeiträge überkompensiert werden. Die Grenze liegt bei einer Produktmenge von

$$x = \frac{528\,000 - 352\,000}{12 - 8} = 44\,000 \text{ Stück/Monat}$$

Bei dieser Menge würden die variablen Herstellkosten auf der Anlage B um 4 · 44 000 = 176 000 DM im Monat niedriger sein als auf der Anlage A. Doch genau um diese 176 000 DM wären die monatlichen Fixkosten höher, so daß sich auf beiden Anlagen bei einer monatlichen Fertigung von 44.000 Stück volle Herstellkosten von 20,00 DM/Stück ergäben. Ist also langfristig damit zu rechnen, daß im Monatsdurchschnitt mehr als 44 000 Stück verkauft werden können, so ist der Kauf der Anlage B vorzuziehen; liegt der durchschnittliche Absatz langfristig voraussichtlich unter 44 000 Stück pro Monat, wäre die Anschaffung der Anlage A vorteilhafter.

4.6.5 Ermittlung des optimalen Angebotspreises

Beispiel 10:

Eine kapazitätsmäßig nicht voll ausgelastete Unternehmung, die bisher monatlich 10 800 Stück ihres Erzeugnisses mit proportionalen Kosten von 86 400 DM und fixen Kosten von 120 000 DM pro Monat hergestellt und zu einem Preis von 20,00 DM pro Stück abgesetzt hat, will den Verkaufspreis auf 18,00 DM/Stück senken, weil sie dann mit einem monatlichen Absatz von 13 200 Stück rechnet.

Es soll zunächst beurteilt werden, ob der Unternehmung unter erfolgsrechnerischen Gesichtspunkten zu dieser Preissenkung geraten werden kann. Anschließend soll geprüft werden, ob sich der Gewinn durch weitere Veränderungen des Angebotspreises noch erhöhen läßt. Dabei ist von einer Fertigungskapazität von 14 000 Stück/Monat auszugehen. Ferner soll der Einfachheit halber unterstellt werden, daß zwischen dem Verkaufspreis und der Absatzmenge eine lineare Beziehung besteht.

Die folgende Rechnung zeigt, daß die Preissenkung um 2,00 DM/Stück den Deckungsbeitrag und damit auch den Gewinn pro Monat um 2 400 DM ansteigen läßt:

4. Kapitel: Teilkostenrechnung 215

	Alternative 1	Alternative 2
Verkaufspreis	20,00 DM	18,00 DM
Variable Stückkosten (86 400 : 10 800)	8,00 DM	8,00 DM
Deckungsbeitrag pro Stück	12,00 DM	10,00 DM
Absatzmenge	10 800 Stück	13 200 Stück
Deckungsbeitrag pro Monat	129 600 DM	132 000 DM
Fixe Kosten pro Monat	120 000 DM	120 000 DM
Gewinn pro Monat	9 600 DM	12 000 DM

Zur Lösung der zweiten Frage muß zunächst die Preis-Absatz-Funktion bestimmt werden. Eine lineare Funktion des Verkaufspreises p von der Absatzmenge x hat die allgemeine Form

$$p = a \cdot x + b$$

Das Steigungsmaß a läßt sich aus dem Differenzenquotienten ermitteln. Für die vorliegenden Werte ergibt sich

$$a = \frac{\Delta p}{\Delta x} = \frac{20 - 18}{10\,800 - 13\,200} = -\frac{1}{1\,200}$$

Zur Ermittlung des Ordinatenabschnitts b wird die Preis-Absatz-Funktion nach b aufgelöst und eines der beiden gegebenen Wertepaare in diese Funktion eingesetzt:

$$b = p_1 - a \cdot x_1 = 20 + \frac{1}{1\,200} \cdot 10\,800 = 29$$

oder

$$b = p_2 - a \cdot x_2 = 18 + \frac{1}{1\,200} \cdot 13\,200 = 29$$

Die Preis-Absatz-Funktion lautet daher:

$$p = -\frac{1}{1\,200}x + 29$$

Bei gegebenen fixen Kosten ist Gewinnmaximierung gleichbedeutend mit Maximierung des Deckungsbeitrags. Zur Ermittlung des Maximums wird die Funktion des Deckungsbeitrags nach der Absatzmenge differenziert. Das Maximum ist gefunden, wenn die erste Ableitung Null ergibt und die zweite Ableitung bei dieser Absatzmenge negativ ist.

$$D = d \cdot x$$
$$d = p - k_v = p - 8$$
$$D = (p - 8) \cdot x$$
$$D = (-\frac{1}{1\,200}x + 29 - 8) \cdot x$$

D = Deckungsbeitrag pro Monat
d = Deckungsbeitrag pro Stück
k_v = variable Stückkosten
x = Absatzmenge
p = Verkaufspreis
G = Gewinn pro Monat

$$D = -\frac{1}{1\,200}x^2 + 21\,x$$

$$\frac{dD}{dx} = -\frac{1}{600}x + 21$$

$$\frac{dD}{dx} = 0; \quad x = 12\,600$$

$$\frac{d^2D}{dx^2} = -\frac{1}{600} < 0$$

$$p = -\frac{1}{1\,200} \cdot 12\,600 + 29 = 18{,}50$$

$$G = (18{,}50 - 8) \cdot 12\,600 - 120\,000 = 12\,300$$

Unter den gegebenen Bedingungen ist folglich das Optimum erreicht, wenn monatlich 12 600 Stück des Erzeugnisses hergestellt und zu einem Preis von 18,50 DM/Stück verkauft werden. Der Gewinn erreicht dann die maximale Höhe von 12 300 DM im Monat. Bei diesem Optimalmodell darf allerdings nicht übersehen werden, daß es in der Praxis äußerst schwierig ist, die Preiselastizität der Nachfrage einigermaßen zutreffend einzuschätzen. Mit Hilfe von Alternativrechnungen kann man leicht feststellen, daß bereits geringfügige Abweichungen von den Absatzerwartungen zu einer nicht unerheblichen Verlagerung des Optimums führen können.

4.6.6 Ermittlung des optimalen Produktprogramms

Ist in der Unternehmung ein mehreren Erzeugnissen gemeinsamer Produktionsfaktor nur in begrenzter Menge vorhanden, also beispielsweise die Beschaffung des gemeinsamen Rohstoffs beschränkt oder die Kapazität der Fertigungsanlage, auf der verschiedene Erzeugnisse nur alternativ hergestellt werden können, erschöpft, dann muß sich die Unternehmung entscheiden, welche Erzeugnisse in welcher Menge hergestellt und abgesetzt werden sollen. Das mengenmäßige Produktprogramm soll so beschaffen sein, daß die an allen Erzeugnissen insgesamt erzielten Deckungsbeiträge der Planungsperiode durch keine andere Produktmengenkombination verbessert werden kann. Wir bezeichnen die von den einzelnen Erzeugnissen herzustellenden Mengen als das erfolgsoptimale Produktprogramm der Unternehmung.

4.6.6.1 Optimierung bei einem Fertigungsengpaß

Zunächst soll das optimale Produktprogramm unter der Voraussetzung ermittelt werden, daß nur ein Engpaß in der Fertigung vorhanden ist. Diese Voraussetzung ist immer dann erfüllt, wenn alle anderen Teilkapazitäten so überdimensioniert sind, daß sie bei keiner denkbaren Produktmengenkombination zu einem Engpaß werden können. In den Abbildungen 27 bis 29 sind drei verschiedene Engpaßsituationen dargestellt. Auf den Koordinaten sind die Produktmengen x der Erzeugnisse 1 und 2 abgetragen. Die Geraden C_1, C_2 und C_3 zeigen alle denkbaren Produktmengenkombinationen, für die die jeweilige Teilkapazität gerade voll ausgelastet ist. In der Abbildung 27 liegt nur ein Fertigungsengpaß vor (C_1),

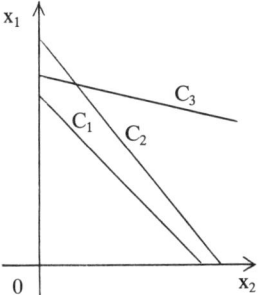

Abb. 27: Ein Fertigungsengpaß

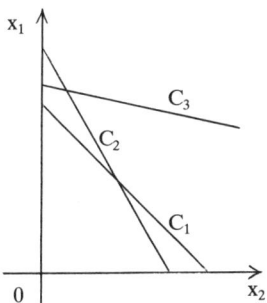

Abb. 28: Zwei Fertigungsengpässe

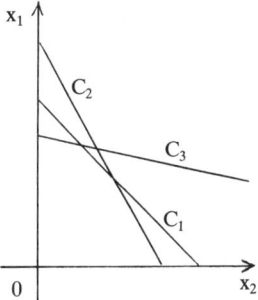

Abb. 29: Drei Fertigungsengpässe

weil es keine Produktmengenkombination gibt, bei der C_2 oder C_3 den Engpaß bilden können. Abbildung 28 zeigt einen Betrieb mit zwei möglichen Engpässen (C_1 und C_2), während in Abbildung 29 alle drei Teilkapazitäten zum Engpaß werden können. Welche Teilkapazität den akuten Engpaß bildet, hängt von der mengenmäßigen Zusammensetzung des Produktprogramms ab.

Die Ermittlung des Optimums wird an zwei Beispielen aufgezeigt. Im ersten Modell wird unterstellt, daß die Unternehmung ihre Erzeugnisse zum Marktpreis verkauft und dieser Preis aufgrund der atomistischen Angebotsstruktur von ihr nicht beeinflußt werden kann. Sie verhält sich als Mengenanpasser, der Verkaufspreis stellt eine gegebene Größe dar.

Im zweiten Modell werden funktionale Beziehungen zwischen Verkaufspreis und Absatzmenge derart unterstellt, daß bei steigenden Verkaufspreisen die Absatzmenge abnimmt. Diese Unterstellung ist darin begründet, daß es vollkommene Märkte in der Realität nicht gibt und auf unvollkommenen Märkten auch die Angebotskurve eines Polypolisten einen monopolistischen Abschnitt aufweist, ebenso wie die oligopolistische Angebotskurve im reaktionsfreien Bereich die typisch monopolistische Form zeigt. Diese Situation kann als quasi-monopolistische Angebotssturktur charakterisiert werden, da die individuelle Preis-Absatz-Funktion der Unternehmung zwar in einem bestimmten Bereich den typisch monopolistischen Verlauf aufweist, die Bedingungen eines echten Angebotsmonopols aber nicht gegeben sind. Im Beispiel wird, wie schon im Abschnitt 4.6.5, der Einfachheit halber von einer linear fallenden Preis-Absatz-Funktion ausgegangen.

Beispiel 11:

Eine Unternehmung stellt zwei Massenprodukte her, die alternativ auf derselben Anlage gefertigt werden. Zu den gegebenen Marktpreisen könnte die Unternehmung 12 000 Stück vom Erzeugnis 1 und 15 000 Stück vom Erzeugnis 2 pro Monat absetzen. Aufgrund der begrenzten Kapazität der Fertigungsanlage können diese Mengen jedoch nicht hergestellt werden. Die Marktpreise, die Kosten und die Kapazitätsinanspruchnahme sind für beide Erzeugnisse nachfolgend zusammengestellt. Es sind das optimale Produktprogramm und der maximal erzielbare Gewinn zu ermitteln.

Erzeugnis	(i)	1	2
Marktpreis	(p_i)	23,00 DM/Stück	15,75 DM/Stück
Variable Kosten	(k_i)	12,00 DM/Stück	7,50 DM/Stück
Engpaßinanspruchnahme	(b_i)	4 min./Stück	5 min./Stück
Engpaßkapazität	(C)	1 500 Stunden/Monat	
Fixe Kosten	(K_f)	150 000 DM/Monat	

Im Kapitel 4.6.2 zur Förderungswürdigkeit einzelner Erzeugnisse hatten wir festgestellt, daß bei Vorhandensein eines Engpasses in der Fertigung demjenigen Produkt der Vorzug zu geben ist, das den höheren Deckungsbeitragssatz, bezogen auf eine Einheit des Engpasses, erbringt. Die Rechnung ergibt für

$$\text{Erzeugnis 1:} \quad d_1 = \frac{23,00 - 12,00}{4} = 2,75 \text{ DM/min.}$$

$$\text{Erzeugnis 2:} \quad d_2 = \frac{15,75 - 7,50}{5} = 1,65 \text{ DM/min.}$$

Es muß daher zunächst die maximale Absatzmenge von 12 000 Stück des Erzeugnisses 1 gefertigt werden, die eine Kapazitätsbelegung von 48 000 min. erfordert. Die dann noch verbleibende Restkapazität von $90\,000 - 48\,000 = 42\,000$ min. wird zur Herstellung des Erzeugnisses 2 eingesetzt:

$$x_2 = 42\,000 : 5 = 8\,400 \text{ Stück/Monat}$$

Der maximal erzielbare Gewinn beträgt dabei

$$G = d_1 \cdot x_1 + d_2 \cdot x_2 - K_f$$
$$G = 11,00 \cdot 12\,000 + 8,25 \cdot 8\,400 - 150\,000$$
$$G = 51\,300 \text{ DM/Monat}$$

Beispiel 12:

Im Unterschied zum vorangegangenen Beispiel möge die Unternehmung jetzt eine aktive Preispolitik betreiben. Je höher sie den Angebotspreis setzt, desto niedriger ist die Absatzmenge. Zwischen Preis und Menge sollen folgende Beziehungen bestehen:

$$p_1 = -\frac{1}{1250}x_1 + 30 \qquad \text{(Erzeugnis 1)}$$

$$p_2 = -\frac{1}{2000}x_2 + 20 \qquad \text{(Erzeugnis 2)}$$

Weitere mengenmäßige Absatzbeschränkungen bestehen nicht. Kosten, Engpaßinanspruchnahme und Kapazität sind unverändert. Es sind wiederum das optimale Produktprogramm und der maximal erzielbare Gewinn zu ermitteln.

Zunächst muß geprüft werden, ob die Fertigungsanlage überhaupt einen Engpaß bildet, d.h. es muß das optimale Produktprogramm ohne Berücksichtigung der Fertigungskapazität ermittelt werden. Analog zum Beispiel 10 im Kapitel 4.6.5 ist somit für jedes Produkt die Funktion des Deckungsbeitrags nach der Absatzmenge zu differenzieren:

$$D_1 = (p_1 - k_1) \cdot x_1 \qquad\qquad D_2 = (p_2 - k_2) \cdot x_2$$

$$D_1 = (-\frac{1}{1250}x_1 + 30 - 12) \cdot x_1 \qquad D_2 = (-\frac{1}{2000}x_2 + 20 - 7{,}50) \cdot x_2$$

$$D_1 = -\frac{1}{1250}x_1^2 + 18x_1 \qquad\qquad D_2 = -\frac{1}{2000}x_2^2 + 12{,}5x_2$$

$$\frac{dD_1}{dx_1} = -\frac{1}{625}x_1 + 18 = 0 \qquad \frac{dD_2}{dx_2} = -\frac{1}{1000}x_2 + 12{,}5 = 0$$

$$x_1 = 11250 \text{ Stück} \qquad\qquad x_2 = 12500 \text{ Stück}$$

Für dieses absolute Optimum werden $11250 \cdot 4 + 12500 \cdot 5 = 107500$ min. Fertigungszeit benötigt, während die Kapazität der Fertigungsanlage nur $1500 \cdot 60 = 90000$ min. beträgt. Es gilt nun, die knappe Fertigungskapazität derart auf die beiden Produkte aufzuteilen, daß sich insgesamt ein Maximum an Deckungsbeiträgen ergibt. Als Vorstufe zur Lösung soll probehalber die Kapazität zu je 50% für die beiden Erzeugnisse verwendet werden. Dann ließen sich folgenden Mengen herstellen:

$$x_1 = \frac{45000}{4} = 11250 \text{ Stück} \qquad x_2 = \frac{45000}{5} = 9000 \text{ Stück}$$

Die produzierten Mengen ließen sich zu folgenden Preisen absetzen:

$$p_1 = -\frac{11250}{1250} + 30 = 21{,}00 \text{ DM} \qquad p_2 = -\frac{9000}{2000} + 20 = 15{,}50 \text{ DM}$$

Dabei könnten folgende Deckungsbeiträge erzielt werden:

$$
\begin{aligned}
D_1 &= (21 - 12) \cdot 11250 &&= & 101250 \text{ DM} \\
D_2 &= (15{,}50 - 7{,}50) \cdot 9000 &&= & 72000 \text{ DM} \\
D &= && & 173250 \text{ DM}
\end{aligned}
$$

Zur Prüfung der Frage, ob sich der Gesamtdeckungsbeitrag durch eine andere Aufteilung der Fertigungskapazität auf die beiden Produkte noch steigern läßt, wollen wir 1 000 min. Fertigungszeit weniger für Erzeugnis 1 einsetzen und in dieser Zeit mehr vom Erzeugnis 2 produzieren. Dann ergibt sich folgende Rechnung:

$$x_1 = \frac{44\,000}{4} = 11\,000 \text{ Stück} \qquad\qquad x_2 = \frac{46\,000}{5} = 9\,200 \text{ Stück}$$

$$D_1 = (-\frac{11\,000}{1\,250} + 30 - 12) \cdot 11\,000 = 101\,200 \text{ DM}$$

$$D_2 = (-\frac{9\,200}{2\,000} + 20 - 7{,}50) \cdot 9\,200 = 72\,680 \text{ DM}$$

$$
\begin{aligned}
\Delta D_1 &= 101\,200 - 101\,250 = & - && 50 & \text{ DM} \\
\Delta D_2 &= 72\,680 - 72\,000 = & + && 680 & \text{ DM} \\
\Delta D &= & && + 630 & \text{ DM}
\end{aligned}
$$

Die Rechnung zeigt, daß durch den Verzicht auf den Einsatz von 1 000 Fertigungsminuten für Produkt 1 der Deckungsbeitrag für dieses Produkt nur um 50 DM sinkt, während der zusätzliche Einsatz von 1 000 Fertigungsminuten für Produkt 2 dessen Deckungsbeitrag um 680 DM steigen läßt, so daß sich der Deckungsbeitrag insgesamt und damit auch der Periodengewinn um 630 DM erhöht.

Würden nun abermals 1 000 Fertigungsminuten weniger für Produkt 1 und diese Zeit mehr für Produkt 2 eingesetzt, dann ergäben sich folgende Veränderungen der Deckungsbeiträge:

$$
\begin{aligned}
\Delta D_1 &= 101\,050 - 101\,200 = & - && 150 & \text{ DM} \\
\Delta D_2 &= 73\,320 - 72\,680 = & + && 640 & \text{ DM} \\
\Delta D &= & && + 490 & \text{ DM}
\end{aligned}
$$

Dieses Ergebnis liefert die Erkenntnis, daß der Zuwachs des Gesamtdeckungsbeitrags für jede weiteren 1 000 Fertigungsminuten, die wir anstelle des Produkts 1 zusätzlich für Produkt 2 einsetzen, geringer wird. Das optimale Produktprogramm ist offensichtlich dann gefunden, wenn sich der Gesamtdeckungsbeitrag nicht mehr erhöhen läßt, wenn also

$$\Delta D = \Delta D_2 - \Delta D_1 = 0$$

oder

$$\Delta D_1 = \Delta D_2$$

ist. Geht man schließlich von der Differenzenrechnung zu Differentialbetrachtung über, dann lauten die Bestimmungsgleichungen für das optimale Produktprogramm

$$\frac{dD_1}{dt_1} = \frac{dD_2}{dt_2} \qquad \text{und} \qquad t_1 + t_2 = C$$

Den Differentialquotienten wollen wir als den Grenzdeckungsbeitrag oder kurz als den Grenzertrag einer Engpaßminute bezeichnen. Der Gesamtdeckungsbeitrag erreicht sein Maximum, wenn die Grenzerträge einer Engpaßminute bei beiden Erzeugnissen gleich hoch sind, d.h. wenn aufgrund einer Senkung der Engpaßbelegungszeit für Erzeugnis 1 um eine infinitesimal kleine Einheit die Abnahme des Deckungsbeitrags des Erzeugnisses 1 gerade ausgeglichen wird durch die Zunahme des Deckungsbeitrags des Erzeugnisses 2 infolge einer Erhöhung der Engpaßbelegungszeit für Erzeugnis 2 um die gleiche Einheit. In der grafischen Darstellung in Abbildung 30 müssen die Tangenten an die Deckungsbeitragskurven bei beiden Erzeugnissen das gleiche Steigungsmaß besitzen ($\alpha_1 = \alpha_2$), und die Summe der Einsatzzeiten für beide Erzeugnisse ($t_1 + t_2$) muß genau der Kapazität entsprechen.

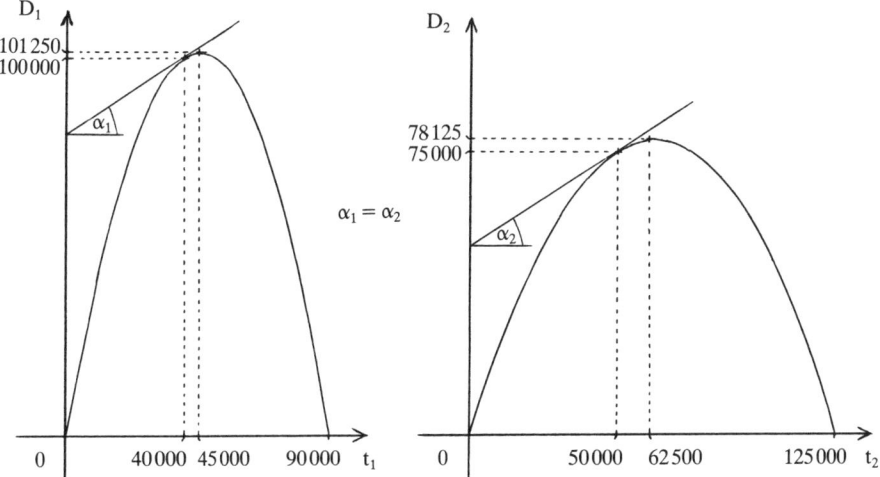

Abb. 30: Bestimmung des Optimums bei quadratischer Zielfunktion und einem Engpaß

Im vorliegenden Zahlenbeispiel ist das optimale Produktprogramm wie folgt zu ermitteln:

$$D_1 = -\frac{1}{1250}x_1^2 + 18\,x_1 \qquad D_2 = -\frac{1}{2000}x_2^2 + \frac{25}{2}x_2$$

$$t_1 = 4\,x_1 \qquad t_2 = 5\,x_2$$

$$D_1 = -\frac{1}{20000}t_1^2 + \frac{9}{2}t_1 \qquad D_2 = -\frac{1}{50000}t_2^2 + \frac{5}{2}t_2$$

$$\frac{dD_1}{dt_1} = -\frac{1}{10000}t_1 + \frac{9}{2} \qquad \frac{dD_2}{dt_2} = -\frac{1}{25000}t_2 + \frac{5}{2}$$

Die beiden Bestimmungsgleichungen für die Unbekannten t_1 und t_2 lauten somit

$$-\frac{1}{10\,000}\, t_1 + \frac{9}{2} = -\frac{1}{25\,000}\, t_2 + \frac{5}{2}$$
$$t_1 + t_2 = 90\,000$$

Die Lösung des Gleichungssystems ergibt

$$t_1 = 40\,000 \text{ min./Monat} \quad \text{und} \quad t_2 = 50\,000 \text{ min./Monat}$$

Daraus errechnet sich das optimale Produktprogramm mit

$$x_1 = 10\,000 \text{ Stück/Monat} \quad \text{und} \quad x_2 = 10\,000 \text{ Stück/Monat}$$

Die optimalen Angebotspreise lauten

$$p_1 = -\frac{10\,000}{1\,250} + 30 = 22{,}00 \text{ DM/Stück}$$

und

$$p_2 = -\frac{10\,000}{2\,000} + 20 = 15{,}00 \text{ DM/Stück}$$

Folglich läßt sich ein Gewinn von maximal

$$G = (22 - 12) \cdot 10\,000 + (15 - 7{,}50) \cdot 10\,000 - 150\,000$$
$$G = 100\,000 + 75\,000 - 150\,000 = 25\,000 \text{ DM/Monat}$$

erzielen. Der Vollständigkeit halber sei erwähnt, daß dieser Lösungsweg selbstverständlich auch auf Unternehmungen mit mehr als zwei Erzeugnissen anwendbar ist. Für n Erzeugnisse ist ein System von n linearen Gleichungen mit n Unbekannten zu lösen. Die Bestimmungsgleichungen für die Unbekannten $t_1, t_2, \ldots, t_n$ lauten dann

und

$$\frac{dD_1}{dt_1} = \frac{dD_2}{dt_2} \quad ; \quad \frac{dD_1}{dt_1} = \frac{dD_3}{dt_3} \quad ; \ldots; \quad \frac{dD_1}{dt_1} = \frac{dD_n}{dt_n}$$

$$t_1 + t_2 + t_3 + \ldots + t_n = C$$

4.6.6.2 Optimierung bei mehreren Fertigungsengpässen

In den nächsten beiden Optimalmodellen wird davon ausgegangen, daß je nach Zusammensetzung des Produktprogramms drei Fertigungskostenstellen einen Engpaß bilden können. Im Beispiel 13 werden zunächst wieder gegebene Marktpreise unterstellt, die von der Unternehmung nicht beeinflußt werden können. Im Beispiel 14 wird schließlich untersucht, wie das optimale Produktprogramm bei linear fallenden Preis-Absatz-Funktionen gefunden werden kann.

Beispiel 13:

Eine Unternehmung stellt zwei Massenprodukte her, die nacheinander sieben Fertigungskostenstellen durchlaufen. Da in vier Kostenstellen die Kapazität so groß bemessen ist, daß dort nie Engpässe auftreten können, brauchen sie in der weiteren Rechnung nicht berücksichtigt zu werden. Die übrigen Daten sind der folgenden Tabelle zu entnehmen:

Erzeugnis		(i)	1	2
Marktpreis		(p_i)	23,00 DM/Stück	15,75 DM/Stück
Variable Kosten		(k_i)	12,00 DM/Stück	7,50 DM/Stück
Engpaß-inanspruch-nahme	Kostenstelle 1	(b_{i1})	4 min./Stück	5 min./Stück
	Kostenstelle 2	(b_{i2})	16 min./Stück	10 min./Stück
	Kostenstelle 3	(b_{i3})	12 min./Stück	–
Engpaß-kapazität	Kostenstelle 1	(C_1)	1500 Stunden/Monat	
	Kostenstelle 2	(C_2)	4000 Stunden/Monat	
	Kostenstelle 3	(C_3)	2000 Stunden/Monat	
Fixe Kosten		(K_f)	150000 DM/Monat	

Ein Lösungsweg der Art, wie er im Beispiel 11 für einen einzigen Fertigungsengpaß beschrieben wurde, hilft uns in diesem Modell nicht weiter, da die Deckungsbeitragssätze pro Engpaßeinheit gegenläufige Tendenzen aufweisen. Bezogen auf den Engpaß 1 betragen die Deckungsbeitragssätze

$$d_1 = \frac{11}{4} = 2,75 \text{ DM/min.} \qquad \text{und} \qquad d_2 = \frac{8,25}{5} = 1,65 \text{ DM/min.}$$

Für den Engpaß 2 lauten die Deckungsbeitragssätze

$$d_1 = \frac{11}{16} = 0,6875 \text{ DM/min.} \qquad \text{und} \qquad d_2 = \frac{8,25}{10} = 0,825 \text{ DM/min.}$$

In bezug auf die knappe Kapazität der Fertigungsstelle 1 wäre es vorteilhafter, möglichst viel vom Produkt 1 herzustellen, während in bezug auf die Kapazität der Kostenstelle 2 dem Produkt 2 der Vorzug zu geben wäre.

Um der Lösung näher zu kommen, wollen wir zunächst probehalber möglichst viel vom Produkt 1 produzieren, da es mit 11,00 DM/Stück den größeren Deckungsbeitrag aufweist. Die maximale Herstellmenge liegt bei 10000 Stück/Monat, da dann die Kapazität der Kostenstelle 3 voll ausgelastet ist. In den beiden anderen Kostenstellen sind dann noch folgende Kapazitätsreserven vorhanden:

Kostenstelle 1: 90000 − 10000 · 4 = 50000 min.
Kostenstelle 2: 240000 − 10000 · 16 = 80000 min.

Da das Erzeugnis 2 die Kapazität der Kostenstelle 3 nicht in Anspruch nimmt, können neben den 10000 Stück des Erzeugnisses 1 noch 80000 : 10 = 8000 Stück des Erzeugnisses 2 gefertigt werden, bis auch die Kapazität der Kostenstelle 2 erschöpft ist. Der Gesamtdeckungsbeitrag erreicht dann eine Höhe von

$$D = 10000 · 11 + 8000 · 8,25 = 176000 \text{ DM/Monat}$$

Eine weitere Steigerung der Ausbringungsmenge des Erzeugnisses 2 ist jetzt nur noch möglich, wenn gleichzeitig die Ausbringung des Erzeugnisses 1 gedrosselt wird. Das Mengenverhältnis ergibt sich aus der Inanspruchnahme der Kostenstelle 2, da diese Kostenstelle jetzt den akuten Engpaß bildet. Sollen beispielsweise 16 Stück des Erzeugnisses 2 mehr hergestellt werden, so erfordert dies $16 \cdot 10 = 160$ Fertigungsminuten in der Kostenstelle 2. Diese 160 Minuten werden freigesetzt, wenn man auf die Herstellung von $160 : 16 = 10$ Stück des Erzeugnisses 1 verzichtet. Durch den Verzicht auf die Herstellung und den Absatz von 10 Stück des Erzeugnisses 1 gehen zwar Deckungsbeiträge in Höhe von $10 \cdot 11 = 110,00$ DM verloren, doch wird dieser Verlust überkompensiert durch den Deckungsbeitragszuwachs beim Erzeugnis 2 in Höhe von $16 \cdot 8,25 = 132,00$ DM. Es lohnt sich also, mehr vom Erzeugnis 2 und dafür weniger vom Erzeugnis 1 zu produzieren. Allerdings kann dieser Tausch nicht beliebig oft durchgeführt werden, da er zu einer stärkeren Inanspruchnahme der Kapazität der Kostenstelle 1 führt. Für die Bearbeitung von 16 Stück des Erzeugnisses 2 werden $16 \cdot 5 = 80$ Fertigungsminuten in der Kostenstelle 1 benötigt, während durch den Verzicht auf die Herstellung von 10 Stück des Erzeugnisses 1 nur $10 \cdot 4 = 40$ Fertigungsminuten freigesetzt werden. Da in der Kostenstelle 1 bislang eine Kapazitätsreserve von $90\,000 - 10\,000 \cdot 4 - 8\,000 \cdot 5 = 10\,000$ min. vorhanden war, kann der beschriebene Tausch insgesamt nur $10\,000 : (80 - 40) = 250$ mal durchgeführt werden, d.h. es könnten maximal $8\,000 + 250 \cdot 16 = 12\,000$ Stück des Erzeugnisses 2 hergestellt werden, wenn man gleichzeitig die Fertigung des Erzeugnisses 1 auf $10\,000 - 250 \cdot 10 = 7500$ Stück reduziert. Der Gesamtdeckungsbeitrag steigt dadurch auf $176\,000 + 250 \cdot (132 - 110) = 181\,500$ DM.

Soll darüber hinaus die Ausbringungsmenge des Erzeugnisses 2 zu Lasten des Erzeugnisses 1 gesteigert werden, so kann dies nur im zeitlichen Verhältnis der Inanspruchnahme der Kostenstelle 1 geschehen, da sie jetzt den akuten Engpaß bildet. Sollen vom Erzeugnis 2 beispielsweise 4 Stück mehr gefertigt werden, muß man auf die Herstellung von 5 Stück des Erzeugnisses 1 verzichten. Unter erfolgsrechnerischem Gesichtspunkt ist dieser Tausch allerdings nicht mehr empfehlenswert, da sich der Gesamtdeckungsbeitrag vermindern würde:

$$\Delta D = 4 \cdot 8,25 - 5 \cdot 11,00 = -22,00 \, \text{DM}$$

Das optimale Produktprogramm ist damit gefunden. Werden monatlich 7500 Stück des Erzeugnisses 1 und 12 000 Stück des Erzeugnisses 2 hergestellt und verkauft, erreicht der Gewinn mit

$$G = 7500 \cdot 11 + 12\,000 \cdot 8,25 - 150\,000 = 31\,500 \, \text{DM/Monat}$$

sein Maximum.

Das hier dargestellte Beispiel umfaßt nur zwei Erzeugnisse und nur drei Beschränkungen in Form von Engpässen in der Fertigung. Es ist daher leicht einzusehen, daß die Lösung umfangreicherer Planungsprobleme in der beschriebenen Weise kaum noch möglich sein dürfte. Es sind jedoch verschiedene mathematische Verfahren zur Lösung derartiger linearer Optimierungsmodelle entwickelt worden, von denen die von *Dantzig* eingeführte Simplex-Methode[22] das bekannteste ist. Die Simplex-Methode ist ein numerisch-iteratives Lösungsverfahren, das im Prinzip genau dem zuvor beschriebenen Lösungsweg entspricht. Für die durchzuführenden Rechenoperationen bedient man sich sogenannter Simplex-Tableaus, d.h. Matrizen, die aus den Koeffizienten der Gleichungen des Modells gebildet werden. Die Modellgleichungen bestehen aus der zu maximierenden Zielfunktion und den Beschränkungen. In unserem Beispiel bildet der Gesamtdeckungsbeitrag die Zielfunktion. Sie lautet:

$$D = 11\,x_1 + 8{,}25\,x_2 = \text{Max.}!$$

Die Maximierung ist unter folgenden Nebenbedingungen durchzuführen:

$$
\begin{aligned}
4\,x_1 + 5\,x_2 &\leqq 90\,000 \\
16\,x_1 + 10\,x_2 &\leqq 240\,000 \\
12\,x_1 &\leqq 120\,000
\end{aligned}
$$

Diese Ungleichungen werden durch Einfügung der Schlupfvariablen x_3, x_4 und x_5 in Gleichungen verwandelt. Die Schlupfvariablen sind als fiktive Produkte anzusehen, deren Herstellung eine Fertigungsminute in einer bestimmten Kostenstelle erfordert und deren Deckungsbeiträge Null sind. Das Gleichungssystem sieht dann wie folgt aus:

$$
\begin{aligned}
4\,x_1 + 5\,x_2 + 1\,x_3 + 0\,x_4 + 0\,x_5 &= 90\,000 \\
16\,x_1 + 10\,x_2 + 0\,x_3 + 1\,x_4 + 0\,x_5 &= 240\,000 \\
12\,x_1 + 0\,x_2 + 0\,x_3 + 0\,x_4 + 1\,x_5 &= 120\,000 \\
-11\,x_1 - 8{,}25\,x_2 - 0\,x_3 - 0\,x_4 - 0\,x_5 &= \text{Min.}!
\end{aligned}
$$

Aus diesen Koeffizienten wird das 1. Simplex-Tableau gebildet:

x_1	x_2	x_3	x_4	x_5	
4	5	1	0	0	90 000
16	10	0	1	0	240 000
12	0	0	0	1	120 000
−11	− 8,25	0	0	0	0

Die Auswahl des kleinsten Koeffizienten in der Zielfunktion ergibt die sog. Pivot-Spalte (hier Spalte 1). Anschließend werden die Beschränkungen in der letzten Spalte durch die jeweiligen Elemente der Pivot-Spalte dividiert:

$$
\begin{aligned}
90\,000 : 4 &= 22\,500 \\
240\,000 : 16 &= 15\,000 \\
120\,000 : 12 &= 10\,000
\end{aligned}
$$

---

[22] Vgl. Dantzig, G. B.: Maximization of a Linear Function of Variables Subject to Linear Inequalities. In: Activity Analysis of Production and Allocation. Ed. by T. C. Loopmans. New York – London 1951, Chap. 21, S. 339-347.

Die Auswahl des kleinsten positiven Wertes führt zur sog. Pivot-Zeile (hier Zeile 3). Im Schnittpunkt der Pivot-Zeile und der Pivot-Spalte befindet sich das Pivot-Element. Es werden nun alle Elemente der Pivot-Zeile durch das Pivot-Element (hier 12) dividiert:

| 1 | 0 | 0 | 0 | 0,08333 | 10 000 |

Die übrigen Elemente der Pivot-Spalte müssen nun auf Null gesetzt werden, indem zu der betreffenden Zeile ein Vielfaches der Pivot-Zeile addiert wird.

Zur 1. Zeile wird das (−4) fache der Pivot-Zeile addiert:

4	5	1	0	0	90 000
−4	0	0	0	−0,33333	−40 000
0	5	1	0	−0,33333	50 000

Zur 2. Zeile wird das (−16) fache der Pivot-Zeile addiert:

16	10	0	1	0	240 000
−16	0	0	0	−1,33333	−160 000
0	10	0	1	−1,33333	80 000

Zur 4. Zeile wird das 11 fache der Pivot-Zeile addiert:

−11	−8,25	0	0	0	0
11	0	0	0	0,91666	110 000
0	−8,25	0	0	0,91666	110 000

Daraus ergibt sich folgendes neues Tableau:

x_1	x_2	x_3	x_4	x_5	
0	5	1	0	−0,33333	50 000
0	10	0	1	−1,33333	80 000
1	0	0	0	0,08333	10 000
0	−8,25	0	0	0,91666	110 000

Das Optimum ist noch nicht gefunden, weil die Zielfunktion immer noch negative Koeffizienten enthält (= sog. Simplex-Kriterium). Die vorgenannten Rechenschritte sind deshalb zu wiederholen. Das Pivot-Element befindet sich diesmal in der zweiten Spalte und der zweiten Zeile. Das 3. Simplex-Tableau sieht dann wie folgt aus:

x_1	x_2	x_3	x_4	x_5	
0	0	1	−0,5	0,33333	10 000
0	1	0	0,1	−0,13333	8 000
1	0	0	0	0,08333	10 000
0	0	0	0,825	−0,18333	176 000

Da in der Zielfunktion immer noch ein negativer Koeffizient enthalten ist, muß die Iteration abermals durchgeführt werden. Das 4. Simplex-Tableau hat schließlich folgendes Aussehen:

x_1	x_2	x_3	x_4	x_5	
0	0	3	$-1,5$	1	30 000
0	1	0,4	$-0,1$	0	12 000
1	0	$-0,25$	0,125	0	7 500
0	0	0,55	0,55	0	181 500

Das Simplex-Kriterium ist erfüllt und damit das Optimum gefunden. Das Ergebnis ist in der letzten Spalte abzulesen:

$$x_5 = 30\,000 \text{ Stück/Monat}$$
$$x_2 = 12\,000 \text{ Stück/Monat}$$
$$x_1 = 7\,500 \text{ Stück/Monat}$$
$$D_{max} = 181\,500 \text{ DM/Monat}$$

Da das Produkt 5 nur ein fiktives Erzeugnis darstellt, bedeutet die Lösung, daß in der Kostenstelle 3 noch eine Kapazitätsreserve von 30 000 Fertigungsminuten vorhanden ist. Die Kapazitäten der Kostenstellen 1 und 2 sind dagegen voll ausgelastet. Hätten wir im Ausgangstableau als letztes Element der letzten Zeile die fixen Kosten mit minus 150 000 DM eingetragen, so würde das Schlußtableau anstelle des maximalen Deckungsbeitrags den optimalen Periodenerfolg, in unserem Beispiel den Gewinn von 31 500 DM, liefern.

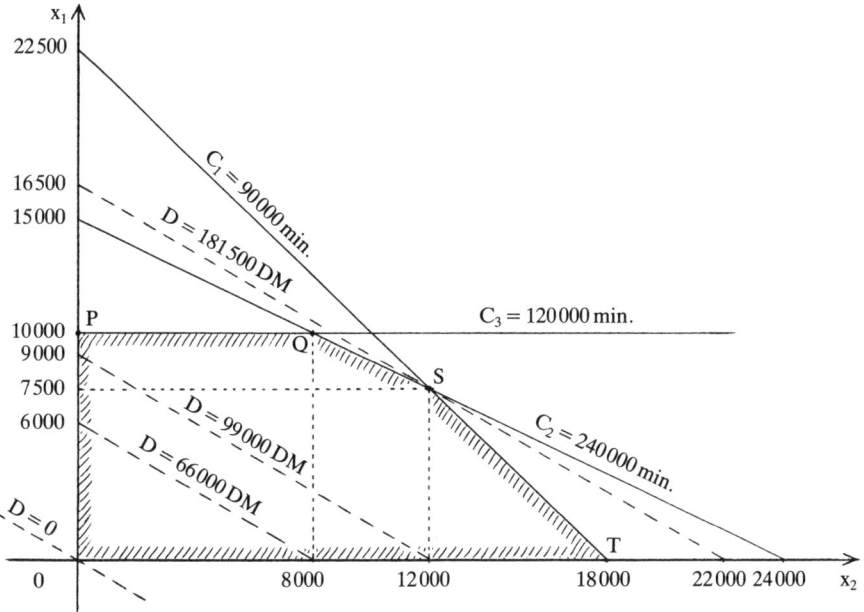

Abb. 31: Bestimmung des Optimums bei linearer Zielfunktion und mehreren Engpässen

Da das vorliegende Beispiel nur zwei Produkte umfaßt, läßt sich das lineare Planungsproblem auch auf grafischem Wege lösen. Zu diesem Zweck zeichnen wir in ein Koordinatenkreuz, auf dessen Achsen die Herstellmengen der beiden Produkte abgetragen werden, die kapazitiven Beschränkungen ein (siehe Abbildung 31). Die Gerade C_1 beispielsweise ist der geometrische Ort für alle Produktmengenkombinationen, bei denen die Kapazität der Kostenstelle 1 gerade voll ausgelastet ist. Unter Berücksichtigung aller drei Engpässe sind deshalb nur die Produktmengenkombinationen realisierbar, die innerhalb des schraffierten Fünfecks OPQST liegen. Zur Bestimmung des Optimums muß noch die Zielfunktion in Form einer Schar von Iso-Deckungsbeitragskurven eingezeichnet werden. Infolge der linearen Zielfunktion (konstante Deckungsbeitragssätze) haben sie die Form von Geraden. In Abbildung 15 sind als Beispiele die Iso-Deckungsbeitragsgeraden für D = 0, für D = 66000 DM und für D = 99000 DM eingetragen. Eine Parallelverschiebung einer Iso-Deckungsbeitragsgeraden in Richtung auf den Koordinatenursprung bedeutet eine Verminderung, eine Parallelverschiebung in entgegengesetzter Richtung eine Erhöhung des Gesamtdeckungsbeitrags. Die Gerade ist deshalb so lange parallel zu verschieben, bis sie das Fünfeck OPQST, das die unter den Nebenbedingungen möglichen Herstellmengenkombinationen umgrenzt, nicht mehr schneidet, sondern nur noch tangiert. Dies ist im Punkte S der Fall, dessen Koordinaten das optimale Produktprogramm liefern.

Beispiel 14:

Es soll das optimale Produktprogramm für den Fall bestimmt werden, daß zwischen Verkaufspreis und Absatzmenge der beiden Erzeugnisse lineare Beziehungen der folgenden Art bestehen:

$$p_1 = -\frac{1}{1250}x_1 + 30 \qquad \text{und} \qquad p_2 = -\frac{1}{2000}x_2 + 20$$

Im übrigen sollen die gleichen Bedingungen gelten wie im vorangegangenen Beispiel.

Als erstes muß wiederum das absolute, keinen Beschränkungen unterworfene Optimum ermittelt werden, um zu prüfen, welche Teilkapazitäten einen Engpaß bilden. Das absolute Optimum hatten wir für beide Erzeugnisse bereits im Beispiel 12 mit

$$x_1 = 11\,250 \text{ Stück} \quad \text{und} \quad x_2 = 12\,500 \text{ Stück}$$

errechnet. Zur Herstellung dieser Produkte wären folgende Fertigungszeiten in den Kostenstellen erforderlich:

$$B_1 = 11\,250 \cdot 4 + 12\,500 \cdot 5 = 107\,500 \text{ min.}$$
$$B_2 = 11\,250 \cdot 16 + 12\,500 \cdot 10 = 305\,000 \text{ min.}$$
$$B_3 = 11\,250 \cdot 12 \qquad\qquad = 135\,000 \text{ min.}$$

Ein Vergleich mit der Kapazität zeigt, daß alle drei Kostenstellen Engpässe bilden können. In der grafischen Darstellung in Abbildung 32 liegt das absolute Optimum oberhalb aller drei Restriktionsgeraden C_1, C_2 und C_3. Die Abbildung 32

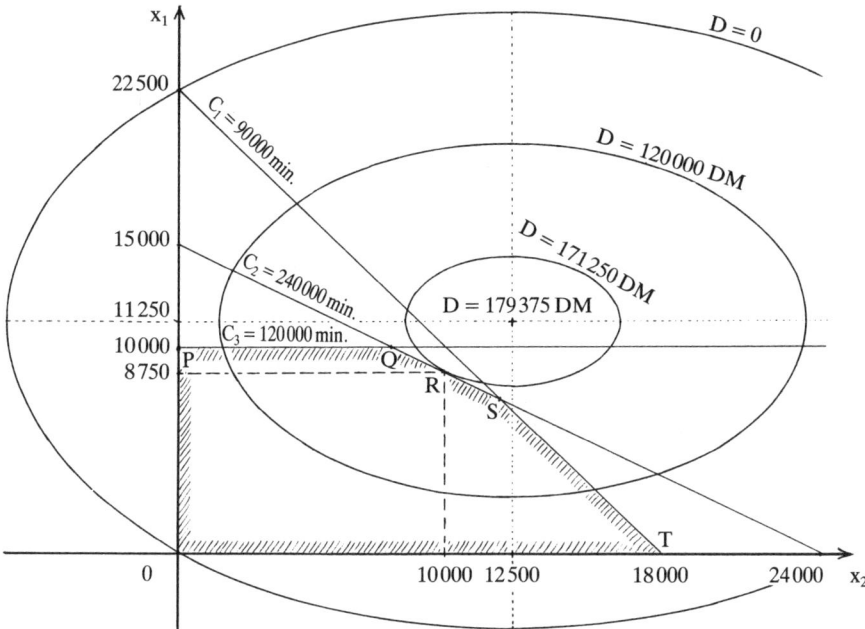

Abb. 32: Bestimmung des Optimums bei quadratischer Zielfunktion und mehreren Engpässen

entspricht insoweit der Abbildung 31, als die Restriktionsgeraden identisch sind und das Fünfeck OPQST alle unter Beachtung dieser Restriktionen möglichen Produktmengenkombinationen umschließt. Der Unterschied liegt allein in der Darstellung der Zielfunktion, die für die Bestimmung des Optimums ausschlaggebend ist. Zu maximieren ist der Gesamtdeckungsbeitrag für beide Erzeugnisse:

$$D = D_1 + D_2 = -\frac{1}{1\,250}\,x_1^2 + 18\,x_1 - \frac{1}{2\,000}\,x_2^2 + \frac{25}{2}\,x_2 = \text{Max.}!$$

Die Zielfunktion ist jetzt nicht mehr linear, sondern hat, da beide Variablen in der zweiten Potenz auftreten, die Form einer Schar von Ellipsen, deren gemeinsamer Mittelpunkt durch das absolute, keinen Beschränkungen unterworfene Deckungsbeitragsmaximum von 179 375 DM bestimmt wird.

Jede Ellipse ist der geometrische Ort für alle Produktmengenkombinationen, die einen bestimmten Gesamtdeckungsbeitrag erbringen (Iso-Deckungsbeitragskurve). Der Gesamtdeckungsbeitrag ist um so größer, je kleiner die Fläche der Ellipse ist. In der Abbildung 32 sind als Beispiele die Deckungsbeitragskurven für einen Gesamtdeckungsbeitrag von 0 DM und von 120 000 DM eingezeichnet. Der Parallelverschiebung der Deckungsbeitragsgeraden in Abbildung 31 kommt hier die Kontraktion der Ellipse, d.h. die verhältnisgleiche Verkürzung ihrer Achsen in Richtung auf den Mittelpunkt, gleich. Das Optimum liegt demnach dort, wo die Deckungsbeitragskurve das begrenzende Fünfeck OPQST nicht mehr schnei-

det, sondern nur noch in einem Punkte tangiert. Dies ist für den Punkt R der Fall.
Seine Koordinaten geben das optimale Produktprogramm an:

$$x_1 = 8750 \text{ Stück/Monat} \quad \text{und} \quad x_2 = 10000 \text{ Stück/Monat}$$

Daraus errechnen sich optimale Angebotspreise von

$$p_1 = 23 \text{ DM/Stück} \quad \text{und} \quad p_2 = 15 \text{ DM/Stück}$$

Insgesamt wird ein Deckungsbeitrag von 171250 DM/Monat und damit ein Periodengewinn von 21250 DM erzielt.

Da aus der Abbildung 32 ersichtlich ist, daß die Kostenstelle 2 den akuten Engpaß bildet, läßt sich das Optimum auch numerisch nach dem im Beispiel 12 beschriebenen Verfahren ermitteln. Allerdings darf hierbei nicht übersehen werden, daß eine grafische Darstellung der Problemlösung nur bei zwei Erzeugnissen
möglich ist.

Für die numerische Bestimmung des optimalen Produktprogramms für mehr
als zwei Erzeugnisse bei quadratischer Zielfunktion und mehreren Engpässen
sind zwar auch Lösungsverfahren entwickelt worden[23], auf deren Darstellung
hier jedoch wegen ihrer Komplexität verzichtet werden soll.

4.6.7 Bestimmung erfolgsorientierter Preisuntergrenzen

Im Kapitel 4.6.1 wurden bereits Preisuntergrenzen für Zusatzaufträge ermittelt.
Dort wurde unterstellt, daß die Unternehmung ihre Erzeugnisse bestimmten Ab-
nehmergruppen zu unterschiedlichen Preisen verkaufen kann. Dagegen wollen
wir in diesem Abschnitt davon ausgehen, daß die Unternehmung ihre Erzeugnisse allen Kunden nur zu einem einheitlichen Preis verkaufen kann und daß sie mit
ihrer Angebotsmenge keinen Einfluß auf die Höhe dieses Marktpreises ausübt.
Dann bezieht sich die Preisuntergrenze nicht auf einen einzelnen Auftrag, sondern auf die gesamte Produktmenge.

Unter diesen Voraussetzungen bezeichnet man als (erfolgsorientierte) Preisuntergrenze den **Preis, bei dessen Erzielung die Stillegung und die Aufrechterhaltung der Produktion zum gleichen Periodenerfolg führen**. Die Höhe der Preisuntergrenze ist in kurz-, mittel- und langfristiger Betrachtung unterschiedlich.
Als kurzfristig ist ein Zeitraum anzusehen, in dem sich bei Fertigungseinstellung
keinerlei fixe Kosten abbauen lassen. Die Höhe der fixen Kosten übt daher keinen Einfluß auf die kurzfristige Preisuntergrenze aus. In langfristiger Betrachtung sind alle Produktionsfaktoren, also auch sämtliche Teilkapazitäten, voll variabel, so daß langfristig der Preis sämtliche Kosten decken muß. Mittelfristig
nennt man einen Zeitraum, der so lang ist, daß einige, aber nicht alle fixen Kosten
abbaufähig sind. Es gibt daher eine ganze Schar mittelfristiger Preisuntergrenzen, je nachdem, wie lang die betrachtete Planungsperiode ist. Mittelfristig muß
der Preis deshalb neben den variablen Kosten auch die abbaufähigen Fixkosten,

---

[23] Vgl. das Rechenbeispiel in Moews, Dieter: Zur Aussagefähigkeit neuerer Kostenrechnungsverfahren, a.a.O., S. 116ff., sowie die dort angegebene Spezialliteratur zur nichtli-
nearen Programmierung.

vermindert um die durchschnittlichen Kosten der Stillegung und der späteren Wiederingangsetzung der Fertigung, decken.

An vier Beispielen, von denen sich je eins auf eine Einproduktfertigung und eine freiwillige Mehrproduktfertigung und zwei auf eine Kuppelproduktion beziehen, soll die Höhe der Preisuntergrenzen in unterschiedlichen Situationen aufgezeigt werden.

Beispiel 15:

Eine Einproduktunternehmung, die mit ihrer Angebotsmenge den Marktpreis nicht beeinflussen kann (atomistischer Anbieter auf einem vollkommenen Markt), setzt ihre volle Monatsproduktion von 12 000 Stück zum gegenwärtigen Marktpreis von 15,00 DM/Stück ab. Die proportionalen Kosten belaufen sich auf 96 000 DM und die Fixkosten auf 120 000 DM pro Monat. Wenn die Fertigung mindestens sechs Monate stilliegt, läßt sich ein Teil der fixen Kosten abbauen. Die monatliche Fixkostenbelastung würde dann im Durchschnitt nur noch 78 000 DM betragen. Anderseits würden aber für die Stillegung und die spätere Wiederinbetriebnahme der Anlagen einmalig zusätzliche Kosten in Höhe von 14 400 DM anfallen.

Die kurzfristige Preisuntergrenze würde in diesem Falle bei den variablen Stückkosten von 96 000 : 12 000 = 8,00 DM liegen. Solange der Marktpreis über 8,00 DM/Stück liegt, ist es vorteilhafter, weiter zu produzieren, da der Verkauf noch immer einen Beitrag zur Deckung der fixen Kosten erbringt. Bei einem Verkaufspreis von genau 8,00 DM/Stück führen Aufrechterhaltung und Einstellung der Produktion zum gleichen Ergebnis, einem monatlichen Verlust in Höhe der fixen Kosten von 120 000 DM. Hierbei wird unterstellt, daß während des Stilliegens der Produktion die Betriebsbereitschaft in vollem Umfang erhalten bleibt, so daß auch die fixen Kosten in unveränderter Höhe anfallen.

Langfristig müssen sämtliche Kosten gedeckt werden, da auf lange Sicht auch die Kapazität voll variabel ist. Bei einer Absatzmenge von 12 000 Stück pro Monat ergibt sich daher eine langfristige Preisuntergrenze von (96 000 + 120 000) : 12 000 = 18,00 DM/Stück.

Eine Stillegung der Produktion für sechs Monate ist einer Weiterproduktion vorzuziehen, wenn der Verkaufspreis im Durchschnitt einen monatlichen Deckungsbeitrag von weniger als 120 000 − 78 000 − 14 400 : 6 = 39 600 DM erbringt. Bei einem monatlichen Absatz von 12 000 Stück beträgt der Mindestdeckungsbeitrag somit 39 600 : 12 000 = 3,30 DM/Stück, so daß sich die mittelfristige Preisuntergrenze unter den gegebenen Bedingungen auf 8,00 + 3,30 = 11,30 DM/Stück stellt. Wird die Monatsproduktion zu diesem Preis abgesetzt, führen Weiterproduktion und Stillegung der Fertigung wiederum zum gleichen Ergebnis, wie die folgende Vergleichsrechnung zeigt:

a) Weiterproduktion:

Verkaufserlöse	= 12 000 · 11,30	=	135 600 DM
Variable Kosten	= 12 000 · 8,00	=	96 000 DM
Deckungsbeitrag		=	39 600 DM
Fixe Kosten		=	120 000 DM
Verlust pro Monat		=	80 400 DM
Verlust in 6 Monaten		=	482 400 DM

b) Einstellung der Produktion für sechs Monate:

Fixe Kosten   = 6 · 78 000   = 468 000 DM
Kosten der Stillegung etc.   =   14 400 DM

Verlust in 6 Monaten   = 482 400 DM

Beispiel 16:

Eine Unternehmung der Glühlampenherstellung hat drei Fertigungskostenstellen. In der Abteilung A werden Kleinlampen für Taschen- und Fahrradleuchten mit einer Nennspannung von 2,5 Volt, 3,5 Volt und 6 Volt hergestellt. Die Abteilung B fertigt 220-Volt-Allgebrauchslampen mit einer Leistungsaufnahme von 25 Watt, 40 Watt, 60 Watt, 75 Watt und 100 Watt. In der Abteilung C schließlich werden Weihnachtskerzen hergestellt, und zwar nur ein Typ von 14 Volt und 3 Watt. Eine Zusammenstellung der Kosten für einen Planungsmonat zeigt die folgende Tabelle:

			Herstell-mengen (in Stück)	Variable Kosten (in DM)	Fixe Einzelkosten (in DM)		
					eines Erzeug-nisses	einer Abteilung	der Ge-samtunter-nehmung
Abt. A:	2,5 V	(A$_1$)	40 000	8 000	3 000		
Klein-	3,5 V	(A$_2$)	55 000	11 000	4 000	18 000	
lampen	6 V	(A$_3$)	42 000	9 000	3 000		80 000
Abt. B:	25 W	(B$_1$)	38 000	15 000	4 000		
	40 W	(B$_2$)	9 000	4 000	5 000		
Allge-	60 W	(B$_3$)	44 000	18 000	5 000	40 000	
brauchs-	75 W	(B$_4$)	52 000	22 000	6 000		
lampen	100 W	(B$_5$)	26 000	12 000	4 000		
Abt. C:	Kerzen	(C$_1$)	10 000	6 000	–	4 000	
Summe				105 000	34 000	62 000	80 000

Die kurzfristige Preisuntergrenze liegt wiederum bei den variablen Stückkosten, beim Erzeugnis A also bei 8 000 : 40 000 = 0,20 DM. Die fixen Kosten bleiben außer Ansatz, da sie bei einer kurzfristigen Fertigungseinstellung in unveränderter Höhe anfallen.

Langfristige Preisuntergrenzen können bei einer Mehrproduktfertigung für einzelne Erzeugnisse nicht ermittelt werden, ohne echte Gemeinkosten zu schlüsseln. Dennoch kann die Kostenrechnung Aussagen über die langfristig zu erzielenden Mindestdeckungsbeiträge liefern. So muß in unserem Beispiel die gesamte Produktion der Unternehmung endgültig eingestellt werden, wenn selbst auf lange Sicht nicht damit gerechnet werden kann, daß die gesamten fixen Kosten der Unternehmung in Höhe von 176 000 DM durch die Deckungsbeiträge der abgesetzten Erzeugnisse über ihre variablen Kosten gedeckt werden können. Mit wieviel DM die drei Abteilungen an den 176 000 DM jeweils beteiligt sein sollen, kann die Kostenrechnung nicht aussagen, da die fixen Unternehmungseinzelkosten (z.B. die Kosten der allgemeinen Verwaltung, des Vertriebs oder der Fertigungshilfsstellen) in Höhe von 80 000 DM nur für alle Abteilungen gemeinsam entstanden sind und diesen daher auch nur gemeinsam zugerechnet werden können. Anderseits ist das Direct Costing mit stufenweiser Fixkostendeckung aber in der Lage anzugeben, welche Deckungsbeiträge die Erzeugnisse einer Abteilung gemeinsam mindestens erbringen müssen, damit diese Abteilung für die Unternehmung überhaupt noch lukrativ ist. Sie betragen beispielsweise für die Abteilung A (Kleinlampen) 28 000 DM und sind gleich den gesamten Fixkosten dieser Abteilung, d.h. den fixen Abteilungseinzelkosten und den fixen Einzelkosten der in dieser Abteilung hergestellten Erzeugnisse. Unterschreiten die Erlöse der Kleinlampen nach Abzug der variablen Kosten den Betrag von insgesamt 28 000 DM, kann die Abteilung nicht mehr ihre (Einzel-) Kosten decken, geschweige denn zur Abdeckung der fixen Unternehmungseinzelkosten und zur Erzielung eines Periodengewinns der Unternehmung beitragen. Bestehen auch langfristig keine Aussichten auf Steigerung der Deckungsbeiträge, ist die endgültige Stillegung dieser Abteilung für die Unternehmung vorteilhafter als die Aufrechterhaltung der Kleinlampenproduktion. Ob die Fertigung allerdings sofort stillzulegen ist oder besser allmählich auslaufen soll, muß anhand einer besonderen Untersuchung über die Liquidierbarkeit des spezifischen Anlagevermögens dieser Abteilung entschieden werden.

Für die einzelnen Erzeugnisarten einer Abteilung sind die gleichen Überlegungen wie für die Abteilung insgesamt anzustellen. So müssen z.B. die 2,5-Volt-Kleinlampen langfristig mindestens 3 000 DM pro Monat über ihre variablen Kosten erlösen, wenn ihre endgültige Herausnahme aus dem Produktprogramm nicht günstiger sein soll als ihre Weiterproduktion. Die folgende Tabelle zeigt die monatlichen Mindestdeckungsbeiträge je Erzeugnisart, je Abteilung und für die Gesamtunternehmung:

Abteilung	Erzeugnis	Mindestdeckungsbeiträge		
		jeder Erzeugnisart	aller Erzeugnisse einer Abteilung	aller Erzeugnisse der Unternehmung
A	A_1 A_2 A_3	3 000 DM 4 000 DM 3 000 DM	28 000 DM	176 000 DM
B	B_1 B_2 B_3 B_4 B_5	4 000 DM 5 000 DM 5 000 DM 6 000 DM 4 000 DM	64 000 DM	
C	C_1	–	4 000 DM	

Die Tabelle ist so zu interpretieren, daß beispielsweise die Erzeugnisart A_1 mindestens 3 000 DM, A_2 mindestens 4 000 DM und A_3 mindestens 3 000 DM an Deckungsbeiträgen über ihre variablen Kosten erbringen müssen, alle drei zusammen aber nicht 10 000 DM, sondern mindestens 28 000 DM usw. So wären alle Kleinlampen für sich und insgesamt noch rentabel, wenn z.B. A_1 3 100 DM und A_2 4 100 DM, A_3 aber 20 900 DM an Deckungsbeiträgen erbringen würden.

Beispiel 17:

Eine Unternehmung gewinnt in der Fertigungskostenstelle F_1 aus dem Rohstoff R durch Destillation die Kuppelprodukte A, B und C. Während das Produkt A ohne weitere Verarbeitung am Markt abgesetzt werden kann, läßt sich B in seiner jetzigen Form weder verkaufen noch einfach wegwerfen, weil es giftig ist. Es muß in der Fertigungskostenstelle F_2 entweder zu dem absatzfähigen Erzeugnis D oder zu dem unschädlichen, aber nicht verwertbaren Produkt E weiterverarbeitet werden. Das Kuppelprodukt C kann nur in geringen Mengen verkauft werden, der Rest muß in der Fertigungskostenstelle F_3 vernichtet werden. Für den Fall, daß das Produkt A nicht verkauft werden kann, entstehen für dessen Beseitigung keinerlei Kosten.

Im abgelaufenen Monat wurden 300 t R destilliert und daraus 150 t A, 120 t B und 30 t C hergestellt. Aus den 120 t des Zwischenproduktes B wurden 200 t D hergestellt. Abgesetzt wurden 150 t A, 10 t C und 200 t D. Die variablen und fixen Kosten können der folgenden Tabelle entnommen werden:

		Variable Kosten	Monatliche Fixkosten
Fertigungskostenstelle F_1		800 DM/t R	65 000 DM
Fertigungs-kostenstelle F_2	Weiterverarbeitung	360 DM/t D	75 000 DM
	Vernichtung	200 DM/t B	
Fertigungskostenstelle F_3		100 DM/t C	20 000 DM
Vertrieb	Erzeugnis A	300 DM/t A	40 000 DM
	Erzeugnis C	150 DM/t C	
	Erzeugnis D	180 DM/t D	
Allgemeine Verwaltung		–	60 000 DM
Summe:		–	260 000 DM

Die Unternehmung möchte folgende Fragen beantwortet wissen:

a) Wo liegt die kurzfristige Preisuntergrenze
   (1) für das Erzeugnis A?
   (2) für das Erzeugnis C?
   (3) für das Erzeugnis D?
b) Wann ist die gesamte Fertigung kurzfristig stillzulegen?
c) Welchen Preis müßte das Erzeugnis A in kurzfristiger Betrachtung mindestens erzielen, wenn C einen Preis von 40 DM/t und D einen Preis von 1050 DM/t erbringt?
d) Wann ist die endgültige Einstellung der Produktion einer Auferhaltung der Fertigung unter erfolgsrechnerischen Gesichtspunkten vorzuziehen?

Zu a_1): Die kurzfristige Preisuntergrenze für das Erzeugnis A liegt bei 300 DM/t, da bei einem Nichtverkauf nur die variablen Vertriebskosten eingespart werden können. Die in der Fertigungskostenstelle F_1 anfallenden variablen Kosten müssen in diesem Falle allein von den Kuppelprodukten B und C getragen werden.

Zu a_2): Für das Erzeugnis C liegt die kurzfristige Preisuntergrenze bei 50 DM/t, da bei einem Nichtverkauf zwar 150 DM/t an variablen Kosten fortfallen, anderseits aber 100 DM/t an variablen Vernichtungskosten hinzukommen.

Zu a_3): Durch den Verzicht auf die Herstellung und den Absatz des Erzeugnisses D entfallen die variablen Kosten der Weiterverarbeitung von 360 DM/t und die variablen Vertriebskosten von 180 DM/t. Würde die Vernichtung des Zwischenproduktes B keine Kosten verursachen, so läge die kurzfristige Preisuntergrenze für das Erzeugnis D bei 540 DM/t. Da jedoch die Vernichtung von B mit Kosten verbunden ist, verringert sich die Preisuntergrenze um diese Kosten. Die Vernichtung von 120 t des Zwischenprodukts B kostet $120 \cdot 200 = 24\,000$ DM. Um diesen Betrag ist der Mindesterlös des Erzeugnisses D zu kürzen. Die kurzfristige Preisuntergrenze stellt sich somit auf $540 - 24\,000 : 200 = 420$ DM/t.

Zu b): Die gesamte Fertigung ist kurzfristig stillzulegen, wenn die Erlöse aller drei Erzeugnisse zusammen nicht ausreichen, sämtliche variablen Kosten der Unternehmung zu decken. Neben den variablen Kosten des Vertriebs, der Weiterverarbeitung und der Vernichtung müssen also auch die variablen Herstellkosten des eigentlichen Kuppelprozesses in Höhe von 800 DM je eingesetzter Tonne des Rohstoffs R gedeckt werden.

Zu c): Da der Preis des Erzeugnisses C unterhalb der Preisuntergrenze liegt, wird das Produkt nicht verkauft, sondern vernichtet. Hierfür entstehen Kosten von $30 \cdot 100 = 3\,000$ DM. Das Erzeugnis D erbringt einen Erlös von $200 \cdot 1050 = 210\,000$ DM. Nach Abzug der variablen Vertriebskosten von 36\,000 DM und der variablen Verarbeitungskosten von 72\,000 DM verbleibt somit ein Deckungsbeitrag von 102\,000 DM zur Deckung der variablen Kosten des Kuppelprozesses in Höhe von $300 \cdot 800 = 240\,000$ DM. Der Verkauf des Produkts A muß folglich einen Deckungsbeitrag von $240\,000 + 3\,000 - 102\,000 = 141\,000$ DM erbringen. Unter Berücksichtigung der variablen Vertriebskosten von 45\,000 DM müssen die Verkaufserlöse für A mindestens 186\,000 DM insgesamt bzw. 1\,240 DM pro Tonne betragen.

Zu d): Langfristig ist die gesamte Einstellung der Produktion erfolgsmäßig vorteilhafter als die Aufrechterhaltung der Fertigung, wenn die Erlöse aller drei Erzeugnisse zusammen nicht ausreichen, die gesamten variablen und fixen Kosten der Unternehmung zu decken. Diese Entscheidung setzt allerdings voraus, daß bereits vorher für jedes Kuppelprodukt geprüft worden ist, ob seine Vernichtung oder seine Weiterverarbeitung zu einem absatzfähigen Erzeugnis langfristig vorteilhafter ist.

Beispiel 18:

Eine Unternehmung stellt im Wege der mehrstufigen Kuppelproduktion die Erzeugnisse A, B, C, D und E her. In der ersten Stufe (Fertigungsstelle 1) wird das Ausgangsmaterial R in die Zwischenprodukte S und T zerlegt. In der zweiten Stufe wird zum einen in der Fertigungsstelle 2 das Produkt S in die Erzeugnisse A und B und zum anderen in der Fertigungsstelle 3 das Produkt T in die Erzeugnisse C, D und E aufgespalten. Alle fünf Endprodukte bedürfen bis zur Absatzreife noch einer besonderen Aufbereitung (Fertigungsstelle 4) und Verpackung. Die Erlöse und die Kosten des vergangenen Monats sind der folgenden Tabelle zu entnehmen:

		Verkaufserlöse	Variable Kosten	Fixe Kosten
Fertigungsstelle 1		–	86 000 DM	47 000 DM
Fertigungsstelle 2		–	33 000 DM	24 000 DM
Fertigungsstelle 3		–	56 000 DM	30 000 DM
Fertigungsstelle 4	Erzeugnis A	–	12 000 DM	20 000 DM
	Erzeugnis B	–	16 000 DM	14 000 DM
	Erzeugnis C	–	13 000 DM	44 000 DM
	Erzeugnis D	–	17 000 DM	32 000 DM
	Erzeugnis E	–	2 000 DM	20 000 DM
Vertrieb	Erzeugnis A	80 000 DM	22 000 DM	
	Erzeugnis B	60 000 DM	6 000 DM	
	Erzeugnis C	260 000 DM	26 000 DM	18 000 DM
	Erzeugnis D	60 000 DM	19 000 DM	
	Erzeugnis E	130 000 DM	6 000 DM	
Allgemeine Verwaltung		–	–	33 000 DM
Summe		590 000 DM	314 000 DM	282 000 DM

Die Unternehmung erwartet, daß sich die Kosten und Erlöse auf lange Sicht nicht verändern werden, und möchte wissen, ob unter erfolgsrechnerischen Gesichtspunkten die endgültige Einstellung der Produktion zu befürworten sei. Dabei ist davon auszugehen, daß die Vernichtung der Zwischenprodukte keine zusätzlichen Kosten verursacht.

Betrachtet man allein das Gesamtergebnis, müßte man der Unternehmung zur endgültigen Stillegung der Fertigung raten, weil die Erlöse von 590 000 DM nicht zur Deckung der Kosten von 596 000 DM ausreichen. Diese Betrachtung allein genügt hier aber nicht. Es muß darüber hinaus geprüft werden, ob durch den Verzicht auf die Weiterverarbeitung eines Zwischenproduktes der Gesamterfolg verbessert werden kann. Auskunft hierüber liefert eine Deckungsbeitragsrechnung mit stufenweiser Deckung der vollen Einzelkosten. Für unser Beispiel hat sie folgenden Inhalt:

Erzeugnis	A	B	C	D	E
Erlöse	80 000	60 000	260 000	60 000	130 000
Erzeugniseinzelkosten:					
Variable Vertriebskosten	22 000	6 000	26 000	19 000	6 000
Variable Herstellkosten	12 000	16 000	13 000	17 000	2 000
Fixe Herstellkosten	20 000	14 000	44 000	32 000	20 000
Deckungsbeitrag I	+26 000	+24 000	+177 000	−8 000	+102 000
	+50 000		+271 000		
Erzeugnisgruppen-einzelkosten:					
Variable Herstellkosten	33 000		56 000		
Fixe Herstellkosten	24 000		30 000		
Deckungsbeitrag II	− 7 000		+185 000		
	+178 000				
Unternehmungseinzelkosten:					
Variable Herstellkosten	86 000				
Fixe Herstellkosten	47 000				
Fixe Verwaltungskosten	18 000				
Fixe Vertriebskosten	33 000				
Betriebsergebnis	− 6 000				

Jetzt zeigt sich, daß langfristig durch die Vernichtung des Zwischenproduktes S 7000 DM und durch die Vernichtung des Erzeugnisses D 8000 DM im Monat eingespart werden können, so daß sich anstelle des Verlustes von 6000 DM ein monatlicher Gewinn von 9000 DM für die Gesamtunternehmung ergibt. Unter diesen Bedingungen ist es nicht erforderlich, die Fertigung der Gesamtunternehmung endgültig einzustellen.

4.6.8 Bestimmung finanzwirtschaftlicher Preisuntergrenzen

In der betriebswirtschaftlichen Literatur wird das Problem der Bestimmung von Preisuntergrenzen häufig mit dem Ziel der Aufrechterhaltung des finanziellen Gleichgewichts der Unternehmung verbunden. So argumentiert z.B. *Heinen*[24], daß in den Preisen zumindest die Kosten gedeckt werden müssen, die innerhalb der Produktions- und Absatzperiode zu Geldausgaben führen, da nur auf diese Weise die Liquidität aufrechterhalten werden kann. Die Teilkosten, auf deren Deckung die Unternehmung auch kurzfristig im allgemeinen nicht verzichten kann, umfassen nach *Heinen* die variablen Kosten und denjenigen Teil der fixen Kosten, der innerhalb der Planungsperiode zu Ausgaben führt (ebenso auch *Agthe*[25]). Wir bezeichnen diese zur Aufrechterhaltung der Zahlungsbereitschaft

---

[24] Vgl. Heinen, Edmund: Betriebswirtschaftliche Kostenlehre. Band 1: Grundlagen. Wiesbaden 1959, S. 332.
[25] Vgl. Agthe, Klaus: Stufenweise Fixkostendeckung im System des Direct Costing, a.a.O., S. 410-412.

mindestens zu deckenden Kosten als finanzwirtschaftliche oder liquiditätsorientierte Preisuntergrenze.

Die Ermittlung der finanzwirtschaftlichen Preisuntergrenze durch Addition der kurzfristig ausgabewirksamen Fixkosten zu den variablen Kosten ist jedoch nur unter folgenden Prämissen möglich, die in der Realität allerdings nur selten erfüllt sein dürften:

1. Alle abgesetzten Erzeugnisse führen in derselben Periode auch zu Einnahmen. Hierbei werden also Zielkäufe ignoriert, oder es wird unterstellt, daß Absatzmengen, Absatzpreise und Zahlungsgewohnheiten der Kunden konstant bleiben.

2. Die hergestellte Menge wird in derselben Periode voll abgesetzt. Hierbei wird die bei Produktion für den anonymen Markt unumgängliche Lagerhaltung an Fertigfabrikaten ignoriert. Da die Produktionsgeschwindigkeit nicht unendlich groß ist, entstehen darüber hinaus Lagerbestände an Halbfabrikaten, die in der Regel von Periode zu Periode schwanken.

3. Die beschafften Einsatzmaterialien werden in derselben Periode voll verbraucht. Hier bleibt die Einsatzlagerhaltung unberücksichtigt, obwohl sie in der Praxis sowohl aus Sicherheitsgründen als auch aus Wirtschaftlichkeitsgründen (optimale Bestellmenge!) stets notwendig ist.

4. Der Materialverbrauch wird mit Anschaffungspreisen bewertet. Hierbei bleibt also unberücksichtigt, daß der Materialverbrauch häufig mit festen Verrechnungspreisen, aber auch mit Tages- oder Wiederbeschaffungspreisen, bewertet wird.

5. Alle beschafften Einsatzgüter werden sofort bezahlt. Bei dieser Prämisse werden Zielkäufe ignoriert, oder es wird unterstellt, daß Bezugsmengen, Bezugspreise und die durchschnittliche zeitliche Inanspruchnahme der Zahlungsziele kosntant bleiben.

6. Alle Anlagenabschreibungen werden auf Basis der Kalenderzeit ermittelt. Hier bleiben also leistungsabhängige Abschreibungen (Mengenabschreibungen) außer Betracht. Mengenabschreibungen stellen zwar variable Kosten dar, sind aber nicht kurzfristig ausgabewirksam.

7. Es fallen keine Ausgaben für den Kauf oder die Herstellung aktivierungspflichtiger Anlagegüter an. Hierbei wird ignoriert, daß fast in jeder Abrechnungsperiode irgendwelche Ersatzinvestitionen vorgenommen oder (werterhöhende) Großreparaturen durchgeführt werden müssen.

8. Bei den kurzfristig ausgabewirksamen Fixkosten findet die Ausgabe stets in der Periode der Kostenverursachung statt. Diese Prämisse ist insofern realitätsfremd, als bei bestimmten Fixkosten, wie z.B. bei Steuern, Versicherungsprämien oder Beiträgen, Vorauszahlungen für mehrere Abrechnungsperioden geleistet werden müssen.

9. Andere Einflußfaktoren auf die Liquidität, die nicht mit Kosten in Verbindung stehen, sind nicht vorhanden. Hier wird vernachlässigt, daß es in fast jeder Unternehmung betriebsfremde oder außerordentliche Aufwendungen und Erträge gibt, die die Liquidität beeinflussen. Ferner müssen hier reine Finanzvorgänge, wie z.B. die Tilgung fälliger Darlehen, genannt werden.

10. Der Anfangsbestand an liquiden Mitteln ist gleich Null. Dies könnte in kritischen Fällen durchaus der Fall sein.

11. Alle Möglichkeiten der Beschaffung liquider Mittel sind erschöpft. Auch diese Prämisse dürfte in kritischen Fällen realistisch sein.

Schließlich ist zu beachten, daß auch hinsichtlich der kurzfristig ausgabewirksamen Kosten das allgemeine Zurechnungsproblem nicht gelöst werden kann. Das bedeutet, daß

a) in einer Mehrproduktunternehmung die kurzfristig ausgabewirksamen echten Gemeinkosten gewaltsam auf die verschiedenen Produktarten geschlüsselt werden müssen, obwohl sie von mehreren oder gar allen gemeinsam verursacht worden sind, und daß

b) in jedem Falle eine Division der kurzfristig ausgabewirksamen Fixkosten durch eine ex ante unbekannte Leistungsmenge erforderlich wird.

Verzichtet man, wie dies die Teilkostenrechnung fordert, gänzlich auf die Verteilung fixer Kosten auf die Leistungseinheit und auf die Schlüsselung echter Gemeinkosten auf die Kostenträgerarten, dann kann man naturgemäß auch keine Preisuntergrenzen für einzelne Kostenträger in der beschriebenen Art bestimmen.

Die Liquidität, deren Sicherung eingangs als Aufgabe der finanzwirtschaftlichen Preisuntergrenze bezeichnet wurde, kann folglich nicht mit Hilfe der Kostenrechnung überwacht werden, sondern allein durch eine an Bareinnahmen und Barausgaben anknüpfende Finanzplanung. Die Zahlungsbereitschaft ist nur dann gewährleistet, wenn für jeden zukünftigen Zeitpunkt die kumulierten Bareinnahmen (einschließlich des Anfangsbestandes an liquiden Mitteln) mindestens genauso groß sind wie die kumulierten Barausgaben.

Abschließend soll die Frage erörtert werden, welche Konsequenzen man aus einer Unterschreitung der finanzwirtschaftlichen Preisuntergrenze für die Preis- und Programmpolitik der Unternehmung ziehen muß. Selbst wenn alle oben aufgeführten Prämissen erfüllt sind, wäre es eine falsche Schlußfolgerung, bei einer Unterschreitung der finanzwirtschaftlichen Preisuntergrenze (in Analogie zur erfolgsorientierten Preisuntergrenze) die Produktion vorübergehend einzustellen, da der Liquiditätsverlust bei Stilliegen der Fertigung noch größer ist als bei Aufrechterhaltung der Produktion und Verkauf des Erzeugnisses zu einem Preis, der unterhalb der liquiditätsorientierten Preisuntergrenze liegt.

Zwischen der finanzwirtschaftlichen Preisuntergrenze und der Preis- und Programmpolitik der Unternehmung besteht damit überhaupt kein Zusammenhang. Die Aussagefähigkeit der finanzwirtschaftlichen Preisuntergrenze ist damit sehr begrenzt: Sie gibt, wie es *Raffée*[26] treffend formuliert, nur den Grenzpreis an, bei dessen Unterschreitung die Produktion und der Absatz eines bestimmten Erzeugnisses einen negativen kausalen Einfluß auf die gesamte Unternehmungsliquidität ausüben. Ob dadurch die Zahlungsbereitschaft der Unternehmung gefährdet ist oder nicht, kann nur mit Hilfe eines Finanzplans für die Gesamtunternehmung ermittelt werden.

---

[26] Vgl. Raffée, Hans: Kurzfristige Preisuntergrenzen als betriebswirtschaftliches Problem. Prinzipielle Bestimmungsmöglichkeiten von kosten-, ertrags- und finanzwirtschaftlichen Preisuntergrenzen. Köln und Opladen 1961, S. 174.

4.7 Testfragen und Übungsaufgaben

88. Für eine Unternehmung, die die drei Erzeugnisse A, B und C herstellt, zeigt die Vollkostenrechnung das folgende Bild:

Erzeugnisgruppe	1		2
Erzeugnis	A	B	C
Variable Erzeugniseinzelkosten	26 200	44 400	40 800
Fixe Erzeugniseinzelkosten	6 000	5 100	4 500
Variable Erzeugnisgruppeneinzelkosten	1 300	2 200	–
Fixe Erzeugnisgruppeneinzelkosten	3 000	2 600	–
Sonstige variable Kosten	2 600	4 400	4 000
Sonstige fixe Kosten	18 100	30 600	26 900
Selbstkosten	57 200	89 300	76 200
Verkaufserlöse	55 000	99 000	73 000
Kalkulatorischer Erfolg	−2 200	+9 700	−3 200

Erstellen Sie je eine Deckungsbeitragsrechnung
a) in der Form des Direct Costing
   (1) mit summarischer Fixkostendeckung!
   (2) mit stufenweiser Fixkostendeckung!
b) in der Form der relativen Einzelkostenrechnung
   (1) mit stufenweiser Deckung der variablen Einzelkosten!
   (2) mit stufenweiser Deckung der vollen Einzelkosten!

89. Bei einer Produktions- und Absatzmenge von 4000 Stück/Monat erzielt die Unternehmung einen Deckungsbeitrag von 144000 DM pro Monat. Die Gewinnschwelle liegt bei einem Absatz von 2500 Stück/Monat.
a) Wie hoch ist der Deckungsbeitrag pro Stück?
b) Wie hoch sind die fixen Kosten pro Monat?
c) Wie hoch ist der Periodenerfolg bei einem Absatz von 4000 Stück/Monat?
d) Wie hoch sind die variablen Stückkosten, wenn die Periodenkosten bei einer Produktmenge von 4000 Stück/Monat insgesamt 266000 DM betragen?
e) Wie hoch ist der Verkaufspreis?
f) Wie groß ist der prozentuale Deckungsbeitragssatz?
g) Zeichnen Sie ein Koordinatenkreuz und tragen Sie die Produktmenge x auf der Abszisse ein! Zeichnen Sie in diese Grafik in Abhängigkeit von x
   (1) die Erlösfunktion,
   (2) die Fixkostenfunktion,
   (3) die Gesamtkostenfunktion,
   (4) die Deckungsbeitragsfunktion,
   (5) die Gewinnfunktion!
Welche Kurven schneiden sich im break-even-point?

90. a) Was versteht man unter der erfolgsorientierten Preisuntergrenze und wo
        liegt sie in kurz-, mittel- und langfristiger Betrachtung?
    b) Was versteht man unter der finanzwirtschaftlichen Preisuntergrenze, wie
        wird sie bestimmt und welche Aussagefähigkeit besitzt sie?

91. Eine Einproduktunternehmung stellt pro Monat 6 000 t ihres Erzeugnisses
    her und verkauft sie zu einem Preis von 150 DM/t. Die Kosten setzen sich wie
    folgt zusammen:

	variable Kosten	fixe Kosten
Materialkosten	35,00 DM/t	40 000 DM/Monat
Fertigungskosten	45,00 DM/t	200 000 DM/Monat
Verwaltungskosten	–	150 000 DM/Monat
Vertriebskosten	25,00 DM/t	60 000 DM/Monat

    a) Wie hoch sind die Selbstkosten pro Tonne?
    b) Wie hoch ist der kalkulatorische Erfolg pro Tonne?
    c) Wie hoch ist das Betriebsergebnis des Monats?
    d) Soll die Unternehmung einen Zusatzauftrag über 1 000 t annehmen, wenn
        ein Preis von 100 DM/t geboten wird und der Auftrag mit der vorhande-
        nen Kapazität ausgeführt werden kann?
    e) Wie würde sich durch die Annahme des Auftrags das Betriebsergebnis
        verändern?
    f) Wo liegt die Preisuntergrenze für derartige Zusatzaufträge?
    g) Welche Menge muß die Unternehmung monatlich absetzen, wenn sie bei
        einem Verkaufspreis von 150 DM/t einen Gewinn von 18 000 DM/Monat
        erzielen will?
    h) Welchen Preis müßte die Unternehmung für ihr Produkt verlangen, wenn
        sie bei einer Absatzmenge von 10 000 t pro Monat einen Gewinn von
        18 000 DM/Monat erzielen will?
    i) Ist es für die Unternehmung erfolgsmäßig vorteilhafter, 6 000 t zu 150
        DM/t oder 6 600 t zu 145 DM/t zu verkaufen?
    j) Stellen Sie aus den unter i) genannten Daten eine lineare Preis-Absatz-
        Funktion auf und ermitteln Sie daraus
        (1) die erfolgsoptimale Absatzmenge!
        (2) den erfolgsoptimalen Angebotspreis!

92. Eine Unternehmung hat im abgelaufenen Monat 10 000 kg ihres einzigen
    Produktes hergestellt, aber nur 8 000 kg zum Preis von 120,00 DM/kg abge-
    setzt. Die Kosten setzen sich wie folgt zusammen:

	variabel	fix	zusammen
Herstellungskosten	600 000 DM	260 000 DM	860 000 DM
Verwaltungs- und Vertriebskosten	80 000 DM	120 000 DM	200 000 DM
Summe	680 000 DM	380 000 DM	1 060 000 DM

a) Ermitteln Sie das Betriebsergebnis
   (1) unter Zugrundelegung des Direct Costing!
   (2) unter Zugrundelegung der Vollkostenrechnung!
b) Errechnen Sie den Wert des Endbestandes von 2 000 kg
   (1) unter Zugrundelegung des Direct Costing!
   (2) unter Zugrundelegung der Vollkostenrechnung!
c) Welche Menge hätte die Unternehmung absetzen müssen, damit sich ein
   Gewinn von genau 60 000 DM ergibt
   (1) unter der Voraussetzung, daß der Endbestand mit variablen Her-
       stellkosten bewertet wird?
   (2) unter der Voraussetzung, daß der Endbestand mit vollen Herstell-
       kosten bewertet wird?

93. Eine Unternehmung stellt die beiden Massenprodukte A und B her, die al-
    ternativ auf den Maschinengruppen I, II und III gefertigt werden. Die Inan-
    spruchnahme der Maschinen durch die beiden Erzeugnisse zeigt das folgende
    Bild:

	Produkt A	Produkt B	Vorhandene Maschinen
Maschinengruppe I	30 min./kg	48 min./kg	40 Stück
Maschinengruppe II	60 min./kg	24 min./kg	60 Stück
Maschinengruppe III	6 min./kg	15 min./kg	10 Stück

Jede Maschine kann maximal 720 Stunden im Monat eingesetzt werden. Für
den vergangenen Monat wurden folgende Istzahlen ermittelt:

	Produkt A	Produkt B
Produktions- und Absatzmenge	22 000 kg	18 000 kg
Verkaufserlöse	660 000 DM	576 000 DM
Proportionale Kosten	462 000 DM	396 000 DM
Fixe Kosten	420 000 DM	

a) Wie hoch sind die Deckungsbeitragssätze der Produkte A und B pro Kilogramm?
b) Wie hoch ist das Betriebsergebnis des abgelaufenen Monats?
c) Wie hoch ist die Kapazität und die Beschäftigung der drei Maschinengruppen (in Std./Monat)?
d) Welchem Produkt wäre unter erfolgsrechnerischen Gesichtspunkten der
   Vorzug zu geben, wenn die Unternehmung weitere 2 000 kg monatlich absetzen könnte?
e) Wie würde sich durch diesen Mehrabsatz das Betriebsergebnis verändern?
f) Wie hoch ist jetzt die Kapazitätsauslastung der drei Maschinengruppen?
g) Für die kommende Zeit rechnet die Unternehmung bei konstanten Ab-
   satzpreisen und gleichbleibender Kostenstruktur mit einer weiteren Zunahme der Nachfrage für beide Erzeugnisse, d.h. es ließen sich über die in

Frage d) genannten 2000 kg hinaus weitere Mengen von beiden Produkten absetzen. Soll die Verkaufsabteilung hierbei versuchen, die Nachfrage stärker auf das Produkt A oder auf das Produkt B zu lenken?

h) Die Unternehmungsleitung hat daraufhin angeordnet, vom Produkt A anstelle von 22000 kg/Monat künftig 24000 kg pro Monat herzustellen und zu verkaufen. Die Fertigung ist kapazitätsmäßig nur durchführbar, wenn die Ausbringungsmenge des Produktes B reduziert wird. Wieviel Kilogramm können vom Produkt B unter diesen Bedingungen maximal pro Monat hergestellt werden?

i) Wie verändert sich durch die in Frage h) genannte Maßnahme das Betriebsergebnis?

j) Wie wirkt sich die in Frage h) genannte Maßnahme auf die Beschäftigung der drei Maschinengruppen aus?

k) Wie oft kann dieser Tausch in derselben Weise und derselben Mengenrelation, wie sie in Frage h) ermittelt wurde, wiederholt werden?

l) Wie hoch sind jetzt
   (1) die Produktmengen?
   (2) das Betriebsergebnis?
   (3) die Beschäftigung?

m) Um wieviel DM würde sich das Betriebsergebnis verändern, wenn vom Produkt A weitere 800 kg hergestellt und abgesetzt werden und die Ausbringungsmenge des Erzeugnisses B entsprechend reduziert wird?

n) Dieser Tausch ist so lange zu wiederholen, bis die Kapazität der Maschinengruppe II erschöpft ist. Wie hoch sind dann
   (1) die Produktmengen?
   (2) die Beschäftigung?

o) Um wieviel DM würde sich das Betriebsergebnis verändern, wenn vom Produkt A weitere 800 kg hergestellt und abgesetzt werden und die Ausbringungsmenge des Erzeugnisses B entsprechend reduziert wird?

p) Wie hoch ist das optimale Betriebsergebnis?

q) Stellen Sie die Lösung grafisch dar!

5. Kapitel: Plankostenrechnung

5.1 Grundgedanken der Plankostenrechnung

5.1.1 Zielsetzungen der Plankostenrechnung

Die herkömmliche Periodenkostenrechnung, die Betriebsbuchhaltung, ist eine vergangenheitsbezogene Rechnung. Sie erfaßt denjenigen Güterverbrauch, der mit den in einer bereits abgelaufenen Abrechnungsperiode erstellten Leistungen im Zusammenhang steht, und kann deshalb als Istkostenrechnung bezeichnet werden. Demgegenüber ist die Plankostenrechnung eine zukunftsbezogene Periodenkostenrechnung. Hier wird der Güterverbrauch für zukünftige Zeiträume festgelegt und später dann dem realisierten Güterverbrauch zum Vergleich gegenübergestellt.

Der Zweck einer jeden Plankostenrechnung liegt in der **Kontrolle der Wirtschaftlichkeit der Leistungserstellung**. Eine Wirtschaftlichkeitskontrolle kann allerdings auch mit Hilfe einer Istkostenrechnung durchgeführt werden, und zwar entweder in der Form des Zeitvergleichs oder des Betriebsvergleichs. Beim **Zeitvergleich** werden bei ein und derselben Unternehmung die Istkosten verschiedener Abrechnungsperioden miteinander verglichen. Sind die Kosten einer Leistungseinheit in einer bestimmten Abrechnungsperiode niedriger als in der Vorperiode, so hat sich die Wirtschaftlichkeit verbessert. Bei einem **Betriebsvergleich** werden die Kosten des eigenen Betriebes an den Kosten anderer, vergleichbarer Betriebe gemessen. Da die Kosten fremder Betriebe aus Konkurrenzgründen in aller Regel nicht bekannt sind, greift man beim Betriebsvergleich häufig auf Erhebungen der Wirtschaftsverbände zurück. Liegen die eigenen Kosten unter dem Durchschnitt der Kosten aller dem Verband angeschlossenen Betriebe, so ist die Wirtschaftlichkeit relativ gut. Zeitvergleich wie auch Betriebsvergleich besitzen jedoch als Ist/Ist-Vergleiche nur eine sehr geringe Aussagefähigkeit, weil ihnen ein objektiver Maßstab für den erreichten Wirtschaftlichkeitsgrad fehlt. Erheblich effizienter ist dagegen die Kontrolle der Wirtschaftlichkeit mit Hilfe eines **Soll/Ist-Vergleichs** im Rahmen einer Plankostenrechnung, insbesondere einer Standardkostenrechnung.

In der Plankostenrechnung werden die tatsächlich entstandenen Kosten einer Abrechnungsperiode (Istkosten) nicht den Kosten anderer Abrechnungszeiträume oder den Istkosten anderer vergleichbarer Betriebe gegenübergestellt, sondern bestimmten, für diese Periode geplanten und vorgegebenen Kosten. Die aufgrund der Kostenplanung ermittelten Sollkosten werden den Kostenstellenleitern als Richtschnur für die Wirtschaftlichkeit ihrer Entscheidungen vorgegeben. Im Rahmen der Kostenkontrolle liefert die Analyse der Abweichungen zwischen den Istkosten und den Plankosten wertvolle Ansatzpunkte für Maßnahmen zur Steigerung der Wirtschaftlichkeit in der Zukunft, so daß die Plankostenrechnung zu einem zukunftsorientierten Lenkungs- und Steuerungsinstrument der Unternehmung wird.

Wirtschaftlichkeit hatten wir bereits im Kapitel 1.2.3 als eine Relation zwischen dem Einsatz von Produktionsfaktoren und der Ausbringung von Wirtschaftsgütern definiert. Werden hierbei die Preiseinflüsse ausgeschaltet, also eine rein mengenmäßige Beziehung zwischen Input und Output hergestellt, so spricht man von mengenmäßiger Wirtschaftlichkeit oder **Technizität**[1]. Werden dagegen Input und Output mit den effektiv gezahlten Preisen bewertet, so liegt eine wertmäßige Wirtschaftlichkeitsbeziehung vor, die üblicherweise als **Rentabilität** bezeichnet wird.

Zwischen der Technizität und der Rentabilität besteht der folgende Zusammenhang: Eine Steigerung der Technizität führt ceteris paribus, d.h. ohne Berücksichtigung von Änderungen der Marktpreise für die Kostengüter und der Erlöse für die Leistungen, stets auch zu einer Erhöhung der Rentabilität. Umgekehrt allerdings muß eine gestiegene Rentabilität nicht auch mit einer besseren Technizität der Leistungserstellung verbunden sein. Im Gegenteil: Hinter hohen Gewinnen können sich durchaus erhebliche Kostenüberhöhungen oder Fehlleistungen verbergen.

Innerhalb der Rentabilität ist die **pagatorische Rentabilität**, die sich auf die Gesamtunternehmung bezieht und eine Relation zwischen Aufwand und Ertrag herstellt, von der **kalkulatorischen Rentabilität** zu unterscheiden, die allein den Prozeß der Leistungserstellung betrifft und Kosten und Leistungen miteinander in Beziehung setzt.

Die hier verwendeten Wirtschaftlichkeitsbegriffe werden in der Literatur nicht immer einheitlich gefaßt. Insbesondere wird anstelle der Technizität häufig von Wirtschaftlichkeit schlechthin gesprochen. Diese Begriffsfassung erscheint allerdings deshalb unzweckmäßig, weil dann erstens ein gemeinsamer Oberbegriff für die mengenmäßige und die wertmäßige Relation zwischen Gütereinsatz und -ausbringung fehlt und zweitens auch die Rentabilität ohne Zweifel eine Form der Wirtschaftlichkeit darstellt. Andere Autoren bezeichnen die Technizität als **Produktivität**, obwohl dieser Begriff regelmäßig für gesamtwirtschaftliche Relationen (Arbeitsproduktivität, Kapitalproduktivität) verwendet wird.

Die Aufgabe der Plankostenrechnung liegt sowohl in der Kontrolle der Technizität als auch in der Überwachung der (kalkulatorischen) Rentabilität.

5.1.2 Zum Begriff der Plankosten

Der Begriff der Plankosten soll zu einer Charakterisierung aus dem Istkostenbegriff abgeleitet werden. Unter **Istkosten** versteht man die tatsächlich entstandenen Kosten. Dabei ist es nicht notwendig, daß die tatsächlich verbrauchten Gütermengen auch mit den tatsächlich gezahlten Preisen (Istpreisen) bewertet werden. Von Istkosten spricht man auch dann, wenn der realisierte Güterverbrauch beispielsweise mit Festpreisen oder mit Wiederbeschaffungspreisen bewertet wird. Entscheidend ist allein, daß den Istkosten stets die effektiv verbrauchten Einsatzgütermengen zugrunde liegen.

---

[1] Die Bezeichnung „Technizität" für die mengenmäßige Wirtschaftlichkeit hat Kosiol eingeführt; vgl. Kosiol, Erich: Einführung in die Betriebswirtschaftslehre, Wiesbaden 1968, S. 21.

Alle Kosten, denen andere als die tatsächlich verbrauchten Gütermengen zugrunde liegen, wollen wir mit *Kosiol*[2] als **Sollkosten** bezeichnen. Sollkosten können aus den verschiedensten Gründen angesetzt werden. Ein wichtiges Gliederungsmerkmal bildet der Rechnungszeitpunkt. Danach können vergangenheitsbezogene und zukunftsbezogene Sollkosten unterschieden werden.

Vergangenheitsbezogene Sollkosten, die also erst nach Erbringung der Leistungen ermittelt werden, heißen **Normalkosten**. Sie sollen die Istkosten ersetzen, um die Abrechnung der Kostenträger zu vereinfachen oder zu beschleunigen. Normalkosten können sowohl bei der Kostenerfassung als auch bei der Kostenverteilung auftreten.

Im Zuge der Kostenerfassung entstehen Normalkosten durch eine **retrograde Erfassungsmethode**[3]. Hierbei wird nicht der tatsächliche Güterverbrauch erfaßt, sondern es werden die für die erbrachte Leistung durchschnittlich anfallenden Verbrauchsmengen angesetzt. Anhand von Erfahrungssätzen schließt man vom Umfang der erbrachten Leistungen auf die Höhe des Güterverbrauchs.

Normalkosten treten ferner im Zuge der Verteilung der Gemeinkosten von den Kostenstellen auf die Kostenträger auf. In einer reinen Istkostenrechnung werden die auf die Endkostenstellen verteilten Gemeinkosten vollständig auf die Kostenträger weiterverrechnet. Von einer Normalkostenrechnung spricht man, wenn die Kostenträger mit den für den Leistungsumfang durchschnittlich anfallenden Gemeinkosten belastet werden. Liegen die im Abrechnungszeitraum tatsächlich entstandenen Gemeinkosten (Istkosten) über den verrechneten Normalgemeinkosten, so sind die Kostenträger mit zu niedrigen Kosten belastet worden, und es wird in der betreffenden Kostenstelle eine Kostenunterdeckung ausgewiesen. Im umgekehrten Fall spricht man von einer Kostenüberdeckung. Diese Form einer Normalkostenrechnung wurde im Kapitel 2.5.6 ausführlich beschrieben.

Alle zukunftsbezogenen Sollkosten wollen wir **Plankosten** nennen. Die Plankosten sollen nicht an die Stelle der Istkosten treten, sondern werden nach Ablauf des Planungszeitraums den Istkosten zum Vergleich gegenübergestellt. Mit der Planung der Kosten ist also stets auch eine Kostenkontrolle verbunden. Welchen Inhalt die Plankosten haben, ist für den Plankostenbegriff zunächst unerheblich. So ist es durchaus denkbar, daß für einen Planungsmonat die für einen bestimmten Leistungsumfang in der Vergangenheit durchschnittlich angefallenen Kosten angesetzt werden. In diesem Falle würden also Normalkosten den Inhalt der Plankosten bilden. Letztlich hängt der Inhalt der Plankosten von dem mit der Kostenplanung verfolgten Zweck ab. Liegt die Zielsetzung in einer mengenmäßigen Wirtschaftlichkeitskontrolle, so ist es am zweckmäßigsten, den optimalen Güterverbrauch der Kostenplanung zugrunde zu legen. Diese Plankosten werden **Standardkosten** genannt. Bildet dagegen die wertmäßige Wirtschaftlichkeitskontrolle den Zweck der Rechnung, muß man für den Planungszeitraum prognostizierte Kosten ansetzen. Diese Art der Plankosten wollen wir budgetierte Kosten oder kurz **Budgetkosten** nennen.

---

[2] Vgl. Kosiol, Erich: Kosten- und Leistungsrechnung. Berlin – New York 1979, S. 81.
[3] Vgl. die Ausführungen im Kapitel 2.3.3.1 über die Methoden der Verbrauchserfassung.

In der Abbildung 33 sind die Zusammenhänge zwischen den genannten Begriffen noch einmal zusammenfassend dargestellt.

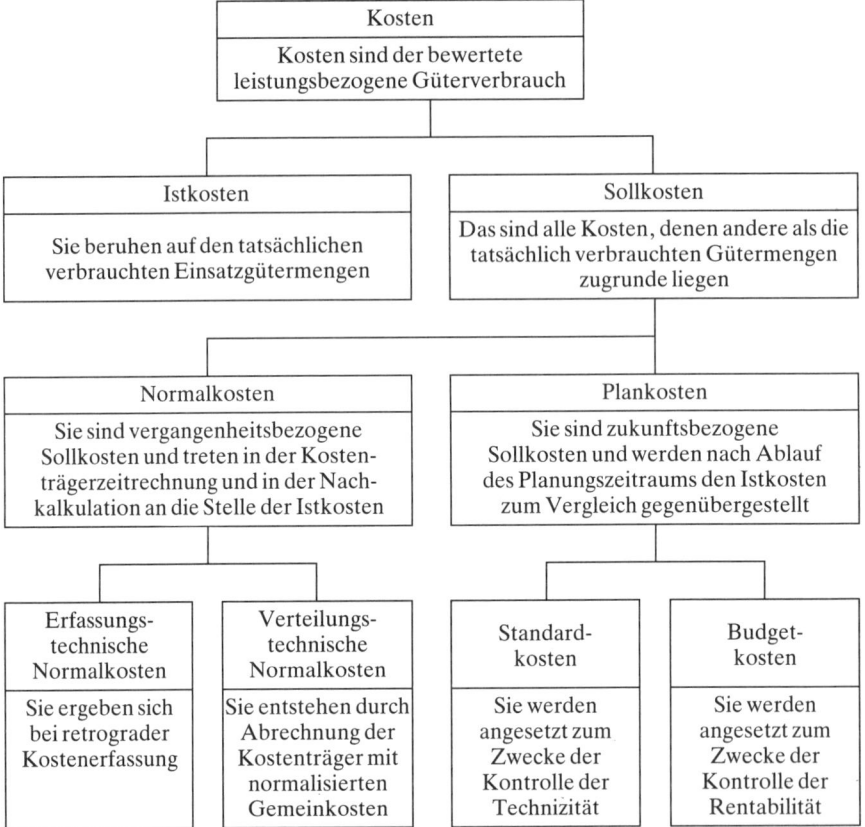

Abb. 33: Begriffliche Einordnung der Plankosten

In der Literatur wie in der Praxis werden die Begriffe „Sollkosten" und „Plankosten" nicht immer einheitlich definiert. So werden beispielsweise die Normalkosten häufig nicht als Unterfall der Sollkosten betrachtet, sondern gleichrangig neben die Istkosten und die Plankosten gestellt. Die Sollkosten werden dabei als Spezialfall der Plankosten aufgefaßt und beinhalten, wie weiter unten näher ausgeführt wird, die Plankosten der Istbeschäftigung. Gelegentlich wird der Begriff der Sollkosten auch für alle für die Zukunft angesetzten Kosten verwendet. Sollkosten sind danach die Kosten, wie sie sein sollen, also vorgegebene Kosten. Die Plankosten bilden in dieser Terminologie[4] einen Unterfall der Sollkosten: die prognostizierten, budgetierten Kosten. Die Standardkosten bilden dort gleichfalls einen Unterfall der Sollkosten und stehen gleichrangig neben den Plankosten. Schließlich sei darauf hingewiesen, daß mitunter die unterschiedlichen Ziel-

---

[4] Vgl. z.B. Bussmann, Karl Ferdinand: Industrielles Rechnungswesen. 2. Aufl., Stuttgart 1979, S. 109ff.

setzungen einer Standardkostenrechnung und einer Budgetkostenrechnung überhaupt nicht beachtet werden, so daß es nur eine Form zukunftsbezogener Kosten gibt: die Plankosten schlechthin.

5.1.3 Verfahrenstypen der Plankostenrechnung

5.1.3.1 Standard- und Budgetkostenrechnung

Das Kriterium für die Unterscheidung zwischen Standard- und Budgetkostenrechnung ist die Zielsetzung, die mit der Plankostenrechnung verfolgt wird. Die Standardkostenrechnung erstreckt ihre Wirtschaftlichkeitskontrolle auf die mengenmäßige oder technische Ergiebigkeit des Güterverbrauchs (Technizität). Demgegenüber zielt die Budgetkostenrechnung mit ihrer Wirtschaftlichkeitskontrolle auf die wertmäßige oder ökonomische Ergiebigkeit des Güterverbrauchs und stellt ihre Überlegungen damit unter den Gesichtspunkt der (kalkulatorischen) Rentabilität. Dabei stellen die Budgetkosten nur die eine Seite der Rentabilitätsplanung dar, die durch eine Planung der Erlöse ergänzt werden muß[5].

Das Lenkungsziel der Standardkostenrechnung ist die Minimierung der Einsatzgütermengen im Fertigungsprozeß für einen bestimmten Leistungsumfang, d.h. die Steuerung des Betriebsgeschehens nach dem Prinzip des kleinsten Mittels. Dabei wird die Mengenrechnung zwar mit Hilfe von Kosten, also mit Wertgrößen (in DM) durchgeführt, doch wird der Einfluß von Preisänderungen auf die Höhe der Kosten dadurch ausgeschaltet, daß man konstante Verrechnungspreise für alle Kostengüter ansetzt.

Demgegenüber ist das Lenkungsziel der Budgetkostenrechnung auf die Optimierung des kalkulatorischen Erfolges bei einem bestimmten Leistungsumfang gerichtet. Planung bedeutet hier nicht Vorgabe einer Norm, sondern Prognose der zukünftigen Istkosten, die im Zusammenspiel mit den geplanten Erlösen die erwartete Rentabilität bestimmen. Zur Ermittlung der Budgetkosten ist es notwendig, die geplanten Verbrauchsmengen mit den für die Zukunft erwarteten Marktpreisen der Kostengüter zu bewerten.

Während die Anwendung der Standardkostenrechnung im wesentlichen auf den Fertigungsbereich beschränkt bleibt, erstreckt sich die Budgetierung der Kosten über den Fertigungsbereich hinaus auch auf den Materialbereich, den Verwaltungs- und Vertriebsbereich und alle anderen Hiflskostenstellen. Die Budgetkostenrechnung nimmt damit einen festen Platz im Rahmen der Gesamtplanung der Unternehmung ein. Die Absatz-, Fertigungs- und Lagerpläne bilden die mengenmäßige Grundlage, aus ihnen werden die Erlös- und Kostenpläne abgeleitet und bis hin zur Erfolgs- und Bestandsplanung weiterentwickelt.

In der Praxis wird immer wieder versucht, Standard- und Budgetkostenrechnung miteinander zu verbinden, um die Zielsetzungen beider Zweige der Planko-

---

[5] Zu den Zielsetzungen von Standard- und Budgetkostenrechnung vgl. Kosiol, Erich: Typologische Gegenüberstellung von standardisierender (technisch orientierter) und prognostizierender (ökonomisch ausgerichteter) Plankostenrechnung. In: Plankostenrechnung als Instrument moderner Unternehmungsführung. Hrsg. von Erich Kosiol, 3. Aufl., Berlin 1975, S. 49-76, insbes. S. 54ff.

stenrechnung gleichzeitig zu erreichen. Diese Kombination ist ohne weiteres
möglich bei der Planung der Preise für die Kostengüter und auch bei der Planung
des Beschäftigungsgrades mit gewissen Einschränkungen noch vertretbar; dagegen sind die Ziele von Standard- und Budgetkostenrechnung hinsichtlich der Planung des Technizitätsgrades auf keinen Fall miteinander vereinbar. Während es
in der Budgetkostenrechnung unabdingbar ist, den für die Planungsperiode zu erwartenden Technizitätsgrad vorzugeben, würde in der Standardkostenrechnung
diese erwartete Technizität eine denkbar schlechte Norm abgeben, an der sich die
Kostenstellenleiter zu orientieren hätten[6].

5.1.3.2 Starre und flexible Plankostenrechnung

Von einer starren Plankostenrechnung spricht man, wenn bei der Kostenplanung
und vor allem bei der Kostenkontrolle wichtige Kosteneinflußfaktoren – insbesondere die Abhängigkeit der Kosten vom Beschäftigungsgrad – unberücksichtigt bleiben. Demgegenüber wird bei der flexiblen Plankostenrechnung die Kostenplanung durch eine Kostenauflösung ergänzt. Den Kostenstellenleitern werden keine festen Kostenbeträge für die Planungsperiode vorgegeben, sondern es
werden die variablen Kosten pro Einheit der Beschäftigungsmaßgröße und die fixen Kosten der Periode gesondert geplant.

Die unterschiedliche Aussagefähigkeit von starrer und flexibler Plankostenrechnung soll an einem einfachen Beispiel aufgezeigt werden:

Der Kostenstelle Bohrerei wurden für den Monat April Betriebsstoffkosten in
Höhe von 31 920 DM bei einer geplanten Beschäftigung von 19 000 Fertigungsstunden vorgegeben. Nach Ablauf des Monats April wurden als effektive Betriebsstoffkosten dieser Kostenstelle 30 500 DM bei einer tatsächlichen Beschäftigung von 17 000 Stunden ermittelt.

Für den Soll/Ist-Vergleich in einer starren Plankostenrechnung ergeben sich
grundsätzlich zwei Möglichkeiten:

a) Man vergleicht unmittelbar die Plankosten von 31 920 DM mit den Istkosten
   von 30 500 DM. Die Differenz von 1 420 DM besitzt keinerlei Aussagefähigkeit, weil nicht ersichtlich ist, welcher Teil der Kostenunterschreitung auf die
   geringere Beschäftigung zurückzuführen ist und welcher Teil eine echte Kosteneinsparung darstellt. Die gesamte Differenz von 1 420 DM wäre nur dann
   eine echte Kosteneinsparung, wenn die Plankosten von 31 920 DM in voller
   Höhe fixe Kosten wären.

b) Man vergleicht die Istkosten von 30 500 DM mit den auf die Kostenträger verrechneten Plankosten. Auf die Kostenträger wurden pro Fertigungsstunde
   31 920 : 19 000 = 1,68 DM, insgesamt also 17 000 · 1,68 = 28 560 DM verrechnet. Auch die sich hierbei ergebende Differenz von 1 940 DM zu den Istkosten
   besitzt keinerlei Aussagefähigkeit, weil ebenfalls nicht ersichtlich ist, welcher
   Teil der Kostenüberschreitung aus der gegenüber der Planung niedrigeren
   Beschäftigung resultiert und wie hoch die echte Kosteneinsparung oder Ko-
   stenüberhöhung ist. Die gesamte Differenz von 1 940 DM wäre nur dann eine
   echte Kostenüberschreitung, wenn die Plankosten von 31 920 DM in voller
   Höhe proportionale Kosten wären.

---

[6] Vgl. hierzu die Ausführungen zur Planung des Technizitätsgrades im Kapitel 5.2.1.1.

In einer flexiblen Plankostenrechnung wird die Kostenvorgabe von 31 920 DM in die proportionalen und fixen Bestandteile aufgelöst. Im vorliegenden Beispiel möge sich dieser Betrag aus 16 720 DM proportionalen und 15 200 DM fixen Kosten zusammensetzen. Im Soll/Ist-Vergleich müssen dann die Istkosten mit denjenigen Plankosten verglichen werden, die bei geplanter Technizität für die Istbeschäftigung von 17 000 Stunden zu erwarten gewesen wären. Diese Plankosten der Istbeschäftigung sind im Beispiel wie folgt zu ermitteln:

Variable Plankosten pro Stunde = 16 720 : 19 000   =   0,88 DM

Variable Plankosten der Istbeschäftigung = 17 000 · 0,88   = 14 960 DM
Fixe Plankosten   = 15 200 DM
Plankosten der Istbeschäftigung   = 30 160 DM

Damit ergibt sich im Vergleich mit den Istkosten eine echte Kostenüberschreitung von 30 500 − 30 160 = 340 DM. Sie beruht allein auf einer schlechteren Technizität – vorausgesetzt, daß die Istkosten mit konstanten Preisen bewertet worden sind und alle übrigen Kostenbestimmungsfaktoren wie im Plan wirksam geworden sind.

Vor allem in der älteren Literatur wurde mitunter neben die flexible Plankostenrechnung noch eine doppelt-flexible oder eine voll-flexible Plankostenrechnung gestellt[7]. Darunter wurde dann eine Plankostenrechnung verstanden, die in der Kostenplanung und in der Kostenkontrolle neben der Beschäftigungsabhängigkeit auch andere Kostenbestimmungsfaktoren berücksichtigt, insbesondere die Einflüsse schwankender Auftragszusammensetzung und veränderter Seriengrößen. Die Bezeichnung einer solchen Rechnung als „doppelt-flexible" oder „voll-flexible" Plankostenrechnung hat sich jedoch weder in der Literatur noch in der Praxis durchgesetzt, weil in jeder flexiblen Plankostenrechnung alle Kosteneinflußfaktoren Berücksichtigung finden müssen, um eine effiziente Wirtschaftlichkeitskontrolle durchführen zu können.

Zusammenfassend kann festgehalten werden, daß eine starre Plankostenrechnung lediglich als Entwicklungsstufe der Plankostenrechnung erwähnenswert ist, im übrigen aber heute völlig bedeutungslos ist, weil die Einflüsse von Änderungen des Beschäftigungsgrades und die Einflüsse anderer Bestimmungsfaktoren auf die Kostenhöhe unberücksichtigt bleiben und der Soll/Ist-Vergleich damit keinerlei Aussagefähigkeit besitzt. Jede Plankostenrechnung muß flexibel in dem Sinne sein, daß aus der gesamten Soll/Ist-Abweichung alle diejenigen Teilabweichungen zu eliminieren sind, die auf andere Kostenbestimmungsfaktoren zurückzuführen sind als die Technizität. Werden dabei irgendwelche bedeutsamen Kosteneinflußfaktoren vernachlässigt, wird die Verbrauchsabweichung zu einer mehr oder weniger undurchsichtigen Restabweichung, aus der Schlußfolgerungen auf den erreichten Technizitätsgrad kaum noch gezogen werden können. Die Bezeichnung einer solchen Plankostenrechnung als doppelt- oder voll-flexibel erscheint dabei als überflüssig.

---

[7] Vgl. insbesondere Neumayer, W. W.: Berücksichtigung des „Auftrags"- und „Verfahrens"-Wechsels in der Fertigung durch „doppelt-flexible" Plankostenrechnung. In: Zeitschrift für Betriebswirtschaft, 20. Jg. 1950, S. 403-411; ferner Neumayer, W. W.: „Vollflexible" Plankostenrechnung zur Lösung der Kostenrechnungs- und Gewinnbeteiligungs-Probleme. In: Zeitschrift für Betriebswirtschaft, 21. Jg. 1951, S. 397-409.

5.1.3.3 Voll- und Grenzplankostenrechnung

In einer Grenzplankostenrechnung werden die einzelnen Kostenträger lediglich mit den variablen Plankosten belastet, während die geplanten Fixkosten aus der Kostenstellenrechnung unter Umgehung der Kostenträgerrechnung direkt in die Planergebnisrechnung übernommen werden. Demgegenüber werden in einer auf Vollkosten basierenden Plankostenrechnung im Zuge der Kostenträgerrechnung die vollen Kosten, d.h. die variablen und die fixen Plankosten, bis hin auf die Leistungseinheit verteilt.

Die Grenzplankostenrechnung stellt damit lediglich eine Kombination aus einer Plankostenrechnung und einer Teilkostenrechnung (hier speziell dem Direct Costing) dar.

Die Grenzplankostenrechnung ist selbstverständlich stets eine flexible Plankostenrechnung, während auf Vollkostenbasis sowohl eine starre als auch eine flexible Plankostenrechnung denkbar sind. In einer auf Vollkosten basierenden flexiblen Plankostenrechnung wird zwar eine Trennung der variablen von den fixen Bestandteilen der Plankosten vorgenommen, doch dient diese Kostenauflösung hier lediglich der Kostenplanung und der Kostenkontrolle in den Kostenstellen, während die Kostenträger weiterhin mit Vollkosten abgerechnet werden.

5.2 Kostenplanung

Standard- und Budgetkostenrechnung werden hier und in den folgenden Kapiteln nicht getrennt abgehandelt, sondern es sollen die Unterschiede dieser beiden Verfahrenstypen innerhalb jeder einzelnen zu behandelnden Fragestellung herausgestellt werden. Das gleiche gilt für Unterschiede zwischen einer auf Vollkosten basierenden flexiblen Plankostenrechnung und einer Grenzplankostenrechnung. Auf die starre Plankostenrechnung wird wegen ihrer völligen Bedeutungslosigkeit in der Praxis nicht mehr eingegangen.

In der Planungstechnik zeigen sich grundsätzliche Unterschiede zwischen der Planung der Einzelkosten und der Planung der Gemeinkosten.

5.2.1 Planung der Einzelkosten

Die Einzelkosten lassen sich ex definitione den Kostenträgern direkt zurechnen, so daß sie zum Zwecke der Betriebsabrechnung keiner Verteilung auf die Kostenstellen bedürfen. Dagegen ist es für die Zwecke der Kostenkontrolle unerläßlich, auch die Einzelkosten für alle Kostenstellen getrennt zu erfassen, da sonst keine Möglichkeit bestünde, die Kostenstellenleiter für den in ihrer Kostenstelle entstandenen Mehrverbrauch bei den Einzelkosten zur Rechenschaft zu ziehen.

Die Einzelkosten setzen sich aus dem Fertigungsmaterialverbrauch, den Fertigungslöhnen sowie den Sondereinzelkosten der Fertigung und des Vertriebs zusammen.

5.2.1.1 Planung des Fertigungsmaterialverbrauchs

a) Planung des Technizitätsgrades

Bei der Planung der Materialeinzelkosten werden für jede Materialart die bei einem bestimmten Technizitätsgrad erforderlichen Materialmengen pro Kostenträgereinheit festgelegt. Dabei geht man regelmäßig von den tatsächlich in den Erzeugnissen enthaltenen Materialmengen (= Nettomengen) aus, die sich relativ leicht anhand von Stücklisten oder Rezepturen ermitteln lassen. Diese Nettomengen sind um die Abfallmengen zu erhöhen, da in die Planung der Materialeinzelkosten selbstverständlich die Bruttomengen eingehen müssen. Die Höhe der zu berücksichtigenden Abfallmengen wird durch den vorgegebenen Technizitätsgrad bestimmt.

In der **Budgetkostenrechnung** muß der für die Planungsperiode erwartete Wirtschaftlichkeitsgrad prognostiziert werden, und es sind dementsprechend die für die Zukunft erwarteten Verbrauchsmengen (Abfallmengen) vorzugeben. Für die Prognose wird es in den meisten Fällen genügen, den Istverbrauch in der Vergangenheit zu erfassen und den Trend in die Zukunft zu extrapolieren.

In der **Standardkostenrechnung** ergeben sich mehrere Möglichkeiten für die Planung des Technizitätsgrades:

(1) die Vorgabe von **Normalmengen.**

Man knüpft hierbei ebenfalls an die Ist-Verbrauchsmengen der Vergangenheit an, gleicht aber die Schwankungen der unterschiedlichen Wirtschaftlichkeitsgrade aus, indem man ungewöhnlichen Mehrverbrauch und andere Zufälligkeiten ausschaltet und so den Materialverbrauch normalisiert. Die bei der Vorgabe von Normalmengen auftretenden Verbrauchsabweichungen können dann in beide Richtungen gehen, je nachdem, ob der tatsächlich erreichte Wirtschaftlichkeitsgrad höher oder niedriger liegt.

Mit der Vorgabe von Normalmengen wird allerdings auch nur ein normaler, d.h. ein mittlerer Technizitätsgrad angestrebt. Man kann ex post gegebenenfalls nur feststellen, daß sich die Technizität gegenüber dem Durchschnitt in der Vergangenheit verbessert hat, es ist jedoch nicht möglich anzugeben, wie weit der erreichte Technizitätsgrad noch vom Optimum entfernt ist. Etwas überspitzt formuliert, kann die Normalisierung dazu führen, daß man Schluder mit Schluder vergleicht und am Ende sogar mit einer geringen Steigerung der Technizität noch zufrieden ist, weil man das Optimum gar nicht kennt. Sollen dagegen die Kostenstellenleiter stärker beeinflußt werden, dann empfiehlt sich

(2) die Vorgabe von **Optimalmengen.**

Die Optimalmengen stellen den günstigsten Verbrauch an Fertigungsmaterial dar und bringen damit den maximal erreichbaren Technizitätsgrad zum Ausdruck. Sie können von den effektiven Verbrauchsmengen grundsätzlich nicht unterschritten werden, so daß die Verbrauchsabweichungen hier nur in einer Richtung auftreten können. Mit der Vorgabe von Optimalmengen gewinnt man absolute Maßstäbe, an denen der tatsächlich erreichte Wirtschaftlichkeitsgrad gemessen werden kann und die eine gerechtere Beurteilung der Verbrauchsabweichungen ermöglichen. Auf der anderen Seite müssen aber auch die Optimalmengen stets realisierbare Größen sein, d.h. sie dürfen nicht so scharf angesetzt sein, daß sie realiter niemals erreicht werden. Selbst eine Unterschreitung der Optimalmengen kann in der Praxis ausnahmsweise vorkommen.

Während die Ermittlung normaler Abfallmengen durch Eliminierung des ungewöhnlichen Mehrverbrauchs in der Praxis kaum Schwierigkeiten bereiten dürfte, stößt die Ermittlung des optimalen Materialverbrauchs auf starke Hindernisse, da die Zerlegung der normalisierten Abfallmengen in die vermeidbaren und die unter allen Umständen unvermeidbaren Abfallmengen nur mit Hilfe recht aufwendiger Abfallanalysen möglich ist.

Obwohl sich hiernach normale Verbrauchsmengen in der Praxis wesentlich leichter ermitteln lassen, muß die Frage, ob sich Normal- oder Optimalmengen besser zur Vorgabe innerhalb einer Standardkostenrechnung eignen, eindeutig zugunsten der Optimalmengen entschieden werden, weil nur sie einen absoluten Maßstab für die Technizität bilden. Als Nachteil optimaler Planmengen läßt sich festhalten, daß ihre Vorgabe zur Resignation bei den Mitarbeitern führen kann und dadurch die angestrebte Wirtschaftlichkeitssteigerung sogar noch gehemmt wird. Auch als Grundlage für Kostenersparnisprämien sind Optimalmengen nicht unmittelbar geeignet.

b) Planung der Ausbringungsmenge

Da die Budgetkostenrechnung einen integralen Bestandteil der Gesamtplanung der Unternehmung bildet, genügt es hier nicht, die Materialeinzelkosten pro Kostenträgereinheit zu planen. Zur Ermittlung der Budgetkosten einer Planungsperiode ist es vielmehr noch erforderlich, die Stückkosten mit der geplanten Ausbringungsmenge zu multiplizieren. Die geplante Ausbringungsmenge ist aus der mengenmäßigen Fertigungsprogrammplanung ersichtlich, die selbst wiederum aus der Absatz- und Lagerplanung abgeleitet wird.

Die Standardkostenrechnung geht demgegenüber nicht in die Gesamtplanung der Unternehmung ein. Ihre Zielsetzung besteht allein in der Überwachung der Technizität. Es ist deshalb nicht erforderlich, die geplanten Materialeinzelkosten einer Periode zu ermitteln. Man plant die Materialeinzelkosten nur pro Kostenträgereinheit und multipliziert erst nach Ablauf der Planungsperiode diese Stückkosten mit der tatsächlichen Ausbringungsmenge, um durch Vergleich mit den effektiven Materialeinzelkosten die Fertigungsmaterial-Verbrauchsabweichungen ermitteln zu können.

c) Der Preisansatz für die Materialeinzelkosten

Den letzten Schritt bei der Planung der Materialeinzelkosten bildet die Bewertung der geplanten Verbrauchsmengen mit Planpreisen.

In der **Budgetkostenrechnung** muß, entsprechend der Zielsetzung einer Kostenprognose, der geplante Fertigungsmaterialverbrauch mit den für die Planungsperiode erwarteten Marktpreisen bewertet werden. Die Planpreise müßten deshalb grundsätzlich für jede Planungsperiode neu festgesetzt werden. In der Praxis knüpft man bei der Preisplanung regelmäßig an die gegenwärtigen Marktpreise an und berücksichtigt dabei einen aus der Preisentwicklung der jüngsten Vergangenheit erkennbaren Trend.

In der **Standardkostenrechnung** ist allein entscheidend, daß sowohl die Planmengen als auch die Istmengen mit denselben Preisen („Festpreisen") bewertet werden, um eine mengenmäßige Wirtschaftlichkeitskontrolle durchführen zu können; die absolute Höhe dieser Festpreise spielt dabei nur eine untergeordnete Rolle. Die Bewertung ist hier ohnehin nur erforderlich, um die Mengen additionsfähig zu machen. In der Praxis wählt man auch in der Standardkostenrechnung meist Verrechnungspreise, die den erwarteten Marktpreisen entsprechen. Allerdings werden hier – im Gegensatz zur Budgetkostenrechnung – die Verrechnungspreise über einen längeren Zeitraum (regelmäßig 12 Monate) konstant gehalten. Nur bei gravierenden Veränderungen der Marktpreise (z.B. bei Rohöl oder Edelmetallen) könnte eine häufigere Anpassung der Verrechnungspreise zweckmäßig sein.

Letztlich bleibt zu klären, **welchen Umfang die Planpreise haben sollen**. Grundsätzlich kommen hierfür drei Möglichkeiten in Frage[8]:

(1) Der Planpreis umfaßt lediglich den **reinen Einkaufspreis**, d.h. den Preis laut Lieferantenrechnung, gegebenenfalls gekürzt um sofort in Rechnung gestellte Rabatte mit Ausnahme der Skonti.

(2) Der Planpreis umfaßt den **Einstandspreis**, der aus dem Einkaufspreis abgeleitet wird durch Hinzurechnung der Anschaffungsnebenkosten (Frachten, Transportversicherungen, Einfuhrzölle usw.) und durch Kürzung um die erhaltenen Boni und Skonti.

(3) Der Planpreis umfaßt den **Verbrauchspreis**, der sich aus dem Einstandspreis und den Materialgemeinkosten (den Kosten des Einkaufs, der Materialannahme, der Materialprüfung und der Materiallagerung) zusammensetzt.

Für die **Budgetkostenrechnung** ist es am zweckmäßigsten, Einstandspreise als Planpreise festzusetzen, da auch für die Istkostenermittlung der Materialverbrauch und die Materialbestände mit Einstandspreisen bewertet werden. Würde man hier Einkaufspreise zugrunde legen, dann ergäben sich neben den Preisabweichungen im engeren Sinne zusätzliche Abweichungen für die gesondert zu planenden Anschaffungsnebenkosten und damit Doppelarbeiten bei der Abweichungsermittlung. Die Verwendung von Verbrauchspreisen hätte den ganz entscheidenden Nachteil, daß die Preisabweichungen für den Materialverbrauch auch Verbrauchsabweichungen der Kostenstellen des Materialbereichs enthalten würden und dies die Wirtschaftlichkeitskontrolle verzerren würde.

Für die **Standardkosten** erscheinen diese Bedenken nicht. Da hier keine Preisabweichungen ermittelt werden (Plan- und Istmengen werden mit denselben Preisen bewertet!) und die Wirtschaftlichkeitskontrolle allein auf den Fertigungsbereich beschränkt bleibt (und nicht den Materialbereich mit einbezieht!), können durchaus Verbrauchspreise den Planpreisen zugrunde gelegt werden. Die Verwendung von Verbrauchspreisen hätte zudem den Vorteil, daß in der Kalkulation der Standardkosten je Kostenträgereinheit eine gesonderte Verrechnung von Materialgemeinkosten entfiele.

---

8 Vgl. Kilger, Wolfgang: Flexible Plankostenrechnung und Deckungsbeitragsrechnung. 9. Aufl., Wiesbaden 1988, S. 198ff.; ferner Arbeitskreis Diercks der Schmalenbach-Gesellschaft: Der Verrechnungspreis in der Plankostenrechnung. In: Zeitschrift für betriebswirtschaftliche Forschung, 16. Jg. 1964, S. 613-668, hier S. 626.

5.2.1.2 Planung der Fertigungslöhne

Bei der Planung der Lohneinzelkosten werden, getrennt nach den von der Arbeitsvorbereitung festgelegten Arbeitsgängen, die bei einem bestimmten Technizitätsgrad erforderlichen Arbeitszeiten pro Kostenträgereinheit ermittelt. Als Verfahren der Arbeitszeitplanung sind hier vor allem die Zeitvorgabe nach REFA und das in den USA entwickelte MTM-Verfahren zu erwähnen[9]. Während bei REFA die Zeitplanung betriebsindividuell pro Arbeitsplatz vorgenommen wird, werden bei der MTM-Methode die Arbeitszeiten pro Arbeitsgang überbetrieblich aufgrund von Bewegungsstudien festgesetzt. In Deutschland wird die Zeitplanung überwiegend nach REFA durchgeführt.

Für die Planung des Technizitätsgrades gilt grundsätzlich das gleiche, was für die Fertigungsmaterialkostenplanung festgestellt wurde. In der Budgetkostenrechnung müssen die für die Planungsperiode erwarteten Arbeitszeiten pro Arbeitsgang und pro Kostenträgereinheit vorgegeben werden. Bei Vorhandensein eines Akkordlohnsystems bedeutet dies, daß die für die Lohnzahlung festgesetzten Normzeiten zu erhöhen sind um die zu erwartenden bezahlten Zusatzlohnzeiten. Derartige Zusatzlöhne zum Akkordlohn werden insbesondere aufgrund gegebener Mindestlohngarantien und infolge nachträglich festgestellter Fehler bei der Zeitvorgabe gezahlt.

In der Standardkostenrechnung ergeben sich wiederum verschiedene Möglichkeiten für die Planung des Technizitätsgrades:

a) die Planung normaler Arbeitszeiten, die aus den von Zufälligkeiten bereinigten Istzeiten der Vergangenheit abgeleitet werden;

b) die Planung optimaler Arbeitszeiten, die den höchsten Technizitätsgrad zum Ausdruck bringen und einen absoluten Maßstab für die Wirtschaftlichkeitskontrolle abgeben.

Hierbei ist zu beachten, daß weder die optimalen noch die normalen Planarbeitszeiten als unmittelbare Grundlage für die Entlohnung innerhalb eines Akkordlohnsystems dienen können. Selbst die Normalarbeitszeiten liegen in aller Regel unter den Akkordvorgabezeiten, da die Akkordvorgaben so angesetzt sind, daß sie von der Mehrzahl der Arbeiter ohne besondere Anstrengungen unterschritten werden können. Für eine Entlohnung der Arbeitnehmer im Zeitlohn spielen die Planarbeitszeiten naturgemäß auch keine Rolle. Der Zweck der Planung von Arbeitszeiten innerhalb einer Standardkostenrechnung besteht vielmehr ausschließlich in der Kontrolle der Technizität.

Zur Ermittlung der Fertigungslohnkosten einer Planungsperiode sind die pro Kostenträgereinheit geplanten Arbeitszeiten für alle Arbeitsgänge zu addieren, mit der geplanten Ausbringungsmenge zu multiplizieren und mit den geplanten Lohnsätzen zu bewerten.

In einer Budgetkostenrechnung müssen die geplanten Arbeitszeiten mit den für die Planungsperiode erwarteten Lohnsätzen bewertet werden. Die Lohnsätze sind daher grundsätzlich für jede Planungsperiode getrennt festzusetzen. Lohn-

---

[9] REFA ist die Abkürzung für „Reichsausschuß für Arbeitsstudien"; heute heißt diese Institution „Verband für Arbeitsstudien und Betriebsorganisation e.V., Darmstadt". MTM ist die Abkürzung für „Methods of Time Measurement".

satzerhöhungen aufgrund auslaufender Tarifverträge sind ebenso zu schätzen wie Veränderungen bei außertariflichen Lohnzahlungen. Auch der Einfluß von Fluktuationen bei den Arbeitnehmern auf die durchschnittliche Höhe des Lohnsatzes ist – soweit er erkennbar ist – zu berücksichtigen.

In der Standardkostenrechnung spielt die absolute Höhe der Lohnsätze nur eine untergeordnete Rolle, da es für eine mengenmäßige Wirtschaftlichkeitskontrolle allein darauf ankommt, sowohl die Plan- als auch die Ist-Arbeitszeiten mit denselben Lohnsätzen zu bewerten. Dennoch ist die Aussagefähigkeit der Verbrauchsabweichungen am größten, wenn die Lohnsätze ungefähr dem für den Planungszeitraum zu erwartenden Niveau entsprechen. Allerdings werden die Planlohnsätze in der Standardkostenrechnung üblicherweise für einen längeren Zeitraum konstant gehalten.

Die der Bewertung zugrunde liegenden Lohnsätze umfassen regelmäßig nur die Tarifsätze (Bruttolohnsätze). Eine andere Möglichkeit bestünde darin, in die Lohnsätze neben dem Tarifsatz auch anteilige Urlaubs-, Krankheits- und Feiertagslöhne sowie die gesetzlichen Sozialabgaben mit einzubeziehen. Schließlich wäre es denkbar, darüber hinaus auch die freiwilligen sozialen Leistungen (Gratifikationen, Beihilfen, Kosten der Kantine, des Betriebsarztes, der Werksbücherei etc.) in den Lohnsätzen mit zu verrechnen.

Die Bewertung mit den reinen Bruttolohnsätzen hat hierbei den Vorteil, daß die Istkosten ohne besondere Umrechnung der Lohnbuchhaltung entnommen werden können. Als nachteilig wirkt sich lediglich aus, daß die übrigen Personalkosten gesondert verrechnet werden müssen. Der entscheidende Nachteil der letztgenannten Methode, alle Personalkosten in die Lohnsätze einzubeziehen, ist wiederum darin zu sehen, daß die Preisabweichungen (Lohnsatzabweichungen) dann auch Verbrauchsabweichungen der Sozialkostenstellen enthalten würden und dies eine Verzerrung der Wirtschaftlichkeitskontrolle in der Budgetkostenrechnung zur Folge hätte. Für die Standardkostenrechnung gilt dieser Einwand freilich nicht.

5.2.1.3 Planung der Sondereinzelkosten

Als Sondereinzelkosten bezeichnet man alle übrigen Einzelkosten, die neben dem Fertigungsmaterialverbrauch und den Fertigungslöhnen anfallen und den Kostenträgern direkt zugerechnet werden können. Vor allem im Hinblick auf die Ermittlung der Herstellkosten ist es erforderlich, die Sondereinzelkosten der Fertigung von den Sondereinzelkosten des Vertriebs zu trennen. Zu den **Sondereinzelkosten der Fertigung** zählen beispielsweise die Konstruktions-, Entwicklungs- und Anlaufkosten eines neuen Produktes, die Kosten für Sonderbetriebsmittel (z.B. Lehren, Modelle, Vulkanisierformen, Spritzgußformen oder Druckwalzen für Tapeten) und die Lizenzgebühren. Als Beispiele für **Sondereinzelkosten des Vertriebs** kann man die Kosten einer Spezialverpackung, besondere Frachtkosten, die Vertreterprovision (mit Ausnahme eines Fixums) und die Verbrauchsteuern nennen.

Für die Kostenplanung ist es weiterhin von Bedeutung, nach dem Merkmal der Beschäftigungsabhängigkeit zwischen **variablen und fixen Sondereinzelkosten** zu unterscheiden. Von den genannten Beispielen sind die Konstruktions-, Entwicklungs- und Anlaufkosten, die Kosten für Sonderbetriebsmittel und die Kosten einer Pauschallizenz vom Beschäftigungsgrad unabhängig (fixe Kosten), während die Kosten einer Stücklizenz sowie sämtliche genannten Beispiele für Sondereinzelkosten des Vertriebs variable Kosten darstellen, die sich mit der Ausbringungs- bzw. Absatzmenge meist proportional verändern.

a) Zur Planung der variablen Sondereinzelkosten

Für die Planung der Kosten einer Spezialverpackung ergeben sich grundsätzlich keine Unterschiede zur Planung des Fertigungsmaterialverbrauchs. Es ist nur zu beachten, daß für die Ermittlung der Periodenkosten die geplanten Stückkosten mit der geplanten Absatzmenge (und nicht mit der geplanten Ausbringungsmenge) zu multiplizieren sind.

Die Planung der Verbrauchsteuern ist völlig unproblematisch, da der Steuersatz pro Kostenträgereinheit bekannt ist und von der Unternehmung nicht beeinflußt werden kann.

Die Frachtkosten hängen vor allem vom Gewicht der transportierten Güter und von der Entfernung zum Kunden ab. Während das Gewicht pro Einheit jedes Kostenträgers bekannt ist, lassen sich für die Entfernung nur Durchschnittswerte der Vergangenheit ansetzen, so daß hier bei den einzelnen Kostenträgerarten größere Soll/Ist-Abweichungen auftreten können.

Die Vertreterprovision wird entweder in Abhängigkeit von der Absatzmenge oder in Abhängigkeit vom Umsatz gezahlt. In beiden Fällen läßt sich die Planung ohne Schwierigkeiten durchführen, da die jeweilige Basis der Absatz- bzw. Umsatzplanung entnommen werden kann und die Provisionssätze vertraglich festgelegt sind.

Auch bei der Planung der Kosten für Stücklizenzen ergeben sich keinerlei Schwierigkeiten, da die Höhe vertraglich festgelegt ist und eine Abhängigkeit vom Technizitätsgrad nicht besteht.

b) Zur Planung der fixen Sondereinzelkosten

Von den genannten Beispielen für fixe Sondereinzelkosten sind lediglich die Kosten einer Pauschallizenz als echte fixe Kosten im Sinne kalenderzeitproportionaler Kosten anzusehen. Zur Ermittlung der Lizenzkosten je Kostenträgereinheit müssen die Periodenkosten, deren Höhe vertraglich vereinbart ist, durch die geplante Ausbringungsmenge dividiert werden. In der Budgetkostenrechnung muß dies die für die Planungsperiode erwartete Ausbringungsmenge sein, die der mengenmäßigen Fertigungsprogrammplanung entnommen werden kann. In der Standardkostenrechnung kommen hierfür entweder die durchschnittliche Ausbringung (als längerfristiges Mittel vergangener Abrechnungsperioden) oder die optimale (maximale) Ausbringungsmenge in Frage. Dabei bereitet die Ermittlung der optimalen Ausbringung erhebliche Schwierigkeiten, wenn die Fertigung des Erzeugnisses, auf das sich die Lizenz bezieht, zusammen mit anderen Erzeugnissen alternativ auf denselben Produktionsanlagen durchgeführt wird, da man die Kapazität dieser Anlagen (bzw. des Engpasses innerhalb dieser Anlagen) dann auf die verschiedenen Erzeugnisse aufteilen müßte, um die maximale Ausbringungsmenge jedes Erzeugnisses zu ermitteln. Für eine solche Aufteilung gibt es aber keinen sinnvollen Schlüssel. Zu beachten ist ferner, daß bei diesen fixen Einzelkosten auch in der Standardkostenrechnung Beschäftigungsabweichungen auftreten, während dies bei den variablen Einzelkosten nicht der Fall ist.

Bei den übrigen Beispielen, den Konstruktions-, Entwicklungs- und Anlaufkosten sowie den Kosten für Sonderbetriebsmittel, handelt es sich zwar ebenfalls um fixe Kosten, da sie in ihrer Höhe nicht von der hergestellten Menge abhängig sind; für die Planung ergeben sich aber einige Besonderheiten, da sich diese Kosten nicht proportional mit der Kalenderzeit verändern.

Für die Planung der auf eine Kostenträgereinheit entfallenden Konstruktions-, Entwicklungs- und Anlaufkosten muß nicht die Ausbringungsmenge der Planungsperiode, sondern die Gesamtmenge geschätzt werden, die jemals von diesem neuen Erzeugnis hergestellt werden wird. Da diese Prognose unter sehr unsicheren Erwartungen getroffen werden muß, ist die Gefahr größerer Fehleinschätzungen hier besonders groß. Verbrauchsabweichungen können allerdings bei dieser Kostenart überhaupt nicht auftreten, da es sich lediglich um eine langfristige Verteilung bereits entstandener Aufwendungen handelt und diese Kosten nach ihrer Division durch die zu erwartende Gesamtproduktmenge in der Kostenplanung und Kostenkontrolle den Charakter proportionaler Kosten annehmen. Im Gegensatz zu den Kosten einer Pauschallizenz treten bei den Konstruktions-, Entwicklungs- und Anlaufkosten (ebenso wie bei den variablen Sondereinzelkosten) keine Beschäftigungsabweichungen innerhalb der Standardkostenrechnung auf. Es ist jedoch zu beachten, daß die Konstruktions-, Entwicklungs- und Anlaufkosten dennoch für Entscheidungsrechnungen weiterhin den fixen Kosten zuzuordnen sind, innerhalb einer Teilkostenrechnung demnach nicht in die Grenzplankosten einbezogen werden dürfen.

Die Planung der Kosten für Sonderbetriebsmittel erfolgt auf die gleiche Weise, nur kann es hier vorkommen, daß die Nutzung des Sonderbetriebsmittels nicht zur Herstellung der erwarteten Gesamtproduktmenge ausreicht. Wenn beispielsweise eine Spritzgußform nach der Fertigung von 100 000 Einheiten des Kostenträgers durch eine neue ersetzt werden muß, aber die Gesamtproduktmenge dieses Erzeugnisses auf 300 000 Einheiten geschätzt wird, dann sind die Kosten dieser Spritzgußform selbstverständlich nur durch 100 000 Stück zu dividieren. In diesem Falle haben die Kosten für Sonderbetriebsmittel auch für Entscheidungsrechnungen nicht mehr den Charakter fixer Kosten. Sie sind den leistungsabhängigen Abschreibungen auf Anlagegüter vergleichbar und damit den variablen Kosten zuzuordnen.

5.2.2 Planung der Gemeinkosten

Im Gegensatz zu den Einzelkosten, die pro Kostenträgereinheit geplant werden, erfolgt die Planung der Gemeinkosten ausschließlich kostenstellenweise, weil die Gemeinkosten den Kostenträgern nicht direkt zurechenbar sind. Innerhalb einer Kostenstelle müssen die Gemeinkosten getrennt nach Kostenarten geplant werden, weil andernfalls die Abweichungsanalyse durch die Saldierung von Kostenarten ganz erheblich erschwert, wenn nicht gar unmöglich gemacht würde.

5.2.2.1 Auswahl geeigneter Beschäftigungsmaßstäbe

Die Gemeinkostenplanung beginnt mit der Auswahl eines geeigneten Beschäftigungsmaßstabes für jede Kostenstelle. Dieser Maßstab muß so gewählt sein, daß er zu den variablen Kosten der betreffenden Kostenstelle in einer möglichst proportionalen Beziehung steht. Die am häufigsten gewählten Maßstäbe für die Kostenstellenbeschäftigung sind die hergestellte Produktmenge (z.B. die Anzahl der bearbeiteten Stücke, das Volumen oder das Gewicht der Erzeugnisse) und die Fertigungszeit (Handarbeitszeit, Maschinenlaufzeit). Stehen mehrere Beschäftigungsmaßstäbe zur Auswahl, dann könnte man mit Hilfe der Korrelationsrechnung den am besten geeigneten Maßstab ermitteln. Aus der Höhe des Korrelationskoeffizienten ließe sich erkennen, welche Maßgröße die Beziehungen zwischen den Kosten und der Beschäftigung am besten widerspiegelt. Die statistische Ermittlung von Abhängigkeiten muß aber stets durch eine eingehende Analyse des Fertigungsprozesses ergänzt werden, die auf deduktivem Wege die Abhängigkeitsbeziehungen aufdecken soll. Dadurch wird vermieden, daß bestehende Abhängigkeiten durch eine ausschließlich statistische Untersuchung unerkannt bleiben.

Kilger unterscheidet zwischen homogener und heterogener Kostenverursachung[10]. Eine **homogene Kostenverursachung** liegt vor, wenn es gelingt, einen Maßstab für die Kostenstellenbeschäftigung zu finden, dem sämtliche variablen Kostenarten in dieser Kostenstelle proportional sind. Dies ist insbesondere dann der Fall, wenn die in einer Kostenstelle ausgeführten Arbeitsgänge bei allen Produktarten, die diese Kostenstelle durchlaufen, gleich sind. Bei **heterogener Kostenverursachung** müßten grundsätzlich mehrere Maßgrößen der Kostenstellenbeschäftigung nebeneinander verwandt werden, weil ein Teil der variablen Kostenarten von der einen Maßgröße und der andere Teil von einer anderen Maßgröße abhängig ist und weil darüber hinaus das Verhältnis der Maßgrößen untereinander bei den einzelnen Produktarten unterschiedlich ist. Hierzu drei Beispiele:

a) Man verwendet nebeneinander die Maßgrößen Fertigungszeit und Durchsatzgewicht, wenn ein Teil der variablen Kostenarten zeitabhängig und ein anderer Teil gewichtsabhängig ist und wenn das Verhältnis zwischen dem verarbeiteten Gewicht und den benötigten Fertigungszeiten bei den einzelnen Produktarten unterschiedlich ist.

b) Man verwendet nebeneinander die Maßgrößen Rüstzeit und Ausführungszeit, um die Auswirkungen unterschiedlicher Losgrößen in der Fertigung auf die Höhe der Gemeinkosten berücksichtigen zu können.

c) Man verwendet nebeneinander die Maßgrößen Fertigungszeit und Maschinenlaufzeit, wenn das Bedienungsverhältnis, d.h. die Relation zwischen der Zahl der Maschinen und der Anzahl der Arbeiter, bei den einzelnen Produktarten unterschiedlich ist.

Selbstverständlich kann es auch notwendig sein, mehr als zwei Maßgrößen der Kostenstellenbeschäftigung nebeneinander zu verwenden. Dies läßt sich jedoch häufig dadurch vermeiden, daß man eine Kostenstelle weiter untergliedert (gegebenenfalls bis hin zu einzelnen Arbeitsplätzen) und dann für jeden Arbeitsplatz mit meist nur einem Beschäftigungsmaßstab auskommt. Zwischen der Anzahl der notwendigen Maßgrößen für die Kostenstellenbeschäftigung und der Tiefe der Kostenstellengliederung besteht somit eine wechselseitige Beziehung. Dabei sollte man der Untergliederung von Kostenstellen gegenüber der Verwendung mehrerer Beschäftigungsmaßstäbe pro Kostenstelle regelmäßig den Vorzug geben.

---

[10] Vgl. Kilger, Wolfgang, a.a.O., S. 148ff.

In den Kostenstellen des Material-, Verwaltungs- und Vertriebsbereichs sowie in einem Teil der allgemeinen Hilfsstellen und der Fertigungshilfsstellen ist es recht schwierig, geeignete Beschäftigungsmaßstäbe zu finden. Der Grund liegt darin, daß hier vorwiegend Aufgaben dispositiver Art zu erfüllen sind und geistige Tätigkeiten sich nur schwer einem Meßvorgang unterziehen lassen. Diese Frage ist allerdings nur für die Budgetkostenrechnung von Bedeutung, weil in der Standardkostenrechnung die Wirtschaftlichkeitskontrolle auf den Fertigungsbereich beschränkt bleibt. In der Praxis verzichtet man häufig ganz auf die Auswahl von Beschäftigungsmaßstäben in diesen Kostenstellen. Man behandelt dann quasi alle Kostenarten als fix und kann folglich auch keine Beschäftigungsabweichungen ermitteln. Die gesamte mengenmäßige Soll/Ist-Abweichung wird als Verbrauchsabweichung betrachtet.

5.2.2.2 Festlegung der Planbeschäftigung

Nach der Auswahl eines geeigneten Beschäftigungsmaßstabes muß die Planbeschäftigung für jede Kostenstelle festgelegt werden. Welchen Beschäftigungsgrad man im Einzelfalle der Gemeinkostenplanung zugrunde legt, ist für die Kontrolle der Technizität völlig ohne Bedeutung, da in jeder (flexiblen) Plankostenrechnung die Istkosten ausschließlich mit den Plankosten der tatsächlich erreichten Beschäftigung (Istbeschäftigung) verglichen werden müssen. Für andere Zwecke (Gewinnplanung, Leerkostenanalyse) ist es dagegen unerläßlich, eine ganz bestimmte Planbeschäftigung vorzugeben.

Während in der **Budgetkostenrechnung** der für die Zukunft erwartete Beschäftigungsgrad der jeweiligen Kostenstelle vorgegeben werden muß, ergeben sich in der **Standardkostenrechnung** mehrere Möglichkeiten für die Festlegung der Planbeschäftigung:

a) **die Vollbeschäftigung.**
Sie muß immer dann vorgegeben werden, wenn es mit zur Aufgabe der Standardkostenrechnung gehört, die vollen **Leerkosten** (die Kosten der ungenutzten Kapazität) sichtbar zu machen. Die Kenntnis der Leerkosten ist für die langfristige Produktions- und Investitionsplanung von überragender Bedeutung. Auch wird es meist als Vorteil angesehen, daß die Gemeinkosten-Verrechnungssätze im Falle der Vorgabe der Vollbeschäftigung keine Kosten der Unterbeschäftigung enthalten. Unter Vollbeschäftigung versteht man üblicherweise nicht die technisch maximale Ausbringungsmenge, sondern die **Optimalbeschäftigung**, d.h. den Beschäftigungsgrad, bei dem die Stückkosten ihr Minimum erreichen. Dieser Punkt wird auch als das **Betriebsoptimum** bezeichnet[11]. Auf jeden Fall ist die Vollbeschäftigung getrennt pro Kostenstelle oder gar pro Arbeitsplatz zu bestimmen, weil nur auf diese Weise vorhandene kapazitive Disharmonien sichtbar gemacht werden können.

b) **die Normalbeschäftigung.**
Sie spiegelt einen durchschnittlichen Beschäftigungsgrad der Vergangenheit wider und ist als Vorgabe für die Zukunft wenig aussagefähig. Eine Ermittlung der Leerkosten ist auf diese Weise nicht möglich. Als einzigen, m.E. aber

---

[11] Vgl. Kapitel 1.4.5.3.

unbedeutsamen Vorteil könnte man ansehen, daß sich die Beschäftigungsabweichungen in engeren Grenzen halten als bei der Vorgabe der Vollbeschäftigung.

5.2.2.3 Planung des Technizitätsgrades

a) Statistische Gemeinkostenplanung

Im Anschluß an die Festlegung der Kostenstellenbeschäftigung besteht der entscheidende Schritt innerhalb der Gemeinkostenplanung in der Planung der Verbrauchsmengen. In der **Budgetkostenrechnung** muß dabei der für die Planungsperiode erwartete Technizitätsgrad zugrunde gelegt werden, d.h. es müssen die
für die Realisierung der geplanten Beschäftigung voraussichtlich anfallenden
Verbrauchsmengen pro Kostenart und pro Kostenstelle angesetzt werden. Me-
thodisch geht man regelmäßig von den Istkosten vergangener Abrechnungsperioden aus, erfaßt die zugehörigen Beschäftigungsgrade und leitet daraus eine lineare Funktion der Periodenkosten in Abhängigkeit von der Beschäftigungsmaßgröße ab. Setzt man in diese Funktion die Planbeschäftigung als unabhängige
Variable ein, so erhält man die Plangemeinkosten für die betreffende Periode.
Diese Technik wird als statistische Gemeinkostenplanung bezeichnet. Für die
Ableitung der Kostenfunktion benutzt man die Verfahren, die bereits im Kapitel
2.3.2.4 für die mathematische Kostenauflösung beschrieben worden sind. Es sind
dies die Zweipunktmethode, die grafische Methode (Streupunktdiagramm) sowie die Trendberechnung ersten Grades nach der Methode der kleinsten Quadrate.

Beispiel für die statistische Gemeinkostenplanung mit Hilfe der Zweipunktmethode:

Im Mai dieses Jahres betrugen die Energiekosten in der Schleiferei 4490 DM
bei einer Beschäftigung von 480 Stunden, im April 4085 DM bei einer Beschäftigung von 420 Stunden. Für Mai nächsten Jahres wird in dieser Kostenstelle mit einer Beschäftigung von 400 Stunden gerechnet. Die für Mai nächsten Jahres zu
planenden Energiekosten werden wie folgt bestimmt:

$$\text{Variable Kosten} = (4490 - 4085) : (480 - 420) = 6,75 \text{ DM/Std.}$$
$$\text{Fixe Kosten} = 4490 - 6,75 \cdot 480 = 1250 \text{ DM/Monat}$$
$$\text{Plankosten} = 400 \cdot 6,75 + 1250 = 3950 \text{ DM}$$

Man beachte, daß bei der statistischen Gemeinkostenplanung unterstellt wird,
daß der für die Planungsperiode erwartete Technizitätsgrad dem in der Vergangenheit durchschnittlich erreichten Technizitätsgrad entspricht und daß bis zur
Planungsperiode keine Veränderungen im artmäßigen Produktprogramm oder
im Produktionsverfahren eintreten werden. Ist diese Prämisse nicht erfüllt, d.h.
kann man mit einem höheren oder muß man mit einem niedrigeren Technizitätsgrad für die Planungsperiode rechnen oder werden sich zwischenzeitlich Veränderungen im Programm oder Verfahren ergeben (z.B. aufgrund einer geplanten
Rationalisierungsmaßnahme), so muß dies durch eine Berichtigung der auf statistischem Wege ermittelten Plankosten zum Ausdruck gebracht werden.

b) Analytische Gemeinkostenplanung

In der Standardkostenrechnung sollte, wie im Kapitel 5.2.1.1 bereits erörtert,
grundsätzlich der höchste Technizitätsgrad angestrebt werden. Dann darf man

sich zum Zwecke der Gemeinkostenplanung nicht mit einer statistischen Aufbereitung der Istkosten vergangener Abrechnungsperioden begnügen, sondern muß das Optimum durch besondere Verbrauchsanalysen, Messungen und Berechnungen ermitteln. Diese Technik wird von *Kilger* als analytische Gemeinkostenplanung bezeichnet[12]. Hierzu einige Beispiele:

(1) Die Werkzeugkosten werden nicht anhand des bisherigen Verbrauchs geplant, sondern es wird der optimale Verbrauch in Abhängigkeit von der Maschinenlaufzeit und unter Zugrundelegung der optimalen Intensität ermittelt, da bei Abweichungen von der optimalen Intensität die Kosten progressiv steigen.

(2) Ebenso erfolgt die Planung der Schmieröl- und Schmierfettkosten losgelöst vom Istverbrauch der Vergangenheit, indem der günstigste Verbrauch anhand der Öl- und Schmierpläne sowie der pro Schmiervorgang erforderlichen Öl- bzw. Fettmengen festgelegt wird.

(3) Bei der Planung des Verbrauchs an Reinigungsmaterialien muß festgestellt werden, wie oft gereinigt wird und welche Mengen pro Reinigungsvorgang notwendig sind.

(4) In ähnlicher Weise erfolgt auch die Planung des Kühlmittelverbrauchs oder des Verbrauchs an Bohröl oder Schneidöl in einer spanabhebenden Fertigung.

(5) Die Kosten für Kraftstrom sind in Abhängigkeit von der notwendigen Laufzeit der Aggregate sowie der installierten Leistung (laut Angabe auf dem Typenschild) unter Berücksichtigung des günstigsten Lastgrades (des Verbrauchsfaktors) zu planen.

(6) Ebenso muß bei der Planung des Kraftstoffverbrauchs in Transportabteilungen von den zu befördernden Mengen (in t), den Beförderungswegen und dem günstigsten Verbrauch des Beförderungsmittels ausgegangen werden. Die Planung der Hilfslöhne für Transportarbeiten erfolgt auf ähnliche Weise.

(7) Der Verbrauch an Farben wird aus der Größe der einzufärbenden Fläche unter Berücksichtigung der erforderlichen Dicke der Farbschicht abgeleitet. Ähnliches gilt für andere Hilfsstoffe wie Lacke, Poliermittel, Klebstoffe etc. Der effektive Verbrauch in der Vergangenheit ist in jedem Falle für die Planung optimaler Verbrauchsmengen irrelevant.

Zur Planungstechnik ist anzumerken, daß die deduktive Ermittlung optimaler Verbrauchsmengen nicht für jede Planungsperiode neu durchgeführt wird, sondern man erfaßt einmalig sog. **Grundmengen** entweder für eine bestimmte Basisbeschäftigung (= **einstufige Gemeinkostenplanung**) oder für eine Skala alternativer Beschäftigungsgrade (= **mehrstufige Gemeinkostenplanung**) und rechnet anschließend für jede Planungsperiode diese Grundmengen auf die jeweilige Planbeschäftigung um.

c) Einstufige Gemeinkostenplanung

Bei der einstufigen Gemeinkostenplanung werden die Grundmengen lediglich für einen einzigen Beschäftigungsgrad, die sog. **Basisbeschäftigung**, geplant. Als Basisbeschäftigung wählt man häufig die wirtschaftliche Vollbeschäftigung, bei

---

[12] Siehe Kilger, Wolfgang, a.a.O., S. 358ff.

der die Kosten je Einheit der Beschäftigungsmaßgröße ihr Minimum erreichen, doch kann auch jeder andere Beschäftigungsgrad als Basis verwendet werden. Bereits im Zuge dieser Grundmengenplanung ist es erforderlich, die variablen von den fixen Kostenbestandteilen zu trennen. Dabei ist es üblich, neben den Gesamtkosten den Anteil der variablen Kosten auszuweisen. Dieser Anteil kann als absolute Zahl (in DM) oder als relative Zahl ausgedrückt werden. Der relative Ausdruck wird als **Variator** bezeichnet.

Die Umrechnung der Plankosten der Basisbeschäftigung in die Plankosten der Planbeschäftigung ist denkbar einfach, wenn der Anteil der variablen Kosten an den gesamten Plankosten der Basisbeschäftigung in einem absoluten DM-Betrag angegeben wird. Hierzu das folgende Beispiel: Bei einer (Basis-) Beschäftigung von 4000 Fertigungsstunden betragen die Stromkosten 55000 DM; davon sind 35200 DM variable und 19800 DM fixe Kosten. Wird nun für einen bestimmten Monat eine Beschäftigung von 3400 Fertigungsstunden geplant, so betragen die Plankosten der Planbeschäftigung $35200 \cdot \dfrac{3400}{4000} + 19800 = 49720 \, \text{DM}$.

Die Variatorrechnung ist ein von der Praxis bereits sehr frühzeitig entwickeltes Umrechnungsverfahren für die einstufige Gemeinkostenplanung. Der Variator gibt an, wieviel Prozent der geplanten Gemeinkosten sich mit der Beschäftigungsmaßgröße proportional verändern. Statt der prozentualen Schreibweise hat die Praxis allerdings meist die Zahl 10 als Basis verwendet. Danach ist der Variator einer voll proportionalen Gemeinkostenart stets 10 und der Variator fixer Kosten gleich Null. Für alle degressiven Kosten liegt der Variator zwischen 0 und 10. Im obigen Zahlenbeispiel ergibt sich für die Stromkosten ein Variator von $\dfrac{35200}{55000} \cdot 10 = 6{,}4$.

Von seiner historischen Entstehung her betrachtet, ist der Variator als ein **Kostenänderungsfaktor** zu charakterisieren. Ein Variator von 6,4 besagt also, daß sich bei einer zehnprozentigen Änderung der Beschäftigung die Kosten nur um 6,4% verändern. In unserem Zahlenbeispiel liegt die Beschäftigung für den Planungsmonat mit 3400 Fertigungsstunden um 15% unter der Basisbeschäftigung von 4000 Fertigungsstunden. Folglich müssen die Plankosten der Planbeschäftigung um $15 \cdot \dfrac{6{,}4}{10} = 9{,}6\%$ unter den Plankosten der Basisbeschäftigung liegen. Sie betragen also $55000 - \dfrac{9{,}6}{100} \cdot 55000 = 49720 \, \text{DM}$.

Besonders zu beachten ist die Tatsache, daß der Variator einer Gemeinkostenart, soweit er nicht genau 0 oder 10 beträgt, **keine feste Größe** bildet, sondern selbst eine Funktion der Beschäftigung ist und damit eine relative Größe darstellt. Dies kann sehr leicht zu Irrtümern bei der Anwendung der Variatorrechnung führen. Liegt in unserem obigen Zahlenbeispiel die Istbeschäftigung um 10% unter der Planbeschäftigung (also bei 3060 Fertigungsstunden), so wäre es ein Trugschluß anzunehmen, daß die Plankosten der Istbeschäftigung um 6,4% unter den Plankosten der Planbeschäftigung liegen. Die Annahme ist deshalb falsch, weil der Variator von 6,4 nicht auf die Planbeschäftigung von 3400 Fertigungsstunden, sondern auf die Basisbeschäftigung von 4000 Fertigungsstunden bezogen ist. Die folgende Tabelle zeigt die **Abhängigkeit des Variators vom gewählten Beschäftigungsgrad**:

Beschäftigung	Fixe Kosten	Variable Kosten	Gesamt-kosten	Variator
4 000 Std.	19 800 DM	35 200 DM	55 000 DM	6,4
3 700 Std.	19 800 DM	32 560 DM	52 360 DM	6,218
3 400 Std.	19 800 DM	29 920 DM	49 720 DM	6,018
3 100 Std.	19 800 DM	27 280 DM	47 080 DM	5,794
2 800 Std.	19 800 DM	24 640 DM	44 440 DM	5,545
2 500 Std.	19 800 DM	22 000 DM	41 800 DM	5,263
2 200 Std.	19 800 DM	19 360 DM	39 160 DM	4,944
1 900 Std.	19 800 DM	16 720 DM	36 520 DM	4,578
1 600 Std.	19 800 DM	14 080 DM	33 880 DM	4,156
1 300 Std.	19 800 DM	11 440 DM	31 240 DM	3,662
1 000 Std.	19 800 DM	8 800 DM	28 600 DM	3,077

Die richtige Lösung sieht somit wie folgt aus: Die Plankosten der Istbeschäftigung liegen um 6,018% unter den Plankosten der Planbeschäftigung und betragen somit 46 728 DM. Oder: Da die Istbeschäftigung um 940 Fertigungsstunden (= 23,5%) unter der Basisbeschäftigung von 4 000 Fertigungsstunden liegt, liegen die Plankosten der Istbeschäftigung um $23,5 \cdot \frac{6,4}{10} = 15,04\%$ unter den Plankosten der Basisbeschäftigung von 55 000 DM, also bei 46 728 DM. Oder am einfachsten ohne Variatoren: Da die variablen Plankosten je Fertigungsstunde 35 200 : 4 000 = 8,80 DM betragen, ergeben sich für 3 060 Fertigungsstunden variable Kosten von 26 928 DM, zusammen mit den fixen Kosten von 19 800 DM also Plankosten der Istbeschäftigung in Höhe von 46 728 DM.

Da der Variator selbst bei konstanten variablen Kosten je Einheit der Beschäftigungsmaßgröße und konstanten fixen Periodenkosten keine feste Größe bildet, ist die Variatormethode ein recht schwerfälliges Instrument für die Umrechnung der Plankosten auf alternative Beschäftigungsgrade. Namentlich bei den Kostenstellenleitern in der Praxis kann sie deshalb leicht zu **Fehlschlüssen über die Veränderung der Periodenkosten** einer Kostenstelle führen. Die Variatorrechnung gilt daher heute allgemein als ein veraltetes Umrechnungsverfahren und wird auch in der Praxis vielfach durch eine getrennte Vorgabe der variablen und fixen Kostenbestandteile ersetzt.

d) Mehrstufige Gemeinkostenplanung

Der Unterschied der mehrstufigen zur einstufigen Gemeinkostenplanung besteht darin, daß die Grundmengen nicht nur für einen einzigen Beschäftigungsgrad (die Basisbeschäftigung) zu planen sind, sondern für eine ganze Reihe von Beschäftigungsgraden. Da es praktisch unmöglich ist, alle nur denkbaren Beschäftigungssituationen in der Planung zu berücksichtigen, beschränkt man sich meist auf Intervalle von 5% oder 10% der Kapazität. Da auch der unterste Bereich der Kapazitätsauslastung regelmäßig irrelevant ist, würde es meist genügen, Grundmengen beispielsweise für die Beschäftigungsgrade von 50%, 60%, 70%, 80%, 90%, 100% und eventuell noch 110% der Kapazität[13] zu erfassen.

---

[13] Eine 110%ige Kapazitätsauslastung ist naturgemäß nur möglich, wenn man unter Kapazität nicht die technisch maximale Ausbringung, sondern die wirtschaftliche Vollbeschäftigung versteht, bei der die Stückkosten ihr Minimum erreichen (Betriebsoptimum).

Die mehrstufige Gemeinkostenplanung ist damit erheblich aufwendiger als die einstufige Gemeinkostenplanung. Ihr entscheidender Vorteil ist darin zu sehen, daß sie eine **Berücksichtigung nichtlinearer Kostenabhängigkeiten** (etwa infolge intensitätsmäßiger Anpassungsprozesse) erlaubt, während die einstufige Gemeinkostenplanung stets von der Prämisse linearer Kostenverläufe ausgeht.

Bei der mehrstufigen Gemeinkostenplanung werden zwar bereits bei der Grundmengenplanung die Standardkosten für verschiedene Beschäftigungsgrade ermittelt, doch ist auch hier stets eine Umrechnung erforderlich, wenn die Planbeschäftigung nicht genau mit einem der Beschäftigungsgrade übereinstimmt, die im Stufenplan enthalten sind. Die Plankosten der Planbeschäftigung erhält man dann durch **lineare Interpolation** aus den benachbarten Werten des Stufenplans. Hierzu ein Beispiel:

Im Zuge der Grundmengenplanung ist für eine bestimmte Gemeinkostenart der folgende Stufenplan aufgestellt worden:

Beschäftigung	Periodenkosten
600 Stunden	13 000 DM
700 Stunden	13 700 DM
800 Stunden	14 450 DM
900 Stunden	15 200 DM
1 000 Stunden	16 000 DM
1 100 Stunden	16 800 DM
1 200 Stunden	17 750 DM
1 300 Stunden	19 000 DM

Für November nächsten Jahres wird eine Beschäftigung von 1 120 Stunden geplant. Die Plankosten der Planbeschäftigung betragen dann

$$16\,800 + \frac{20}{100} \cdot (17\,750 - 16\,800) = 16\,990 \text{ DM}.$$

Für die Ermittlung der Plankosten der Istbeschäftigung im Zuge der Abweichungsanalyse gilt naturgemäß das gleiche: Auch sie werden durch lineare Interpolation aus dem Stufenplan gewonnen.

5.2.2.4 Der Preisansatz für die Gemeinkosten

Im Grundsatz unterscheidet sich die Preisplanung für die Gemeinkosten nicht von der Planung der Preise für die Einzelkosten. So sind in der Budgetkostenrechnung die geplanten Verbrauchsmengen mit den für die Zukunft erwarteten Marktpreisen zu bewerten, die grundsätzlich für jede Planungsperiode neu festzusetzen sind. In der Standardkostenrechnung erfolgt dagegen die Bewertung mit festen Verrechnungspreisen, die über einen längeren Zeitraum konstant gehalten werden, sich aber dennoch an den Marktpreisen orientieren sollten.

Im Gegensatz zu den Einzelkosten werden jedoch bei den Gemeinkosten in der Praxis stets für einen mehr oder weniger großen Teil der Kostengüter **überhaupt keine Planpreise** festgesetzt, weil dies entweder nicht möglich oder weil es unwirtschaftlich ist, diese Güterarten in das Planpreissystem mit einzubeziehen. Unwirtschaftlich ist es beispielsweise bei Kleinmaterialien (insbesondere Reparaturmaterialien), die relativ billig sind und in verhältnismäßig kleinen Mengen benötigt werden, sich aber aus einer großen Zahl unterschiedlicher Materialarten zusammensetzen. Eine detaillierte Preisplanung würde hier im allgemeinen viel zu aufwendig sein.

In anderen Fällen ist es nicht unwirtschaftlich, sondern praktisch unmöglich, Planpreise festzusetzen. Dies gilt für alle Kosten, bei denen die Trennung in eine Mengen- und eine Preiskomponente auf praktische Schwierigkeiten stößt. Zu diesen Kosten muß man vor allem einen Großteil der Dienstleistungen rechnen wie Reparaturleistungen, Gebühren und Beiträge an Behörden und Verbände, Leistungen der Betriebsberater, Steuerberater, Wirtschaftsprüfer oder der beratenden Ingenieure, ferner einen Teil der Post- und Fernmeldeleistungen sowie die Reise- und Bewirtungsspesen.

In der Praxis werden letzten Endes nur solche Kostengüter in das Planpreissystem einbezogen, für die sich erstens ein eindeutig definierbares Mengengerüst festlegen läßt, die zweitens regelmäßig und in größeren Stückzahlen beschafft werden und deren Kosten drittens so hoch sind, daß der Verzicht auf die Eliminierung der Preisabweichungen die Kostenkontrolle erheblich stören würde[14].

Bei Kostengütern, die aus den oben erwähnten Gründen nicht in das Planpreissystem einbezogen sind, werden in der Budgetkostenrechnung keine Preisabweichungen ermittelt und in der Standardkostenrechnung die Istkosten mit den Istpreisen anstelle von Festpreisen bewertet. Die Folge davon ist, daß die Verbrauchsabweichungen nicht nur den mengenmäßigen Mehr- oder Minderverbrauch an Kostengütern ausweisen, sondern auch die Einflüsse von Änderungen der Kostengüterpreise enthalten und damit keine zuverlässige Aussage mehr über den erreichten Technizitätsgrad liefern können.

5.2.2.5 Die Verteilung der Plangemeinkosten

Werden die Kostenträger zu Plankosten abgerechnet, müssen die Plangemeinkosten von den Kostenstellen auf die Kostenträger verteilt werden. In der Budgetkostenrechnung ist eine solche Verteilung der Gemeinkosten stets erforderlich, da es anders nicht möglich wäre, den geplanten kalkulatorischen Erfolg zu ermitteln. In der Standardkostenrechnung ist dagegen eine Verteilung der Plangemeinkosten auf die Kostenträger grundsätzlich nicht notwendig, solange die Zielsetzung hier ausschließlich in der Überwachung der Technizität in den Fertigungskostenstellen besteht. In der Praxis wird jedoch auch hier meist eine Verteilung der Standardgemeinkosten vorgenommen, insbesondere wenn Standard- und Budgetkostenrechnung miteinander verbunden sind oder wenn die Standardkostenrechnung organisatorisch in die Istkostenrechnung einbezogen ist.

Für die Verteilung der geplanten Einzelkosten ergeben sich keinerlei rechentechnische Schwierigkeiten, da sie den Kostenträgern direkt zurechenbar sind. Für die Verteilung der Gemeinkosten werden in den Kostenstellen **Plankosten-Verrechnungssätze** gebildet, die man durch Division der Plangemeinkosten durch die geplante Kostenstellenbeschäftigung erhält. Soweit bei der Kostenplanung mehrere Maßstäbe für die Kostenstellenbeschäftigung verwandt wurden, ist es zweckmäßig, auch für die Verteilung der Plangemeinkosten auf die Kostenträger mehrere Zuschlagsgrundlagen nebeneinander zu verwenden. In der Praxis

---

14 Vgl. Kilger, Wolfgang, a.a.O., S. 205f.

werden jedoch auch in diesen Fällen häufig die Gemeinkosten mit Hilfe einer einzigen Zuschlagsbasis verrechnet, um die Kostenträgerrechnung nicht zu sehr zu komplizieren.

In einer auf Vollkosten basierenden flexiblen Plankostenrechnung enthalten die Plankosten-Verrechnungssätze die vollen Gemeinkosten, in einer Grenzplankostenrechnung nur die variablen Gemeinkosten.

5.3 Kostenkontrolle

Ebenso wie die Kostenplanung erfolgt auch die Ermittlung der Soll/Ist-Abweichungen getrennt nach Kostenstellen, da nur auf diese Weise die Kostenstellenleiter für die in ihrem Verantwortungsbereich aufgetretenen Unwirtschaftlichkeiten zur Rechenschaft gezogen werden können. Innerhalb einer Kostenstelle werden die Abweichungen wiederum kostenartenweise ermittelt, d.h. es werden beispielsweise die geplanten Stromkosten in der Dreherei mit dem tatsächlichen Stromverbrauch in dieser Kostenstelle verglichen.

Die **Gesamtabweichung** einer Kostenart innerhalb einer Kostenstelle erhält man durch Subtraktion der Plankosten von den Istkosten. Für eine wirksame Kostenkontrolle ist die Errechnung dieser Gesamtabweichung allerdings nicht ausreichend. Zur Ermittlung der Ursachen von Kostenüber- oder -unterschreitungen muß die Gesamtabweichung in **Teilabweichungen** aufgespalten werden, von denen jede die Auswirkungen einer bestimmten Kosteneinflußgröße erkennen läßt. Die wichtigsten Teilabweichungen sind die Preisabweichungen, die Beschäftigungsabweichungen, die Verbrauchsabweichungen sowie die Programm- und Verfahrensabweichungen.

5.3.1 Das Problem der Abweichungsinterdependenz

Bei der Zerlegung der Gesamtabweichung in Teilabweichungen sind besondere Zurechnungsprobleme zu lösen, die auf die Existenz funktionaler Beziehungen zwischen einigen Kosteneinflußgrößen zurückgeführt werden können. Dieses Problem wird von *Kilger* als Abweichungsinterdependenz bezeichnet[15].

Die Interdependenz der Teilabweichungen soll hier zunächst an einem stark vereinfachten Beispiel von nur zwei Kosteneinflußgrößen, den Kostengütermengen und den Kostengüterpreisen, dargestellt werden. Zwischen den Gütermengen und den Güterpreisen besteht ein funktionaler Zusammenhang, da die Kosten stets ein Produkt aus einer Menge und einem Preis sind. Als Beispiel möge für das Hilfsmaterial „Farbloser Lack" ein Verbrauch von 200 kg zum Preise von 4,10 DM/kg geplant worden sein. Der tatsächliche Verbrauch belief sich jedoch auf 220 kg Lack zum Preis von 4,50 DM/kg. Hieraus errechnen sich Istkosten von 990 DM, Plankosten von 820 DM und eine Gesamtabweichung von 170 DM.

---

[15] Eine ausführliche Darstellung des Problems der Abweichungsinterdependenz findet sich bei Kilger, Wolfgang, a.a.O., S. 169-174.

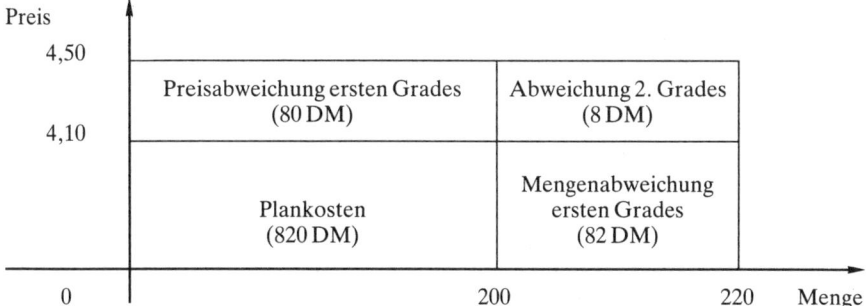

Abb. 34: Abweichungsinterdependenz

Die Abbildung 34 zeigt, daß die Gesamtabweichung von 170 DM aus **drei Abwei-chungskomponenten** besteht:

(1) aus der **Mengenabweichung ersten Grades** in Höhe von 82 DM, die auf den Mehrverbrauch von 20 kg Lack, bewertet mit dem Planpreis von 4,10 DM/ kg, zurückzuführen ist;

(2) aus der **Preisabweichung ersten Grades** in Höhe von 80 DM, die auf der Preissteigerung von 0,40 DM/kg, multipliziert mit dem Planverbrauch von 200 kg, beruht;

(3) aus der sog. **Abweichung zweiten Grades** in Höhe von 8 DM, die sich durch Multiplikation der Mengendifferenz von 20 kg mit der Preisdifferenz von 0,40 DM/kg ergibt.

Die erste Komponente der Gesamtabweichung ist der Kosteneinflußgröße „Gütermenge" eindeutig zurechenbar; ebenso kann die zweite Komponente der Kosteneinflußgröße „Güterpreise" eindeutig zugeordnet werden. Für die dritte Abweichungskomponente ist dagegen eine eindeutige Zuordnung zu einer der beiden Kosteneinflußgrößen nicht möglich.

Wenn auch das Zuordnungsproblem der Abweichung zweiten Grades nicht richtig gelöst werden kann, so ist es für eine wirksame Wirtschaftlichkeitskontrolle dennoch erforderlich, die Gesamtabweichung in einzelne Teilabweichungen zu zerlegen. Hierfür kommen vor allem zwei Methoden in Frage, die *Kilger* als alternative und kumulative Abweichungsanalyse bezeichnet. Weitere Methoden, wie z.B. die proportionale Verteilung der Abweichung zweiten Grades (Sekundärabweichung) auf die Abweichungen ersten Grades (Primärabweichungen), haben keinerlei praktische Bedeutung.

Bei der **alternativen Abweichungsanalyse** erhält man die auf eine bestimmte Kosteneinflußgröße zurückführbaren Kostenabweichungen als Differenz zwischen den Istwerten und den Planwerten dieser Kosteneinflußgröße, multipliziert mit den Istwerten aller anderen Kosteneinflußgrößen. Für unser Beispiel ergibt sich

– als Mengenabweichung ein Betrag von 20 kg · 4,50 DM/kg = 90 DM,
– als Preisabweichung ein Betrag von 0,40 DM/kg · 220 kg = 88 DM.

Hierbei zeigt sich, daß die auf die Abweichungsinterdependenz zurückgehende Sekundärabweichung jeweils in beiden Teilabweichungen gleichzeitig enthalten ist, so daß die Summe der Teilabweichungen um 8 DM größer ist als die Gesamtabweichung. Wegen dieser Mehrfacherfassung bestimmter Abweichungskomponenten wird die alternative Abweichungsanalyse in der Praxis kaum angewandt, obwohl die so ermittelten Teilabweichungen eine relativ große Aussagefähigkeit besitzen.

Bei der **kumulativen Abweichungsanalyse** wird die Abweichung zweiten Grades nicht doppelt erfaßt, sondern nur einer der beiden Teilabweichungen zugeordnet, und zwar derjenigen, die zuerst ermittelt wird. Damit ist jedoch die Höhe der einzelnen Teilabweichungen von der Reihenfolge abhängig, in der die Abweichungen ermittelt werden. In der Praxis werden stets die Preisabweichungen an erster Stelle ermittelt, so daß in unserem Beispiel die Abweichung zweiten Grades in diese Preisabweichung mit eingeht, nicht aber in die anschließend zu ermittelnde Mengenabweichung. Damit ergibt sich

– als Preisabweichung ein Betrag von 0,40 DM/kg · 220 kg = 88 DM,
– als Mengenabweichung ein Betrag von 20 kg · 4,10 DM/kg = 82 DM.

Werden die Auswirkungen von mehr als zwei Kosteneinflußgrößen auf die Höhe der Abweichungen analysiert, ergeben sich auch **Abweichungskomponenten höheren Grades**. So entstehen beispielsweise bei drei Kosteneinflußgrößen, zwischen denen funktionale Beziehungen vorhanden sind, schon insgesamt

drei Abweichungen ersten Grades,
drei Abweichungen zweiten Grades und
eine Abweichung dritten Grades.

Allgemein kann die Zahl der Abweichungen höheren Grades aus der folgenden Tabelle entnommen werden:

Anzahl der Kosten-einflußgrößen	Anzahl der Abweichungen					
	1. Grades	2. Grades	3. Grades	4. Grades	5. Grades	6. Grades
1	1	–	–	–	–	–
2	2	1	–	–	–	–
3	3	3	1	–	–	–
4	4	6	4	1	–	–
5	5	10	10	5	1	–
6	6	15	20	15	6	1
...	...	...	...	...	...	...

usw. analog zum Aufbau des aus der Mathematik bekannten Pascalschen Dreiecks[16].

Abschließend ein **Zahlenbeispiel mit drei Kosteneinflußgrößen:**

Gegenstand der Abweichungsanalyse sei die Kostenart „Kraftstrom" für eine Fertigungskostenstelle, deren Beschäftigung in Maschinenstunden gemessen wird. Es soll davon ausgegangen werden, daß sich die Kosten für den Kraftstrom voll proportional mit der Beschäftigungsmaßgröße verändern (Variator = 10). Folgende Plan- und Istwerte werden zugrunde gelegt:

---

[16] Die Zahlen des Pascalschen Dreiecks sind die Binomialkoeffizienten von $(a + b)^n$.

	geplant	realisiert	
Beschäftigung	1 300	1 350	Std./Monat
Verbrauch	30	32	kW
Preis	0,118	0,125	DM/kWh

Daraus errechnen sich Plankosten von 4 602 DM, Istkosten von 5 400 DM und eine Gesamtabweichung von 798 DM.

Die Gesamtabweichung setzt sich wie folgt zusammen:

Abweichungen ersten Grades:

Beschäftigungsabweichung	$=$	$50 \cdot 30 \cdot 0{,}118 =$	177,00 DM
Verbrauchsabweichung	$=$	$1\,300 \cdot 2 \cdot 0{,}118 =$	306,80 DM
Preisabweichung	$=$	$1\,300 \cdot 30 \cdot 0{,}007 =$	273,00 DM

Abweichungen zweiten Grades:

Beschäftigungs-/Verbrauchsabweichung	$=$	$50 \cdot 2 \cdot 0{,}118 =$	11,80 DM
Beschäftigungs-/Preisabweichung	$=$	$50 \cdot 30 \cdot 0{,}007 =$	10,50 DM
Verbrauchs-/Preisabweichung	$=$	$1\,300 \cdot 2 \cdot 0{,}007 =$	18,20 DM
Abweichung dritten Grades	$=$	$50 \cdot 2 \cdot 0{,}007 =$	0,70 DM
		Gesamtabweichung $=$	798,00 DM

Durch alternative Abweichungsanalyse erhält man

– eine Beschäftigungsabweichung von	$50 \cdot 32 \cdot 0{,}125$	$=$	200,00 DM
– eine Verbrauchsabweichung von	$1\,350 \cdot 2 \cdot 0{,}125$	$=$	337,50 DM
– eine Preisabweichung von	$1\,350 \cdot 32 \cdot 0{,}007$	$=$	302,40 DM
	Summe	$=$	839,90 DM
	Gesamtabweichung	$=$	798,00 DM
	Differenz	$=$	41,90 DM

Die Differenz von 41,90 DM entsteht dadurch, daß die Abweichungen zweiten Grades doppelt und die Abweichung dritten Grades dreifach erfaßt worden sind. Die Summe von 839,90 DM ist also um 11,80 + 10,50 + 18,20 + 0,70 + 0,70 = 41,90 DM höher als die Gesamtabweichung.

Durch kumulative Abweichungsanalyse erhält man

– eine Preisabweichung von	$1\,350 \cdot 32 \cdot 0{,}007$	$=$	302,40 DM
– eine Verbrauchsabweichung von	$1\,350 \cdot 2 \cdot 0{,}118$	$=$	318,60 DM
– eine Beschäftigungsabweichung von	$50 \cdot 30 \cdot 0{,}118$	$=$	177,00 DM
	Summe = Gesamtabweichung	$=$	798,00 DM

Zu beachten ist, daß die hier aufgezeigten Berechnungsmodi für die alternative und die kumulative Abweichungsanalyse nur für Kostenarten gelten, die sich proportional mit der Beschäftigung verändern (Variator = 10). Bei Variatoren, die kleiner sind als 10, muß der Verbrauch in einen variablen und einen fixen Teil aufgespalten werden. Auf die Darstellung eines weiteren Beispiels hierzu kann jedoch verzichtet werden.

Die Darstellung in den folgenden Kapiteln beschränkt sich auf die kumulative Abweichungsanalyse, da die alternative Abweichungsanalyse keine nennenswerte praktische Bedeutung hat. Selbstverständlich werden in den folgenden Beispielen auch Variatoren, die kleiner als 10 sind, berücksichtigt.

5.3.2 Die Zerlegung der Gesamtabweichung in Teilabweichungen

Im Hinblick auf die Technik der Ermittlung der Gesamtabweichung und damit auch bestimmter Teilabweichungen zeigen sich Unterschiede zwischen einer Standard- und einer Budgetkostenrechnung. In der Budgetkostenrechnung werden zur Bestimmung der Gesamtabweichung den Istkosten einer Abrechnungsperiode die für diese Periode geplanten Kosten gegenübergestellt, während sich die Gesamtabweichung in der Standardkostenrechnung als Differenz zwischen den Istkosten einer Abrechnungsperiode und den auf die Kostenträger in dieser Periode verrechneten Plankosten ergibt.

Beispiel:

Der Stromverbrauch in der Kostenstelle Dreherei betrug im November 2700 kWh zu einem Preis von 0,22 DM/kWh bei einer Beschäftigung von 720 Maschinenstunden. Geplant war für diesen Monat ein Verbrauch von 2560 kWh zu einem Preis von 0,20 DM/kWh bei einer Beschäftigung von 640 Maschinenstunden.

Istkosten der Periode	=	$2700 \cdot 0,22$	=	594 DM
Plankosten der Periode	=	$2560 \cdot 0,20$	=	512 DM
Gesamtabweichung in der Budgetkostenrechnung	=			+ 82 DM
Istkosten der Periode	=	$2700 \cdot 0,22$	=	594 DM
Verrechnete Plankosten	=	$512 : 640 \cdot 720$	=	576 DM
Gesamtabweichung in der Standardkostenrechnung	=			+ 18 DM

5.3.2.1 Ermittlung von Preisabweichungen

Preisabweichungen beruhen auf der Differenz zwischen den erwarteten Marktpreisen und den tatsächlich gezahlten Preisen für die Kostengüter. In einer Budgetkostenrechnung zeigen sie an, inwieweit der geplante Gewinn durch die effektiven Preise für die Kostengüter verändert wurde, und besitzen damit eine gewisse Lenkungsfunktion. Die Preisabweichungen werden wie folgt ermittelt:

Istkosten zu Istpreisen
− Istkosten zu Planpreisen
= Preisabweichung

Unter Verwendung der Zahlen aus dem obigen Beispiel ergibt sich folgende Rechnung:

Istkosten zu Istpreisen	=	$2700 \cdot 0,22$	=	594 DM
Istkosten zu Planpreisen	=	$2700 \cdot 0,20$	=	540 DM
Preisabweichung			=	+ 54 DM

Bei lagerfähigen Einsatzgütern kann die Erfassung der Preisabweichungen entweder bereits **beim Zugang der Kostengüter** oder erst im Zeitpunkt ihres Verbrauchs erfolgen. In der Praxis werden die Materialien überwiegend bereits bei ihrem Eingang in die Unternehmung auf Planpreise umbewertet und die Buchungen auf den Materialbestandskonten dementsprechend ausschließlich mit Planpreisen durchgeführt. Die eingehenden Materialien werden mit ihren Ist-Einstandspreisen auf besonderen Preisdifferenzbestandskonten belastet (für jedes Materialbestandskonto ein Preisdifferenzbestandskonto!) und von dort zu Planpreisen auf die Materialbestandskonten übernommen. Der Materialverbrauch, bewertet zu Planpreisen, wird den Materialkostenkonten belastet bei gleichzeitiger Gutschrift dieser Beträge auf den Materialbestandskonten. Der Saldo auf jedem Preisdifferenzbestandskonto weist nun die gesamte Preisdifferenz aus, die zu einem Teil auf den Materialverbrauch und zum anderen Teil auf den Materialbestand entfällt. Der auf den Materialverbrauch entfallende Teil der Preisdifferenz ist in die Betriebsabrechnung auf ein Preisdifferenzkostenkonto zu übernehmen und wird von dort entweder summarisch auf das Betriebsergebniskonto übertragen oder (seltener) nachträglich auf die Kostenträger verteilt. Die Preisdifferenzkosten verhalten sich zur gesamten Preisdifferenz wie der Materialverbrauch zu dem gesamten verfügbaren Material (= Summe aus Anfangsbestand und Zugängen oder Summe aus Verbrauch und Endbestand).

Bei der zweiten Methode, der Erfassung der Preisabweichungen im Zeitpunkt des Materialverbrauchs, werden auf dem Materialbestandskonto der Anfangsbestand, die Zugänge und der Endbestand zu Istpreisen und nur der Verbrauch zu Planpreisen gebucht. Der danach auf dem Materialbestandskonto verbleibende Saldo sind die Preisdifferenzkosten, die in die Betriebsabrechnung übernommen werden.

Die zweite Methode hat gegenüber der ersten den Vorzug einer einfacheren Handhabung. Sie ist aber grundsätzlich nur dann anwendbar, wenn für jede Materialart ein besonderes Materialbestandskonto geführt wird, da sonst die Ermittlung der durchschnittlichen Einstandspreise auf Schwierigkeiten stößt. Da in der Praxis die Materialbestandskonten meist Gruppenkonten sind, wird dort der ersten Methode, der Erfassung der Preisabweichungen im Zeitpunkt des Materialzugangs, häufig der Vorzug gegeben. Da die Verteilung der Preisdifferenzen auf Verbrauch und Bestand hier auf Wertbasis vorgenommen wird, entsteht allerdings ein Fehler, der um so größer ist, je mehr sich die Mengenrelationen und die absolute Höhe der Preisabweichungen zwischen den einzelnen, auf einem Konto zusammengefaßten Materialarten unterscheiden. Wenn irgend möglich, sollte daher für jede Materialart ein besonderes Bestandskonto geführt werden, um eine richtige Bewertung der Bestände sicherzustellen.

5.3.2.2 Ermittlung von Beschäftigungsabweichungen

Beschäftigungsabweichungen treten in einer auf Vollkosten basierenden flexiblen Plankostenrechnung auf, wenn die effektive Beschäftigung nicht mit der geplanten Auslastung der Kapazität übereinstimmt. Die Plankosten der Planbeschäftigung müssen dann umgerechnet werden in die Plankosten der Istbeschäftigung. Letztere werden in der Literatur wie in der Praxis häufig als **Sollkosten** bezeichnet.

Bei der Umrechnung ist zu beachten, daß sich die Kosten meist aus variablen und fixen Bestandteilen zusammensetzen. Gehen wir in unserem eingangs gewählten Zahlenbeispiel davon aus, daß für die Stromkosten in der Dreherei ein Variator von 7,5 bzw. 75% (bezogen auf die Planbeschäftigung von 640 Maschinenstunden) gilt, so errechnen sich die Plankosten der Istbeschäftigung wie folgt:

Plankosten der Planbeschäftigung	=	$2560 \cdot 0{,}20$ =	512 DM
Variable Plankosten der Planbeschäftigung	=	$0{,}75 \cdot 512$ =	384 DM
Fixe Plankosten		=	128 DM
Variable Plankosten der Istbeschäftigung	=	$384 : 640 \cdot 720$ =	432 DM
Plankosten der Istbeschäftigung (Sollkosten)		=	560 DM

Für die Ermittlung der Beschäftigungsabweichungen ergeben sich bedeutsame Unterschiede zwischen Standard- und Budgetkostenrechnung. In der **Budgetkostenrechnung** zeigen die Beschäftigungsabweichungen an, inwieweit die Mehr- oder Minderauslastung der Kapazität den geplanten Gewinn beeinflußt hat[17]. Sie werden wie folgt ermittelt:

> Plankosten der Istbeschäftigung
> − Plankosten der Planbeschäftigung
> _____
> = Beschäftigungsabweichung

In unserem Beispiel ergibt sich folgende Rechnung:

Plankosten der Istbeschäftigung	=	560 DM
Plankosten der Planbeschäftigung	=	512 DM
Beschäftigungsabweichung	=	+ 48 DM

Die Beschäftigungsabweichungen in der Budgetkostenrechnung beinhalten damit **die infolge der Überbeschäftigung zusätzlich anzusetzenden variablen Plankosten** (= 80 Stunden zu 0,60 DM) und besitzen nur eine sehr geringe Aussagefähigkeit.

In der **Standardkostenrechnung** haben die Beschäftigungsabweichungen einen gänzlich anderen Inhalt. Ermittelt werden sie wie folgt:

> Plankosten der Istbeschäftigung
> − auf die Kostenträger verrechnete Plankosten
> _____
> = Beschäftigungsabweichung

In unserem Beispiel ergibt sich folgende Rechnung:

Plankosten der Istbeschäftigung	=	560 DM
Verrechnete Plankosten = $512 : 640 \cdot 720$	=	576 DM
Beschäftigungsabweichung	=	− 16 DM

Die Beschäftigungsabweichungen in der Standardkostenrechnung weisen somit **die infolge der Überbeschäftigung auf die Kostenträger zu viel verrechneten Fixkosten** aus. Strenggenommen handelt es sich bei diesen Kostendifferenzen gar nicht um echte Kostenabweichungen, sondern, wie es *Kilger* treffend formuliert, nur um „kalkulatorische Verrechnungsabweichungen zwischen der Kostenstellen- und der Kostenträgerzeitrechnung"[18]. Die Abweichungsermittlung ist damit nur eine Deckungskontrolle für die fixen Kosten. Bei Unterbeschäftigung deckt

---

[17] Darüber hinaus wirkt sich eine veränderte Beschäftigung selbstverständlich auch über die Erlöse auf die Höhe des Gewinns aus.

[18] Kilger, Wolfgang, a.a.O., S. 578.

die Kostenträgerzeitrechnung nicht sämtliche in den Kostenstellen angefallenen Fixkosten, bei Überbeschäftigung werden durch die Kostenträgerrechnung mehr fixe Kosten gedeckt, als in Wirklichkeit in den Kostenstellen angefallen sind. Entspricht die effektive Beschäftigung genau der Planbeschäftigung, dann sind sämtliche entstandene Fixkosten genau durch die auf die Kostenträger verrechneten Kosten gedeckt, und es entstehen keine Beschäftigungsabweichungen. In dem Extremfall, daß die Istbeschäftigung gleich Null ist, entsteht eine Beschäftigungsabweichung in Höhe der vollen Fixkosten.

In der Standardkostenrechnung ist die Aussagefähigkeit der Beschäftigungsabweichungen am größten, wenn man die Vollbeschäftigung als Planbeschäftigung vorgibt. Die Beschäftigungsabweichungen weisen dann die gesamten Leerkosten (d.s. die auf die ungenutzte Kapazität entfallenden Fixkosten) aus und können damit Hinweise auf eine eventuelle Überdimensionierung bestimmter Teilkapazitäten geben.

Abschließend sei darauf hingewiesen, daß in einer Standardkostenrechnung auf Grenzkostenbasis Beschäftigungsabweichungen nicht auftreten können, weil ja keine fixen Kosten auf die Kostenträger verrechnet werden. Wird dagegen eine Budgetkostenrechnung auf Grenzkostenbasis durchgeführt, treten dort selbstverständlich Beschäftigungsabweichungen auf, da sie dort die infolge der veränderten Beschäftigung mehr oder weniger anzusetzenden variablen Kosten („Grenzkosten") beinhalten.

5.3.2.3 Ermittlung von Verbrauchsabweichungen

In der Erfassung der Verbrauchsabweichungen zeigen sich keine Unterschiede zwischen einer Standard- und einer Budgetkostenrechnung. Die Verbrauchsabweichungen zeigen an, inwieweit die tatsächlich verbrauchten Gütermengen mit dem geplanten Verbrauch (z.B. dem erwarteten Verbrauch, dem optimalen Verbrauch oder dem normalen Verbrauch) übereinstimmen. Da sie über den Grad der erreichten Technizität Aufschluß geben, bilden die Verbrauchsabweichungen **das eigentliche Ermittlungsziel jeder Standardkostenrechnung**. In der Budgetkostenrechnung bilden die Verbrauchsabweichungen zwar nur eine von mehreren Komponenten, die eine Abweichung vom geplanten (erwarteten) Gewinn hervorrufen, wohl aber die wichtigste Komponente, da hier innerbetrieblich die größten Möglichkeiten bestehen, auf Kostenüberschreitungen Einfluß zu nehmen. Die Verbrauchsabweichungen werden wie folgt ermittelt:

> Istkosten zu Planpreisen
> − Plankosten der Istbeschäftigung
> -----
> = Verbrauchsabweichung

Man gelangt, wie die Abbildung 35 zeigt, zu den Verbrauchsabweichungen quasi von zwei Seiten her: Die Istkosten werden einerseits von den Preisabweichungen bereinigt, und auf der anderen Seite werden die Plankosten der Planbeschäftigung in die Plankosten der Istbeschäftigung (Sollkosten) umgerechnet. Erst dann kann die Verbrauchsabweichung als Differenz zwischen den Istkosten zu Planpreisen und den Plankosten der Istbeschäftigung ermittelt werden.

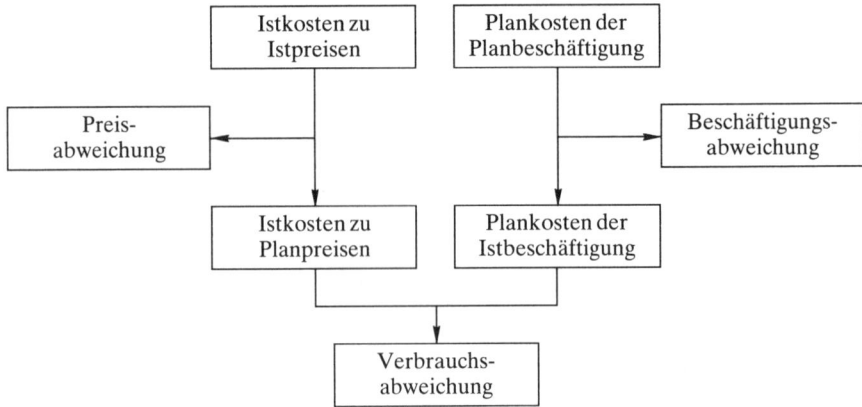

Abb. 35:   Ermittlung der Verbrauchsabweichung

Unter Verwendung der Zahlen aus dem eingangs gewählten Beispiel ergibt sich folgende Rechnung:

Istkosten zu Planpreisen   =   540 DM
Plankosten der Istbeschäftigung   =   560 DM
Verbrauchsabweichung   = − 20 DM

Zur Kontrolle sollen abschließend die Teilabweichungen addiert und mit der Gesamtabweichung, die wir zu Beginn des Kapitels 5.3.2 errechnet hatten, verglichen werden:

	Budget- kostenrechnung	Standard- kostenrechnung
Preisabweichung	+54 DM	+ 54 DM
Beschäftigungsabweichung	+48 DM	−16 DM
Verbrauchsabweichung	−20 DM	−20 DM
Gesamtabweichung	+82 DM	+18 DM

5.3.2.4 Programm- und Verfahrensabweichungen

Änderungen im Produktionsverfahren, die beispielsweise durch eine andere Art oder andere Qualität der Einsatzmaterialien oder der verwendeten Betriebsmittel hervorgerufen werden, sowie Änderungen im artmäßigen Produktprogramm der Unternehmung bewirken stets den Übergang zu einer anderen Produktionsfunktion und damit auch zu einer anderen Kostenfunktion. Bei der Erfassung der Plankosten geht man aber zunächst von einer bestimmten Produktionsfunktion aus, leitet die Plankosten für alternative Beschäftigungsgrade aus dieser Produktionsfunktion ab und unterstellt damit, daß sowohl das Programm als auch die Verfahren unverändert bleiben.

Hat die Unternehmung nun zwischenzeitlich, d.h. nach Durchführung der Kostenplanung, ihr artmäßiges Produktprogramm geändert (und damit stets auch das Verfahren) oder hat sie ausschließlich die Verfahren zur Herstellung des unveränderten Produktprogramms abgewandelt, wird es infolge der veränderten Produktionsfunktion notwendig, für jeden Beschäftigungsgrad neue Plankosten zu ermitteln bzw. die alten Plankosten zu berichtigen. Die Differenz zwischen den neuen und den alten Plankosten kann man als Programm- und Verfahrensabweichung bezeichnen. Sowohl die Beschäftigungsabweichungen als auch die Verbrauchsabweichungen sind dann auf der Basis der neuen Produktionsfunktion, d.h. unter Zugrundelegung der neuen Plankosten, zu ermitteln.

Geringfügige Änderungen im Produktprogramm wie auch im Produktionsverfahren bleiben in der Praxis häufig unberücksichtigt, d.h. man verzichtet aus Vereinfachungsgründen auf die Ermittlung neuer Plankosten, da eine solche Änderung der Plankosten auch die Revision aller abhängigen Pläne nach sich ziehen würde. Die Folge hiervon ist eine verfälschte Verbrauchsabweichung, da die Einflüsse sämtlicher Kostenbestimmungsfaktoren, die nicht in Form besonderer Teilabweichungen aus der Gesamtabweichung eliminiert worden sind, sich mit den Einflüssen der Technizität in der Verbrauchsabweichung mischen. Es ist dann eine schwierige Aufgabe der Kostenauswertung, die Einflüsse eines veränderten Produktprogramms oder veränderter Produktionsverfahren nachträglich aus der Verbrauchsabweichung zu eliminieren, um eine brauchbare Aussage über den erreichten Technizitätsgrad zu erhalten.

5.3.3 Die Verteilung der Soll/Ist-Abweichungen

Für die organisatorische Gestaltung des Zusammenhangs zwischen der Istkostenrechnung und einer Plankostenrechnung gibt es in der Praxis zwei Möglichkeiten: das Parallelverfahren und das gemischte Verfahren.

a) Beim **Parallelverfahren** werden Plan- und Istkostenrechnung völlig getrennt nebeneinander geführt. Ein formaler Zusammenhang zwischen den beiden Rechnungen besteht nicht.

b) Beim **gemischten Verfahren** wird nur eine gemeinsame Kostenstellen- und Kostenträgerrechnung geführt, die sowohl die Plankosten als auch die Istkosten aufnimmt. Die Kostenträgerbestands- und -erfolgskonten werden hier zunächst mit Plankosten belastet und später nach Erfassung der Istkosten und der Soll/Ist-Abweichungen berichtigt.

Das Problem der Verteilung der ermittelten Soll/Ist-Abweichungen auf die Kostenträger tritt nur beim gemischten Verfahren auf, da die Kostenträger beim Parallelverfahren ohnehin in einer separaten Rechnung mit den Istkosten belastet werden.

Beim gemischten Verfahren werden die den Kostenträgern belasteten Plankosten zunächst den Kostenstellenkonten gutgeschrieben. Nach Ablauf der Planungsperiode werden die angefallenen Istkosten nach ihrer Umbewertung auf Planpreise ebenfalls den Kostenstellenkonten belastet und stehen nun dort den verrechneten Plankosten gegenüber. Die Differenzen stellen die gesamten Soll/Ist-Abweichungen dar, beinhalten also sowohl Beschäftigungs- als auch Verbrauchsabweichungen und gegebenenfalls auch Programm- und Verfahrensabweichungen. Hier taucht nun die Frage auf, wie diese Soll/Ist-Abweichungen weiterverrechnet werden sollen. Es gibt drei organisatorische Möglichkeiten:

a) Die Abweichungen werden überhaupt nicht auf die Kostenträger verteilt, sondern **geschlossen in die Betriebsergebnisrechnung** überführt. Als Begründung für dieses sehr einfache Verfahren wird häufig angeführt, daß die Kostenabweichungen in keinem unmittelbaren ursächlichen Zusammenhang mit den Kostenträgern stehen.

b) Die Soll/Ist-Abweichungen werden zwar auf die Kostenträger verteilt, jedoch erfolgt die Verteilung für sämtlich Kostenträger **nach einem einheitlichen Schlüssel** (z.B. als Zuschlagsprozentsatz auf die Planherstellkosten). Auch dieses Verfahren läßt sich noch relativ leicht durchführen, ist aber naturgemäß recht ungenau, weil es vor allem die unterschiedlich starke Inanspruchnahme der Kostenstellen durch die Kostenträger unberücksichtigt läßt.

c) Die Verteilung der Abweichungen erfolgt **individuell pro Kostenträger,** so daß die Erzeugnisse letzten Endes mit den genauen Istkosten belastet sind. Dieses Verfahren ist jedoch sehr aufwendig, da es praktisch eine zweimalige Durchführung der Kostenträgerrechnung (zuerst mit Plankosten und dann mit Istkosten) erfordert.

Beim Parallelverfahren fallen diese Umlageschwierigkeiten zwar fort, da hier Ist- und Plankostenrechnung sowohl in der Kostenstellen- als auch in der Kostenträgerrechnung völlig getrennt nebeneinander laufen, doch darf nicht verkannt werden, daß der zeitliche Aufwand hierfür praktisch ebenso groß ist wie bei der unter c) beschriebenen individuellen Abweichungsumlage im gemischten Verfahren.

5.3.4 Auswertung der Soll/Ist-Abweichungen

Mit der Ermittlung der Soll/Ist-Abweichungen ist das Ziel der Plankostenrechnung, die Wirtschaftlichkeit des Betriebsgeschehens zu überwachen und letzten Endes zu verbessern, noch nicht erreicht. Der Abweichungsermittlung muß stets eine Auswertung der entstandenen Soll/Ist-Abweichungen folgen, deren Ziel die Offenlegung der Ursachen für eventuelle Kostenüberhöhungen ist. Die Ergebnisse der Kostenauswertung werden meist in monatlichen Kostenberichten zusammengefaßt, die wiederum die Grundlage für regelmäßige Besprechungen der Kostenentwicklung zwischen den verantwortlichen Kostenstellenleitern und der Geschäftsführung bilden. Dabei sollte man im Falle einer überdurchschnittlichen Wirtschaftlichkeit den Verantwortlichen besondere Anerkennung zollen, jedoch auf der anderen Seite bei einer ungünstigen Entwicklung der Wirtschaftlichkeit allzu strenge Tadel vermeiden und das Schwergewicht lieber auf gemeinsam zu erörternde Maßnahmen zur Wirtschaftlichkeitssteigerung legen. Darüber hinaus kann in bestimmten Fällen, insbesondere bei den Materialeinzelkosten, durch die Entwicklung geeigneter Prämiensysteme ein besonderer materieller Anreiz zur Steigerung der Wirtschaftlichkeit geschaffen werden.

5.3.4.1 Die Auswertung der Preisabweichungen

Von besonderer Bedeutung für die Auswertung der Preisabweichungen ist die Frage, inwieweit die Einkäufer für die Entstehung von Preisabweichungen verantwortlich sind. Der Einkäufer hat zwar kaum eine Möglichkeit, auf die Entwicklung der Marktpreise für Einsatzgüter Einfluß zu nehmen, dennoch bieten sich ihm meist verschiedene Möglichkeiten, im konkreten Einzelfall auf die Höhe der Preise einzuwirken. So wird beispielsweise ein potenter Nachfrager durch geschickte Preisverhandlungen in vielen Fällen günstigere Preise erzielen können. Ferner lassen sich durch Vertragsabschlüsse über größere Mengen häufig erhebliche Rabatte erzielen, oder der Einkäufer kann bei stärkeren saisonalen Preisschwankungen für seine Beschaffungsgüter über die Wahl des günstigsten Beschaffungszeitpunktes Preisvorteile erreichen. Dabei muß allerdings in den beiden zuletzt genannten Fällen beachtet werden, daß der Einkauf relativ großer Mengen zu steigenden Zins- und Lagerkosten führt. Die Festlegung der Bestellmengen darf daher nicht allein im Ermessen des Einkäufers liegen, vielmehr sollten ressortübergreifend die optimalen Bestellmengen in Abhängigkeit von der Rabatthöhe bestimmt werden.

In aller Regel wird jedoch der größte Teil der Preisabweichungen durch außerbetriebliche Faktoren hervorgerufen sein, die nicht von den Einkäufern beeinflußbar sind, so daß die Preisabweichungen letzten Endes **keinen Maßstab für die Beurteilung des einkaufspolitischen Erfolges** bilden können. Dennoch sollten die Preisabweichungen nicht einfach als gegeben hingenommen, sondern wenigstens dem Versuch unterworfen werden, sie in einen vermeidbaren und einen unvermeidbaren Teil aufzuspalten. Wegen des hiermit verbundenen hohen Arbeitsaufwandes wird in der Praxis eine genauere Auswertung der Preisabweichungen stets auf die wichtigsten Materialarten beschränkt bleiben, bei denen die Preisabweichungen am stärksten zu Buche schlagen.

5.3.4.2 Die Auswertung der Beschäftigungsabweichungen

Die im Rahmen einer Budgetkostenrechnung auftretenden Beschäftigungsabweichungen werden keiner weiteren Auswertung mehr unterzogen, da sie lediglich die infolge der abweichenden Beschäftigung zusätzlich bzw. weniger anzusetzenden variablen Plankosten zum Inhalt haben. Dagegen lassen sich die Beschäftigungsabweichungen in der Standardkostenrechnung, die hier die infolge einer Überbeschäftigung zuviel bzw. infolge einer Unterbeschäftigung zuwenig auf die Kostenträger verrechneten fixen Plankosten umfassen, einer weiteren Auswertung unterziehen, indem man sie in **noch kleinere Teilabweichungen** aufspaltet. Zu diesem Zweck ist es erforderlich, neben den Plankosten der Istbeschäftigung auch die verrechneten Plankosten auf Basis der idealen Optimalbeschäftigung, der praktizierbaren Optimalbeschäftigung und der Normalbeschäftigung zu ermitteln[19]. Die ideale Optimalbeschäftigung wird für jede Kostenstelle isoliert ermittelt und läßt somit kapazitive Disharmonien unberücksichtigt; demgegenüber ist die praktizierbare Optimalbeschäftigung die Leistungsmenge, die infolge der Überdimensionierung und unzureichenden Abstimmung der Teilkapazitäten insgesamt nur realisiert werden kann. Die Differenz zwischen den verrechneten Plankosten auf Basis der idealen Optimalbeschäftigung und den verrechneten Plankosten auf Basis der praktizierbaren Optimalbeschäftigung zeigt dann den Einfluß der auf Disharmonie beruhenden Überkapazitäten einzelner Kostenstellen an. Die Spanne zwischen den verrechneten Plankosten auf Basis der prakti-

---

[19] Vgl. hierzu Kosiol, Erich: Die Plankostenrechnung als Mittel zur Messung der technischen Ergiebigkeit des Betriebsgeschehens (Standardkostenrechnung). In: Plankostenrechnung als Instrument moderner Unternehmungsführung. Hrsg. von Erich Kosiol, 3. Aufl., Berlin 1975, S. 15-48, hier S. 32.

zierbaren Optimalbeschäftigung und den verrechneten Plankosten auf Basis der Normalbeschäftigung weist auf die langfristige Kapazitätsplanung sowie die allgemeine Konjunkturlage und ihre Auswirkungen hin. Schließlich gibt die Differenz zwischen den verrechneten Plankosten auf Basis der Normalbeschäftigung und den Plankosten der Istbeschäftigung Hinweise auf die jeweilige Marktsituation und eventuelle kurzfristige Störungen im innerbetrieblichen Produktionsablauf.

5.3.4.3 Die Auswertung der Verbrauchsabweichungen bei den Einzelkosten

Die Verbrauchsabweichungen bilden das zentrale Ermittlungsziel jeder Plankostenrechnung. Aus diesem Grunde ist auch der Auswertung der Verbrauchsabweichungen besondere Sorgfalt zu widmen. Innerhalb der Einzelkostenabweichungen spielt die Auswertung der Fertigungsmaterialverbrauchsabweichungen eine hervorragende Rolle.

Die **Fertigungsmaterialverbrauchsabweichungen** werden regelmäßig getrennt nach Kostenträgern und nach Materialarten ermittelt. Ihre Höhe gibt nur dann Aufschluß über den erreichten Technizitätsgrad, wenn die Einflüsse aller übrigen Kostenbestimmungsfaktoren zuvor aus der Gesamtabweichung eliminiert worden sind. Insbesondere ist es notwendig, die Auswirkungen jeglicher Programm- und Verfahrensänderungen in Form gesonderter Kostenabweichungen zu erfassen. In der Praxis ist es allerdings nahezu ausgeschlossen, sämtliche Kostenbestimmungsfaktoren bei der Ermittlung der Plankosten der Istbeschäftigung zu berücksichtigen, so daß sich in der Verbrauchsabweichung die Einflüsse der Technizität mit denen der vernachlässigten Kostenbestimmungsfaktoren mischen und es zur Aufgabe der Kostenauswertung wird, diese Einflüsse nachträglich zu isolieren. *Kilger* zerlegt die gesamte Verbrauchsabweichung beim Fertigungsmaterial in die folgenden Teilabweichungen[20]:

a) **Auftragsbedingte Einzelmaterialverbrauchsabweichungen:**
   Hierbei handelt es sich um Abweichungen infolge außerplanmäßiger Produktgestaltung aufgrund nachträglich geäußerter Kundenwünsche oder nachträglich vorgenommener technischer Änderungen. Sie sind kostenträgerbezogen und vom Kostenstellenleiter nicht zu vertreten.

b) **Materialbedingte Einzelmaterialverbrauchsabweichungen:**
   Derartige Abweichungen treten auf, wenn die Maße oder Toleranzen oder die physikalischen oder chemischen Eigenschaften des Materials nicht mit den Planvorgaben übereinstimmen. Sie sind einkaufsbedingt und vom Leiter der Fertigungskostenstelle ebenfalls nicht zu vertreten.

c) **Mischungsbedingte Einzelmaterialverbrauchsabweichungen:**
   Schwankungen der Rohstoffpreise oder der Rohstoffqualitäten sowie fertigungstechnische Gründe können Substitutionsprozesse innerhalb des Materialeinsatzes hervorrufen, so daß sich die Mischungszusammensetzung gegenüber der Planung verändert. Diese Mischungsabweichungen sind meist dispositionsbestimmt und deshalb gleichfalls nicht den Kostenstellenleitern anzulasten.

---

[20] Kilger, Wolfgang, a.a.O., S. 248-250.

d) Einzelmaterialverbrauchsabweichungen infolge innerbetrieblicher Unwirtschaftlichkeiten:

Sie sind auf eine gegenüber der Planung abweichende Technizität zurückzuführen und von den Arbeitskräften in der betreffenden Fertigungskostenstelle beeinflußbar. Sie innerhalb der gesamten Fertigungsmaterialverbrauchsabweichung zu isolieren, ist das eigentliche Ziel der Kostenauswertung, das in der Praxis wegen des hiermit verbundenen hohen Arbeitsaufwandes nur unvollkommen erreicht werden kann.

Trotz der geschilderten Unzulänglichkeiten muß eine Isolierung der technizitätsbedingten Fertigungsmaterialverbrauchsabweichungen vorgenommen werden, da sie die Voraussetzung für die Einleitung weiterer Maßnahmen zur Steigerung der Wirtschaftlichkeit bildet. Als geringste Maßnahme genügt es mitunter, die verantwortlichen Arbeitnehmer über die eingetretenen Abweichungen lediglich zu informieren und ihnen die Ursachen zu erklären. In der Regel erweist es sich jedoch als wirkungsvoller, der Entstehung von Fertigungsmaterialverbrauchsüberschreitungen durch ein **Prämiensystem** entgegenzuwirken. Hierbei unterscheidet man die individuelle von der kollektiven Prämierung[21]. Die **individuelle Prämierung** ist zwar für den einzelnen Arbeitnehmer gerechter, erfordert aber eine Verteilung der Fertigungsmaterialverbrauchsabweichungen auf die Arbeitsplätze. Dieses Verfahren ist deshalb für die Praxis meist zu aufwendig. Bei der **kollektiven Prämierung** wird die Kostenersparnisprämie nur für die Kostenstelle insgesamt ermittelt und dann nach einem mehr oder weniger fragwürdigen Schlüssel (z.B. proportional zu den Arbeitslöhnen) auf die Arbeitnehmer dieser Kostenstelle verteilt.

Die gesamte **Kostenersparnisprämie** einer Kostenstelle läßt sich am einfachsten ermitteln, wenn man von der erzielten Fertigungsmaterialkosteneinsparung einen konstanten prozentualen Anteil (z.B. 50%) als Prämie festsetzt. Auch nichtlineare (degressive) Prämienberechnungen sind gelegentlich anzutreffen. Schließlich ist es ratsam, nur einen bestimmten Prozentsatz (z.B. 70%) der jeweiligen Prämienbeträge an die Arbeitnehmer sofort auszuzahlen, um die nicht ausgeschütteten Prämienbeträge später im Falle von Fertigungsmaterialkostenüberschreitungen mit Prämienabzügen aufrechnen zu können.

Für die Auswertung der **Fertigungslohnabweichungen** müssen getrennte Ausführungen zur Standard- und zur Budgetkostenrechnung gemacht werden.

In der **Standardkostenrechnung** werden regelmäßig optimale Arbeitszeiten geplant, die den höchsten Technizitätsgrad zum Ausdruck bringen und nicht mit den Akkordzeiten übereinstimmen, die den Arbeitnehmern als Norm vorgegeben werden. Da die Arbeitnehmer regelmäßig neben den Akkordzeiten bestimmte Zusatzlohnzeiten vergütet bekommen, setzen sich die Fertigungslohnabweichungen in der Standardkostenrechnung aus folgenden Teilabweichungen zusammen:

(1) aus der Differenz zwischen den optimalen Planarbeitszeiten und den Akkordvorgabezeiten und

(2) aus der Differenz zwischen den Akkordvorgabezeiten und den effektiv bezahlten Arbeitszeiten, die den bezahlten Zusatzlohnzeiten entspricht.

---

[21] Vgl. hierzu auch Kilger, Wolfgang, a.a.O., S. 183f.

Die Zahlung von Zusatzlöhnen wird stets dann erforderlich, wenn die Akkordvorgabezeiten nicht leistungsgerecht waren oder wenn die effektive Leistung eines einzelnen Arbeitnehmers eine bestimmte Grenze unterschritten hat. In Anlehnung an *Kilger* wollen wir folgende **Gruppen von Zusatzlöhnen** unterscheiden[22]:

a) auftragsbedingte Zusatzlöhne infolge von Abweichungen zwischen der geplanten und der effektiven Produktgestaltung;

b) materialbedingte Zusatzlöhne infolge außerplanmäßiger Materialabmessungen oder Materialeigenschaften;

c) kostenstellenbedingte Zusatzlöhne infolge von Verzögerungen des Arbeitsvollzugs, die die Arbeitnehmer nicht zu vertreten haben;

d) Zusatzlöhne infolge fehlerhafter Vorgabezeiten, insbesondere in der Einzel- und Kleinserienfertigung;

e) Zusatzlöhne infolge von Leistungsgarantien, wenn durch die Istleistung ein garantierter Mindestverdienst nicht erreicht wird.

Für die Höhe des Technizitätsgrades ist allerdings die volle Differenz zwischen den optimalen Planarbeitszeiten und den effektiv bezahlten Arbeitszeiten relevant. Bei der Auswertung ist dementsprechend allgemein zu untersuchen, ob die Vorgaben leistungsgerecht waren, d.h. es müssen nicht nur die Gründe für zu zahlende Zusatzlöhne analysiert werden, sondern es muß im Hinblick auf künftige Planungen auch geprüft werden, ob die vorgegebenen Akkordzeiten zu hoch und damit die Normen zu niedrig angesetzt worden waren.

In der **Budgetkostenrechnung** müssen die zu erwartenden Fertigungslöhne prognostiziert werden, d.h. in die Planung gehen neben den vorgegebenen Akkordzeiten auch die zu erwartenden Zusatzlohnzeiten ein. Im Falle von Kostenüberschreitungen erstreckt sich die Auswertung hier ebenfalls auf die Gründe, warum Zusatzlöhne in einem größeren Umfang als erwartet gezahlt worden sind.

5.3.4.4 Die Auswertung der Verbrauchsabweichungen bei den Gemeinkosten

In noch viel stärkerem Maße als bei den Einzelkosten ergeben sich bei den Gemeinkosten Schwierigkeiten für die Auswertung der Verbrauchsabweichungen, weil es hier noch seltener gelingt, die auf die Technizität zurückführbaren Einflüsse von den Auswirkungen eingetretener Programm- oder Verfahrensänderungen in den Verbrauchsabweichungen vollkommen zu isolieren. So können bei unverändertem Technizitätsgrad Verbrauchsabweichungen bei den Gemeinkosten auftreten, die beispielsweise auf folgende Ursachen zurückführbar sind[23]:

a) **Schwankungen in der Losgröße:**
Sie bewirken Veränderungen im Verhältnis zwischen Rüst- und Ausführungszeiten, so daß es nicht mehr möglich ist, mit Hilfe eines einzigen Beschäftigungsmaßstabes (hier Fertigungsstunden) die Plankosten der Istbeschäftigung exakt zu bestimmen. Treten diese Schwankungen häufiger auf, dann müssen in der betreffenden Kostenstelle die Beschäftigungsmaßstäbe „Rüststunden" und „Ausführungsstunden" nebeneinander verwendet werden.

---

[22] Kilger, Wolfgang, a.a.O., S. 284f.
[23] Vgl. hierzu auch Kilger, Wolfgang, a.a.O., S. 562-578.

b) **Veränderungen im Bedienungsverhältnis:**
Die Auswirkungen von Veränderungen im Bedienungsverhältnis (der Relation zwischen der Zahl der Arbeiter und der Anzahl der Maschinen) auf die Höhe der Plankosten lassen sich am besten durch die gleichzeitige Verwendung der Beschäftigungsmaßstäbe „Fertigungsstunden der Arbeiter" und „Maschinenstunden" berücksichtigen. Legt man nur einen Beschäftigungsmaßstab (Fertigungsstunden) zugrunde, dann führen Veränderungen im Bedienungsverhältnis selbst dann zu Verbrauchsabweichungen bei den Gemeinkosten, wenn der geplante Technizitätsgrad auch realiter erreicht worden ist.

c) **Schwankungen der Leistungsintensität:**
Im Normalfall sollen sich Schwankungen der Intensität voll auf die Verbrauchsabweichungen auswirken, da in aller Regel Beschäftigungsschwankungen zunächst eine zeitliche Anpassung bei unveränderter Intensität hervorrufen und intensitätsmäßige Anpassungen bei noch nicht ausgeschöpfter zeitlicher Anpassung stets einen Technizitätsverlust bedeuten. Lediglich in den relativ wenigen Fällen, in denen eine zeitliche Anpassung nicht möglich ist (z.B. bei Hochöfen oder in der Schwefelsäurefabrikation) und die Anpassung an veränderte Beschäftigungen stets über die Intensität erfolgen muß, ist die Verbrauchsabweichung um diese Kosteneinflüsse zu bereinigen. Ähnliches gilt auch für Situationen der Überbeschäftigung, in denen regelmäßig einige Kostenarten progressiv zu steigen beginnen. Auch hier ist es im Bereich der intensitätsmäßigen Anpassung zwar grundsätzlich notwendig, nichtlineare Kostenfunktionen der Planung zugrunde zu legen, doch geht man in der Praxis auch in diesen Fällen häufig von linearen Abhängigkeiten aus und versucht erst im Zuge der Kostenauswertung, die Einflüsse der intensitätsmäßigen Anpassungsprozesse aus der Verbrauchsabweichung zu eliminieren.

5.4 Testfragen und Übungsaufgaben

94. Innerhalb einer Kostenstelle wurden für einen bestimmten Monat 1 600 Maschinenstunden geplant, effektiv aber nur 1 200 Stunden geleistet. Die Plankosten waren mit 500 000 DM angesetzt worden bei einem Fixkostenanteil von 100 000 DM. Tatsächlich sind in dem betreffenden Monat (preisbereinigte) Kosten in Höhe von 410 000 DM angefallen.

    a) Erläutern Sie verbal sowie anhand der gegebenen Zahlen die Unterschiede zwischen
       (1) einer starren Plankostenrechnung,
       (2) einer auf Vollkosten basierenden flexiblen Plankostenrechnung und
       (3) einer Grenzplankostenrechnung!
    b) Wie hoch ist der Variator für diese Gemeinkosten
       (1) auf der Basis von 1 600 Maschinenstunden?
       (2) auf der Basis von 1 200 Maschinenstunden?

95. Beschreiben Sie die Technik der Kostenplanung
    a) für den Fertigungsmaterialverbrauch und
    b) für eine Gemeinkostenart

unter besonderer Berücksichtigung der Unterschiede zwischen einer Standard- und einer Budgetkostenrechnung!

96. Erläutern Sie die Unterschiede

   a) zwischen homogener und heterogener Kostenverursachung!
   b) zwischen statistischer und analytischer Gemeinkostenplanung!
   c) zwischen einstufiger und mehrstufiger Gemeinkostenplanung!

97. In einer Fertigungskostenstelle wird die Beschäftigung für den Monat September mit 500 t Durchsatz geplant. Die entsprechenden Plangemeinkosten sollen auf statistischem Wege aus den Istgemeinkosten der Monate April bis Juli, die in der folgenden Tabelle ausgewiesen sind, abgeleitet werden.

Monat	Beschäftigung	Istgemeinkosten
April	800 t	67 600 DM
Mai	900 t	74 500 DM
Juni	400 t	47 000 DM
Juli	600 t	59 600 DM

Ermitteln Sie die Plangemeinkosten für September

   a) mit Hilfe der Zweipunktmethode unter Zugrundelegung des niedrigsten und des höchsten Beschäftigungsgrades!

   b) durch Trendberechnung ersten Grades nach der Methode der kleinsten Quadrate!

98. In der Fertigungskostenstelle Bohrerei war für den Monat Februar eine Beschäftigung von 6 000 Maschinenstunden geplant worden. Effektiv wurden im Februar jedoch nur 5 000 Maschinenstunden geleistet.

Der Verbrauch an Bohröl war mit 0,8 Litern pro Maschinenstunde geplant worden, effektiv verbraucht wurden jedoch 0,9 Liter/Std. Der Verbrauch verhält sich voll proportional zur Maschinenlaufzeit.

Der Planpreis für Bohröl war auf 2,50 DM/Liter festgesetzt worden, tatsächlich gezahlt wurden aber nur 2,40 DM/Liter.

   a) Errechnen Sie anhand dieser Angaben
     (1) die Plankosten!
     (2) die Istkosten!
     (3) die Gesamtabweichung!

   b) Ermitteln Sie durch alternative Abweichungsanalyse
     (1) die Preisabweichung!
     (2) die Verbrauchsabweichung!
     (3) die Beschäftigungsabweichung!

   c) Erläutern Sie die Zusammensetzung der Differenz zwischen der Gesamtabweichung und der Summe der Teilabweichungen!

   d) Ermitteln Sie durch kumulative Abweichungsanalyse
     (1) die Preisabweichung!
     (2) die Verbrauchsabweichung!
     (3) die Beschäftigungsabweichung!

   e) Welche Höhe hat die Beschäftigungsabweichung in der Standardkostenrechnung?

99. Die Gemeinkosten einer Kostenstelle wurden für den Monat August wie folgt geplant:

Kostenart	Variator	Plankosten
Hilfslöhne	7	150 000 DM
Gehälter	0	60 000 DM
Schmierstoffe	9	10 000 DM
Energien	10	30 000 DM
Sonstige Kosten	4	50 000 DM

Der Planung lag eine Beschäftigung von 10 000 Fertigungsstunden zugrunde, effektiv wurden im August jedoch 12 000 Fertigungsstunden geleistet.

a) Wie hoch sind die Plankosten der Istbeschäftigung?
b) Wie groß ist die Beschäftigungsabweichung
   (1) nach der Methode der Standardkostenrechnung?
   (2) nach der Methode der Budgetkostenrechnung?
c) Welche inhaltliche Aussage liefert die Beschäftigungsabweichung
   (1) innerhalb einer Standardkostenrechnung?
   (2) innerhalb einer Budgetkostenrechnung?

100. Für die Stromkosten in der Kostenstelle Bohrerei wurden die folgenden Plan- und Istzahlen für den Monat September ermittelt:

	geplant	realisiert
Beschäftigung	20 000 Std.	16 000 Std.
Verbrauchsmenge	100 000 kWh	85 000 kWh
Preis	0,22 DM/kWh	0,24 DM/kWh
Variator	9 (für 20 000 Std.)	

a) Ermitteln Sie aus diesen Angaben
   (1) die Plankosten der Planbeschäftigung!
   (2) die Istkosten zu Istpreisen!
   (3) die Istkosten zu Planpreisen!
   (4) die Plankosten der Istbeschäftigung (Sollkosten)!
   (5) die auf die Kostenträger verrechneten Plankosten!
b) Ermitteln Sie nach der Methode der Budgetkostenrechnung
   (1) die Gesamtabweichung!
   (2) die Preisabweichung!
   (3) die Beschäftigungsabweichung!
   (4) die Verbrauchsabweichung!
c) Wie hoch wären in einer Standardkostenrechnung
   (1) die Gesamtabweichung?
   (2) die Preisabweichung?
   (3) die Beschäftigungsabweichung?
   (4) die Verbrauchsabweichung?
d) Wie hoch wäre der Variator der Stromkosten, wenn er anstelle von 20 000 Stunden auf eine Beschäftigung von 16 000 Stunden bezogen würde?

Literaturverzeichnis

Wegen der Fülle der zur Kosten- und Leistungsrechnung erschienenen Literatur ist das nachstehende Verzeichnis auf die wichtigsten Monographien, die gegenwärtig im Buchhandel erhältlich sind, beschränkt.

Adam, Dietrich:
Entscheidungsorientierte Kostenbewertung. Wiesbaden 1970.

Ahlert, Dieter, und Klaus-Peter Franz:
Industrielle Kostenrechnung. 4. Aufl., Düsseldorf 1988.

Bussmann, Karl Ferdinand:
Industrielles Rechnungswesen. 2. Aufl., Stuttgart 1979.

Chmielewicz, Klaus (Hrsg.):
Entwicklungslinien der Kosten- und Erlösrechnung. Stuttgart 1983.

Däumler, Klaus-Dieter, und Jürgen Grabe:
Kostenrechnung.
Band 1: Grundlagen. 3. Aufl., Herne / Berlin 1988.
Band 2: Deckungsbeitragsrechnung. 2. Aufl., Herne / Berlin 1985.
Band 3: Plankostenrechnung. 3. Aufl., Herne / Berlin 1988.

Ebert, Günter:
Kosten- und Leistungsrechnung. 4. Aufl., Wiesbaden 1987.

Freidank, Carl-Christian:
Kostenrechnung. 2. Aufl., München / Wien 1988.

Fuchs, Erich, und Reinold von Neumann-Cosel:
Kostenrechnung. Grundlegende Einführung in programmierter Form. 5. Aufl., München 1986.

Götzinger, Manfred K., und Horst Michael:
Kosten- und Leistungsrechnung. Eine Einführung. 3. Aufl., Heidelberg 1985.

Haberstock, Lothar:
Grundzüge der Kosten- und Erfolgsrechnung. 4. Aufl., München 1988.

Haberstock, Lothar:
Kostenrechnung.
Band 1: Einführung. 8. Aufl., Wiesbaden 1987.
Band 2: (Grenz-) Plankostenrechnung. 6. Aufl., Wiesbaden 1984.

Heinen, Edmund:
Betriebswirtschaftliche Kostenlehre. Kostentheorie und Kostenentscheidungen. 6. Aufl., Wiesbaden 1983.

Huch, Burkhard:
Einführung in die Kostenrechnung. 7. Aufl., Würzburg 1984.

Hummel, Siegfried, und Wolfgang Männel:
Kostenrechnung.
Band 1: Grundlagen, Aufbau und Anwendung. 4. Aufl., Wiesbaden 1986.
Band 2: Moderne Verfahren und Systeme. 3. Aufl., Wiesbaden 1983.

Jost, Helmuth:
Kosten- und Leistungsrechnung. 5. Aufl., Wiesbaden 1988.

Kalveram, Wilhelm:
Industrielles Rechnungswesen. 6. Aufl., Wiesbaden 1970.

Kilger, Wolfgang:
Einführung in die Kostenrechnung. 3. Aufl., Wiesbaden 1987.

Kilger, Wolfgang:
Flexible Plankostenrechnung und Deckungsbeitragsrechnung. 9. Aufl., Wiesbaden 1988.

Kloock, Josef, Günter Sieben und Thomas Schildbach:
Kosten- und Leistungsrechnung. 4. Aufl., Düsseldorf 1987.

Klümper, Peter:
Grundlagen der Kostenrechnung. 2. Aufl., Herne / Berlin 1984.

Kosiol, Erich:
Kostenrechnung und Kalkulation. 2. Aufl., Berlin – New York 1972.

Kosiol, Erich:
Kosten- und Leistungsrechnung. Berlin – New York 1979.

Kosiol, Erich:
Kostenrechnung der Unternehmung. 2. Aufl., Wiesbaden 1979.

Kosiol, Erich (Hrsg.):
Plankostenrechnung als Instrument moderner Unternehmungsführung. 3. Aufl., Berlin 1975.

Kosiol, Erich, Klaus Chmielewicz und *Marcell Schweitzer (Hrsg.):*
Handwörterbuch des Rechnungswesens. 2. Aufl., Stuttgart 1981.

Männel, Wolfgang:
Erlösrechnung. Stuttgart 1985.

Mellerowicz, Konrad:
Kosten und Kostenrechnung.
Band 1: Theorie der Kosten. 5. Aufl., Berlin – New York 1973.
Band 2/1: Allgemeine Fragen der Kostenrechnung und Betriebsabrechnung. 5. Aufl., Berlin – New York 1974.
Band 2/2: Kalkulation und Auswertung der Kostenrechnung und Betriebsabrechnung. 5. Aufl., Berlin – New York 1980.

Mellerowicz, Konrad:
Neuzeitliche Kalkulationsverfahren. 6. Aufl., Freiburg i.Br. 1977.

Michel, Rudolf, und Hans-Dieter Torspecken:
Kostenrechnung.
Band 1: Grundlagen der Kostenrechnung. 2. Aufl., München 1985.
Band 2: Neuere Formen der Kostenrechnung. 2. Aufl., München 1986.

Moews, Dieter:
Zur Aussagefähigkeit neuerer Kostenrechnungsverfahren. Berlin 1969.

Moews, Dieter:
Die Betriebsbuchhaltung im Industrie-Kontenrahmen (IKR). Berlin 1973.

Olfert, Klaus:
Kostenrechnung. 7. Aufl., Ludwigshafen 1987.

Riebel, Paul:
Einzelkosten- und Deckungsbeitragsrechnung. Grundfragen einer markt- und entschei-
dungsorientierten Unternehmensrechnung. 5. Aufl., Wiesbaden 1985.

Scherrer, Gerhard:
Kostenrechnung. Grundwissen der Ökonomik. Stuttgart 1983.

Schönfeld, Hanns Martin:
Kostenrechnung. 3 Bände. 7. Aufl., Stuttgart 1979.

Schwarz, Horst:
Kostenrechnung als Instrument der Unternehmungsführung. 3. Aufl., Herne – Berlin
1986.

Schweitzer, Marcell:
Break-Even-Analyse. Stuttgart 1985.

Schweitzer, Marcell und Hans-Ulrich Küpper:
Systeme der Kostenrechnung. 4. Aufl., Landsberg a.L. 1986.

Serfling, Klaus:
Fälle und Lösungen zur Kostenrechnung. 3. Aufl., Herne – Berlin 1985.

Vormbaum, Herbert:
Kalkulationsarten und Kalkulationsverfahren. Kalkulationslehre. 4. Aufl., Stuttgart
1977.

Weber, Helmut Kurt:
Betriebswirtschaftliches Rechnungswesen.
Band 2: Kosten- und Leistungsrechnung. 3. Aufl., München 1989.

Wilkens, Klaus:
Kosten- und Leistungsrechnung. 6. Aufl., München – Wien 1987.

Wolfstetter, Günter:
Moderne Verfahren der Kostenrechnung. 2. Aufl., Herne / Berlin 1984.

Zimmermann, Gebhard:
Grundzüge der Kostenrechnung. 3. Aufl., Stuttgart 1985.

Namens- und Sachverzeichnis

Wirtschaftslexika von Rang!

Kyrer
Wirtschafts- und EDV-Lexikon

Von Dr. Alfred Kyrer, o. Professor für Wirtschaftswissenschaften.
ISBN 3-486-29911-5
Kompakt, kurz, präzise: In etwa 4000 Stichwörtern wird das Wissen aus Wirtschaftspraxis und -theorie unter Einschluß der EDV für jeden verständlich dargestellt.

Heinrich / Roithmayr
Wirtschaftsinformatik-Lexikon

Von Dr. L. J. Heinrich, o. Professor und Leiter des Instituts f. Wirtschaftsinformatik, und Dr. Friedrich Roithmayr, Betriebsleiter des Rechenzentrums der Universität Linz.
ISBN 3-486-20045-3

Das Lexikon erschließt die gesamte Wirtschaftsinformatik in einzelnen lexikalischen Begriffen. Dabei ist es anwendungsbezogen, ohne Details der Hardware: Zum „Führerscheinerwerb" in anwendungsorientierter Informatik in Wirtschaft und Betrieb geeignet, ohne „Meisterbriefvoraussetzung" für das elektronische Innenleben von Rechenanlagen.

Woll
Wirtschaftslexikon

Herausgegeben von Dr. Artur Woll, o. Professor der Wirtschaftswissenschaften unter Mitarbeit von Dr. Gerald Vogl, sowie von Diplom-Volksw. Martin M. Weigert, und von über einhundert z. Tl. international führenden Fachvertretern.
ISBN 3-486-29691-4
Der Name „Woll" sagt bereits alles über dieses Lexikon!